CHRONOLOGIE DE LA VIE D'ANTOINE GALLAND ET DE SA TRADUCTION DES *MILLE ET UNE NUITS*

1646 : Naissance d'Antoine Galland dans une famille très modeste, à Rollot près de Montdidier en Picardie.

1661 : Après ses premières études au Collège de Noyon, Galland s'inscrit à Paris au Collège du Plessis; il y acquiert une forte culture classique et quelques notions d'arabe au Collège Royal, au cours de l'orientaliste Vattier. Il avait alors, nous dit son Journal, « plus de goût pour la philosophie de M. Gassendi que pour celle de M. Descartes ». Le futur traducteur des *Mille et Une Nuits* se méfie dès son adolescence du rationalisme.

1670 : Il devient secrétaire du marquis de Nointel, ambassadeur de Louis XIV, et l'accompagne à Constantinople. Là, il se perfectionne en turc et en arabe, s'initie au persan, rencontre le voyageur Chardin, qu'il songe à suivre en Perse. Son Journal donne une évocation très vivante et colorée de l'existence à l'Ambassade.

1673 : Il accompagne Nointel dans une longue mission à travers les îles grecques, la Syrie, la Palestine et la Grèce.

1675 : Galland rentre en France.

1677 : Il repart pour Smyrne, en mission de courte durée, afin de rechercher des médailles et autres curiosités pour le Cabinet du Roi.

1679 : Il fait un long séjour en Orient pour le compte de la Compagnie des Indes Orientales, puis de Colbert.

1688 : Rentré définitivement en France, Galland est employé par Thévenot à la Bibliothèque du Roi et multiplie les travaux d'érudition.

1697 : Galland publie la *Bibliothèque Orientale* de son maître d'Herbelot, grand dictionnaire encyclopédique concernant l'histoire, la géographie, la littérature, la religion des peuples orientaux, source où puiseront les philosophes, les conteurs et les poètes, depuis Voltaire jusqu'à Gœthe, Byron et Nerval.

1704 : Chez la veuve de Claude Barbin, paraît le premier volume des *Mille et Une Nuits*, contes arabes traduits en français par M. Galland.

1704-1706 : Publication des tomes II à VII des *Mille et Une Nuits*.

1709 (25 mars) : Galland rencontre chez le voyageur Paul Lucas, un chrétien d'Alep, Hanna, qui lui apporte de nouveaux contes (notamment l'*Histoire d'Aladin, ou la Lampe merveilleuse*).

7 juin : Galland est nommé lecteur du Roi pour les langues orientales et professeur d'arabe au Collège Royal. Il publie le tome VIII des *Mille et Une Nuits*, où, à son vif mécontentement, l'éditeur insère, à côté des siens, des contes traduits par Pétis de La Croix pour les *Mille et Un Jours*.

1710 : Il traduit le Coran.

1710-1711 (10 janvier) : Galland termine la traduction du tome X et, entre le 26 août et le 2 novembre, établit l'essentiel du tome XI.

1712 : Publication des tomes IX et X des *Mille et Une Nuits*.

1715 (17 février) : Mort d'Antoine Galland.

1717 : Publication des tomes XI et XII des *Mille et Une Nuits*, achevés depuis le 8 juin 1713.

LES MILLE ET UNE NUITS

I

LES MILLE
ET UNE NUITS

Contes arabes

I

Traduction d'Antoine Galland

Introduction
par
Jean Gaulmier

GF-Flammarion

© 1965, GARNIER-FLAMMARION, Paris.

ISBN 2-080-70066-9

INTRODUCTION

Le texte des Mille et Une Nuits.

Le texte arabe des *Mille et Une Nuits* n'a été imprimé que tardivement, en 1814 à Calcutta, puis en 1835 à Boulaq sur les presses nouvellement installées par Mohammed Aly. Galland a établi sa traduction d'après un manuscrit en trois volumes (B. N. fonds arabe 3609, 3610, 3611) qu'il avait fait venir d'Alep, qui date du XIV⁰ siècle et qui est l'un des meilleurs parmi les nombreux manuscrits que l'on connaît du recueil des contes arabes.

L'origine de ces contes, fort ancienne, soulève des problèmes qui sont loin encore d'être résolus de façon certaine. Si l'on en croit la tradition arabe, la source en serait persane. Ainsi le *Fihrist* ou catalogue littéraire de Mohammed an-Nadim (987) écrit que « les premiers qui composèrent des contes furent les Persans... Ce genre se répand et atteint une grande vogue sous les rois Sassanides. Les Arabes transposent cette littérature dans leur langue, leurs écrivains les plus purs et les plus éloquents la polissent et lui donnent un tour élégant, ils composent même dans ce genre. Le premier livre composé de cette sorte fut le *Hezar Efsane*, c'est-à-dire *Mille Contes*. » Maçoudi, dans ses *Prairies d'or* (995), confirme l'origine iranienne des *Mille et Une Nuits*. Elle est d'ailleurs attestée par les noms des personnages, Scheherazade, Schahriar, Dinarzade, lesquels apparaissent dans le Prologue et dans l'intrigue qui relie les contes entre eux. Silvestre de Sacy, qui fut le premier arabisant à étudier sérieusement la question (*Journal des Savants*, 1817), incline à réduire cette influence persane, en notant fort justement que « ces contes respirent par dessus tout le mahométisme et les mœurs des Arabes sous les Califes Abassides ». Enfin d'autres orientalistes, après Schlegel (*Lettre à M. de Sacy,*

20 janvier 1833), ont montré que les thèmes du Prologue et le système qui consiste à emboîter les contes les uns dans les autres dénoncent une influence de l'Inde.

Aussi bien, une analyse attentive permet-elle de distinguer dans ce recueil composite plusieurs éléments d'origine diverse. La base de tous les manuscrits que l'on possède des *Mille et Une Nuits* est évidemment indo-persane, comme les contes où se produisent des métamorphoses — tels que *Le Marchand et le Génie* —, où paraissent des fées et des génies qu'ignore la mythologie arabe. Sont venues s'y ajouter des histoires arabes constituant un « cycle de Bagdad » : ce sont celles où interviennent Haroun-al-Raschid et son vizir, et qui soulignent l'importance commerciale de Bassorah. Les *Voyages de Sindbad* en fournissent un bon exemple : ils contiennent un ensemble de renseignements glanés sur les quais de Bassorah, où arrivaient des navires en provenance des Indes, des îles de la Sonde et de Chine. Enfin, une troisième catégorie groupe des récits égyptiens, tels que l'*Histoire de Noureddin Ali ;* la scène est d'ordinaire placée au Caire, les traits réalistes et satiriques y dominent sur le fantastique et le merveilleux s'y produit au moyen de talismans.

Enfin, à côté des contes proprement dits, le recueil comprend un certain nombre d'anecdotes plus ou moins historiques qui se rapportent à des personnages illustres, tels que le vizir Giafar ou le poète Abou-Nouas.

Quelle que soit leur origine lointaine, les *Mille et Une Nuits* portent la marque profonde de la civilisation musulmane au Moyen Age. Les contes sont narrés dans une prose qui se rapproche de l'arabe populaire plutôt que de la langue classique. Les variantes que présentent les nombreux manuscrits connus, notamment dans la suite des histoires et dans leur distribution en « nuits » (le terme de *Mille et Une* ne doit pas être pris au pied de la lettre : originairement il signifie seulement *un grand nombre;* les divers rédacteurs puis traducteurs ont cherché plus ou moins artificiellement à obtenir un découpage des histoires en mille et un fragments, procédé auquel Galland a renoncé fort sagement, comme l'indique sa note à la fin de la LXVIIIe Nuit), prouvent que ces manuscrits devaient être des aide-mémoire pour conteurs publics utilisant un folklore largement répandu : ce folklore demeure fluide jusqu'au moment où l'un de ces professionnels, semblable à ceux dont parle Gérard de Nerval dans *les Nuits du Ramazan,* les fixe pour les introduire dans son répertoire. Il est évident en tout cas que les *Mille et Une Nuits* ne sont pas l'œuvre d'un seul écrivain.

Sous la forme qu'en présentent la plupart des manuscrits, les *Mille et Une Nuits* semblent remonter au XIIᵉ siècle, sans qu'on puisse préciser davantage. Si l'on cherche à dater la rédaction du recueil par les allusions historiques qu'il contient, on note en effet que le dernier nom de souverain arabe qui y soit cité est celui de Hakim bi-Amr'Illah (985-1021).

La traduction de Galland.

Antoine Galland commença par traduire les *Voyages de Sindbad,* sur un manuscrit qui ne contenait que ces contes (B. N. de Paris, fonds arabe 3645). Il ignorait alors que ceux-ci appartenaient à un ensemble plus vaste, dont il n'apprit l'existence, semble-t-il, qu'après 1675. Son Journal et sa correspondance attestent la probité scientifique qu'il a apportée à son travail : on le voit à plusieurs reprises en quête, auprès de négociants français au Levant et d'amis orientaux, de manuscrits qui lui permettraient de compléter ou de préciser ses connaissances. L'ouvrage de Galland a été composé en deux étapes. La première, jusqu'en 1709, où il utilise le manuscrit 3609-3611 : sa version comprend huit volumes, dont les contes se retrouvent dans le texte imprimé plus tard à Calcutta et à Boulaq. La seconde, de 1709 à 1713, où il reçoit, par écrit ou oralement, des récits du moine alépin Hanna : certains de ces contes, parmi les meilleurs, ne figurent pas dans les éditions arabes. Il s'agit donc, on le voit, d'un travail très original plutôt que d'une traduction au sens étroit du terme.

Sa traduction obtint un succès immédiat. Des lecteurs enthousiastes le priaient de leur communiquer la suite avant la publication. C'est ainsi qu'il note dans son Journal (12 décembre 1709) que l'abbé Bignon, membre de l'Académie des Inscriptions, a dévoré la copie du tome IX en préparation « dans son carrosse, avec une bougie, en revenant de Versailles ». Son ouvrage fut bientôt retraduit dans les principales langues européennes : en anglais (1712 puis 1713-1715), en allemand (1712), en italien (1722), en néerlandais (1732), en russe (1763). Des ouvrages analogues soit par leur titre, soit par leur contenu, se multiplièrent. De 1710 à 1712, Pétis de La

Croix, collègue et ami de Galland, donna sa traduction des *Mille et un Jours;* puis vinrent les *Aventures d'Ab-dalla, fils d'Hanif* (1712-1714), du savant orientaliste Bignon, les *Mille et un Quarts d'heure, contes tartares* (1712), et les *Sultanes de Guzarate, contes mongols* (1732), de Gueullette. Toute une littérature de contes persans, tartares, indiens, circule après Galland à travers le XVIIIe siècle, inspire, à côté de médiocres auteurs, un Voltaire et un Diderot, aboutit en 1785 à la jolie collection du *Cabinet des Fées*, aux contes orientaux de Cazotte et au bizarre Vathek de Beckford.

Un succès aussi triomphal s'explique d'abord parce que les *Mille et Une Nuits* se présentaient au moment opportun. A la fin du XVIIe siècle, on est surpris de constater la vogue extraordinaire des contes de fées : les années 1697-1700 sont marquées par les fictions de Perrault, de Mme d'Aulnoy, de Mme de Murat. Mode étrange, qui exprime une sensibilité nouvelle, le besoin d'une fantaisie « moderne » opposée aux vieilleries classiques, un obscur désir de revanche poétique en face d'un monde quelque peu desséché par les abus du rationalisme. D'autre part, une série d'ouvrages traitant de l'affrontement romanesque entre les Arabes d'Andalousie et les chrétiens espagnols avaient ouvert la curiosité du public sur les « histoires mauresques ». L'*Almahide* (1660-1663) de Mlle de Scudéry, la *Zayde* de Mme de La Fayette, les *Galanteries grenadines* de Mme de Ville-dieu avaient accoutumé les lecteurs français à voir dans la civilisation musulmane « du sang, de la volupté et de la mort », comme le dira, lointain successeur de Galland, le Barrès des séjours tolédans et du *Jardin sur l'Oronte*, ultime manifestation de ce genre de littérature.

Les *Mille et Une Nuits* arrivaient à point pour offrir aux lecteurs une documentation nouvelle sur les mystères du monde arabe. « Il semblait, il n'y a pas longtemps, écrit en 1708 de Lamarre dans son *Histoire des deux conquêtes de l'Espagne par les Maures*, que l'histoire ne fût faite que pour les Grecs et les Romains. Mais enfin, la science des langues orientales et les voyages qui ont été faits de nos jours ont appris qu'il y a de la valeur et de la politesse partout. »

La conjoncture était donc favorable et Galland sut la saisir. Mais son ouvrage méritait pleinement le succès qui l'accueillit. Excellent écrivain, comme le prouve son Journal, où abondent les scènes rendues avec pittoresque

et, dans les dernières années surtout, les observations
narquoises ou mélancoliques, sa version porte la marque
d'un génie très original. Le plus récent interprète des
Mille et Une Nuits, le Dr. Mardrus, dont la traduction
(1899-1906), dédiée à la mémoire de Stéphane Mallarmé,
se prétend littérale, reproche à Galland d'avoir privé le
texte de toutes les audaces savoureuses, d'en avoir élagué
maints détails et notamment les citations poétiques qu'il
contient, d'avoir fait parler aux sultans la langue de
Versailles, bref d'avoir donné « une adaptation surannée ».
Critique parfaitement injuste. Si Galland a omis de traduire certains contes, c'est d'abord parce qu'il travaillait
sur des manuscrits imparfaits, parfois difficiles à lire
(Mardrus, lui, dispose du texte imprimé au Caire) ; c'est
aussi parce qu'il jugeait, non sans raison, que certaines
histoires, trop semblables à d'autres qui les précèdent,
formaient longueur. Il choisit donc, dans la masse des
contes que lui apporte son informateur alépin, ceux qui
lui paraissent les meilleurs : « Libre de mon travail de
la version de l'Alcoran, note-t-il par exemple dans son
Journal (24 août 1711), je parcourus une partie des
contes arabes que le Maronite Hanna m'avait racontés
pour voir auxquels je m'arrêterais pour en faire le volume XI des *Mille et Une Nuits*. » S'il supprime les citations poétiques, c'est qu'il les tient pour des ornements
inutiles, et peut-être aussi que, plus savant en turc qu'en
arabe, il comprend mal des vers pleins d'une obscure
préciosité. Artiste classique, épris de concentration, il lui
suffit de dire — et n'est-ce pas plus suggestif ? —
« une dame assez bien faite » *(Histoire du vizir puni)*,
sans insister sur les avantages de la personne que détaille
longuement le texte arabe. Dans l'*Histoire de trois
calenders*, il se borne à écrire : « Elle choisit de plusieurs
sortes de pommes », alors que l'original énumère de
façon fastidieuse les achats de la dame au marché. Il
n'hésite pas à résumer ce qui lui paraît digression, note
par exemple dans l'*Histoire de Noureddin Ali* : « La cent
unième et la cent deuxième Nuit sont employées dans
l'original à la description de sept robes et de sept parures
différentes, dont la fille du vizir Shemseddin Mohammed
changea au son des instruments. Comme cette description
ne m'a point paru agréable, et que d'ailleurs elle est
accompagnée de vers qui ont, à la vérité, leur beauté
en arabe, mais que les Français ne pourraient goûter,
je n'ai pas jugé à propos de traduire ces deux Nuits. »

Galland a fort justement senti que le conte arabe relève de la littérature orale, est destiné à un public simple, avide comme les enfants d'infinis détails concrets; il écrit, lui, pour être lu, non pour être écouté, et son goût très sûr l'incite à abréger. Il n'oublie pas au surplus qu'en Orient, l'auditoire des conteurs populaires dans les cafés, exclusivement masculin, s'amusait de hardiesses allant parfois jusqu'à la franche obscénité : comment n'en expurgerait-il pas sa traduction, lui qui recherche les suffrages féminins, qui note, entre autres remarques analogues, dans son Journal :

2 février 1709 : « Je prêtai mon IXe volume des Mille et Une Nuits à Mlle de Versamont afin qu'elle en fît la lecture avec Mme la duchesse de Brissac... »

31 décembre 1709 : « Je présentai à Mme la marquise d'O deux exemplaires du VIIIe tome des Mille et Une Nuits, reliés en maroquin rouge, l'un pour elle, et l'autre pour Mme la duchesse de Bourgogne. »

D'ailleurs, secrétaire du marquis de Nointel, il a connu jadis le faste de l'ambassade de France et de la Cour ottomane, il en a rapporté le souvenir d'une civilisation brillante et cérémonieuse, et il se trouve ainsi que l'élégance de ses peintures répond exactement au goût des grandes dames auxquelles il destine son ouvrage. Loin d'être d'une banalité timide, la traduction de Galland, simple et suggestive dans sa forme toute classique, présente le maximum de couleur et de hardiesse qui pouvait plaire à son public.

En ce début du XVIIIe siècle où la littérature s'éloigne de l'héroïque, cherche des sujets capables de piquer la curiosité ou de susciter l'émotion, recourt à toutes les ressources du romanesque, incognitos, reconnaissances, situations imprévues, les *Mille et Une Nuits* donnent un modèle impossible à dépasser de rebondissements inattendus et dépourvus de toute logique. La magie, les métamorphoses bouleversent l'ordre naturel des événements. Perrault lui-même accordait encore quelques concessions de forme au raisonnable : dans *Cendrillon*, la citrouille se transforme en carrosse, mais la citrouille était dorée comme le carrosse, les rats en cochers, mais les premiers ressemblaient aux seconds par leurs moustaches, tandis que le merveilleux des contes arabes relève d'une totale fantasmagorie — très exactement *absurde*. Les aventures qui surviennent aux héros suggèrent l'action de la Fatalité que suffisent à mettre en marche des incidents en apparence dérisoires : le pêcheur trouve dans ses filets un vase, Hindbad rencontre Sindbad, le portefaix est hélé par une des « trois dames de Bagdad », et cela suffit à transformer leur vie. Les philosophes du XVIIIe siècle retiendront la leçon de ce Destin ironique, sur lequel la volonté de l'individu est sans prise. Nous voilà loin de l'homme cartésien, libre et responsable de lui-même! Les *Mille et Une Nuits* dénoncent l'absurdité de l'univers, telle que la souligneront bientôt *Zadig* et *Candide* : « Grand Dieu! soupire Bedreddin Hassan, dans l'*Histoire de Noureddin Ali*, c'est donc pour n'avoir pas mis de poivre dans une tarte à la crème qu'on veut me faire souffrir une mort aussi cruelle qu'ignominieuse. » Comment croire à une Providence organisatrice des choses dans ce monde soumis à l'arbitraire du hasard ? Ainsi la fantaisie légère des contes arabes prélude-t-elle à la mise en question de la métaphysique traditionnelle, leçon que n'oublieront ni Montesquieu, ni Voltaire, ni Diderot.

À côté de cette fantasmagorie de l'absurde, les *Mille et Une Nuits*, par un contraste curieux, surtout dans les récits du cycle égyptien, donnent une évocation réaliste du petit peuple en Orient : le pauvre pêcheur au bord du fleuve, le portefaix et son panier dans le souk, le commerçant avisé, toute une humanité simple, sobre, hospitalière, sensible, s'anime sous la plume de Galland. Sur la rue dans les grandes villes arabes, sur les mœurs des marchands, sur la vie sociale, sur la religion musulmane, ces contes apportent une documentation d'une richesse et d'une précision incomparables. Grâce au choix habile de Galland qui ne s'égare pas au milieu des détails, les choses vues apparaissent dans tout leur relief et les personnages dans leur singularité typique. De plus, Galland a soin d'ajouter çà et là de brèves notes explicatives sur les coutumes locales, la géographie, les institutions de l'Islam. Ancien collaborateur de la monumentale *Bibliothèque Orientale* de B. d'Herbelot, il est parfaitement conscient de la valeur documentaire des contes arabes, et veut instruire son public en même temps que l'amuser. C'est à bon droit que Gobineau, après l'expérience d'un long séjour en Orient, pourra écrire dans *Trois Ans en Asie* : « À chaque pas qu'on fait en Asie, on comprend mieux que le livre le plus vrai, le plus exact, le plus complet sur cette partie du monde, est les *Mille et Une Nuits*. »

Ainsi les *Mille et Une Nuits*, et c'est une des causes de

leur premier succès, répondent à un besoin de poésie
que les versificateurs de l'époque ne pouvaient satisfaire.
Galland ouvre à ses contemporains les portes de l'insolite
et du mystère. Sa Scheherazade inaugure admirablement
en 1704 le siècle le plus féminin de l'histoire de France :
le Prologue nous montre combien, par sa finesse intuitive,
son intelligence, sa confiance en ses charmes, Scheherazade est supérieure à Schahriar, et la plupart des contes
insistent sur la puissance, la hardiesse, voire le cynisme
des femmes. Avec l'œuvre de Galland, c'est une nouvelle
conception de l'amour qui se révèle et s'impose. Révolu-
tion dans la vie sentimentale. Chez Corneille par exemple,
ou chez Descartes, l'amour était une vertu, une raison
d'agir que le héros puisait dans la connaissance raisonnée
du bien et du mal ; chez Racine, il était une faiblesse.
Dans les *Mille et Une Nuits*, l'amour est une source de
voluptés où la loi naturelle, supérieure à tous les interdits,
conseille à l'être humain de se plonger. Sans doute
l'expression de Galland reste-t-elle toute mondaine :
il parle « des feux de la passion », de « flammes brûlantes »,
« d'alarmes du cœur » ; mais ses contes baignent dans un
climat de plaisir charnel ; les intrigues sont rapides, souvent dramatiques, toujours sensuelles ; l'amour, qui naît
uniquement de la rayonnante beauté des corps, se confond
avec le culte du bonheur immédiat, du plaisir sans
remords. Voir par exemple l'*Histoire des cinq dames
de Bagdad* ou l'*Histoire que raconte le marchand chrétien*.
Le succès des *Mille et Une Nuits* de Galland marque
l'explosion de pensées inavouées, de l'inconscient collec-
tif de toute une société qui s'ennuie sous le règne
morose de Louis XIV et de la revêche Mme de Maintenon
et qui rêve aux délices du Paradis musulman. S'il était
possible de faire la psychanalyse d'une génération, la
vogue qu'elles ont rencontrée constituerait le plus indiscret des tests. Jusqu'à Galland, l'Orient était considéré
surtout comme le pays du sage Lokman ou du sage
Bidpay, que révérait La Fontaine : après les *Mille et
Une Nuits*, la perspective se modifie, l'Orient devient la
région fabuleuse où règnent les délices des sens.

Les contes arabes décrivent souvent des mœurs fas-
tueuses dont l'auditoire populaire des cafés du Caire
ou de Damas mesurait bien le caractère exceptionnel,
une vie de luxe réservée à de rares souverains ou à des
Sindbad enrichis : le lecteur de Galland, totalement
dépaysé, n'apercevait guère le côté purement fictif de ces

évocations brillantes et les prenait au sérieux. Polygamie, harem, eunuques, acquérant une valeur réelle, faisaient croire à l'Europe abusée qu'il existait sur cette terre une région du bonheur sans contrainte. Il faudra attendre le bon sens de l'*Essai sur les mœurs* pour que Voltaire tente de combattre ces illusions, mais il sera trop tard, et le mythe d'un Orient où tout est luxe et volupté, accrédité par Galland, continuera à flatter d'innombrables imaginations jusqu'à Baudelaire et Nerval.

Telle est l'importance de la révélation dont Galland fut le prophète. Savant arabisant et homme de goût, admirateur passionné de Mlle de Scudéry en même temps qu'ami de Boileau, cet honnête lecteur du Roi pour les langues orientales croyait sans doute n'offrir à ses contemporains que d'aimables fictions destinées à les divertir. Les conséquences ont largement dépassé ce qu'il pouvait attendre d'une élégante version des contes arabes. Par son livre, il a infléchi la pensée des philosophes, il a enfiévré pour un siècle l'esprit des poètes et des conteurs et il se trouve qu'au-delà du bouleversement ainsi opéré dans l'âme européenne cet ouvrage, merveilleuse réussite d'art, demeure une source toujours vive d'enchantement. Il n'est nullement excessif d'affirmer que c'est grâce à Antoine Galland que les *Mille et Une Nuits* ont conquis une place de choix dans la littérature universelle.

Jean GAULMIER.

LES MILLE ET UNE NUITS

A MADAME
LA MARQUISE D'O
DAME DU PALAIS DE
Mme LA DUCHESSE DE BOURGOGNE

Madame,

Les bontés infinies que feu M. de Guilleragues, votre illustre père, eut pour moi dans le séjour que je fis, il y a quelques années, à Constantinople, sont trop présentes à mon esprit pour négliger aucune occasion de publier la reconnaissance que je dois à sa mémoire. S'il vivait encore, pour le bien de la France et pour mon bonheur, je prendrais la liberté de lui dédier cet ouvrage, non seulement comme à mon bienfaiteur, mais encore comme au génie le plus capable de goûter et de faire estimer aux autres les belles choses. Qui peut ne se pas souvenir de l'extrême justesse avec laquelle il jugeait de tout ? Ses moindres pensées, toujours brillantes, ses moindres expressions, toujours précises et délicates, faisaient l'admiration de tout le monde, et jamais personne n'a joint ensemble tant de grâces et tant de solidité. Je l'ai vu dans un temps où, tout occupé du soin des affaires de son maître, il semblait ne pouvoir montrer au dehors que les talents du ministère et sa profonde capacité dans les négociations les plus épineuses ; cependant toute la gravité de son emploi ne pouvait rien diminuer de ses agréments inimitables, qui avaient fait le charme de ses amis, et qui se faisaient sentir même aux nations les plus barbares avec qui ce grand homme avait à traiter. Après la perte irréparable que j'en ai faite, je ne puis m'adresser qu'à vous, Madame, puisque vous seule pouvez me tenir lieu de lui ; et c'est dans cette confiance que j'ose vous demander pour ce livre la même protection que vous avez bien voulu accorder à la traduction française de sept Contes arabes, que j'eus l'honneur de vous présenter. Vous vous étonnerez que depuis ce temps-là je n'aie pas eu l'honneur de vous les offrir imprimés.

Le retardement, Madame, vient de ce qu'avant de commencer l'impression, j'appris que ces Contes étaient tirés d'un recueil prodigieux de Contes semblables, en plusieurs volumes, intitulé LES MILLE ET UNE NUITS. *Cette découverte m'obligea de suspendre cette impression et d'employer mes soins à recouvrer le recueil. Il a fallu le faire venir de Syrie, et mettre en français le premier volume que voici, de quatre seulement qui m'ont été envoyés. Les Contes qu'il contient vous seront sans doute beaucoup plus agréables que ceux que vous avez déjà vus. Ils vous seront nouveaux, et vous les trouverez en plus grand nombre ; vous y remarquerez même avec plaisir le dessein ingénieux de l'auteur arabe, qui n'est pas connu, de faire un corps si ample de narrations de son pays, fabuleuses à la vérité, mais agréables et divertissantes.*

Je vous supplie, Madame, de vouloir bien agréer ce petit présent, que j'ai l'honneur de vous faire ; ce sera un témoignage public de ma reconnaissance et du profond respect avec lequel je suis et serai toute ma vie,

Madame,

Votre très humble et très

obéissant serviteur,

GALLAND.

AVERTISSEMENT

Il n'est pas besoin de prévenir le lecteur sur le mérite et la beauté des Contes qui sont renfermés dans cet ouvrage. Ils portent leur recommandation avec eux. Il ne faut que les lire pour demeurer d'accord qu'en ce genre on n'a rien vu de si beau, jusqu'à présent, dans aucune langue.

En effet, qu'y a-t-il de plus ingénieux que d'avoir fait un corps d'une quantité prodigieuse de Contes, dont la variété est surprenante, et l'enchaînement si admirable qu'ils semblent avoir été faits pour composer l'ample recueil dont ceux-ci ont été tirés ? Je dis l'ample recueil : car l'original arabe, qui est intitulé *les Mille et Une Nuits*, a trente-six parties; et ce n'est que la traduction de la première qu'on donne aujourd'hui au public. On ignore le nom de l'auteur d'un si grand ouvrage, mais vraisem-blablement il n'est pas tout d'une main : car comment pourra-t-on croire qu'un seul homme ait eu l'imagination assez fertile pour suffire à tant de fictions ?

Si les Contes de cette espèce sont agréables et divertis-sants par le merveilleux qui y règne d'ordinaire, ceux-ci doivent l'emporter en cela sur tous ceux qui ont paru, puisqu'ils sont remplis d'événements qui surprennent et attachent l'esprit, et qui font voir de combien les Arabes surpassent les autres nations en cette sorte de composition.

Ils doivent plaire encore par les coutumes et les mœurs des Orientaux, par les cérémonies de leur religion, tant païenne que mahométane; et ces choses y sont mieux marquées que dans les auteurs qui en ont écrit et que dans les relations des voyageurs. Tous les Orientaux, Persans, Tartares et Indiens, s'y font distinguer, et paraissent tels qu'ils sont, depuis les souverains jusqu'aux personnes de la plus basse condition. Ainsi, sans avoir essuyé la fatigue d'aller chercher ces peuples dans leurs pays, le lecteur aura ici le plaisir de les voir agir et de les entendre parler. On a pris soin de conserver leurs caractères, de ne pas s'éloigner de leurs expressions et de leurs sentiments, et l'on ne s'est écarté du texte que quand la bienséance n'a pas permis de s'y attacher. Le traducteur se flatte que les personnes qui entendent l'arabe, et qui voudront prendre la peine de confronter l'original avec la copie, conviendront qu'il a fait voir les Arabes aux Français, avec toute la circonspection que demandait la délicatesse de notre langue et de notre temps. Pour peu même que ceux qui liront ces Contes soient disposés à profiter des exemples de vertus et de vices qu'ils y trouveront, ils en pourront tirer un avantage qu'on ne tire point de la lecture des autres Contes, qui sont plus propres à corrompre les mœurs qu'à les corriger.

LES MILLE ET UNE NUITS

CONTES ARABES

Les chroniques des Sassaniens, anciens rois de Perse, qui avaient étendu leur empire dans les Indes, dans les grandes et petites îles qui en dépendent, et bien loin au-delà du Gange, jusqu'à la Chine, rapportent qu'il y avait autrefois un roi de cette puissante maison qui était le plus excellent prince de son temps. Il se faisait autant aimer de ses sujets, par sa sagesse et sa prudence, qu'il s'était rendu redoutable à ses voisins par le bruit de sa valeur et par la réputation de ses troupes belliqueuses et bien disciplinées. Il avait deux fils : l'aîné, appelé Schahriar, digne héritier de son père, en possédait toutes les vertus, et le cadet, nommé Schahzenan, n'avait pas moins de mérite que son frère.

Après un règne aussi long que glorieux, ce roi mourut, et Schahriar monta sur le trône. Schahzenan, exclu de tout partage par les lois de l'empire, et obligé de vivre comme un particulier, au lieu de souffrir impatiemment le bonheur de son aîné, mit toute son attention à lui plaire. Il eut peu de peine à y réussir. Schahriar, qui avait naturellement de l'inclination pour ce prince, fut charmé de sa complaisance, et, par un excès d'amitié, voulant partager avec lui ses États, lui donna le royaume de la Grande-Tartarie. Schahzenan en alla bientôt prendre possession, et il établit son séjour à Samarcande, qui en était la capitale.

Il y avait déjà dix ans que ces deux rois étaient séparés, lorsque Schahriar, souhaitant passionnément de revoir son frère, résolut de lui envoyer un ambassadeur pour l'inviter à le venir voir. Il choisit pour cette ambassade son premier vizir, qui partit avec une suite conforme à sa dignité et fit toute la diligence possible. Quand il fut près de Samarcande, Schahzenan, averti de son arrivée,

alla au-devant de lui avec les principaux seigneurs de sa
cour, qui, pour faire plus d'honneur au ministre du sultan,
s'étaient tous habillés magnifiquement. Le roi de Tartarie le reçut avec de grandes démonstrations de joie, et
lui demanda d'abord des nouvelles du sultan son frère.
Le vizir satisfit sa curiosité; après quoi il exposa le sujet
de son ambassade. Schahzenan en fut touché. « Sage
vizir, dit-il, le sultan mon frère me fait trop d'honneur, et
il ne pouvait rien me proposer qui me fût plus agréable.
S'il souhaite de me voir, je suis pressé de la même envie.
Le temps, qui n'a pas diminué son amitié, n'a point
affaibli la mienne. Mon royaume est tranquille, et je ne
veux que dix jours pour me mettre en état de partir avec
vous. Ainsi il n'est pas nécessaire que vous entriez dans
la ville pour si peu de temps. Je vous prie de vous arrêter
en cet endroit et d'y faire dresser vos tentes. Je vais
ordonner qu'on vous apporte des rafraîchissements en
abondance pour vous et pour toutes les personnes de
votre suite. » Cela fut exécuté sur-le-champ : le roi fut
à peine rentré dans Samarcande que le vizir vit arriver
une prodigieuse quantité de toutes sortes de provisions,
accompagnées de régals et de présents d'un très grand prix.

Cependant Schahzenan, se disposant à partir, régla les
affaires les plus pressantes, établit un conseil pour
gouverner son royaume pendant son absence, et mit à
la tête de ce conseil un ministre dont la sagesse lui était
connue et en qui il avait une entière confiance. Au bout
de dix jours, ses équipages étant prêts, il dit adieu à
la reine sa femme, sortit sur le soir de Samarcande, et,
suivi des officiers qui devaient être du voyage, il se rendit
au pavillon royal qu'il avait fait dresser auprès des tentes
du vizir. Il s'entretint avec cet ambassadeur jusqu'à
minuit. Alors, voulant encore une fois embrasser la reine,
qu'il aimait beaucoup, il retourna seul dans son palais.
Il alla droit à l'appartement de cette princesse, qui, ne
s'attendant pas à le revoir, avait reçu dans son lit un des
derniers officiers de sa maison. Il y avait déjà longtemps
qu'ils étaient couchés, et ils dormaient tous deux d'un
profond sommeil.

Le roi entra sans bruit, se faisant un plaisir de surprendre par son retour une épouse dont il se croyait tendrement aimé. Mais quelle fut sa surprise lorsque, à la
clarté des flambeaux, qui ne s'éteignent jamais la nuit
dans les appartements des princes et des princesses, il
aperçut un homme dans ses bras! Il demeura immobile

durant quelques moments, ne sachant s'il devait croire
ce qu'il voyait. Mais, n'en pouvant douter : « Quoi ! dit-il
en lui-même, je suis à peine hors de mon palais, je suis
encore sous les murs de Samarcande, et l'on ose m'outra-
ger ! Ah ! perfide ! votre crime ne sera pas impuni ! Comme
roi, je dois punir les forfaits qui se commettent dans mes
États ; comme époux offensé, il faut que je vous immole
à mon juste ressentiment. » Enfin, ce malheureux prince,
cédant à son premier transport, tira son sabre, s'approcha
du lit, et d'un seul coup fit passer les coupables du sommeil à la mort. Ensuite, les prenant l'un après l'autre, il
les jeta par une fenêtre dans le fossé dont le palais était
environné.

S'étant vengé de cette sorte, il sortit de la ville comme
il y était venu, et se retira sous son pavillon. Il n'y fut
pas plus tôt arrivé que, sans parler à personne de ce
qu'il venait de faire, il ordonna de plier les tentes et de
partir. Tout fut bientôt prêt, et il n'était pas jour encore
qu'on se mit en marche au son des timbales et de plusieurs autres instruments qui inspiraient de la joie à tout
le monde, hormis au roi, qui, toujours occupé de l'infidélité
de la reine, était la proie d'une affreuse mélancolie qui ne
le quitta point pendant tout le voyage.

Lorsqu'il fut près de la capitale des Indes, il vit venir
venir au-devant de lui le sultan Schahriar avec toute
sa cour. Quelle joie pour ces princes de se revoir ! Ils
mirent tous deux pied à terre pour s'embrasser ; et,
après s'être donné mille marques de tendresse, ils
remontèrent à cheval, et entrèrent dans la ville aux acclamations d'une foule innombrable de peuple. Le sultan
conduisit le roi son frère jusqu'au palais qu'il lui avait
fait préparer. Ce palais communiquait au sien par un
même jardin ; il était d'autant plus magnifique qu'il
était consacré aux fêtes et aux divertissements de la cour ;
et on en avait encore augmenté la magnificence par de
nouveaux ameublements.

Schahriar quitta d'abord le roi de Tartarie, pour lui
donner le temps d'entrer aux bains et de changer d'habit ;
mais, dès qu'il sut qu'il en était sorti, il vint le retrouver.
Ils s'assirent sur un sofa ; et, comme les courtisans se
tenaient éloignés par respect, ces deux princes commencèrent à s'entretenir de tout ce que deux frères, encore
plus unis par l'amitié que par le sang, ont à se dire après
une longue absence. L'heure du souper étant venue,
ils mangèrent ensemble ; et après le repas ils reprirent leur

entretien, qui dura jusqu'à ce que Schahriar, s'apercevant que la nuit était fort avancée, se retira pour laisser reposer son frère.

L'infortuné Schahzenan se coucha; mais, si la présence du sultan son frère avait été capable de suspendre pour quelque temps ses chagrins, ils se réveillèrent alors avec violence. Au lieu de goûter le repos dont il avait besoin, il ne fit que rappeler dans sa mémoire les plus cruelles réflexions. Toutes les circonstances de l'infidélité de la reine se présentaient si vivement à son imagination qu'il en était hors de lui-même. Enfin, ne pouvant dormir, il se leva, et, se livrant tout entier à des pensées si affligeantes, il parut sur son visage une impression de tristesse que le sultan ne manqua pas de remarquer. « Qu'a donc le roi de Tartarie ? disait-il. Qui peut causer ce chagrin que je lui vois ? Aurait-il sujet de se plaindre de la réception que je lui ai faite ? Non : je l'ai reçu comme un frère que j'aime, et je n'ai rien là-dessus à me reprocher. Peut-être se voit-il à regret éloigné de ses États ou de la reine sa femme. Ah! si c'est cela qui l'afflige, il faut que je lui fasse incessamment les présents que je lui destine, afin qu'il puisse partir quand il lui plaira, pour s'en retourner à Samarcande. » Effectivement, dès le lendemain il lui envoya une partie de ces présents, qui étaient composés de tout ce que les Indes produisent de plus rare, de plus riche et de plus singulier. Il ne laissait pas néanmoins d'essayer de le divertir tous les jours par de nouveaux plaisirs; mais les fêtes les plus agréables, au lieu de le réjouir, ne faisaient qu'irriter ses chagrins.

Un jour, Schahriar ayant ordonné une grande chasse à deux journées de sa capitale, dans un pays où il y avait particulièrement beaucoup de cerfs, Schahzenan le pria de le dispenser de l'accompagner, en lui disant que l'état de sa santé ne lui permettait pas d'être de la partie. Le sultan ne voulut pas le contraindre, le laissa en liberté, et partit avec toute sa cour pour aller prendre ce divertissement. Après son départ, le roi de la Grande-Tartarie, se voyant seul, s'enferma dans son appartement. Il s'assit à une fenêtre qui avait vue sur le jardin. Ce beau lieu et le ramage d'une infinité d'oiseaux qui y faisaient leur retraite lui auraient donné du plaisir s'il eût été capable d'en ressentir; mais, toujours déchiré par le souvenir funeste de l'action infâme de la reine, il arrêtait moins souvent ses yeux sur le jardin qu'il ne les levait au ciel pour se plaindre de son malheureux sort.

Néanmoins, quelque occupé qu'il fût de ses ennuis, il ne laissa pas d'apercevoir un objet qui attira toute son attention. Une porte secrète du palais du sultan s'ouvrit tout à coup, et il en sortit vingt femmes au milieu desquelles marchait la sultane d'un air qui la faisait aisément distinguer. Cette princesse, croyant que le roi de la Grande-Tartarie était aussi à la chasse, s'avança avec ses femmes jusque sous les fenêtres de l'appartement de ce prince, qui, voulant par curiosité les observer, se plaça de manière qu'il pouvait tout voir sans être vu. Il remarqua que les personnes qui accompagnaient la sultane, pour bannir toute contrainte, se découvrirent le visage, qu'elles avaient eu couvert jusqu'alors, et quittèrent de longs habits qu'elles portaient par-dessus d'autres plus courts. Mais il fut dans un extrême étonnement de voir que dans cette compagnie, qui lui avait semblé toute composée de femmes, il y avait dix noirs qui prirent chacun leur maîtresse. La sultane, de son côté, ne demeura pas longtemps sans amant ; elle frappa des mains en criant : « Masoud ! Masoud ! » et aussitôt un autre noir descendit du haut d'un arbre, et courut à elle avec beaucoup d'empressement.

La pudeur ne permet pas de raconter tout ce qui se passa entre ces femmes et ces noirs, et c'est un détail qu'il n'est pas besoin de faire. Il suffit de dire que Schahzenan en vit assez pour juger que son frère n'était pas moins à plaindre que lui. Les plaisirs de cette troupe amoureuse durèrent jusqu'à minuit. Ils se baignèrent tous ensemble dans une grande pièce d'eau, qui faisait un des plus beaux ornements du jardin ; après quoi, ayant repris leurs habits, ils rentrèrent par la porte secrète dans le palais du sultan ; et Masoud, qui était venu de dehors par-dessus la muraille du jardin, s'en retourna par le même endroit.

Comme toutes ces choses s'étaient passées sous les yeux du roi de la Grande-Tartarie, elles lui donnèrent lieu de faire une infinité de réflexions. « Que j'avais peu de raison, disait-il, de croire que mon malheur était si singulier ! C'est sans doute l'inévitable destinée de tous les maris, puisque le sultan mon frère, le souverain de tant d'États, le plus grand prince du monde, n'a pu l'éviter. Cela étant, quelle faiblesse de me laisser consumer de chagrin ! C'en est fait : le souvenir d'un malheur si commun ne troublera plus désormais le repos de ma vie. » En effet, dès ce moment il cessa de s'affliger ; et, comme

il n'avait pas voulu souper qu'il n'eût vu toute la scène
qui venait d'être jouée sous ses fenêtres, il fit servir
alors, mangea de meilleur appétit qu'il n'avait fait depuis
son départ de Samarcande, et entendit même avec
quelque plaisir un concert agréable de voix et d'instruments dont on accompagna le repas.

Les jours suivants il fut de très bonne humeur;
et, lorsqu'il sut que le sultan était de retour, il alla
au-devant de lui, et lui fit son compliment d'un air
enjoué. Schahriar d'abord ne prit pas garde à ce changement; il ne songea qu'à se plaindre obligeamment de ce
que ce prince avait refusé de l'accompagner à la chasse,
et, sans lui donner le temps de répondre à ses reproches,
il lui parla du grand nombre de cerfs et d'autres animaux
qu'il avait pris, et enfin du plaisir qu'il avait eu. Schahzenan, après l'avoir écouté avec attention, prit la parole
à son tour. Comme il n'avait plus de chagrin qui l'em-
pêchât de faire paraître combien il avait d'esprit, il dit
mille choses agréables et plaisantes.

Le sultan, qui s'était attendu à le retrouver dans le
même état où il l'avait laissé, fut ravi de le voir si gai.
« Mon frère, lui dit-il, je rends grâces au Ciel de l'heureux
changement qu'il a produit en vous pendant mon absence;
j'en ai une véritable joie, mais j'ai une prière à vous faire,
et je vous conjure de m'accorder ce que je vais vous
demander. — Que pourrais-je vous refuser ? répondit
le roi de Tartarie. Vous pouvez tout sur Schahzenan.
Parlez; je suis dans l'impatience de savoir ce que vous
souhaitez de moi. — Depuis que vous êtes dans ma cour,
reprit Schahriar, je vous ai vu plongé dans une noire
mélancolie que j'ai vainement tenté de dissiper par toutes
sortes de divertissements. Je me suis imaginé que votre
chagrin venait de ce que vous étiez éloigné de vos États;
j'ai cru même que l'amour y avait beaucoup de part,
et que la reine de Samarcande, que vous avez dû choisir
d'une beauté achevée, en était peut-être la cause. Je ne
sais si je me suis trompé dans ma conjecture, mais je
vous avoue que c'est particulièrement pour cette raison
que je n'ai pas voulu vous importuner là-dessus, de
peur de vous déplaire. Cependant, sans que j'y aie contribué en aucune manière, je vous trouve à mon retour
de la meilleure humeur du monde, et l'esprit entièrement
dégagé de cette noire vapeur qui en troublait tout l'enjouement. Dites-moi, de grâce, pourquoi vous étiez si
triste, et pourquoi vous ne l'êtes plus. »

A ce discours, le roi de la Grande-Tartarie demeura quelque temps rêveur, comme s'il eût cherché ce qu'il avait à y répondre. Enfin il repartit dans ces termes : « Vous êtes mon sultan et mon maître; mais dispensez-moi, je vous supplie, de vous donner la satisfaction que vous me demandez. — Non, mon frère, répliqua le sultan, il faut que vous me l'accordiez; je la souhaite, ne me la refusez pas. » Schahzenan ne put résister aux instances de Schahriar. « Hé bien, mon frère, lui dit-il, je vais vous satisfaire, puisque vous me le commandez. » Alors il lui raconta l'infidélité de la reine de Samarcande; et, lorsqu'il en eut achevé le récit : « Voilà, poursuivit-il, le sujet de ma tristesse; jugez si j'avais tort de m'y abandonner. — O mon frère! s'écria le sultan d'un ton qui marquait combien il entrait dans le ressentiment du roi de Tartarie, quelle horrible histoire venez-vous de me raconter! Avec quelle impatience je l'ai écoutée jusqu'au bout! Je vous loue d'avoir puni les traîtres qui vous ont fait un outrage si sensible. On ne saurait vous reprocher cette action : elle est juste; et pour moi j'avouerai qu'à votre place j'aurais eu peut-être moins de modération que vous. Je ne me serais pas contenté d'ôter la vie à une seule femme; je crois que j'en aurais sacrifié plus de mille à ma rage. Je ne suis plus étonné de vos chagrins; la cause en était trop vive et trop mortifiante pour n'y pas succomber. O Ciel! quelle aventure! Non, je crois qu'il n'en est jamais arrivé de semblable à personne qu'à vous. Mais enfin il faut louer Dieu de ce qu'il vous a donné de la consolation; et, comme je ne doute pas qu'elle ne soit bien fondée, ayez encore la complaisance de m'en instruire, et faites-moi la confidence entière. »

Schahzenan fit plus de difficulté sur ce point que sur le précédent, à cause de l'intérêt que son frère y avait; mais il fallut céder à ses nouvelles instances. « Je vais donc vous obéir, lui dit-il, puisque vous le voulez absolument. Je crains que mon obéissance ne vous cause plus de chagrins que je n'en ai eu; mais vous ne devez vous en prendre qu'à vous-même, puisque c'est vous qui me forcez à vous révéler une chose que je voudrais ensevelir dans un éternel oubli. — Ce que vous me dites, interrompit Schahriar, ne fait qu'irriter ma curiosité; hâtez-vous de me découvrir ce secret, de quelque nature qu'il puisse être. » Le roi de Tartarie, ne pouvant plus s'en défendre, fit alors un détail de tout ce qu'il avait vu du déguisement des noirs, de l'emportement de la sultane

et de ses femmes, et il n'oublia pas Masoud. « Après
avoir été témoin de ces infamies, continua-t-il, je pensai
que toutes les femmes y étaient naturellement portées,
et qu'elles ne pouvaient résister à leur penchant. Prévenu
de cette opinion, il me parut que c'était une grande
faiblesse à un homme d'attacher son repos à leur fidélité.
Cette réflexion m'en fit faire beaucoup d'autres, et enfin
je jugeai que je ne pouvais prendre un meilleur parti
que de me consoler. Il m'en a coûté quelques efforts,
mais j'en suis venu à bout ; et, si vous m'en croyez, vous
suivrez mon exemple. »

Quoique ce conseil fût judicieux, le sultan ne put le
goûter. Il entra même en fureur. « Quoi ! dit-il, la sultane
des Indes est capable de se prostituer d'une manière si
indigne ! Non, mon frère, ajouta-t-il, je ne puis croire ce
que vous me dites si je ne le vois de mes propres yeux.
Il faut que les vôtres vous aient trompé, et la chose est
assez importante pour mériter que j'en sois assuré
par moi-même. — Mon frère, répondit Schahzenan, si
vous voulez en être témoin, cela n'est pas fort difficile :
vous n'avez qu'à faire une nouvelle partie de chasse, et,
quand nous serons hors de la ville avec votre cour et la
mienne, nous nous arrêterons sous nos pavillons, et la
nuit nous reviendrons tous deux seuls dans mon appartement. Je suis assuré que le lendemain vous verrez ce que
j'ai vu. » Le sultan approuva le stratagème, et ordonna
aussitôt une nouvelle chasse ; de sorte que dès le même
jour les pavillons furent dressés au lieu désigné,

Le jour suivant, les deux princes partirent avec toute
leur suite. Ils arrivèrent où ils devaient camper, et ils
y demeurèrent jusqu'à la nuit. Alors Schahriar appela
son grand-vizir, et, sans lui découvrir son dessein, lui
commanda de tenir sa place pendant son absence, et de
ne pas permettre que personne sortît du camp, pour
quelque sujet que ce pût être. D'abord qu'il eut donné
cet ordre, le roi de la Grande-Tartarie et lui montèrent
à cheval, passèrent incognito au travers du camp, rentrèrent dans la ville, et se rendirent au palais qu'occupait
Schahzenan. Ils se couchèrent, et le lendemain de bon
matin ils s'allèrent placer à la même fenêtre d'où le
roi de Tartarie avait vu la scène des noirs. Ils jouirent
quelque temps de la fraîcheur, car le soleil n'était pas encore levé ; et, en s'entretenant, ils jetaient souvent les yeux
du côté de la porte secrète. Elle s'ouvrit enfin ; et, pour
dire le reste en peu de mots, la sultane parut avec ses

femmes et les dix noirs déguisés; elle appela Masoud, et le sultan en vit plus qu'il n'en fallait pour être pleinement convaincu de sa honte et de son malheur. « O Dieu! s'écria-t-il, quelle indignité! quelle horreur! L'épouse d'un souverain tel que moi peut-elle être capable de cette infamie? Après cela, quel prince osera se vanter d'être parfaitement heureux? Ah! mon frère! poursuivit-il en embrassant le roi de Tartarie, renonçons tous deux au monde; la bonne foi en est bannie; s'il flatte d'un côté, il trahit de l'autre. Abandonnons nos États et tout l'éclat qui nous environne. Allons dans des royaumes étrangers traîner une vie obscure et cacher notre infortune. » Schahzenan n'approuvait pas cette résolution; mais il n'osa la combattre dans l'emportement où il voyait Schahriar. « Mon frère, lui dit-il, je n'ai pas d'autre volonté que la vôtre; je suis prêt à vous suivre partout où il vous plaira; mais promettez-moi que nous reviendrons si nous pouvons rencontrer quelqu'un qui soit plus malheureux que nous. — Je vous le promets, répondit le sultan; mais je doute fort que nous trouvions personne qui le puisse être. — Je ne suis pas de votre sentiment là-dessus, répliqua le roi de Tartarie; peut-être même ne voyagerons-nous pas longtemps. » En disant cela, ils sortirent secrètement du palais, et prirent un autre chemin que celui par où ils étaient venus. Ils marchèrent tant qu'ils eurent du jour assez pour se conduire, passèrent la première nuit sous des arbres, et, s'étant levés dès le point du jour, ils continuèrent leur marche jusqu'à ce qu'ils arrivèrent à une belle prairie sur le bord de la mer, où il y avait, d'espace en espace, de grands arbres fort touffus. Ils s'assirent sous un de ces arbres pour se délasser et y prendre le frais, et l'infidélité des princesses leurs femmes fit le sujet de leur conversation.

Il n'y avait pas longtemps qu'ils s'entretenaient lorsqu'ils entendirent assez près d'eux un bruit horrible du côté de la mer et un cri effroyable qui les remplit de crainte. Alors la mer s'ouvrit, et il s'en éleva comme une grosse colonne noire qui semblait s'aller perdre dans les nues. Cet objet redoubla leur frayeur; ils se levèrent promptement et montèrent au haut de l'arbre qui leur parut le plus propre à les cacher. Ils y furent à peine montés que, regardant vers l'endroit d'où le bruit partait et où la mer s'était entrouverte, ils remarquèrent que la colonne noire se tirait par replis et s'avançait vers le rivage en fendant l'eau; ils ne purent dans le moment démêler ce que ce pouvait être, mais ils en furent bientôt éclaircis.

C'était un de ces génies qui sont malins, malfaisants et ennemis mortels des hommes. Il était noir et hideux, avait la forme d'un géant d'une hauteur prodigieuse, et portait sur sa tête une grande caisse de verre, fermée à quatre serrures d'acier fin. Il entra dans la prairie avec cette charge, qu'il vint poser justement au pied de l'arbre où étaient les deux princes, qui, connaissant l'extrême péril où ils se trouvaient, se crurent perdus.

Cependant le génie s'assit auprès de la caisse; et, l'ayant ouverte avec quatre clefs qui étaient attachées à sa ceinture, il en sortit aussitôt une dame très richement habillée, d'une taille majestueuse et d'une beauté parfaite. Le monstre la fit asseoir à ses côtés, et, la regardant amoureusement : « Dame, dit-il, la plus accomplie de toutes les dames qui sont admirées pour leur beauté, charmante personne, vous que j'ai enlevée le jour de vos noces, et que j'ai toujours aimée depuis si constamment, vous voudrez bien que je dorme quelques moments près de vous; le sommeil, dont je me sens accablé, m'a fait venir en cet endroit pour prendre un peu de repos. » En disant cela, il laissa tomber sa grosse tête sur les genoux de la dame; ensuite, ayant allongé ses pieds qui s'étendaient jusqu'à la mer, il ne tarda pas à s'endormir, et il ronfla bientôt de manière qu'il fit retentir le rivage.

La dame alors leva la vue par hasard, et, apercevant les princes au haut de l'arbre, elle leur fit signe de la main de descendre sans faire de bruit. Leur frayeur fut extrême quand ils se virent découverts. Ils supplièrent la dame, par d'autres signes, de les dispenser de lui obéir; mais elle, après avoir ôté doucement de dessus ses genoux la tête du génie et l'avoir posée légèrement à terre, se leva et leur dit d'un ton de voix bas, mais animé : « Descendez, il faut absolument que vous veniez à moi. » Ils voulurent vainement lui faire comprendre encore par gestes qu'ils craignaient le génie : « Descendez donc, leur répliqua-t-elle sur le même ton; si vous ne vous hâtez de m'obéir, je vais l'éveiller, et je lui demanderai moi-même votre mort. »

Ces paroles intimidèrent tellement les princes qu'ils commencèrent à descendre avec toutes les précautions possibles pour ne pas éveiller le génie. Lorsqu'ils furent en bas, la dame les prit par la main, et, s'étant un peu

éloignée avec eux sous les arbres, elle leur fit librement
une proposition très vive : ils la rejetèrent d'abord ;
mais elle les obligea, par de nouvelles menaces, à l'accepter. Après qu'elle eut obtenu d'eux ce qu'elle souhaitait,
ayant remarqué qu'ils avaient chacun une bague au
doigt, elle les leur demanda. Sitôt qu'elle les eut entre les
mains, elle alla prendre une boîte du paquet où était
sa toilette ; elle en tira un fil d'autres bagues de toutes
sortes de façons, et, le leur montrant : « Savez-vous bien,
dit-elle, ce que signifient ces joyaux ? — Non, répondirent-
ils ; mais il ne tiendra qu'à vous de nous l'apprendre. —
Ce sont, reprit-elle, les bagues de tous les hommes à qui
j'ai fait part de mes faveurs. Il y en a quatre-vingt-
dix-huit bien comptées, que je garde pour me souvenir
d'eux. Je vous ai demandé les vôtres pour la même raison,
et afin d'avoir la centaine accomplie. Voilà donc, continua-
t-elle, cent amants que j'ai eus jusqu'à ce jour, malgré
la vigilance et les précautions de ce vilain génie qui ne
me quitte pas. Il a beau m'enfermer dans cette caisse de
verre et me tenir cachée au fond de la mer, je ne laisse
pas de tromper ses soins. Vous voyez par là que, quand
une femme a formé un projet, il n'y a point de mari ni
d'amant qui puisse en empêcher l'exécution. Les hommes
feraient mieux de ne pas les contraindre les femmes ; ce
serait le moyen de les rendre sages. » La dame, leur ayant
parlé de la sorte, passa leurs bagues dans le même fil
où étaient enfilées les autres. Elle s'assit ensuite comme
auparavant, souleva la tête du génie, qui ne se réveilla
point, la remit sur ses genoux et fit signe aux princes
de se retirer.

Ils reprirent le chemin par où ils étaient venus, et,
lorsqu'ils eurent perdu de vue la dame et le génie,
Schahriar dit à Schahzenan : « Hé bien, mon frère, que
pensez-vous de l'aventure qui vient de nous arriver ?
Le génie n'a-t-il pas une maîtresse bien fidèle ? Et ne
convenez-vous pas que rien n'est égal à la malice des
femmes ? — Oui, mon frère, répondit le roi de la Grande-
Tartarie. Et vous devez aussi demeurer d'accord que le
génie est plus à plaindre et plus malheureux que nous.
C'est pourquoi, puisque nous avons trouvé ce que nous
cherchions, retournons dans nos États, et que cela ne
nous empêche pas de nous marier. Pour moi, je sais
par quel moyen je prétends que la foi qui m'est due me
soit inviolablement conservée. Je ne veux pas m'expliquer
présentement là-dessus ; mais vous en apprendrez un

jour des nouvelles, et je suis sûr que vous suivrez mon
exemple. » Le sultan fut de l'avis de son frère; et, continuant tous deux de marcher, ils arrivèrent au camp sur
la fin de la nuit du troisième jour qu'ils en étaient partis.

La nouvelle du retour du sultan s'y étant répandue,
les courtisans se rendirent de grand matin devant son
pavillon. Il les fit entrer, les reçut d'un air plus riant
qu'à l'ordinaire, et leur fit à tous des gratifications. Après
quoi, leur ayant déclaré qu'il ne voulait pas aller plus
loin, il leur commanda de monter à cheval, et il retourna
bientôt à son palais.

A peine y fut-il arrivé qu'il courut à l'appartement
de la sultane. Il la fit lier devant lui, et la livra à son grand-
vizir, avec ordre de la faire étrangler; ce que ce ministre
exécuta sans s'informer quel crime elle avait commis.
Ce prince irrité n'en demeura pas là : il coupa la tête
de sa propre main à toutes les femmes de la sultane.
Après ce rigoureux châtiment, persuadé qu'il n'y avait
pas une femme sage, pour prévenir les infidélités de
celles qu'il prendrait à l'avenir, il résolut d'en épouser
une chaque nuit, et de la faire étrangler le lendemain.
S'étant imposé cette loi cruelle, il jura qu'il l'observerait
immédiatement après le départ du roi de Tartarie, qui
prit bientôt congé de lui et se mit en chemin chargé de
présents magnifiques.

Schahzenan étant parti, Schahriar ne manqua pas
d'ordonner à son grand-vizir de lui amener la fille d'un
de ses généraux d'armée. Le vizir obéit. Le sultan coucha
avec elle, et le lendemain, en la lui remettant entre les
mains pour la faire mourir, il lui commanda de lui en
chercher une autre pour la nuit suivante. Quelque
répugnance qu'eût le vizir à exécuter de semblables
ordres, comme il devait au sultan son maître une obéissance aveugle, il était obligé de s'y soumettre. Il lui mena
donc la fille d'un officier subalterne, qu'on fit aussi mourir le lendemain. Après celle-là, ce fut la fille d'un bourgeois de sa capitale; et enfin chaque jour c'était une
fille mariée et une femme morte.

Le bruit de cette inhumanité sans exemple causa
une consternation générale dans la ville. On n'y entendait
que des cris et des lamentations. Ici c'était un père en
pleurs qui se désespérait de la perte de sa fille; et là
c'étaient de tendres mères qui, craignant pour les leurs
la même destinée, faisaient par avance retentir l'air de
leurs gémissements. Ainsi, au lieu des louanges et des

bénédictions que le sultan s'était attirées jusqu'alors, tous ses sujets ne faisaient plus que des imprécations contre lui.

Le grand-vizir, qui, comme on l'a déjà dit, était malgré lui le ministre d'une si horrible injustice, avait deux filles, dont l'aînée s'appelait Scheherazade, et la cadette Dinarzade. Cette dernière ne manquait pas de mérite; mais l'autre avait un courage au-dessus de son sexe, de l'esprit infiniment, avec une pénétration admirable. Elle avait beaucoup de lecture et une mémoire si prodigieuse que rien ne lui était échappé de tout ce qu'elle avait lu. Elle s'était heureusement appliquée à la philosophie, à la médecine, à l'histoire et aux beaux-arts; et elle faisait des vers mieux que les poètes les plus célèbres de son temps. Outre cela, elle était pourvue d'une beauté excellente, et une vertu très solide couronnait toutes ces belles qualités.

Le vizir aimait passionnément une fille si digne de sa tendresse. Un jour qu'ils s'entretenaient tous deux ensemble, elle lui dit : « Mon père, j'ai une grâce à vous demander; je vous supplie très humblement de me l'accorder. — Je ne vous la refuserai pas, répondit-il, pourvu qu'elle soit juste et raisonnable. — Pour juste, répliqua Scheherazade, elle ne peut l'être davantage, et vous en pouvez juger par le motif qui m'oblige à vous la demander. J'ai dessein d'arrêter le cours de cette barbarie que le sultan exerce sur les familles de cette ville. Je veux dissiper la juste crainte que tant de mères ont de perdre leurs filles d'une manière si funeste. — Votre intention est fort louable, ma fille, dit le vizir; mais le mal auquel vous voulez remédier me paraît sans remède. Comment prétendez-vous en venir à bout ? — Mon père, repartit Scheherazade, puisque par votre entremise le sultan célèbre chaque jour un nouveau mariage, je vous conjure par la tendre affection que vous avez pour moi de me procurer l'honneur de sa couche. » Le vizir ne put entendre ce discours sans horreur. « O Dieu! interrompit-il avec transport, avez-vous perdu l'esprit, ma fille ? Pouvez-vous me faire une prière si dangereuse ? Vous savez que le sultan a fait serment sur son âme de ne coucher qu'une seule nuit avec la même femme et de lui faire ôter la vie le lendemain, et vous voulez que je lui propose de vous épouser ? Songez-vous bien à quoi vous expose votre zèle indiscret ? — Oui, mon père, répondit cette vertueuse fille, je connais tout le danger que je cours, et il ne saurait m'épouvanter. Si je péris, ma mort sera glorieuse; et, si je réussis dans mon entreprise, je rendrai à ma patrie un service important. — Non, non, dit le vizir, quoi que vous puissiez me représenter pour m'intéresser à vous permettre de vous jeter dans cet affreux péril, ne vous imaginez pas que j'y consente. Quand le sultan m'ordonnera de vous enfoncer le poignard dans le sein, hélas! il faudra bien que je lui obéisse. Quel triste emploi pour un père! Ah! si vous ne craignez point la mort, craignez du moins de me causer la douleur mortelle de voir ma main teinte de votre sang. — Encore une fois, mon père, dit Scheherazade, accordez-moi la grâce que je vous demande. — Votre opiniâtreté, repartit le vizir, excite ma colère. Pourquoi vouloir vous-même courir à votre perte? Qui ne prévoit pas la fin d'une entreprise dangereuse n'en saurait sortir heureusement. Je crains qu'il ne vous arrive ce qui arriva à l'âne, qui était bien et qui ne put s'y tenir. — Quel malheur arriva-t-il à cet âne? reprit Sheherazade. — Je vais vous le dire, répondit le vizir; écoutez-moi.

FABLE

L'ANE, LE BŒUF ET LE LABOUREUR

« Un marchand très riche avait plusieurs maisons à
la campagne, où il faisait nourrir une grande quantité de
toute sorte de bétail. Il se retira avec sa femme et ses
enfants à une de ses terres pour la faire valoir par lui-
même. Il avait le don d'entendre le langage des bêtes;
mais avec cette condition, qu'il ne pouvait l'interpréter
à personne sans s'exposer à perdre la vie : ce qui l'empêchait de communiquer les choses qu'il avait apprises par
le moyen de ce don.

« Il avait à une même auge un bœuf et un âne. Un jour
qu'il était assis près d'eux, et qu'il se divertissait à voir
jouer devant lui ses enfants, il entendit que le bœuf
disait à l'âne : « L'Éveillé, que je te trouve heureux, quand
je considère le repos dont tu jouis et le peu de travail
qu'on exige de toi! Un homme te panse avec soin, te
lave, te donne de l'orge bien criblée et de l'eau fraîche et
nette. Ta plus grande peine est de porter le marchand
notre maître, lorsqu'il a quelque petit voyage à faire.
Sans cela, toute ta vie se passerait dans l'oisiveté. La
manière dont on me traite est bien différente, et ma condition est aussi malheureuse que la tienne est agréable. Il
est à peine minuit qu'on m'attache à une charrue, que
l'on me fait traîner tout le long du jour en fendant la
terre; ce qui me fatigue à un point que les forces me
manquent quelquefois. D'ailleurs, le laboureur, qui est
toujours derrière moi, ne cesse de me frapper. A force
de tirer la charrue, j'ai le cou tout écorché. Enfin, après
avoir travaillé depuis le matin jusqu'au soir, quand je
suis de retour on me donne à manger de méchantes
fèves sèches, dont on ne s'est pas mis en peine d'ôter la
terre, ou d'autres choses qui ne valent pas mieux. Pour
comble de misère, lorsque je me suis repu d'un mets si

peu appétissant, je suis obligé de passer la nuit couché dans mon ordure. Tu vois donc que j'ai raison d'envier ton sort. »

« L'âne n'interrompit pas le bœuf; il lui laissa dire tout ce qu'il voulut; mais, quand il eut achevé de parler : « Vous ne démentez pas, lui dit-il, le nom d'idiot qu'on vous a donné; vous êtes trop simple, vous vous laissez mener comme l'on veut, et vous ne pouvez prendre une bonne résolution. Cependant quel avantage vous revient-il de toutes les indignités que vous souffrez ? Vous vous tuez vous-même pour le repos, le plaisir et le profit de ceux qui ne vous en savent point de gré. On ne vous traiterait pas de la sorte si vous aviez autant de courage que de force. Lorsqu'on vient vous attacher à l'auge, que ne faites-vous résistance ? Que ne donnez-vous de bons coups de corne ? Que ne marquez-vous votre colère en frappant du pied contre terre ? Pourquoi enfin n'inspirez-vous pas la terreur par des beuglements effroyables ? La nature vous a donné les moyens de vous faire respecter et vous ne vous en servez pas. On vous apporte de mauvaises fèves et de mauvaise paille, n'en mangez point; flairez-les seulement, et les laissez. Si vous suivez les conseils que je vous donne, vous verrez bientôt un changement dont vous me remercierez. »

« Le bœuf prit en fort bonne part les avis de l'âne, il lui témoigna combien il lui en était obligé. « Cher l'Éveillé, ajouta-t-il, je ne manquerai pas de faire tout ce que tu m'as dit, et tu verras de quelle manière je m'en acquitterai. » Ils se turent après cet entretien dont le marchand ne perdit pas une parole.

« Le lendemain de bon matin, le laboureur vint prendre le bœuf; il l'attacha à la charrue et le mena au travail ordinaire. Le bœuf, qui n'avait pas oublié le conseil de l'âne, fit fort le méchant ce jour-là; et le soir, lorsque le laboureur, l'ayant ramené à l'auge, voulut l'attacher comme de coutume, le malicieux animal, au lieu de présenter ses cornes de lui-même, se mit à faire le rétif et à reculer en beuglant; il baissa même ses cornes comme pour en frapper le laboureur. Il fit enfin tout le manège que l'âne lui avait enseigné. Le jour suivant, le laboureur vint le reprendre pour le remener au labourage; mais, trouvant l'auge encore remplie des fèves et de la paille qu'il y avait mises le soir et le bœuf couché par terre, les pieds étendus et haletant d'une étrange façon, il le crut malade : il en eut pitié, et, jugeant qu'il serait inutile de le mener au travail, il alla aussitôt en avertir le marchand.

« Le marchand vit bien que les mauvais conseils de l'Éveillé avaient été suivis; et, pour le punir comme il le méritait : « Va, dit-il au laboureur, prends l'âne à la place du bœuf, et ne manque pas de lui donner bien de l'exercice. » Le laboureur obéit. L'âne fut obligé de tirer la charrue tout ce jour-là; ce qui le fatigua d'autant plus qu'il était moins accoutumé à ce travail. Outre cela, il reçut tant de coups de bâton qu'il ne pouvait se soutenir quand il fut de retour.

« Cependant le bœuf était très content : il avait mangé tout ce qu'il y avait dans son auge, et s'était reposé toute la journée; il se réjouissait en lui-même d'avoir suivi les conseils de l'Éveillé; il lui donnait mille bénédictions pour le bien qu'il lui avait procuré, et il ne manqua pas de lui en faire un nouveau compliment lorsqu'il le vit arriver. L'âne ne répondit rien au bœuf, tant il avait de dépit d'avoir été si maltraité. « C'est par mon imprudence, se disait-il à lui-même, que je me suis attiré ce malheur : je vivais heureux, tout me riait, j'avais tout ce que je pouvais souhaiter; c'est ma faute si je suis dans ce déplorable état; et, si je ne trouve quelque ruse en mon esprit pour m'en tirer, ma perte est certaine. » En disant cela, ses forces se trouvèrent tellement épuisées qu'il se laissa tomber à demi mort au pied de son auge. »

En cet endroit, le grand-vizir, s'adressant à Scheherazade, lui dit : « Ma fille, vous faites comme cet âne, vous vous exposez à vous perdre par votre fausse prudence. Croyez-moi, demeurez en repos, et ne cherchez point à prévenir votre mort. — Mon père, répondit Scheherazade, l'exemple que vous venez de rapporter n'est pas capable de me faire changer de résolution, et je ne cesserai pas de vous importuner que je n'aie obtenu de vous que vous me présenterez au sultan pour être son épouse. » Le vizir, voyant qu'elle persistait toujours dans sa demande, lui répliqua : « Hé bien, puisque vous ne voulez pas quitter votre obstination, je serai obligé de vous traiter de la même manière que le marchand dont je viens de parler traita sa femme peu de temps après; et voici comment :

« Ce marchand, ayant appris que l'âne était dans un état pitoyable, fut curieux de savoir ce qui se passerait entre lui et le bœuf. C'est pourquoi, après le souper, il sortit au clair de la lune, et alla s'asseoir auprès d'eux, accompagné de sa femme. En arrivant, il entendit l'âne qui disait au bœuf : « Compère, dites-moi, je vous prie, ce que vous prétendez faire quand le laboureur vous apportera demain à manger. — Ce que je ferai ? répondit le bœuf ; je continuerai de faire ce que tu m'as enseigné. Je m'éloignerai d'abord ; je présenterai mes cornes comme hier ; je ferai le malade, et feindrai d'être aux abois. — Gardez-vous-en bien, interrompit l'âne ; ce serait le moyen de vous perdre : car, en arrivant ce soir, j'ai ouï dire au marchand notre maître une chose qui m'a fait trembler pour vous. — Hé ! qu'avez-vous entendu ? dit le bœuf ; ne me cachez rien, de grâce, mon cher l'Éveillé. — Notre maître, reprit l'âne, a dit au laboureur ces tristes paroles : « Puisque le bœuf ne mange pas et qu'il ne peut se soutenir, je veux qu'il soit tué dès demain. Nous ferons, pour l'amour de Dieu, une aumône de sa chair aux pauvres et quant à sa peau, qui pourra nous être utile, tu la donneras au corroyeur ; ne manque donc pas de faire venir le boucher. » Voilà ce que j'avais à vous apprendre, ajouta l'âne ; l'intérêt que je prends à votre conservation et l'amitié que j'ai pour vous m'obligent à vous en avertir et à vous donner un nouveau conseil. D'abord qu'on vous apportera vos fèves et votre paille, levez-vous, et vous jetez dessus avec avidité ; le maître jugera par là que vous êtes guéri, et révoquera, sans doute, l'arrêt de votre mort : au lieu que, si vous en usez autrement, c'est fait de vous. »

« Ce discours produisit l'effet qu'en avait attendu l'âne. Le bœuf en fut étrangement troublé et en beugla d'effroi. Le marchand, qui les avait écoutés tous deux avec beaucoup d'attention, fit alors un si grand éclat de rire que sa femme en fut très surprise. « Apprenez-moi, lui dit-elle, pourquoi vous riez si fort, afin que j'en rie avec vous. — Ma femme, lui répondit le marchand, contentez-vous de m'entendre rire. — Non, reprit-elle, j'en veux savoir le sujet. — Je ne puis vous donner cette satisfaction, repartit le mari ; sachez seulement que je ris de ce que notre âne vient de dire à notre bœuf ; le reste est un secret qu'il ne m'est pas permis de vous révéler. — Et qui vous empêche de me découvrir ce secret ? répliqua-t-elle. — Si je vous le disais, répondit-il, apprenez qu'il m'en coûterait la vie. — Vous vous moquez de moi, s'écria la femme ; ce que vous me dites ne peut pas être vrai. Si vous ne m'avouez tout à l'heure pourquoi vous avez ri, si vous refusez de m'instruire de ce que l'âne et le bœuf ont dit, je jure par le grand Dieu qui est au ciel que nous ne vivrons pas davantage ensemble. »

« En achevant ces mots, elle rentra dans la maison et se mit dans un coin, où elle passa la nuit à pleurer de toute sa force. Le mari coucha seul; et le lendemain, voyant qu'elle ne discontinuait pas de se lamenter : « Vous n'êtes pas sage, lui dit-il, de vous affliger de la sorte; la chose n'en vaut pas la peine, et il vous est aussi peu important de la savoir qu'il m'importe beaucoup, à moi, de la tenir secrète. N'y pensez donc plus, je vous en conjure. — J'y pense si bien encore, répondit la femme, que je ne cesserai pas de pleurer que vous n'ayez satisfait ma curiosité. — Mais je vous dis fort sérieuse- ment, répliqua-t-il, qu'il m'en coûtera la vie, si je cède à vos indiscrètes instances. — Qu'il arrive tout ce qu'il plaira à Dieu, repartit-elle, je n'en démordrai pas. — Je vois bien, reprit le marchand, qu'il n'y a pas moyen de vous faire entendre raison, et, comme je prévois que vous vous ferez mourir vous-même par votre opiniâ- treté, je vais appeler vos enfants, afin qu'ils aient la conso- lation de vous voir avant que vous mouriez. » Il fit venir ses enfants, et envoya chercher aussi le père, la mère et les parents de sa femme. Lorsqu'ils furent assemblés, et qu'il leur eut expliqué de quoi il était question, ils employèrent leur éloquence à faire comprendre à la femme qu'elle avait tort de ne vouloir pas revenir de son entêtement; mais elle les rebuta tous, et dit qu'elle mourrait plutôt que de céder en cela à son mari. Le père et la mère eurent beau lui parler en particulier, et lui représenter que la chose qu'elle souhaitait d'apprendre ne lui était d'aucune importance, ils ne gagnèrent rien sur son esprit, ni par leur autorité ni par leur discours. Quand ses enfants virent qu'elle s'obstinait à rejeter toutes les bonnes raisons dont on combattait son opi- niâtreté, ils se mirent à pleurer amèrement. Le marchand lui-même ne savait plus où il en était. Assis seul auprès de la porte de sa maison, il délibérait déjà s'il sacrifierait sa vie pour sauver celle de sa femme, qu'il aimait beau- coup.

« Or, ma fille, continua le vizir en parlant toujours à Scheherazade, ce marchand avait cinquante poules et un coq avec un chien qui faisait bonne garde. Pendant qu'il était assis, comme je l'ai dit, et qu'il rêvait profon- dément au parti qu'il devait prendre, il vit le chien courir vers le coq qui s'était jeté sur une poule, et il entendit qu'il lui parla dans ces termes : « O coq! Dieu ne per-

mettra pas que tu vives encore longtemps ! N'as-tu pas
honte de faire aujourd'hui ce que tu fais ? » Le coq monta
sur ses ergots, et, se tournant du côté du chien : « Pourquoi, répondit-il fièrement, cela me serait-il défendu
aujourd'hui plutôt que les autres jours ? — Puisque tu
l'ignores, répliqua le chien, apprends que notre maître
est aujourd'hui dans un grand deuil. Sa femme veut
qu'il lui révèle un secret qui est de telle nature qu'il
perdra la vie s'il le lui découvre. Les choses sont en cet
état, et il est à craindre qu'il n'ait pas assez de fermeté
pour résister à l'obstination de sa femme : car il l'aime, et
il est touché des larmes qu'elle répand sans cesse. Il va
peut-être périr ; nous en sommes tous alarmés dans ce
logis. Toi seul, insultant à notre tristesse, tu as l'impu-
dence de te divertir avec tes poules. »

« Le coq repartit de cette sorte à la réprimande du
chien : « Que notre maître est insensé ! il n'a qu'une femme
et il n'en peut venir à bout, pendant que j'en ai cinquante
qui ne font que ce que je veux. Qu'il rappelle sa raison,
il trouvera bientôt moyen de sortir de l'embarras où il
est. — Eh ! que veux-tu qu'il fasse ? dit le chien. — Qu'il
entre dans la chambre où est sa femme, répondit le
coq, et qu'après s'être enfermé avec elle, il prenne un
bon bâton et lui en donne mille coups : je mets en fait
qu'elle sera sage après cela, et qu'elle ne le pressera plus
de lui dire ce qu'il ne doit pas lui révéler. » Le marchand
n'eut pas sitôt entendu ce que le coq venait de dire qu'il
se leva de sa place, prit un gros bâton, alla trouver sa
femme qui pleurait encore, s'enferma avec elle, et la
battit si bien qu'elle ne put s'empêcher de crier : « C'est
assez, mon mari, c'est assez, laissez-moi ; je ne vous
demanderai plus rien. » A ces paroles, et voyant qu'elle
se repentait d'avoir été curieuse si mal à propos, il cessa
de la maltraiter ; il ouvrit la porte, toute la parenté entra,
se réjouit de trouver la femme revenue de son entêtement,
et fit compliment au mari sur l'heureux expédient dont
il s'était servi pour la mettre à la raison.

« Ma fille, ajouta le grand-vizir, vous mériteriez d'être
traitée de la même manière que la femme de ce marchand.

— Mon père, dit alors Scheherazade, de grâce ne
trouvez point mauvais que je persiste dans mes sentiments. L'histoire de cette femme ne saurait m'ébranler.
Je pourrais vous en raconter beaucoup d'autres qui vous
persuaderaient que vous ne devez pas vous opposer à

mon dessein. D'ailleurs, pardonnez-moi si j'ose vous le déclarer, vous vous y opposeriez vainement : quand la tendresse paternelle refuserait de souscrire à la prière que je vous fais, j'irais me présenter moi-même au sultan.»

Enfin, le père, poussé à bout par la fermeté de sa fille, se rendit à ses importunités, et, quoique fort affligé de n'avoir pu la détourner d'une si funeste résolution, il alla dès ce moment trouver Schahriar pour lui annoncer que la nuit prochaine il lui mènerait Scheherazade.

Le sultan fut fort étonné du sacrifice que son grand-vizir lui faisait. « Comment avez-vous pu, lui dit-il, vous résoudre à me livrer votre propre fille ? — Sire, lui répondit le vizir, elle s'est offerte d'elle-même. La triste destinée qui l'attend n'a pu l'épouvanter, et elle préfère à sa vie l'honneur d'être une seule nuit l'épouse de Votre Majesté. — Mais ne vous trompez pas, vizir, reprit le sultan : demain, en remettant Scheherazade entre vos mains, je prétends que vous lui ôtiez la vie. Si vous y manquez, je vous jure que je vous ferai mourir vous-même. — Sire, repartit le vizir, mon cœur gémira, sans doute, en vous obéissant; mais la nature aura beau murmurer : quoique père, je vous réponds d'un bras fidèle. » Schahriar accepta l'offre de son ministre, et lui dit qu'il n'avait qu'à lui amener sa fille quand il lui plairait.

Le grand-vizir alla porter cette nouvelle à Scheherazade qui la reçut avec autant de joie que si elle eût été la plus agréable du monde. Elle remercia son père de l'avoir si sensiblement obligée, et, voyant qu'il était accablé de douleur, elle lui dit, pour le consoler, qu'elle espérait qu'il ne se repentirait pas de l'avoir mariée avec le sultan, et qu'au contraire, il aurait sujet de s'en réjouir le reste de sa vie.

Elle ne songea plus qu'à se mettre en état de paraître devant le sultan; mais, avant que de partir, elle prit sa sœur Dinarzade en particulier, et lui dit : « Ma chère sœur, j'ai besoin de votre secours dans une affaire très importante; je vous prie de ne me le pas refuser. Mon père va me conduire chez le sultan pour être son épouse. Que cette nouvelle ne vous épouvante pas, écoutez-moi seulement avec patience. Dès que je serai devant le sultan, je le supplierai de permettre que vous couchiez dans la chambre nuptiale, afin que je jouisse cette nuit encore de votre compagnie. Si j'obtiens cette grâce, comme je l'espère, souvenez-vous de m'éveiller demain matin une heure avant le jour et de m'adresser à peu près ces paroles :

Ma sœur, si vous ne dormez pas, je vous supplie, en attendant le jour qui paraîtra bientôt, de me raconter un de ces beaux contes que vous savez. Aussitôt je vous en conterai un, et je me flatte de délivrer par ce moyen tout le peuple de la consternation où il est. » Dinarzade répondit à sa sœur qu'elle ferait avec plaisir ce qu'elle exigeait d'elle.

L'heure de se coucher étant enfin venue, le grand-vizir conduisit Scheherazade au palais, et se retira après l'avoir introduite dans l'appartement du sultan. Ce prince ne se vit pas plus tôt seul avec elle qu'il lui ordonna de se découvrir le visage. Il la trouva si belle qu'il en fut charmé ; mais, s'apercevant qu'elle était en pleurs, il lui en demanda le sujet. « Sire, répondit Scheherazade, j'ai une sœur que j'aime aussi tendrement que j'en suis aimée. Je souhaiterais qu'elle passât la nuit dans cette chambre, pour la voir et lui dire adieu encore une fois. Voulez-vous bien que j'aie la consolation de lui donner ce dernier témoignage de mon amitié ? » Schahriar y ayant consenti, on alla chercher Dinarzade qui vint en diligence. Le sultan se coucha avec Scheherazade sur une estrade fort élevée, à la manière des monarques de l'Orient, et Dinarzade dans un lit qu'on lui avait préparé au bas de l'estrade.

Une heure avant le jour, Dinarzade, s'étant réveillée, ne manqua pas de faire ce que sa sœur lui avait recommandé. « Ma chère sœur, s'écria-t-elle, si vous ne dormez pas, je vous supplie, en attendant le jour qui paraîtra bientôt, de me raconter un de ces contes agréables que vous savez. Hélas ! ce sera peut-être la dernière fois que j'aurai ce plaisir. »

Scheherazade, au lieu de répondre à sa sœur, s'adressa au sultan : « Sire, dit-elle, Votre Majesté veut-elle bien me permettre de donner cette satisfaction à ma sœur ? — Très volontiers », répondit le sultan. Alors Scheherazade dit à sa sœur d'écouter ; et puis, adressant la parole à Schahriar, elle commença de cette sorte :

LE MARCHAND ET LE GÉNIE

Sire, il y avait autrefois un marchand qui possédait de grands biens, tant en fonds de terre qu'en marchandises et en argent comptant. Il avait beaucoup de commis, de facteurs et d'esclaves. Comme il était obligé de temps en temps de faire des voyages pour s'aboucher avec ses correspondants, un jour qu'une affaire d'importance l'appelait assez loin du lieu qu'il habitait, il monta à cheval et partit avec une valise derrière lui, dans laquelle il avait mis une petite provision de biscuits et de dattes, parce qu'il avait un pays désert à passer, où il n'aurait pas trouvé de quoi vivre. Il arriva sans accident à l'endroit où il avait affaire, et, quand il eut terminé la chose qui l'y avait appelé, il remonta à cheval pour s'en retourner chez lui.

Le quatrième jour de sa marche, il se sentit tellement incommodé de l'ardeur du soleil et de la terre échauffée par ses rayons qu'il se détourna de son chemin pour aller se rafraîchir sous des arbres qu'il aperçut dans la campagne. Il y trouva, au pied d'un grand noyer, une fontaine d'une eau très claire et coulante. Il mit pied à terre, attacha son cheval à une branche d'arbre, et s'assit près de la fontaine, après avoir tiré de sa valise quelques dattes et du biscuit. En mangeant les dattes, il en jetait les noyaux à droite et à gauche. Lorsqu'il eut achevé ce repas frugal, comme il était bon musulman, il se lava les mains, le visage et les pieds, et fit sa prière.

Il ne l'avait pas finie, et il était encore à genoux, quand il vit paraître un génie tout blanc de vieillesse et d'une grandeur énorme, qui, s'avançant jusqu'à lui le sabre à la main, lui dit d'un ton de voix terrible : « Lève-toi, que je te tue avec ce sabre comme tu as tué mon fils. » Il accompagna ces mots d'un cri effroyable. Le marchand, autant effrayé de la hideuse figure du monstre que des paroles qu'il lui avait adressées, lui répondit en tremblant: « Hélas! mon bon seigneur, de quel crime puis-je être coupable envers vous pour mériter que vous m'ôtiez la vie ? — Je veux, reprit le génie, te tuer de même que tu as tué mon fils. — Eh! bon Dieu! repartit le marchand, comment pourrais-je avoir tué votre fils ? Je ne le connais point, et je ne l'ai jamais vu. — Ne t'es-tu pas assis en arrivant ici ? répliqua le génie; n'as-tu pas tiré des dattes de ta valise, et, en les mangeant, n'en as-tu pas jeté les noyaux à droite et à gauche ? — J'ai fait ce que vous dites, répondit le marchand, je ne puis le nier. — Cela étant, reprit le génie, je te dis que tu as tué mon fils, et voici comment : dans le temps que tu jetais tes noyaux, mon fils passait; il en a reçu un dans l'œil, et il en est mort : c'est pourquoi il faut que je te tue. — Ah! Monseigneur! pardon, s'écria le marchand. — Point de pardon, répondit le génie, point de miséricorde. N'est-il pas juste de tuer celui qui a tué ? — J'en demeure d'accord, dit le marchand; mais je n'ai assurément pas tué votre fils; et, quand cela serait, je ne l'aurais fait que fort innocemment : par conséquent, je vous supplie de me pardonner et de me laisser la vie. — Non, non, dit le génie en persistant dans sa résolution, il faut que je te tue de même que tu as tué mon fils. » A ces mots, il prit le marchand par le bras, le jeta la face contre terre, et leva le sabre pour lui couper la tête.

Cependant le marchand, tout en pleurs et protestant de son innocence, regrettait sa femme et ses enfants, et disait les choses du monde les plus touchantes. Le génie, toujours le sabre haut, eut la patience d'attendre que le malheureux eût achevé ses lamentations; mais il n'en fut nullement attendri. « Tous ces regrets sont superflus, s'écria-t-il; quand tes larmes seraient de sang, cela ne m'empêcherait pas de te tuer comme tu as tué mon fils. — Quoi! répliqua le marchand, rien ne peut vous toucher ? vous voulez absolument ôter la vie à un pauvre innocent ? — Oui, repartit le génie, j'y suis résolu. » En achevant ces paroles...

Scheherazade, en cet endroit, s'apercevant qu'il était jour et sachant que le sultan se levait de grand matin pour faire sa prière et tenir son conseil, cessa de parler. « Bon Dieu! ma sœur, dit alors Dinarzade, que votre conte est merveilleux! — La suite en est encore plus

surprenante, répondit Scheherazade, et vous en tombe-
riez d'accord, si le sultan voulait me laisser vivre encore
aujourd'hui et me donner la permission de vous la raconter la nuit prochaine. » Schahriar, qui avait écouté Scheherazade avec plaisir, dit en lui-même : « J'attendrai jusqu'à
demain ; je la ferai toujours bien mourir quand j'aurai
entendu la fin de son conte. » Ayant donc pris la résolution de ne pas faire ôter la vie à Scheherazade ce jour-là,
il se leva pour faire sa prière et aller au conseil.

Pendant ce temps-là le grand-vizir était dans une
inquiétude cruelle. Au lieu de goûter la douceur du
sommeil, il avait passé la nuit à soupirer et à plaindre le
sort de sa fille, dont il devait être le bourreau. Mais, si
dans cette triste attente il craignait la vue du sultan, il
fut agréablement surpris lorsqu'il vit que ce prince
entrait au conseil sans lui donner l'ordre funeste qu'il en
attendait.

Le sultan, selon sa coutume, passa la journée à régler
les affaires de son empire ; et, quand la nuit fut venue,
il coucha encore avec Scheherazade. Le lendemain,
avant que le jour parût, Dinarzade ne manqua pas de
s'adresser à sa sœur et de lui dire : « Ma chère sœur, si
vous ne dormez pas, je vous supplie, en attendant le
jour qui paraîtra bientôt, de continuer le conte d'hier. »
Le sultan n'attendit pas que Scheherazade lui en deman-
dât la permission .« Achevez, lui dit-il, le conte du génie
et du marchand ; je suis curieux d'en entendre la fin. »
Scheherazade prit alors la parole et continua son conte
dans ces termes :

IIᵉ NUIT

Sire, quand le marchand vit que le génie lui allait
trancher la tête, il fit un grand cri, et lui dit : « Arrêtez ;
encore un mot, de grâce ; ayez la bonté de m'accorder
un délai : donnez-moi le temps d'aller dire adieu à ma
femme et à mes enfants, et de leur partager mes biens
par un testament que je n'ai pas encore fait, afin qu'ils
n'aient point de procès après ma mort ; cela étant fini, je
reviendrai aussitôt dans ce même lieu me soumettre à
tout ce qu'il vous plaira d'ordonner de moi. — Mais,
dit le génie, si je t'accorde le délai que tu demandes, j'ai
peur que tu ne reviennes pas. — Si vous voulez m'en
croire à mon serment, répondit le marchand, je jure
par le Dieu du ciel et de la terre que je viendrai vous

retrouver ici sans y manquer. — De combien de temps souhaites-tu que soit ce délai ? répliqua le génie. — Je vous demande une année, repartit le marchand; il ne me faut pas moins de temps pour donner ordre à mes affaires, et pour me disposer à renoncer sans regret au plaisir qu'il y a de vivre. Ainsi, je vous promets que de demain en un an, sans faute, je me rendrai sous ces arbres, pour me remettre entre vos mains. — Prends-tu Dieu à témoin de la promesse que tu me fais ? reprit le génie. — Oui, répondit le marchand, je le prends encore une fois à témoin, et vous pouvez vous reposer sur mon serment. » A ces paroles, le génie le laissa près de la fontaine et disparut.

Le marchand, s'étant remis de sa frayeur, remonta à cheval et reprit son chemin. Mais, si d'un côté il avait de la joie de s'être tiré d'un si grand péril, de l'autre il était dans une tristesse mortelle lorsqu'il songeait au serment fatal qu'il avait fait. Quand il arriva chez lui, sa femme et ses enfants le reçurent avec toutes les démonstrations d'une joie parfaite; mais, au lieu de les embrasser de la même manière, il se mit à pleurer si amèrement qu'ils jugèrent bien qu'il lui était arrivé quelque chose d'extraordinaire. Sa femme lui demanda la cause de ses larmes et de la vive douleur qu'il faisait éclater. « Nous nous réjouissions, disait-elle, de votre retour, et cependant vous nous alarmez tous par l'état où nous vous voyons. Expliquez-nous, je vous prie, le sujet de votre tristesse. — Hélas! répondit le mari; le moyen que je sois dans une autre situation! Je n'ai plus qu'un an à vivre. » Alors il leur raconta ce qui s'était passé entre lui et le génie, et leur apprit qu'il lui avait donné parole de retourner au bout de l'année recevoir la mort de sa main.

Lorsqu'ils entendirent cette triste nouvelle, ils commencèrent tous à se désoler. La femme poussait des cris pitoyables en se frappant le visage et en s'arrachant les cheveux; les enfants, fondant en pleurs, faisaient retentir la maison de leurs gémissements; et le père, cédant à la force du sang, mêlait ses larmes à leurs plaintes. En un mot, c'était le spectacle du monde le plus touchant.

Dès le lendemain, le marchand songea à mettre ordre à ses affaires, et s'appliqua sur toutes choses à payer ses dettes. Il fit des présents à ses amis et de grandes aumônes aux pauvres, donna la liberté à ses esclaves de l'un et de l'autre sexe, partagea ses biens entre ses enfants, nomma des tuteurs pour ceux qui n'étaient pas encore

en âge, et, en rendant à sa femme tout ce qui lui appartenait, selon son contrat de mariage, il l'avantagea de tout
ce qu'il put lui donner suivant les lois.

Enfin l'année s'écoula, et il fallut partir. Il fit sa valise,
où il mit le drap dans lequel il devait être enseveli;
mais, lorsqu'il voulut dire adieu à sa femme et à ses
enfants, on n'a jamais vu une douleur plus vive. Ils ne
pouvaient se résoudre à le perdre; ils voulaient tous
l'accompagner et aller mourir avec lui. Néanmoins, comme
il fallait se faire violence et quitter des objets si chers :
« Mes enfants, leur dit-il, j'obéis à l'ordre de Dieu en
me séparant de vous. Imitez-moi : soumettez-vous coura-
geusement à cette nécessité, et songez que la destinée
de l'homme est de mourir. » Après avoir dit ces paroles,
il s'arracha aux cris et aux regrets de sa famille, il partit,
et arriva au même endroit où il avait vu le génie, le
propre jour qu'il avait promis de s'y rendre. Il mit
aussitôt pied à terre, et s'assit au bord de la fontaine, où
il attendit le génie avec toute la tristesse qu'on peut
s'imaginer.

Pendant qu'il languissait dans une si cruelle attente,
un bon vieillard, qui menait une biche à l'attache, parut
et s'approcha de lui. Ils se saluèrent l'un l'autre; après
quoi le vieillard lui dit : « Mon frère, peut-on savoir de
vous pourquoi vous êtes venu dans ce lieu désert, où il
n'y a que des esprits malins, et où l'on n'est pas en sûreté ?
A voir ces beaux arbres, on le croirait habité; mais c'est
une véritable solitude, où il est dangereux de s'arrêter
trop longtemps. »

Le marchand satisfit la curiosité du vieillard, et lui
conta l'aventure qui l'obligeait à se trouver là. Le vieillard l'écouta avec étonnement; et, prenant la parole :
« Voilà, s'écria-t-il, la chose du monde la plus surprenante;
et vous vous êtes lié par le serment le plus inviolable. Je
veux, ajouta-t-il, être témoin de votre entrevue avec le
génie. » En disant cela, il s'assit près du marchand, et
tandis qu'ils s'entretenaient tous deux...

« Mais je vois le jour, dit Scheherazade en se reprenant;
ce qui reste est le plus beau du conte. » Le sultan, résolu
d'en entendre la fin, laissa vivre encore ce jour-là Scheherazade.

IIIᵉ NUIT

La nuit suivante, Dinarzade fit à sa sœur la même
prière que les deux précédentes. « Ma chère sœur, lui
dit-elle, si vous ne dormez pas, je vous supplie de me
raconter un de ces contes agréables que vous savez. »
Mais le sultan dit qu'il voulait entendre la suite de celui
du marchand et du génie; c'est pourquoi Scheherazade
le reprit ainsi :

Sire, dans le temps que le marchand et le vieillard qui
conduisait la biche s'entretenaient, il arriva un autre
vieillard suivi de deux chiens noirs. Il s'avança jusqu'à
eux, et les salua en leur demandant ce qu'ils faisaient
en cet endroit. Le vieillard qui conduisait la biche lui
apprit l'aventure du marchand et du génie, ce qui s'était
passé entre eux et le serment du marchand. Il ajouta que
ce jour était celui de la parole donnée et qu'il était résolu
de demeurer là pour voir ce qui en arriverait.

Le second vieillard, trouvant aussi la chose digne de
sa curiosité, prit la même résolution. Il s'assit auprès
des autres; et à peine se fut-il mêlé à leur conversation
qu'il survint un troisième vieillard qui, s'adressant aux
deux premiers, leur demanda pourquoi le marchand qui
était avec eux paraissait si triste. On lui en dit le sujet,
qui lui parut si extraordinaire qu'il souhaita aussi d'être
témoin de ce qui se passerait entre le génie et le marchand.
Pour cet effet, il se plaça parmi les autres.

Ils aperçurent bientôt dans la campagne une vapeur
épaisse, comme un tourbillon de poussière enlevé par
le vent. Cette vapeur s'avança jusqu'à eux, et, se dissipant
tout à coup, leur laissa voir le génie, qui, sans les saluer,
s'approcha du marchand le sabre à la main et qui lui dit,
le prenant par le bras : « Lève-toi, que je te tue comme tu
as tué mon fils. » Le marchand et les trois vieillards
effrayés se mirent à pleurer et à remplir l'air de cris...

Scheherazade, en cet endroit, apercevant le jour,
cessa de poursuivre son conte, qui avait si bien piqué
la curiosité du sultan que ce prince, voulant absolument
en savoir la fin, remit encore au lendemain la mort de
la sultane.

On ne peut exprimer quelle fut la joie du grand-vizir
lorsqu'il vit que le sultan ne lui ordonnait pas de faire

mourir Scheherazade. Sa famille, la cour, tout le monde en fut généralement étonné.

IVᵉ NUIT

Vers la fin de la nuit suivante, Dinarzade ne manqua pas de réveiller la sultane. « Ma chère sœur, lui dit-elle, si vous ne dormez pas, je vous supplie de me raconter un de ces beaux contes que vous savez. » Alors Scheherazade, avec la permission du sultan, parla en ces termes :

Sire, quand le vieillard qui conduisait la biche vit que le génie s'était saisi du marchand et l'allait tuer impitoyablement, il se jeta aux pieds de ce monstre, et, les lui baisant : « Prince des génies, lui dit-il, je vous supplie très humblement de suspendre votre colère et de me faire la grâce de m'écouter. Je vais vous raconter mon histoire et celle de cette biche que vous voyez; mais, si vous la trouvez plus merveilleuse et plus surprenante que l'aventure de ce marchand à qui vous voulez ôter la vie, puis-je espérer que vous voudrez bien remettre à ce pauvre malheureux le tiers de son crime ? » Le génie fut quelque temps à se consulter là-dessus; mais enfin il répondit : « Hé bien, voyons, j'y consens. »

HISTOIRE DU PREMIER VIEILLARD

ET DE LA BICHE

« Je vais donc, reprit le vieillard, commencer mon récit; écoutez-moi, je vous prie, avec attention. Cette biche que vous voyez est ma cousine et de plus ma femme. Elle n'avait que douze ans quand je l'épousai; ainsi je puis dire qu'elle ne devait pas moins me regarder comme son père que comme son parent et son mari.

« Nous avons vécu ensemble trente années sans avoir eu d'enfants; mais sa stérilité ne m'a point empêché d'avoir pour elle beaucoup de complaisance et d'amitié. Le seul désir d'avoir des enfants me fit acheter une esclave, dont j'eus un fils qui promettait infiniment. Ma femme en conçut de la jalousie, prit en aversion la mère et l'enfant, et cacha si bien ses sentiments que je ne les connus que trop tard.

« Cependant mon fils croissait, et il avait déjà dix ans, lorsque je fus obligé de faire un voyage. Avant mon départ, je recommandai à ma femme, dont je ne me défiais point, l'esclave et son fils, et je la priai d'en avoir soin pendant mon absence, qui dura une année entière. Elle profita de ce temps-là pour contenter sa haine. Elle s'attacha à la magie, et, quand elle sut assez de cet art diabolique pour exécuter l'horrible dessein qu'elle méditait, la scélérate mena mon fils dans un lieu écarté. Là, par ses enchantements, elle le changea en veau, et le donna à mon fermier, avec ordre de le nourrir comme un veau, disait-elle, qu'elle avait acheté. Elle ne borna point sa fureur à cette action abominable; elle changea l'esclave en vache, et la donna aussi à mon fermier.

« A mon retour, je lui demandai des nouvelles de la mère et de l'enfant. « Votre esclave est morte, me dit-elle; et, pour votre fils, il y a deux mois que je ne l'ai vu et que je ne sais ce qu'il est devenu. » Je fus touché de la

mort de l'esclave; mais, comme mon fils n'avait fait que
disparaître, je me flattai que je pourrais le revoir bientôt.
Néanmoins huit mois se passèrent sans qu'il revînt, et
je n'en avais aucune nouvelle, lorsque la fête du grand
Baïram arriva. Pour la célébrer, je mandai à mon fermier
de m'amener une vache des plus grasses pour en faire
un sacrifice. Il n'y manqua pas. La vache qu'il m'amena
était l'esclave elle-même, la malheureuse mère de mon
fils. Je la liai; mais, dans le moment que je me préparais
à la sacrifier, elle se mit à faire des beuglements pitoyables,
et je m'aperçus qu'il coulait de ses yeux des ruisseaux de
larmes. Cela me parut assez extraordinaire; et, me sentant, malgré moi, saisi d'un mouvement de pitié, je ne
pus me résoudre à la frapper. J'ordonnai à mon fermier
de m'en aller prendre une autre.

« Ma femme, qui était présente, frémit de ma compassion, et, s'opposant à un ordre qui rendait sa malice
inutile : « Que faites-vous, mon mari ? s'écria-t-elle.
Immolez cette vache. Votre fermier n'en a pas de plus
belle, ni qui soit plus propre à l'usage que nous en voulons faire. » Par complaisance pour ma femme, je m'approchai de la vache; et, combattant la pitié qui en suspendait
le sacrifice, j'allais porter le coup mortel, quand la
victime, redoublant ses pleurs et ses beuglements, me
désarma une seconde fois. Alors je mis le maillet entre
les mains du fermier en lui disant : « Prenez, et sacrifiez-la
vous-même; ses beuglements et ses larmes me fendent
le cœur. »

« Le fermier, moins pitoyable que moi, la sacrifia. Mais,
en l'écorchant, il se trouva qu'elle n'avait que les os,
quoiqu'elle nous eût paru très grasse. J'en eus un véritable chagrin. « Prenez-la pour vous, dis-je au fermier,
je vous l'abandonne; faites-en des régals et des aumônes
à qui vous voudrez; et, si vous avez un veau bien gras,
amenez-le-moi à sa place. » Je ne m'informai pas de ce
qu'il fit de la vache; mais, peu de temps après qu'il l'eut
fait enlever de devant mes yeux, je le vis arriver avec un
veau fort gras. Quoique j'ignorasse que ce veau fût
mon fils, je ne laissai pas de sentir émouvoir mes entrailles
à sa vue. De son côté, dès qu'il m'aperçut, il fit un si
grand effort pour venir à moi qu'il en rompit sa corde.
Il se jeta à mes pieds, la tête contre terre, comme s'il
eût voulu exciter ma compassion et me conjurer de
n'avoir pas la cruauté de lui ôter la vie, en m'avertissant,
autant qu'il lui était possible, qu'il était mon fils.

« Je fus encore plus surpris et plus touché de cette action que je ne l'avais été des pleurs de la vache. Je sentis une tendre pitié qui m'intéressa pour lui, ou, pour mieux dire, le sang fit en moi son devoir. « Allez, dis-je au fermier, remenez ce veau chez vous ; ayez-en un grand soin, et, à sa place, amenez-en un autre incessamment. »

Dès que ma femme m'entendit parler ainsi, elle ne manqua pas de s'écrier encore : « Que faites-vous, mon mari ? croyez-moi, ne sacrifiez pas un autre veau que celui-là. — Ma femme, lui répondis-je, je n'immolerai pas celui-ci ; je veux lui faire grâce, je vous prie de ne vous y point opposer. » Elle n'eut garde, la méchante femme, de se rendre à ma prière ; elle haïssait trop mon fils pour consentir que je le sauvasse. Elle m'en demanda le sacrifice avec tant d'opiniâtreté que je fus obligé de le lui accorder. Je liai le veau, et, prenant le couteau funeste...

Scheherazade s'arrêta en cet endroit, parce qu'elle aperçut le jour. « Ma sœur, dit alors Dinarzade, je suis enchantée de ce conte, qui soutient si agréablement mon attention. — Si le sultan me laisse encore vivre aujourd'hui, repartit Scheherazade, vous verrez que ce que je vous raconterai demain vous divertira bien davantage. » Schahriar, curieux de savoir ce que deviendrait le fils du vieillard qui conduisait la biche, dit à la sultane qu'il serait bien aise d'entendre, la nuit prochaine, la fin de ce conte.

Ve NUIT

Sur la fin de la cinquième nuit, Dinarzade appela la sultane et lui dit : « Ma chère sœur, si vous ne dormez pas, je vous supplie, en attendant le jour, qui paraîtra bientôt, de reprendre la suite de ce beau conte que vous commençâtes hier. » Scheherazade, après en avoir obtenu la permission de Schahriar, poursuivit de cette manière le conte du jour précédent :

Sire, le premier vieillard qui conduisait la biche, continuant de raconter son histoire au génie, aux deux autres vieillards et au marchand : « Je pris donc, leur dit-il, le couteau, et j'allais l'enfoncer dans la gorge de mon fils, lorsque, tournant vers moi languissamment ses yeux baignés de pleurs, il m'attendrit à un point que je n'eus pas la force de l'immoler. Je laissai tomber le couteau, et je dis à ma femme que je voulais absolument tuer un autre veau que celui-là. Elle n'épargna rien pour me faire changer de résolution; mais, quoi qu'elle pût me représenter, je demeurai ferme, et lui promis seulement, pour l'apaiser, que je le sacrifierais au Baïram de l'année prochaine.

« Le lendemain matin, mon fermier demanda à me parler en particulier. « Je viens, me dit-il, vous apprendre une nouvelle dont j'espère que vous me saurez bon gré. J'ai une fille qui a quelque connaissance de la magie. Hier, comme je remenais au logis le veau dont vous n'aviez pas voulu faire le sacrifice, je remarquai qu'elle rit en le voyant, et qu'un moment après elle se mit à pleurer. Je lui demandai pourquoi elle faisait en même temps deux choses si contraires : « Mon père, me répondit-« elle, ce veau que vous ramenez est le fils de notre maître. « J'ai ri de joie de le voir encore vivant, et j'ai pleuré « en me souvenant du sacrifice qu'on fit hier de sa mère « qui était changée en vache. Ces deux métamorphoses « ont été faites par les enchantements de la femme de « notre maître, laquelle haïssait la mère et l'enfant. » — Voilà ce que m'a dit ma fille, poursuivit le fermier, et je viens vous apporter cette nouvelle. »

« A ces paroles, ô génie, continua le vieillard, je vous laisse à juger quelle fut ma surprise! Je partis sur-le-champ avec mon fermier pour parler moi-même à sa fille. En arrivant, j'allai d'abord à l'étable où était mon fils. Il ne put répondre à mes embrassements; mais il les reçut d'une manière qui acheva de me persuader qu'il était mon fils.

« La fille du fermier arriva. « Ma bonne fille, lui dis-je, pouvez-vous rendre à mon fils sa première forme ? — Oui, je le puis, me répondit-elle. — Ah! si vous en venez à bout, repris-je, je vous fais maîtresse de tous mes biens. » Alors elle me repartit en souriant : « Vous êtes notre maître, et je sais trop bien ce que je vous dois; mais je vous avertis que je ne puis remettre votre fils dans son premier état qu'à deux conditions : la première, que vous me le donnerez pour époux, et la seconde, qu'il me sera permis de punir la personne qui l'a changé en veau. — Pour la première condition, lui dis-je, je l'accepte de bon cœur; je dis plus, je vous promets de vous donner beaucoup de bien pour vous en particulier, indépendamment de celui que je destine à mon fils. Enfin, vous verrez comment je reconnaîtrai le grand ser-

vice que j'attends de vous. Pour la condition qui regarde
ma femme, je veux bien l'accepter encore. Une personne
qui a été capable de faire une action si criminelle mérite
bien d'en être punie ; je vous l'abandonne, faites-en ce
qu'il vous plaira ; je vous prie seulement de ne lui pas
ôter la vie. — Je vais donc, répliqua-t-elle, la traiter de
la même manière qu'elle a traité votre fils. — J'y consens,
lui repartis-je ; mais rendez-moi mon fils auparavant. »

« Alors cette fille prit un vase plein d'eau, prononça
dessus des paroles que je n'entendis pas, et, s'adressant
au veau : *O veau !* dit-elle, *si tu as été créé par le tout-
puissant et souverain maître du monde tel que tu parais en
ce moment, demeure sous cette forme ; mais, si tu es homme
et que tu sois changé en veau par enchantement, reprends
ta figure naturelle par la permission du souverain Créateur.*
En achevant ces mots, elle jeta l'eau sur lui, et à l'instant
il reprit sa première forme.

« Mon fils, mon cher fils ! m'écriai-je aussitôt en l'embrassant avec un transport dont je ne fus pas maître,
c'est Dieu qui nous a envoyé cette jeune fille pour détruire
l'horrible charme dont vous étiez environné, et vous
venger du mal qui vous a été fait, à vous et à votre mère.
Je ne doute pas que, par reconnaissance, vous ne vouliez
bien la prendre pour votre femme comme je m'y suis
engagé. » Il y consentit avec joie ; mais, avant qu'ils se
mariassent, la jeune fille changea ma femme en biche,
et c'est elle que vous voyez ici. Je souhaitai qu'elle eût
cette forme plutôt qu'une autre moins agréable, afin que
nous la vissions sans répugnance dans la famille. Depuis
ce temps-là, mon fils est devenu veuf et est allé voyager.
Comme il y a plusieurs années que je n'ai eu de ses
nouvelles, je me suis mis en chemin pour tâcher d'en
apprendre ; et, n'ayant voulu confier à personne le soin
de ma femme pendant que je serais en quête de lui,
j'ai jugé à propos de la mener partout avec moi. Voilà
donc mon histoire et celle de cette biche. N'est-elle pas
des plus surprenantes et des plus merveilleuses ?
— J'en demeure d'accord, dit le génie, et, en sa
faveur, je t'accorde le tiers de la grâce de ce marchand. »

Quand le premier vieillard, Sire, continua la sultane,
eut achevé son histoire, le second, qui conduisait les
deux chiens noirs, s'adressa au génie et lui dit : « Je vais
vous raconter ce qui m'est arrivé, à moi et à ces deux
chiens noirs que voici, et je suis sûr que vous trouverez
mon histoire encore plus étonnante que celle que vous

venez d'entendre. Mais, quand je vous l'aurai contée,
m'accorderez-vous le second tiers de la grâce de ce
marchand ? — Oui, répondit le génie, pourvu que ton
histoire surpasse celle de la biche. » Après ce consentement, le second vieillard commença de cette manière...

Mais Scheherazade, en prononçant ces dernières
paroles, ayant vu le jour, cessa de parler. « Bon Dieu!
ma sœur, dit Dinarzade, que ces aventures sont singulières! — Ma sœur, répondit la sultane, elle ne sont pas
comparables à celles que j'aurais à vous raconter la nuit
prochaine, si le sultan, mon seigneur et mon maître,
avait la bonté de me laisser vivre. » Schahriar ne répondit
rien à cela; mais il se leva, fit sa prière, et alla au conseil,
sans donner aucun ordre contre la vie de la charmante
Scheherazade.

VIᵉ NUIT

La sixième nuit étant venue, le sultan et son épouse
se couchèrent. Dinarzade se réveilla à l'heure ordinaire,
et appela la sultane. « Ma chère sœur, lui dit-elle, si vous
ne dormez pas, je vous supplie, en attendant le jour qui
paraîtra bientôt, de me raconter quelqu'un de ces beaux
contes que vous savez. » Schahriar prit alors la parole :
« Je souhaiterais, dit-il, d'entendre l'histoire du second
vieillard et des deux chiens noirs. — Je vais contenter
votre curiosité, Sire », répondit Scheherazade.

Le second vieillard, poursuivit-elle, s'adressant au
génie, commença ainsi son histoire :

HISTOIRE DU SECOND VIEILLARD

ET DES DEUX CHIENS NOIRS

« Grand prince des génies, vous saurez que nous sommes trois frères, ces deux chiens noirs que vous voyez, et moi qui suis le troisième. Notre père nous avait laissé en mourant à chacun mille sequins. Avec cette somme, nous embrassâmes tous trois la même profession : nous nous fîmes marchands. Peu de temps après que nous eûmes ouvert boutique, mon frère aîné, l'un de ces deux chiens, résolut de voyager et d'aller négocier dans les pays étrangers. Dans ce dessein, il vendit tout son fonds et en acheta des marchandises propres au négoce qu'il voulait faire.

« Il partit, et fut absent une année entière. Au bout de ce temps-là, un pauvre qui me parut demander l'aumône se présenta à ma boutique. Je lui dis : « Dieu vous assiste ! — Dieu vous assiste aussi ! me répondit-il : est-il possible que vous ne me reconnaissiez pas ? » Alors, l'envisageant avec attention, je le reconnus. « Ah ! mon frère ! m'écriai-je en l'embrassant, comment vous aurais-je pu reconnaître en cet état ? » Je le fis entrer dans ma maison, je lui demandai des nouvelles de sa santé et du succès de son voyage. « Ne me faites pas cette question, me dit-il ; en me voyant, vous voyez tout. Ce serait renouveler mon affliction que de vous faire le détail de tous les malheurs qui me sont arrivés depuis un an et qui m'ont réduit en l'état où je suis. »

« Je fis fermer aussitôt ma boutique, et, abandonnant tout autre soin, je le menai au bain, et lui donnai les plus beaux habits de ma garde-robe. J'examinai mes registres de vente et d'achat, et, trouvant que j'avais doublé mon fonds, c'est-à-dire que j'étais riche de deux mille sequins, je lui en donnai la moitié. « Avec cela, mon frère, lui dis-je, vous pourrez oublier la perte que vous avez faite. » Il accepta les mille sequins avec joie, rétablit ses affaires, et nous vécûmes ensemble comme nous avions vécu auparavant.

« Quelque temps après, mon second frère, qui est l'autre de ces deux chiens, voulut aussi vendre son fonds. Nous fîmes, son aîné et moi, tout ce que nous pûmes pour l'en détourner; mais il n'y eut pas moyen. Il le vendit, et de l'argent qu'il en fit il acheta des marchandises propres au négoce étranger qu'il voulait entreprendre. Il se joignit à une caravane et partit. Il revint au bout de l'an dans le même état que son frère aîné. Je le fis habiller, et, comme j'avais encore mille sequins par-dessus mon fonds, je les lui donnai. Il releva boutique et continua d'exercer sa profession.

« Un jour, mes deux frères vinrent me trouver pour me proposer de faire un voyage et d'aller trafiquer avec eux. Je rejetai d'abord leur proposition. « Vous avez voyagé, leur dis-je : qu'y avez-vous gagné ? Qui m'assurera que je serai plus heureux que vous ? » En vain ils me représentèrent là-dessus tout ce qui leur sembla devoir m'éblouir et m'encourager à tenter la fortune; je refusai d'entrer dans leur dessein. Mais ils revinrent tant de fois à la charge qu'après avoir pendant cinq ans résisté constamment à leurs sollicitations, je m'y rendis enfin. Mais, quand il fallut faire les préparatifs du voyage, et qu'il fut question d'acheter les marchandises dont nous avions besoin, il se trouva qu'ils avaient tout mangé, et qu'il ne leur restait rien des mille sequins que je leur avais donnés à chacun. Je ne leur en fis pas le moindre reproche. Au contraire, comme mon fonds était de six mille sequins, j'en partageai la moitié avec eux, en leur disant : « Mes frères, il faut risquer ces trois mille sequins, et cacher les autres en quelque endroit sûr, afin que, si notre voyage n'est pas plus heureux que ceux que vous avez déjà faits, nous ayons de quoi nous en consoler et reprendre notre ancienne profession. » Je donnai donc mille sequins à chacun, j'en gardai autant pour moi, et j'enterrai les trois mille autres dans un coin de ma maison. Nous achetâmes des marchandises et, après les avoir embarquées sur un vaisseau que nous frétâmes entre nous trois, nous fîmes mettre à la voile avec un vent favorable. Après un mois de navigation... »

« Mais je vois le jour, poursuivit Scheherazade, il faut que j'en demeure là. — Ma sœur, dit Dinarzade,

voilà un conte qui promet beaucoup; je m'imagine que
la suite en est fort extraordinaire. — Vous ne vous trompez pas, répondit la sultane; et, si le sultan me permet
de vous la conter, je suis persuadée qu'elle vous divertira
fort. » Schahriar se leva comme le jour précédent, sans
s'expliquer là-dessus, et ne donna point ordre au grand-
vizir de faire mourir sa fille.

VIIᵉ NUIT

Sur la fin de la septième nuit, Dinarzade ne manqua
pas de réveiller la sultane : « Ma chère sœur, lui dit-elle,
si vous ne dormez pas, je vous supplie, en attendant le
jour qui paraîtra bientôt, de me conter la suite de ce
beau conte que vous ne pûtes achever hier. — Je le veux
bien, répondit Scheherazade; et, pour en reprendre le fil,
je vous dirai que le vieillard qui menait les deux chiens
noirs, continuant de raconter son histoire au génie, aux
deux autres vieillards et au marchand :

« Enfin, leur dit-il, après deux mois de navigation,
nous arrivâmes heureusement à un port de mer, où nous
débarquâmes et fîmes un très grand débit de nos marchandises. Moi surtout, je vendis si bien les miennes que
je gagnai dix pour un. Nous achetâmes des marchandises
du pays, pour les transporter et les négocier au nôtre.

« Dans le temps que nous étions prêts à nous rembarquer pour notre retour, je rencontrai sur le bord de la
mer une dame assez bien faite, mais fort pauvrement
habillée. Elle m'aborda, me baisa la main, et me pria,
avec les dernières instances, de la prendre pour femme
et de l'embarquer avec moi. Je fis difficulté de lui accorder
ce qu'elle demandait; mais elle me dit tant de choses pour
me persuader que je ne devais pas prendre garde à sa
pauvreté, et que j'aurais lieu d'être content de sa conduite,
que je me laissai vaincre. Je lui fis faire des habits propres;
et, après l'avoir épousée par un contrat de mariage en
bonne forme, je l'embarquai avec moi, et nous mîmes
à la voile.

« Pendant notre navigation, je trouvai de si belles
qualités dans la femme que je venais de prendre que je
l'aimais tous les jours de plus en plus. Cependant mes
deux frères, qui n'avaient pas si bien fait leurs affaires
que moi, et qui étaient jaloux de ma prospérité, me por-

taient envie. Leur fureur alla même jusqu'à conspirer contre ma vie. Une nuit, dans le temps que ma femme et moi nous dormions, ils nous jetèrent à la mer.

« Ma femme était fée, et par conséquent génie; vous jugez bien qu'elle ne se noya pas. Pour moi, il est certain que je serais mort sans son secours; mais je fus à peine tombé dans l'eau qu'elle m'enleva et me transporta dans une île. Quand il fut jour, la fée me dit : « Vous voyez, mon mari, qu'en vous sauvant la vie, je ne vous ai pas mal récompensé du bien que vous m'avez fait. Vous saurez que je suis fée, et que, me trouvant sur le bord de la mer lorsque vous alliez vous embarquer, je me sentis une forte inclination pour vous. Je voulus éprouver la bonté de votre cœur; je me présentai devant vous déguisée comme vous m'avez vue. Vous en avez usé avec moi généreusement : je suis ravie d'avoir trouvé l'occasion de vous en marquer ma reconnaissance. Mais je suis irritée contre vos frères, et je ne serai pas satisfaite que je ne leur aie ôté la vie. »

« J'écoutai avec admiration le discours de la fée; je la remerciai le mieux qu'il me fut possible de la grande obligation que je lui avais. « Mais, Madame, lui dis-je, pour ce qui est de mes frères, je vous supplie de leur pardonner. Quelque sujet que j'aie de me plaindre d'eux, je ne suis pas assez cruel pour vouloir leur perte. » Je lui racontai ce que j'avais fait pour l'un et l'autre; et, mon récit augmentant son indignation contre eux : « Il faut, s'écria-t-elle, que je vole tout à l'heure après ces traîtres et ces ingrats, et que j'en tire une prompte vengeance. Je vais submerger leur vaisseau et les précipiter dans le fond de la mer. — Non, ma belle dame, repris-je; au nom de Dieu, n'en faites rien, modérez votre courroux; songez que ce sont mes frères, et qu'il faut faire le bien pour le mal. »

« J'apaisai la fée par ces paroles; et, lorsque je les eus prononcées, elle me transporta en un instant de l'île où nous étions sur le toit de mon logis, qui était en terrasse, et elle disparut un moment après. Je descendis, j'ouvris les portes, et je déterrai les trois mille sequins que j'avais cachés. J'allai ensuite à la place où était ma boutique; je l'ouvris, et je reçus des marchands mes voisins des compliments sur mon retour. Quand je rentrai chez moi, j'aperçus ces deux chiens noirs, qui vinrent m'aborder d'un air soumis. Je ne savais ce que cela signifiait, et j'en étais fort étonné; mais la fée, qui parut bientôt, m'en éclaircit. « Mon mari, me dit-elle, ne soyez pas surpris de voir ces deux chiens chez vous : ce sont vos deux frères. » Je frémis à ces mots, et je lui demandai par quelle puissance ils se trouvaient en cet état. « C'est moi qui les y ai mis, me répondit-elle ; au moins, c'est une de mes sœurs à qui j'en ai donné la commission, et qui, en même temps, a coulé à fond leur vaisseau. Vous y perdez les marchandises que vous y aviez ; mais je vous récompenserai d'ailleurs. A l'égard de vos frères, je les ai condamnés à demeurer dix ans sous cette forme ; leur perfidie ne les rend que trop dignes de cette pénitence. » Enfin, après m'avoir enseigné où je pourrais avoir de ses nouvelles, elle disparut.

« Présentement que les dix années sont accomplies, je suis en chemin pour l'aller chercher ; et, comme en passant par ici j'ai rencontré ce marchand et le bon vieillard qui mène sa biche, je me suis arrêté avec eux. Voilà quelle est mon histoire, ô prince des génies ! ne vous paraît-elle pas des plus extraordinaires ? — J'en conviens, répondit le génie, et je remets aussi en sa faveur le second tiers du crime dont ce marchand est coupable envers moi. »

Aussitôt que le second vieillard eut achevé son histoire, le troisième prit la parole, et fit au génie la même demande que les deux premiers, c'est-à-dire de remettre au marchand le troisième tiers de son crime, supposé que l'histoire qu'il avait à lui raconter surpassât en événements singuliers les deux qu'il venait d'entendre. Le génie lui fit la même promesse qu'aux autres. « Écoutez donc », lui dit alors le vieillard...

« Mais le jour paraît, dit Scheherazade en se reprenant, il faut que je m'arrête en cet endroit. — Je ne puis assez admirer, ma sœur, dit alors Dinarzade, les aventures que vous venez de raconter. — J'en sais une infinité d'autres, répondit la sultane, qui sont encore plus belles. » Schahriar, voulant savoir si le conte du troisième vieillard serait aussi agréable que celui du second, différa jusqu'au lendemain la mort de Scheherazade.

VIIIe NUIT

Dès que Dinarzade s'aperçut qu'il était temps d'appeler la sultane, elle lui dit : « Ma sœur, si vous ne dormez pas, je vous supplie, en attendant le jour qui paraîtra bientôt, de me conter un de ces beaux contes que vous savez. — Racontez-nous celui du troisième vieillard, dit le sultan à Scheherazade; j'ai bien de la peine à croire qu'il soit plus merveilleux que celui du vieillard et des deux chiens noirs. — Sire, répondit la sultane, le troisième vieillard raconta son histoire au génie; je ne vous la dirai point, car elle n'est pas venue à ma connaissance; mais je sais qu'elle se trouva si fort au-dessus des deux précédentes, par la diversité des aventures merveilleuses qu'elle contenait, que le génie en fut étonné. Il n'en eut pas plus tôt ouï la fin qu'il dit au troisième vieillard : « Je t'accorde le dernier tiers de la grâce du marchand; il doit bien vous remercier tous trois de l'avoir tiré d'intrigue par vos histoires; sans vous il ne serait plus au monde. » En achevant ces mots, il disparut, au grand contentement de la compagnie. Le marchand ne manqua pas de rendre à ses trois libérateurs toutes les grâces qu'il leur devait. Ils se réjouirent avec lui de le voir hors de péril; après quoi ils se dirent adieu, et chacun reprit son chemin. Le marchand s'en retourna auprès de sa femme et de ses enfants, et passa tranquillement avec eux le reste de ses jours. Mais, Sire, ajouta Scheherazade, quelque beaux que soient les contes que j'ai racontés jusqu'ici à Votre Majesté, ils n'approchent pas de celui du pêcheur. » Dinarzade, voyant que la sultane s'arrêtait, lui dit : « Ma sœur, puisqu'il nous reste encore du temps, de grâce, racontez-nous l'histoire de ce pêcheur; le sultan le voudra bien. » Schahriar y consentit, et Scheherazade, reprenant son discours, poursuivit de cette manière :

HISTOIRE DU PÊCHEUR

Sire, il y avait autrefois un pêcheur fort âgé et si pauvre qu'à peine pouvait-il gagner de quoi faire subsister sa femme et trois enfants, dont sa famille était composée. Il allait tous les jours à la pêche de grand matin ; et, chaque jour, il s'était fait une loi de ne jeter ses filets que quatre fois seulement.

Il partit un matin au clair de la lune, et se rendit au bord de la mer. Il se déshabilla, et jeta ses filets, et, comme il les tirait vers le rivage, il sentit d'abord de la résistance ; il crut avoir fait une bonne pêche, et il s'en réjouissait déjà en lui-même. Mais un moment après, s'apercevant qu'au lieu de poisson il n'y avait dans ses filets que la carcasse d'un âne, il en eut beaucoup de chagrin...

Scheherazade, en cet endroit, cessa de parler, parce qu'elle vit paraître le jour. « Ma sœur, lui dit Dinarzade, je vous avoue que ce commencement me charme, et je prévois que la suite sera fort agréable. — Rien n'est plus surprenant que l'histoire de ce pêcheur, répondit la sultane ; et vous en conviendrez la nuit prochaine, si le sultan me fait la grâce de me laisser vivre. » Schahriar, curieux d'apprendre le succès de la pêche du pêcheur, ne voulut pas faire mourir ce jour-là Scheherazade. C'est pourquoi il se leva et ne donna pas encore ce cruel ordre.

IXᵉ NUIT

« Ma chère sœur, s'écria Dinarzade le lendemain à l'heure ordinaire, si vous ne dormez pas, je vous supplie, en attendant le jour qui paraîtra bientôt, de me raconter la suite du conte du pêcheur ; je meurs d'envie de l'entendre. — Je vais vous donner cette satisfaction », répondit la sultane. En même temps elle en demanda la permission au sultan, et, lorsqu'elle l'eut obtenue, elle reprit en ces termes le conte du pêcheur :

Sire, quand le pêcheur, affligé d'avoir fait une si mauvaise pêche, eut raccommodé ses filets que la carcasse de l'âne avait rompus en plusieurs endroits, il les jeta une seconde fois. En les tirant, il sentit encore beaucoup de résistance; ce qui lui fit croire qu'ils étaient remplis de poisson; mais il n'y trouva qu'un grand panier plein de gravier et de fange. Il en fut dans une extrême affliction. « O fortune! s'écria-t-il d'une voix pitoyable, cesse d'être en colère contre moi, et ne persécute point un malheureux qui te prie de l'épargner! Je suis parti de ma maison pour venir ici chercher ma vie, et tu m'annonces ma mort. Je n'ai pas d'autre métier que celui-ci pour subsister; et, malgré tous les soins que j'y apporte, je puis à peine fournir aux plus pressants besoins de ma famille. Mais j'ai tort de me plaindre de toi; tu prends plaisir à maltraiter les honnêtes gens, et à laisser les grands hommes dans l'obscurité, tandis que tu favorises les méchants et que tu élèves ceux qui n'ont aucune vertu qui les rende recommandables. »

En achevant ces plaintes, il jeta brusquement le panier, et, après avoir bien lavé ses filets que la fange avait gâtés, il les jeta pour la troisième fois. Mais il n'amena que des pierres, des coquilles et de l'ordure. On ne saurait exprimer quel fut son désespoir; peu s'en fallut qu'il ne perdît l'esprit. Cependant, comme le jour commençait à paraître, il n'oublia pas de faire sa prière en bon musulman; ensuite il ajouta celle-ci : *Seigneur, vous savez que je ne jette mes filets que quatre fois chaque jour. Je les ai déjà jetés trois fois sans avoir tiré le moindre fruit de mon travail. Il ne m'en reste plus qu'une ; je vous supplie de me rendre la mer favorable, comme vous l'avez rendue à Moïse.*

Le pêcheur, ayant fini cette prière, jeta ses filets pour la quatrième fois. Quand il jugea qu'il devait y avoir du poisson, il les tira comme auparavant avec assez de peine. Il n'y en avait pas pourtant; mais il y trouva un vase de cuivre jaune qui, à sa pesanteur, lui parut plein de quelque chose, et il remarqua qu'il était fermé et scellé de plomb, avec l'empreinte d'un sceau. Cela le réjouit. « Je le vendrai au fondeur, disait-il, et, de l'argent que j'en ferai, j'en achèterai une mesure de blé. »

Il examina le vase de tous côtés; il le secoua, pour voir si ce qui était dedans ne ferait pas de bruit. Il n'entendit rien, et cette circonstance, avec l'empreinte du sceau sur le couvercle de plomb, lui firent penser qu'il devait être rempli de quelque chose de précieux. Pour s'en éclaircir, il prit son couteau, et, avec un peu de peine, il l'ouvrit. Il en pencha aussitôt l'ouverture contre terre; mais il n'en sortit rien, ce qui le surprit extrêmement. Il le posa devant lui, et, pendant qu'il le considérait attentivement, il en sortit une fumée fort épaisse qui l'obligea de reculer deux ou trois pas en arrière. Cette fumée s'éleva jusqu'aux nues, et, s'étendant sur la mer et sur le rivage, forma un gros brouillard : spectacle qui causa, comme on peut se l'imaginer, un étonnement extraordinaire au pêcheur. Lorsque la fumée fut toute hors du vase, elle se réunit et devint un corps solide, dont il se forma un génie deux fois aussi haut que le plus grand de tous les géants. A l'aspect d'un monstre d'une grandeur si démesurée, le pêcheur voulut prendre la fuite; mais il se trouva si troublé et si effrayé qu'il ne put marcher.

« Salomon, s'écria d'abord le génie, Salomon, grand prophète de Dieu, pardon, pardon! Jamais je ne m'opposerai à vos volontés. J'obéirai à tous vos commandements... »

Scheherazade, apercevant le jour, interrompit là son conte. Dinarzade prit alors la parole : « Ma sœur, dit-elle, on ne peut mieux tenir sa promesse que vous ne tenez la vôtre : ce conte est assurément plus surprenant que les autres. — Ma sœur, répondit la sultane, vous entendrez des choses qui vous causeront encore plus d'admiration, si le sultan, mon seigneur, me permet de vous les raconter. » Schahriar avait trop d'envie d'entendre le reste de l'histoire du pêcheur pour vouloir se priver de ce plaisir. Il remit donc encore au lendemain la mort de la sultane.

Xᵉ NUIT

Dinarzade, la nuit suivante, appela sa sœur quand il en fut temps. « Si vous ne dormez pas, ma sœur, lui dit-elle, je vous prie, en attendant le jour qui paraîtra bientôt, de continuer le conte du pêcheur. » Le sultan, de son côté, témoigna de l'impatience d'apprendre quel démêlé le génie avait eu avec Salomon. C'est pourquoi

Scheherazade poursuivit ainsi le conte du pêcheur :

Sire, le pêcheur n'eut pas sitôt entendu les paroles que le génie avait prononcées qu'il se rassura et lui dit : « Esprit superbe, que dites-vous ? Il y a plus de dix-huit cents ans que Salomon, le prophète de Dieu, est mort, et nous sommes présentement à la fin des siècles. Apprenez-moi votre histoire et pour quel sujet vous étiez renfermé dans ce vase. »

A ce discours, le génie, regardant le pêcheur d'un air fier, lui répondit : « Parle-moi plus civilement; tu es bien hardi de m'appeler esprit superbe. — Hé bien, repartit le pêcheur, vous parlerai-je avec plus de civilité en vous appelant hibou du bonheur ? — Je te dis, repartit le génie, de me parler civilement avant que je te tue. — Hé ! pourquoi me tueriez-vous ? répliqua le pêcheur. Je viens de vous mettre en liberté; l'avez-vous déjà oublié ? — Non, je m'en souviens, repartit le génie; mais cela ne m'empêchera pas de te faire mourir; et je n'ai qu'une seule grâce à t'accorder. — Et quelle est cette grâce ? dit le pêcheur. — C'est, répondit le génie, de te laisser choisir de quelle manière tu veux que je te tue. — Mais en quoi vous ai-je offensé ? reprit le pêcheur. Est-ce ainsi que vous voulez me récompenser du bien que je vous ai fait ? — Je ne puis te traiter autrement, dit le génie; et, afin que tu en sois persuadé, écoute mon histoire :

« Je suis un de ces esprits rebelles qui se sont opposés à la volonté de Dieu. Tous les autres génies reconnurent le grand Salomon prophète de Dieu, et se soumirent à lui. Nous fûmes les seuls, Sacar et moi, qui ne voulûmes pas faire cette bassesse. Pour s'en venger, ce puissant monarque chargea Assaf, fils de Barakhia, son premier ministre, de me venir prendre. Cela fut exécuté. Assaf vint se saisir de ma personne, et me mena malgré moi devant le trône du roi son maître. Salomon, fils de David, me commanda de quitter mon genre de vie, de reconnaître son pouvoir, et de me soumettre à ses commandements. Je refusai hautement de lui obéir, et j'aimai mieux m'exposer à tout son ressentiment que de lui prêter le serment de fidélité et de soumission qu'il exigeait de moi. Pour me punir, il m'enferma dans ce vase de cuivre; et, afin de s'assurer de moi et que je ne pusse pas forcer ma prison, il imprima lui-même sur le couvercle de plomb son sceau, où le grand nom de Dieu était gravé. Cela fait, il

mit le vase entre les mains d'un des génies qui lui
obéissaient, avec ordre de me jeter à la mer; ce qui fut
exécuté à mon grand regret. Durant le premier siècle de
ma prison, je jurai que, si quelqu'un m'en délivrait avant
les cent ans achevés, je le rendrais riche, même après sa
mort. Mais le siècle s'écoula, et personne ne me rendit
ce bon office. Pendant le second siècle, je fis serment
d'ouvrir tous les trésors de la terre à quiconque me
mettrait en liberté; mais je n'en fus pas plus heureux.
Dans le troisième, je promis de faire puissant monarque
mon libérateur, d'être toujours près de lui en esprit, et
de lui accorder chaque jour trois demandes, de quelque
nature qu'elles pussent être; mais ce siècle se passa
comme les deux autres, et je demeurai toujours dans le
même état. Enfin, chagrin, ou plutôt enragé de me voir
prisonnier si longtemps, je jurai que, si quelqu'un me
délivrait dans la suite, je le tuerais impitoyablement et ne
lui accorderais point d'autre grâce que de lui laisser le
choix du genre de mort dont il voudrait que je le fisse
mourir. C'est pourquoi, puisque tu es venu ici aujour-
d'hui et que tu m'as délivré, choisis comment tu veux
que je te tue. »

Ce discours affligea fort le pêcheur. « Je suis bien malheureux, s'écria-t-il, d'être venu en cet endroit rendre
un si grand service à un ingrat. Considérez, de grâce,
votre injustice, et révoquez un serment si peu raisonnable. Pardonnez-moi, Dieu vous pardonnera de même.
Si vous me donnez généreusement la vie, il vous mettra
à couvert de tous les attentats qui se formeront contre
vos jours. — Non, ta mort est certaine, dit le génie;
choisis seulement de quelle sorte tu veux que je te fasse
mourir. » Le pêcheur, le voyant dans la résolution de le
tuer, en eut une douleur extrême, non pas tant pour
l'amour de lui qu'à cause de ses trois enfants dont il
plaignait la misère où ils allaient être réduits par sa
mort. Il tâcha encore d'apaiser le génie. « Hélas! reprit-il,
daignez avoir pitié de moi en considération de ce que j'ai
fait pour vous. — Je te l'ai déjà dit, repartit le génie,
c'est justement pour cette raison que je suis obligé de
t'ôter la vie. — Cela est étrange, répliqua le pêcheur,
que vous vouliez absolument rendre le mal pour le bien.
Le proverbe dit que qui fait du bien à celui qui ne le
mérite pas en est toujours mal payé. Je croyais, je l'avoue,
que cela était faux : car, en effet, rien ne choque davantage la raison et les droits de la société; néanmoins

j'éprouve cruellement que cela n'est que trop véritable.
— Ne perdons pas de temps, interrompit le génie ; tous
tes raisonnements ne sauraient me détourner de mon dessein. Hâte-toi de dire comment tu souhaites que je te
tue. »

La nécessité donne de l'esprit. Le pêcheur s'avisa d'un
stratagème. « Puisque je ne saurais éviter la mort, dit-il
au génie, je me soumets donc à la volonté de Dieu. Mais,
avant que je choisisse un genre de mort, je vous conjure
par le grand nom de Dieu qui était gravé sur le sceau du
prophète Salomon, fils de David, de me dire la vérité sur
une question que j'ai à vous faire. »

Quand le génie vit qu'on lui faisait une adjuration qui
le contraignait de répondre positivement, il trembla en
lui-même, et dit au pêcheur : « Demande-moi ce que tu
voudras, et hâte-toi... »

Le jour venant à paraître, Scheherazade se tut en cet
endroit de son discours. « Ma sœur, lui dit Dinarzade,
il faut convenir que plus vous parlez, et plus vous faites
de plaisir. J'espère que le sultan, notre seigneur, ne vous
fera pas mourir qu'il n'ait entendu le reste du beau conte
du pêcheur. — Le sultan est le maître, reprit Scheherazade ; il faut vouloir tout ce qui lui plaira. » Le sultan,
qui n'avait pas moins d'envie que Dinarzade d'entendre
la fin de ce conte, différa encore la mort de la sultane.

XIe NUIT

Schahriar et la princesse son épouse passèrent cette
nuit de la même manière que les précédentes, et, avant
que le jour parût, Dinarzade les réveilla par ces paroles,
qu'elle adressa à la sultane : « Si vous ne dormez pas, ma
sœur, je vous prie de reprendre le conte du pêcheur. —
Très volontiers, répondit Scheherazade ; je vais vous
satisfaire, avec la permission du sultan. »

Le génie, poursuivit-elle, ayant promis de dire la
vérité, le pêcheur lui dit : « Je voudrais savoir si effectivement vous étiez dans ce vase ; oseriez-vous en jurer
par le grand nom de Dieu ? — Oui, répondit le génie,
je jure par ce grand nom que j'y étais, et cela est très
véritable. — En bonne foi, répliqua le pêcheur, je ne puis

vous croire. Ce vase ne pourrait pas seulement contenir un de vos pieds : comment se peut-il que votre corps y ait été renfermé tout entier ? — Je te jure pourtant, repartit le génie, que j'y étais tel que tu me vois. Est-ce que tu ne me crois pas, après le grand serment que j'ai fait ? — Non vraiment, dit le pêcheur, et je ne vous croirai point, à moins que vous ne me fassiez voir la chose. »

Alors il se fit une dissolution du corps du génie, qui, se changeant en fumée, s'étendit comme auparavant sur la mer et sur le rivage, et qui, se rassemblant ensuite, commença de rentrer dans le vase, et continua de même par une succession lente et égale, jusqu'à ce qu'il n'en restât plus rien au dehors. Aussitôt il en sortit une voix qui dit au pêcheur : « Hé bien, incrédule pêcheur, me voici dans le vase; me crois-tu présentement ? »

Le pêcheur, au lieu de répondre au génie, prit le couvercle de plomb, et, ayant fermé promptement le vase : « Génie, lui cria-t-il, demande-moi grâce à ton tour, et choisis de quelle mort tu veux que je te fasse mourir. Mais non, il vaut mieux que je te rejette à la mer, dans le même endroit d'où je t'ai tiré, puis je ferai bâtir une maison sur ce rivage, où je demeurerai, pour avertir tous les pêcheurs qui viendront y jeter leurs filets de bien prendre garde de repêcher un méchant génie comme toi, qui as fait serment de tuer celui qui te mettra en liberté. »

A ces paroles offensantes, le génie irrité fit tous ses efforts pour sortir du vase; mais c'est ce qui ne lui fut pas possible, car l'empreinte du sceau du prophète Salomon, fils de David, l'en empêchait. Ainsi, voyant que le pêcheur avait alors l'avantage sur lui, il prit le parti de dissimuler sa colère. « Pêcheur, lui dit-il d'un ton radouci, garde-toi bien de faire ce que tu dis. Ce que j'en ai fait n'a été que par plaisanterie, et tu ne dois pas prendre la chose sérieusement. — O génie! répondit le pêcheur, toi qui étais, il n'y a qu'un moment, le plus grand, et qui es à l'heure qu'il est le plus petit de tous les génies, apprends que tes artificieux discours ne te serviront de rien. Tu retourneras à la mer. Si tu y as demeuré tout le temps que tu m'as dit, tu pourras bien y demeurer jusqu'au jour du jugement. Je t'ai prié, au nom de Dieu, de ne me pas ôter la vie, tu as rejeté mes prières; je dois te rendre la pareille. »

Le génie n'épargna rien pour tâcher de toucher le pêcheur. « Ouvre le vase, lui dit-il, donne-moi la liberté, je t'en supplie; je te promets que tu seras content de moi.

— Tu n'es qu'un traître, repartit le pêcheur. Je mérite-
rais de perdre la vie si j'avais l'imprudence de me fier à
toi. Tu ne manquerais pas de me traiter de la même façon
qu'un certain roi grec traita le médecin Douban. C'est
une histoire que je te veux raconter ; écoute :

HISTOIRE DU ROI GREC

ET DU MÉDECIN DOUBAN

« Il y avait au pays de Zouman, dans la Perse, un roi dont les sujets étaient Grecs originairement. Ce roi était couvert de lèpre, et ses médecins, après avoir inutilement employé tous leurs remèdes pour le guérir, ne savaient plus que lui ordonner, lorsqu'un très habile médecin, nommé Douban, arriva dans sa cour.

« Ce médecin avait puisé sa science dans les livres grecs, persans, turcs, arabes, latins, syriaques et hébreux ; et, outre qu'il était consommé dans la philosophie, il connaissait parfaitement les bonnes et mauvaises qualités de toutes sortes de plantes et de drogues. Dès qu'il fut informé de la maladie du roi, et qu'il eut appris que ses médecins l'avaient abandonné, il s'habilla le plus proprement qu'il lui fut possible, et trouva moyen de se faire présenter au roi. « Sire, lui dit-il, je sais que tous les médecins dont Votre Majesté s'est servie n'ont pu la guérir de sa lèpre ; mais, si vous voulez bien me faire l'honneur d'agréer mes services, je m'engage à vous guérir sans breuvage et sans topiques. » Le roi écouta cette proposition. « Si vous êtes assez habile homme, répondit-il, pour faire ce que vous dites, je promets de vous enrichir, vous et votre postérité ; et, sans compter les présents que je vous ferai, vous serez mon plus cher favori. Vous m'assurez donc que vous m'ôterez ma lèpre, sans me faire prendre aucune potion et sans m'appliquer aucun remède extérieur ? — Oui, Sire, repartit le médecin, je me flatte d'y réussir, avec l'aide de Dieu ; et dès demain j'en ferai l'épreuve. »

« En effet, le médecin Douban se retira chez lui, et fit un mail qu'il creusa en dedans par le manche, où il mit la drogue dont il prétendait se servir. Cela étant fait, il prépara aussi une boule de la manière qu'il la voulait, avec quoi il alla le lendemain se présenter devant le roi ; et, se prosternant à ses pieds, il baisa la terre... »

En cet endroit, Scheherazade, remarquant qu'il était jour, en avertit Schahriar, et se tut. « En vérité, ma sœur, dit alors Dinarzade, je ne sais où vous allez prendre tant de belles choses. — Vous en entendrez bien d'autres demain, répondit Scheherazade, si le sultan, mon maître, a la bonté de me prolonger encore la vie. » Schahriar, qui ne désirait pas moins ardemment que Dinarzade d'entendre la suite de l'histoire du médecin Douban, n'eut garde de faire mourir la sultane ce jour-là.

XIIᵉ NUIT

La douzième nuit était déjà fort avancée lorsque Dinarzade, s'étant réveillée, s'écria : « Ma sœur, si vous ne dormez pas, je vous supplie de continuer l'agréable histoire du roi grec et du médecin Douban. — Je le veux bien », répondit Scheherazade. En même temps elle reprit le fil de cette sorte :

Sire, le pêcheur, parlant toujours au génie qu'il tenait enfermé dans le vase, poursuivit ainsi :

« Le médecin Douban se leva, et, après avoir fait une profonde révérence, dit au roi qu'il jugeait à propos que Sa Majesté montât à cheval et se rendît à la place pour jouer au mail. Le roi fit ce qu'on lui disait ; et, lorsqu'il fut dans le lieu destiné à jouer au mail à cheval, le médecin s'approcha de lui avec le mail qu'il avait préparé, et, le lui présentant : « Tenez, Sire, lui dit-il, exercez-vous avec ce mail, en poussant cette boule, par la place, jusqu'à ce que vous sentiez votre main et votre corps en sueur. Quand le remède que j'ai enfermé dans le manche de ce mail sera échauffé par votre main, il vous pénétrera par tout le corps, et, sitôt que vous suerez, vous n'aurez qu'à quitter cet exercice, car le remède aura fait son effet. Dès que vous serez de retour en votre palais, vous entrerez au bain, où vous vous ferez bien laver et frotter ; vous vous coucherez ensuite, et en vous levant demain matin vous serez guéri. »

« Le roi prit le mail, et poussa son cheval après la boule qu'il avait jetée. Il la frappa : elle lui fut renvoyée par les officiers qui jouaient avec lui ; il la refrappa ; et enfin le jeu

dura si longtemps que sa main en sua, aussi bien que tout
son corps. Ainsi le remède enfermé dans le manche du
mail opéra comme le médecin l'avait dit. Alors le roi
cessa de jouer, s'en retourna dans son palais, entra au
bain, et observa très exactement ce qui lui avait été
prescrit. Il s'en trouva fort bien : car le lendemain, en se
levant, il s'aperçut avec autant d'étonnement que de joie
que sa lèpre était guérie, et qu'il avait le corps aussi net
que s'il n'eût jamais été attaqué de cette maladie. D'abord
qu'il fut habillé, il entra dans la salle d'audience publique,
où il monta sur son trône, et se fit voir à tous ses courtisans, que l'empressement d'apprendre le succès du nouveau remède y avait fait aller de bonne heure. Quand ils
virent le roi parfaitement guéri, ils en firent tous paraître
une extrême joie.

« Le médecin Douban entra dans la salle, et s'alla prosterner au pied du trône, la face contre terre. Le roi,
l'ayant aperçu, l'appela, le fit asseoir à son côté, et le
montra à l'assemblée, en lui donnant publiquement
toutes les louanges qu'il méritait. Ce prince n'en demeura
pas là : comme il régalait ce jour-là toute sa cour, il le fit
manger à sa table seul avec lui... »

A ces mots, Scheherazade, remarquant qu'il était jour,
cessa de poursuivre son conte. « Ma sœur, dit Dinarzade,
je ne sais quelle sera la fin de cette histoire, mais j'en
trouve le commencement admirable. — Ce qui reste à
raconter en est le meilleur, répondit la sultane ; et je suis
assurée que vous n'en disconviendrez pas, si le sultan veut
bien me permettre de l'achever la nuit prochaine. » Schahriar y consentit, et se leva fort satisfait de ce qu'il avait
entendu.

XIIIᵉ NUIT

Sur la fin de la nuit suivante, Dinarzade dit encore à la
sultane : « Ma chère sœur, si vous ne dormez pas, je vous
supplie de continuer l'histoire du roi grec et du médecin
Douban. — Je vais contenter votre curiosité, ma sœur,
répondit Scheherazade, avec la permission du sultan,
mon seigneur. » Alors elle reprit ainsi le conte :

« Le roi grec, poursuivit le pêcheur, ne se contenta pas
de recevoir à sa table le médecin Douban : vers la fin
du jour, lorsqu'il voulut congédier l'assemblée, il le fit
revêtir d'une longue robe fort riche et semblable à celle

que portaient ordinairement ses courtisans en sa présence ; outre cela, il lui fit donner deux mille sequins. Le lendemain et les jours suivants, il ne cessa de le caresser. Enfin, ce prince, croyant ne pouvoir jamais assez reconnaître les obligations qu'il avait à un médecin si habile, répandait sur lui tous les jours de nouveaux bienfaits.

« Or, ce roi avait un grand-vizir qui était avare, envieux et naturellement capable de toutes sortes de crimes. Il n'avait pu voir sans peine les présents qui avaient été faits au médecin, dont le mérite d'ailleurs commençait à lui faire ombrage ; il résolut de le perdre dans l'esprit du roi. Pour y réussir, il alla trouver ce prince, et lui dit en particulier qu'il avait un avis de la dernière importance à lui donner. Le roi lui ayant demandé ce que c'était : « Sire, lui dit-il, il est bien dangereux à un monarque d'avoir de la confiance en un homme dont il n'a point éprouvé la fidélité. En comblant de bienfaits le médecin Douban, en lui faisant toutes les caresses que Votre Majesté lui fait, vous ne savez pas que c'est un traître, qui ne s'est introduit dans cette cour que pour vous assassiner. — De qui tenez-vous ce que vous m'osez dire ? répondit le roi. Songez-vous que c'est à moi que vous parlez, et que vous avancez une chose que je ne croirai pas légèrement ? — Sire, répliqua le vizir, je suis parfaitement instruit de ce que j'ai l'honneur de vous représenter. Ne vous reposez donc plus sur une confiance dangereuse. Si Votre Majesté dort, qu'elle se réveille : car enfin, je le répète encore, le médecin Douban n'est parti du fond de la Grèce, son pays, il n'est venu s'établir dans votre cour, que pour exécuter l'horrible dessein dont j'ai parlé. — Non, non, vizir, interrompit le roi, je suis sûr que cet homme, que vous traitez de perfide et de traître, est le plus vertueux et le meilleur de tous les hommes ; il n'y a personne au monde que j'aime autant que lui. Vous savez par quel remède, ou plutôt par quel miracle il m'a guéri de ma lèpre ; s'il en veut à ma vie, pourquoi me l'a-t-il sauvée ? Il n'avait qu'à m'abandonner à mon mal ; je n'en pouvais échapper ; ma vie était déjà à moitié consumée. Cessez donc de vouloir m'inspirer d'injustes soupçons : au lieu de les écouter, je vous avertis que dès ce jour je fais à ce grand homme, pour toute sa vie, une pension de mille sequins par mois. Quand je partagerais avec lui toutes mes richesses et mes États même, je ne le payerais pas assez de ce qu'il a fait pour moi. Je vois ce que c'est, sa vertu excite votre envie ; mais ne croyez

pas que je me laisse injustement prévenir contre lui :
je me souviens trop bien de ce qu'un vizir dit au roi Sindbad, son maître, pour l'empêcher de faire mourir le
prince son fils..... »

« Mais, Sire, ajouta Scheherazade, le jour qui paraît
me défend de poursuivre. — Je sais bon gré au roi grec,
dit Dinarzade, d'avoir eu la fermeté de rejeter la fausse
accusation de son vizir. — Si vous louez aujourd'hui la
fermeté de ce prince, interrompit Scheherazade, vous
condamnerez demain sa faiblesse, si le sultan veut bien
que j'achève de raconter cette histoire. » Le sultan,
curieux d'apprendre en quoi le roi grec avait eu de la
faiblesse, différa encore la mort de la sultane.

XIVᵉ NUIT

« Ma sœur, s'écria Dinarzade sur la fin de la quatorzième
nuit, si vous ne dormez pas, je vous supplie, en attendant
le jour qui paraîtra bientôt, de reprendre l'histoire du
pêcheur ; vous en êtes demeurée à l'endroit où le roi
grec soutient l'innocence du médecin Douban, et prend
si fortement son parti. — Je m'en souviens, répondit
Scheherazade ; vous en allez entendre la suite. »

Sire, continua-t-elle en adressant toujours la parole à
Schahriar, ce que le roi grec venait de dire touchant le
roi Sindbad piqua la curiosité du vizir, qui lui dit :
« Sire, je supplie Votre Majesté de me pardonner si j'ai
la hardiesse de lui demander ce que le vizir du roi Sindbad dit à son maître pour le détourner de faire mourir
le prince son fils. » Le roi grec eut la complaisance de le
satisfaire. « Ce vizir, lui répondit-il, après avoir représenté
au roi Sindbad que, sur l'accusation d'une belle-mère, il
devait craindre de faire une action dont il pût se repentir,
lui conta cette histoire :

HISTOIRE DU MARI ET DU PERROQUET

« Un bon homme avait une belle femme qu'il aimait
avec tant de passion qu'il ne la perdait de vue que le
moins qu'il pouvait. Un jour que des affaires pressantes
l'obligeaient à s'éloigner d'elle, il alla dans un endroit où
l'on vendait toutes sortes d'oiseaux ; il y acheta un perroquet, qui non seulement parlait bien, mais qui avait même
le don de rendre compte de tout ce qui avait été fait devant
lui. Il l'apporta dans une cage au logis, pria sa femme de
le mettre dans sa chambre, et d'en prendre soin pendant
le voyage qu'il allait faire ; après quoi il partit.

« A son retour, il ne manqua pas d'interroger le perroquet sur ce qui s'était passé durant son absence ; et là-
dessus l'oiseau lui apprit des choses qui lui donnèrent
lieu de faire de grands reproches à sa femme. Elle crut
que quelqu'une de ses esclaves l'avait trahie ; mais elles
lui jurèrent toutes qu'elles lui avaient été fidèles, et elles
convinrent qu'il fallait que ce fût le perroquet qui eût
fait ces mauvais rapports.

« Prévenue de cette opinion, la femme chercha dans
son esprit un moyen de détruire les soupçons de son
mari, et de se venger en même temps du perroquet. Elle
le trouva : son mari étant parti pour faire un voyage d'une
journée, elle commanda à une esclave de tourner pendant
la nuit, sous la cage de l'oiseau, un moulin à bras ; à une
autre, de jeter de l'eau en forme de pluie par le haut de
la cage ; et à une troisième, de prendre un miroir et de le
tourner devant les yeux du perroquet, à droite et à gauche,
à la clarté d'une chandelle. Les esclaves employèrent une
grande partie de la nuit à faire ce que leur avait ordonné
leur maîtresse, et elles s'en acquittèrent fort adroitement.

« Le lendemain, le mari, étant de retour, fit encore des
questions au perroquet sur ce qui s'était passé chez lui,

et l'oiseau lui répondit : « Mon bon maître, les éclairs, le tonnerre et la pluie m'ont tellement incommodé toute la nuit que je ne puis vous dire ce que j'en ai souffert. » Le mari, qui savait bien qu'il n'avait ni plu ni tonné cette nuit-là, demeura persuadé que le perroquet, ne disant pas la vérité en cela, ne la lui avait pas dite aussi au sujet de sa femme. C'est pourquoi, de dépit, l'ayant tiré de sa cage, il le jeta si rudement contre terre qu'il le tua. Néanmoins, dans la suite, il apprit de ses voisins que le pauvre perroquet ne lui avait pas menti en lui parlant de la conduite de sa femme ; ce qui fut cause qu'il se repentit de l'avoir tué... »

Là s'arrêta Scheherazade, parce qu'elle s'aperçut qu'il était jour. « Tout ce que vous nous racontez, ma sœur, dit Dinarzade, est si varié que rien ne me paraît plus agréable. — Je voudrais continuer de vous divertir, répondit Scheherazade ; mais je ne sais si le sultan, mon maître, m'en donnera le temps. » Schahriar, qui ne prenait pas moins de plaisir que Dinarzade à entendre la sultane, se leva, et passa la journée sans ordonner au vizir de la faire mourir.

XVe NUIT

Dinarzade ne fut pas moins exacte cette nuit que les précédentes à réveiller Scheherazade. « Ma chère sœur, lui dit-elle, si vous ne dormez pas, je vous supplie, en attendant le jour qui paraîtra bientôt, de me conter un de ces beaux contes que vous savez. — Ma sœur, répondit la sultane, je vais vous donner cette satisfaction. — Attendez, interrompit le sultan, achevez l'entretien du roi grec avec son vizir au sujet du médecin Douban, et puis vous continuerez l'histoire du pêcheur et du génie. — Sire, repartit Scheherazade, vous allez être obéi. » En même temps elle poursuivit de cette manière :

« Quand le roi grec, dit le pêcheur au génie, eut achevé l'histoire du perroquet : « Et vous, vizir, ajouta-t-il, par l'envie que vous avez conçue contre le médecin Douban, qui ne vous a fait aucun mal, vous voulez que je le fasse mourir ; mais je m'en garderai bien, de peur de m'en repentir, comme ce mari d'avoir tué son perroquet. » Le pernicieux vizir était trop intéressé à la perte du médecin Douban pour en demeurer là. « Sire, répli-

qua-t-il, la mort du perroquet était peu importante, et
je ne crois pas que son maître l'ait regretté longtemps.
Mais pourquoi faut-il que la crainte d'opprimer l'innocence vous empêche de faire mourir ce médecin ? Ne
suffit-il pas qu'on l'accuse de vouloir attenter à votre
vie pour vous autoriser à lui faire perdre la sienne ?
Quand il s'agit d'assurer les jours d'un roi, un simple
soupçon doit passer pour une certitude, et il vaut mieux
sacrifier l'innocent que sauver le coupable. Mais, Sire,
ce n'est point ici une chose incertaine : le médecin Douban
veut vous assassiner. Ce n'est point l'envie qui m'arme
contre lui, c'est l'intérêt seul que je prends à la conservation de Votre Majesté; c'est mon zèle qui me porte à
vous donner un avis d'une si grande importance. S'il est
faux, je mérite qu'on me punisse de la même manière
qu'on punit autrefois un vizir. — Qu'avait fait ce vizir,
dit le roi grec, pour être digne de ce châtiment ? — Je
vais l'apprendre à Votre Majesté, Sire, répondit le vizir;
qu'elle ait, s'il lui plaît, la bonté de m'écouter.

HISTOIRE DU VIZIR PUNI

« Il était autrefois un roi, poursuivit-il, qui avait un fils qui aimait passionnément la chasse. Il lui permettait de prendre souvent ce divertissement ; mais il avait donné ordre à son grand-vizir de l'accompagner toujours et de ne le perdre jamais de vue. Un jour de chasse, les piqueurs ayant lancé un cerf, le prince, qui crut que le vizir le suivait, se mit après la bête. Il courut si longtemps, et son ardeur l'emporta si loin, qu'il se trouva seul. Il s'arrêta, et, remarquant qu'il avait perdu la voie, il voulut retourner sur ses pas pour aller rejoindre le vizir, qui n'avait pas été assez diligent pour le suivre de près ; mais il s'égara. Pendant qu'il courait de tous côtés sans tenir de route assurée, il rencontra au bord d'un chemin une dame assez bien faite, qui pleurait amèrement. Il retint la bride de son cheval, demanda à cette femme qui elle était, ce qu'elle faisait seule en cet endroit, et si elle avait besoin de secours. « Je suis, lui répondit-elle, la fille d'un roi des Indes. En me promenant à cheval dans la campagne, je me suis endormie, et je suis tombée. Mon cheval s'est échappé, et je ne sais ce qu'il est devenu. » Le jeune prince eut pitié d'elle, et lui proposa de la prendre en croupe, ce qu'elle accepta.

« Comme ils passaient près d'une masure, la dame ayant témoigné qu'elle serait bien aise de mettre pied à terre pour quelque nécessité, le prince s'arrêta et la laissa descendre. Il descendit aussi, et s'approcha de la masure en tenant son cheval par la bride. Jugez quelle fut sa surprise lorsqu'il entendit la dame en dedans prononcer ces paroles : « Réjouissez-vous, mes enfants, je vous amène un garçon bien fait et fort gras » ; et d'autres voix qui lui répondirent aussitôt : « Maman, où est-il, que nous le mangions tout à l'heure, car nous avons bon appétit. »

« Le prince n'eut pas besoin d'en entendre davantage pour concevoir le danger où il se trouvait. Il vit bien que la dame qui se disait fille d'un roi des Indes était une ogresse, femme de ces démons sauvages, appelés ogres, qui se retirent dans des lieux abandonnés, et se servent de mille ruses pour surprendre et dévorer les passants. Il fut saisi de frayeur, et se jeta au plus vite sur son cheval. La prétendue princesse parut dans le moment; et, voyant qu'elle avait manqué son coup : « Ne craignez rien, cria-t-elle au prince. Qui êtes-vous ? que cherchez-vous ? — Je suis égaré, répondit-il, et je cherche mon chemin. — Si vous êtes égaré, dit-elle, recommandez-vous à Dieu, il vous délivrera de l'embarras où vous vous trouvez. » Alors le prince leva les yeux au ciel... »

« Mais, Sire, dit Scheherazade en cet endroit, je suis obligée d'interrompre mon discours; le jour qui paraît m'impose silence. — Je suis fort en peine, ma sœur, dit Dinarzade, de savoir ce que deviendra ce jeune prince; je tremble pour lui.

— Je vous tirerai demain d'inquiétude, répondit la sultane, si le sultan veut bien que je vive jusqu'à ce temps-là. » Schahriar, curieux d'apprendre le dénouement de cette histoire, prolongea encore la vie de Scheherazade.

XVIᵉ NUIT

Dinarzade avait tant d'envie d'entendre la fin de l'histoire du jeune prince qu'elle se réveilla cette nuit plus tôt qu'à l'ordinaire. « Ma sœur, dit-elle, si vous ne dormez pas, je vous prie d'achever l'histoire que vous commençâtes hier; je m'intéresse au sort du jeune prince, et je meurs de peur qu'il ne soit mangé de l'ogresse et de ses enfants. » Schahriar ayant marqué qu'il était dans la même crainte : « Hé bien, Sire, dit la sultane, je vais vous tirer de peine. »

« Après que la fausse princesse des Indes eut dit au jeune prince de se recommander à Dieu, comme il crut qu'elle ne lui parlait pas sincèrement, et qu'elle comptait sur lui comme s'il eût déjà été sa proie, il leva les mains au ciel, et dit : « Seigneur, qui êtes tout-puissant, jetez les yeux sur moi, et me délivrez de cette ennemie. A cette prière, la femme de l'ogre rentra dans la masure, et le prince s'en éloigna avec précipitation. Heureusement il retrouva son chemin, et arriva sain et sauf auprès du roi son père, auquel il raconta de point en point le danger qu'il venait de courir par la faute du grand-vizir. Le roi, irrité contre ce ministre, le fit étrangler à l'heure même.

« Sire, poursuivit le vizir du roi grec, pour revenir au médecin Douban, si vous n'y prenez garde, la confiance que vous avez en lui vous sera funeste : je sais de bonne part que c'est un espion envoyé par vos ennemis pour attenter à la vie de Votre Majesté. Il vous a guéri, dites-vous ; eh ! qui peut vous en assurer ? Il ne vous a peut-être guéri qu'en apparence et non radicalement. Que sait-on si ce remède, avec le temps, ne produira pas un effet pernicieux ? »

« Le roi grec, qui avait naturellement fort peu d'esprit, n'eut pas assez de pénétration pour s'apercevoir de la méchante intention de son vizir, ni assez de fermeté pour persister dans son premier sentiment. Ce discours l'ébranla. « Vizir, dit-il, tu as raison ; il peut être venu exprès pour m'ôter la vie ; ce qu'il peut fort bien exécuter par la seule odeur de quelqu'une de ses drogues. Il faut voir ce qu'il est à propos de faire dans cette conjoncture. »

« Quand le vizir vit le roi dans la disposition où il le voulait : « Sire, lui dit-il, le moyen le plus sûr et le plus prompt pour assurer votre repos et mettre votre vie en sûreté, c'est d'envoyer chercher tout à l'heure le médecin Douban, et de lui faire couper la tête d'abord qu'il sera arrivé. — Véritablement, reprit le roi, je crois que c'est par là que je dois prévenir son dessein. » En achevant ces paroles, il appela un de ses officiers, et lui ordonna d'aller chercher le médecin, qui, sans savoir ce que le roi lui voulait, courut au palais en diligence. « Sais-tu bien, dit le roi en le voyant, pourquoi je te mande ici ? — Non, Sire, répondit-il, et j'attends que Votre Majesté daigne m'en instruire. — Je t'ai fait venir, reprit le roi, pour me délivrer de toi en te faisant ôter la vie. »

« Il n'est pas possible d'exprimer quel fut l'étonnement du médecin lorsqu'il entendit prononcer l'arrêt de sa mort. « Sire, dit-il, quel sujet peut avoir Votre Majesté de me faire mourir ? Quel crime ai-je commis ? — J'ai appris de bonne part, répliqua le roi, que tu es un espion, et que tu n'es venu dans ma cour que pour attenter à ma vie ; mais, pour te prévenir, je veux te ravir la tienne. Frappe, ajouta-t-il au bourreau qui était présent, et me délivre d'un perfide qui ne s'est introduit ici que pour m'assassiner. »

« A cet ordre cruel, le médecin jugea bien que les honneurs et les bienfaits qu'il avait reçus lui avaient suscité des ennemis, et que le faible roi s'était laissé surprendre à leurs impostures. Il se repentait de l'avoir guéri de sa lèpre; mais c'était un repentir hors de saison. « Est-ce ainsi, lui disait-il, que vous me récompensez du bien que je vous ai fait ? » Le roi ne l'écouta pas, et ordonna une seconde fois au bourreau de porter le coup mortel. Le médecin eut recours aux prières. « Hélas! Sire, s'écriat-il, prolongez-moi la vie, Dieu prolongera la vôtre; ne me faites pas mourir, de crainte que Dieu ne vous traite de la même manière. »

Le pêcheur interrompit son discours en cet endroit pour adresser la parole au génie : « Hé bien! génie, lui dit-il, tu vois que ce qui se passa alors entre le roi grec et le médecin Douban vient tout à l'heure de se passer entre nous deux.

« Le roi grec, continua-t-il, au lieu d'avoir égard à la prière que le médecin venait de lui faire, en le conjurant au nom de Dieu, lui repartit avec dureté : « Non, non, c'est une nécessité absolue que je te fasse périr. Aussi bien pourrais-tu m'ôter la vie plus subtilement encore que tu ne m'as guéri. » Cependant le médecin, fondant en pleurs et se plaignant pitoyablement de se voir si mal payé du service qu'il avait rendu au roi, se prépara à recevoir le coup de la mort. Le bourreau lui banda les yeux, lui lia les mains, et se mit en devoir de tirer son sabre.

« Alors les courtisans qui étaient présents, émus de compassion, supplièrent le roi de lui faire grâce, assurant qu'il n'était pas coupable et répondant de son innocence. Mais le roi fut inflexible, et leur parla de sorte qu'ils n'osèrent lui répliquer.

« Le médecin, étant à genoux, les yeux bandés, et prêt à recevoir le coup qui devait terminer son sort, s'adressa encore une fois au roi : « Sire, lui dit-il, puisque Votre Majesté ne veut point révoquer l'arrêt de ma mort, je la supplie du moins de m'accorder la liberté d'aller jusque chez moi donner ordre à ma sépulture, dire le dernier adieu à ma famille, faire des aumônes, et léguer mes livres à des personnes capables d'en faire un bon usage. J'en ai un, entre autres, dont je veux faire présent à Votre Majesté : c'est un livre fort précieux et très digne d'être soigneusement gardé dans votre trésor. — Et

pourquoi ce livre est-il aussi précieux que tu le dis ?
répliqua le roi. — Sire, repartit le médecin, c'est qu'il
contient une infinité de choses curieuses, dont la principale est que, quand on m'aura coupé la tête, si Votre
Majesté veut bien se donner la peine d'ouvrir le livre
au sixième feuillet et lire la troisième ligne de la page à
main gauche, ma tête répondra à toutes les questions
que vous voudrez lui faire. » Le roi, curieux de voir une
chose si merveilleuse, remit sa mort au lendemain, et
l'envoya chez lui sous bonne garde.

« Le médecin, pendant ce temps-là, mit ordre à ses
affaires ; et, comme le bruit s'était répandu qu'il devait
arriver un prodige inouï après son trépas, les vizirs, les
émirs, les officiers de la garde, enfin toute la cour se
rendit le jour suivant dans la salle d'audience pour en
être témoin.

« On vit bientôt paraître le médecin Douban, qui
s'avança jusqu'au pied du trône royal avec un gros livre
à la main. Là, il se fit apporter un bassin, sur lequel il
étendit la couverture dont le livre était enveloppé ; et,
présentant le livre au roi : « Sire, dit-il, prenez, s'il vous
plaît, ce livre ; et, d'abord que ma tête sera coupée,
commandez qu'on la pose dans le bassin sur la couverture
du livre ; dès qu'elle y sera, le sang cessera d'en couler :
alors vous ouvrirez le livre, et ma tête répondra à toutes
vos demandes. Mais, Sire, ajouta-t-il, permettez-moi
d'implorer encore une fois la clémence de Votre Majesté.
Au nom de Dieu, laissez-vous fléchir ; je vous proteste
que je suis innocent. — Tes prières, répondit le roi,
sont inutiles ; et, quand ce ne serait que pour entendre
parler ta tête après ta mort, je veux que tu meures. »
En disant cela, il prit le livre des mains du médecin, et
ordonna au bourreau de faire son devoir.

« La tête fut coupée si adroitement qu'elle tomba dans
le bassin ; et elle fut à peine posée sur la couverture que
le sang s'arrêta. Alors, au grand étonnement du roi et
de tous les spectateurs, elle ouvrit les yeux ; et, prenant
la parole : « Sire, dit-elle, que Votre Majesté ouvre le
livre. » Le roi l'ouvrit ; et, trouvant que le premier feuillet
était comme collé contre le second, pour le tourner avec
plus de facilité, il porta le doigt à sa bouche et le mouilla
de sa salive. Il fit la même chose jusqu'au sixième feuillet,
et, ne voyant pas d'écriture à la page indiquée : « Médecin,
dit-il à la tête, il n'y a rien d'écrit. — Tournez encore
quelques feuillets », repartit la tête. Le roi continua

d'en tourner, en portant toujours le doigt à sa bouche, jusqu'à ce que, le poison dont chaque feuillet était imbu venant à faire son effet, ce prince se sentit tout à coup agité d'un transport extraordinaire; sa vue se troubla, et il se laissa tomber au pied de son trône avec de grandes convulsions... »

A ces mots, Scheherazade, apercevant le jour, en avertit le sultan, et cessa de parler. « Ah! ma chère sœur! dit alors Dinarzade, que je suis fâchée que vous n'ayez pas le temps d'achever cette histoire! Je serais inconsolable si vous perdiez la vie aujourd'hui. — Ma sœur, répondit la sultane, il en sera ce qu'il plaira au sultan; mais il faut espérer qu'il aura la bonté de suspendre ma mort jusqu'à demain. » Effectivement, Schahriar, loin d'ordonner son trépas ce jour-là, attendit la nuit prochaine avec impatience, tant il avait d'envie d'apprendre la fin de l'histoire du roi grec, et la suite de celle du pêcheur et du génie.

XVIIe NUIT

Quelque curiosité qu'eût Dinarzade d'entendre le reste de l'histoire du roi grec, elle ne se réveilla pas cette nuit de si bonne heure qu'à l'ordinaire; il était même presque jour, lorsqu'elle dit à la sultane : « Ma chère sœur, je vous prie de continuer la merveilleuse histoire du roi grec; mais hâtez-vous, de grâce, car le jour paraîtra bientôt. »

Scheherazade reprit aussitôt cette histoire à l'endroit où elle l'avait laissée le jour précédent.

Sire, dit-elle, quand le médecin Douban, ou, pour mieux dire, sa tête, vit que le poison faisait son effet et que le roi n'avait plus que quelques moments à vivre : « Tyran, s'écria-t-elle, voilà de quelle manière sont traités les princes qui, abusant de leur autorité, font périr les innocents. Dieu punit tôt ou tard leurs injustices et leurs cruautés. » La tête eut à peine achevé ces paroles que le roi tomba mort et qu'elle perdit elle-même aussi le peu de vie qui lui restait.

Sire, poursuivit Scheherazade, telle fut la fin du roi grec et du médecin Douban. Il faut présentement venir à l'histoire du pêcheur et du génie; mais ce n'est pas

la peine de commencer, car il est jour. » Le sultan, de
qui toutes les heures étaient réglées, ne pouvant l'écouter
plus longtemps, se leva ; et, comme il voulait absolument
entendre la suite de l'histoire du génie et du pêcheur, il
avertit la sultane de se préparer à la lui raconter la nuit
suivante.

XVIIIᵉ NUIT

Dinarzade se dédommagea cette nuit de la précédente ;
elle se réveilla longtemps avant le jour, et, appelant
Scheherazade : « Ma sœur, lui dit-elle, si vous ne dormez
pas, je vous supplie de nous raconter la suite de l'histoire
du pêcheur et du génie. Vous savez que le sultan souhaite
autant que moi de l'entendre. — Je vais, répondit la
sultane, contenter sa curiosité et la vôtre. » Alors, s'adressant à Schahriar :

Sire, poursuivit-elle, sitôt que le pêcheur eut fini
l'histoire du roi grec et du médecin Douban, il en fit
l'application au génie qu'il tenait toujours enfermé dans
le vase.

« Si le roi grec, lui dit-il, eût voulu laisser vivre le
médecin, Dieu l'aurait aussi laissé vivre lui-même ;
mais il rejeta ses plus humbles prières, et Dieu l'en punit.
Il en est de même de toi, ô génie ! Si j'avais pu te fléchir
et obtenir de toi la grâce que je te demandais, j'aurais
présentement pitié de l'état où tu es ; mais, puisque, malgré l'extrême obligation que tu m'avais de t'avoir mis
en liberté, tu as persisté dans la volonté de me tuer, je
dois, à mon tour, être impitoyable. Je vais, en te laissant
dans ce vase et en te rejetant à la mer, t'ôter l'usage de la
vie jusqu'à la fin des temps : c'est la vengeance que je
prétends tirer de toi.

— Pêcheur mon ami, répondit le génie, je te conjure
encore une fois de ne pas faire une si cruelle action.
Songe qu'il n'est pas honnête de se venger, et qu'au
contraire il est louable de rendre le bien pour le mal ;
ne me traite pas comme Imma traita autrefois Ateca. —
Et que fit Imma à Ateca ? répliqua le pêcheur. — Oh !
si tu souhaites de le savoir, repartit le génie, ouvre-moi
ce vase : crois-tu que je sois en humeur de faire des
contes dans une prison si étroite ? Je t'en ferai tant que
tu voudras quand tu m'auras tiré d'ici. — Non, dit le
pêcheur, je ne te délivrerai pas ; c'est trop raisonner, je

vais te précipiter au fond de la mer. — Encore un mot, pêcheur, s'écria le génie; je te promets de ne te faire aucun mal; bien éloigné de cela, je t'enseignerai un moyen de devenir puissamment riche. »

L'espérance de se tirer de la pauvreté désarma le pêcheur. « Je pourrais t'écouter, dit-il, s'il y avait quelque fond à faire sur ta parole : jure-moi par le grand nom de Dieu que tu feras de bonne foi ce que tu dis, et je vais t'ouvrir le vase. Je ne crois pas que tu sois assez hardi pour violer un pareil serment. » Le génie le fit, et le pêcheur ôta aussitôt le couvercle du vase. Il en sortit à l'instant de la fumée; et, le génie ayant repris sa forme de la même manière qu'auparavant, la première chose qu'il fit fut de jeter, d'un coup de pied, le vase dans la mer. Cette action effraya le pêcheur. « Génie, dit-il, qu'est-ce que cela signifie? Ne voulez-vous pas garder le serment que vous venez de faire? et dois-je vous dire ce que le médecin Douban disait au roi grec : « Laissez-moi vivre, et Dieu prolongera vos jours? »

La crainte du pêcheur fit rire le génie, qui lui répondit : « Non, pêcheur, rassure-toi; je n'ai jeté le vase que pour me divertir et voir si tu en serais alarmé, et, pour te persuader que je te veux tenir parole, prends tes filets et me suis. » En prononçant ces mots, il se mit à marcher devant le pêcheur, qui, chargé de ses filets, le suivit avec quelque sorte de défiance. Ils passèrent devant la ville, et montèrent au haut d'une montagne d'où ils descendirent dans une vaste plaine qui les conduisit à un grand étang situé entre quatre collines.

Lorsqu'ils furent arrivés au bord de l'étang, le génie dit au pêcheur : « Jette tes filets, et prends du poisson. » Le pêcheur ne douta point qu'il n'en prît, car il en vit une grande quantité dans l'étang; mais ce qui le surprit extrêmement, c'est qu'il remarqua qu'il y en avait de quatre couleurs différentes, c'est-à-dire, de blancs, de rouges, de bleus et de jaunes. Il jeta ses filets, et en amena quatre dont chacun était d'une de ces couleurs. Comme il n'en avait jamais vu de pareils, il ne pouvait se lasser de les admirer, et, jugeant qu'il en pourrait tirer une somme assez considérable, il en avait beaucoup de joie. « Emporte ces poissons, lui dit le génie, et va les présenter à ton sultan; il t'en donnera plus d'argent que tu n'en as manié en toute ta vie. Tu pourras venir tous les jours pêcher en cet étang; mais je t'avertis de ne jeter tes filets qu'une fois chaque jour; autrement il t'en arrivera du mal, prends-y

garde. C'est l'avis que je te donne : si tu le suis exactement, tu t'en trouveras bien. » En disant cela, il frappa
du pied la terre, qui s'ouvrit et se referma après l'avoir
englouti.

Le pêcheur, résolu de suivre de point en point les
conseils du génie, se garda bien de jeter une seconde
fois ses filets. Il reprit le chemin de la ville, fort content
de sa pêche, et faisant mille réflexions sur son aventure.
Il alla droit au palais du sultan pour lui présenter ses
poissons...

« Mais, Sire, dit Scheherazade, j'aperçois le jour; il
faut que je m'arrête en cet endroit. — Ma sœur, dit
alors Dinarzade, que les derniers événements que vous
venez de raconter sont surprenants! J'ai de la peine à
croire que vous puissiez désormais nous en apprendre
d'autres qui le soient davantage. — Ma chère sœur,
répondit la sultane, si le sultan mon maître me laisse
vivre jusqu'à demain, je suis persuadée que vous trouverez la suite de l'histoire du pêcheur encore plus merveilleuse que le commencement et incomparablement plus
agréable. » Schahriar, curieux de voir si le reste de l'histoire du pêcheur était tel que la sultane le promettait,
différa encore l'exécution de la loi cruelle qu'il s'était
faite.

XIXᵉ NUIT

Vers la fin de la dix-neuvième nuit, Dinarzade appela
la sultane et lui dit : « Ma sœur, si vous ne dormez pas,
je vous supplie, en attendant le jour qui paraîtra bientôt,
de me raconter la suite de l'histoire du pêcheur; je suis
dans une extrême impatience de l'entendre. » Scheherazade, avec la permission du sultan, la reprit aussitôt de
cette sorte :

Sire, je laisse à penser à Votre Majesté quelle fut la
surprise du sultan lorsqu'il vit les quatre poissons que le
pêcheur lui présenta. Il les prit l'un après l'autre pour les
considérer avec attention; et, après les avoir admirés
assez longtemps : « Prenez ces poissons, dit-il à son premier vizir, et les portez à l'habile cuisinière que l'empereur
des Grecs m'a envoyée; je m'imagine qu'ils ne seront pas
moins bons qu'ils sont beaux. » Le vizir les porta lui-
même à la cuisinière, et, les lui remettant entre les mains :

« Voilà, lui dit-il, quatre poissons qu'on vient d'apporter au sultan ; il vous ordonne de les lui apprêter. » Après s'être acquitté de cette commission, il retourna vers le sultan son maître, qui le chargea de donner au pêcheur quatre cents pièces d'or de sa monnaie ; ce qu'il exécuta très fidèlement. Le pêcheur, qui n'avait jamais possédé une si grosse somme à la fois, concevait à peine son bonheur, et le regardait comme un songe. Mais il connut dans la suite qu'il était réel par le bon usage qu'il en fit, en l'employant aux besoins de sa famille.

Mais, Sire, poursuivit Scheherazade, après vous avoir parlé du pêcheur, il faut vous parler aussi de la cuisinière du sultan, que nous allons trouver dans un grand embarras. D'abord qu'elle eut nettoyé les poissons que le vizir lui avait donnés, elle les mit sur le feu dans une casserole avec de l'huile pour les frire. Lorsqu'elle les crut assez cuits d'un côté, elle les tourna de l'autre. Mais, ô prodige inouï ! à peine furent-ils tournés que le mur de la cuisine s'entrouvrit. Il en sortit une jeune dame d'une beauté admirable et d'une taille avantageuse ; elle était habillée d'une étoffe de satin à fleurs façon d'Égypte, avec des pendants d'oreilles, un collier de grosses perles et des bracelets d'or garnis de rubis, et elle tenait une baguette de myrte à la main. Elle s'approcha de la casserole, au grand étonnement de la cuisinière qui demeura immobile à cette vue, et, frappant un des poissons du bout de sa baguette : *Poisson, poisson*, dit-elle, *es-tu dans ton devoir ?* Le poisson n'ayant rien répondu, elle répéta les mêmes paroles, et alors les quatre poissons levèrent la tête tous ensemble et lui dirent très distinctement : *Oui, oui ; si vous comptez, nous comptons ; si vous payez vos dettes, nous payons les nôtres ; si vous fuyez, nous vainquons et nous sommes contents.* Dès qu'ils eurent achevé ces mots, la jeune dame renversa la casserole et rentra dans l'ouverture du mur qui se referma aussitôt et se remit au même état qu'il était auparavant.

La cuisinière, que toutes ces merveilles avaient épouvantée, étant revenue de sa frayeur, alla relever les poissons qui étaient tombés sur la braise ; mais elle les trouva plus noirs que du charbon et hors d'état d'être servis au sultan. Elle en eut une vive douleur, et, se mettant à pleurer de toute sa force : « Hélas ! disait-elle, que vais-je devenir ? Quand je conterai au sultan ce que j'ai vu, je suis assurée qu'il ne me croira point ; dans quelle colère ne sera-t-il pas contre moi ! »

Pendant qu'elle s'affligeait ainsi, le grand-vizir entra, et lui demanda si les poissons étaient prêts. Elle lui raconta tout ce qui était arrivé; et ce récit, comme on le peut penser, l'étonna fort; mais, sans en parler au sultan, il inventa une excuse qui le contenta. Cependant il envoya chercher le pêcheur à l'heure même; et, quand il fut arrivé : « Pêcheur, lui dit-il, apporte-moi quatre autres poissons qui soient semblables à ceux que tu as déjà apportés, car il est survenu certain malheur qui a empêché qu'on ne les ait servis au sultan. » Le pêcheur ne lui dit pas ce que le génie lui avait recommandé; mais, pour se dispenser de fournir ce jour-là les poissons qu'on lui demandait, il s'excusa sur la longueur du chemin, et promit de les apporter le lendemain matin.

Effectivement, le pêcheur partit durant la nuit et se rendit à l'étang. Il y jeta ses filets, et, les ayant retirés, il y trouva quatre poissons qui étaient, comme les autres, chacun d'une couleur différente. Il s'en retourna aussitôt, et les porta au grand-vizir dans le temps qu'il les lui avait promis. Ce ministre les prit et les emporta lui-même encore dans la cuisine, où il s'enferma seul avec la cuisinière qui commença à les habiller devant lui et qui les mit sur le feu comme elle avait fait des quatre autres le jour précédent. Lorsqu'ils furent cuits d'un côté et qu'elle les eut tournés de l'autre, le mur de la cuisine s'entrouvrit encore, et la même dame parut avec sa baguette à la main; elle s'approcha de la casserole, frappa un des poissons, lui adressa les mêmes paroles, et ils lui firent tous la même réponse en levant la tête.

« Mais, Sire, ajouta Scheherazade en se reprenant, voilà le jour qui paraît et qui m'empêche de continuer cette histoire. Les choses que je viens de vous dire sont, à la vérité, très singulières; mais, si je suis en vie demain, je vous en dirai d'autres qui sont encore plus dignes de votre attention. » Schahriar, jugeant bien que la suite devait être fort curieuse, résolut de l'entendre la nuit suivante.

XXe NUIT

« Ma chère sœur, s'écria Dinarzade, suivant sa coutume, si vous ne dormez pas, je vous prie de poursuivre et d'achever le beau conte du pêcheur. » La sultane prit aussitôt la parole, et parla dans ces termes :

Sire, après que les quatre poissons eurent répondu à la jeune dame, elle renversa encore la casserole d'un coup de baguette et se retira dans le même endroit de la muraille d'où elle était sortie. Le grand-vizir, ayant été témoin de ce qui s'était passé : « Cela est trop surprenant, dit-il, et trop extraordinaire pour en faire un mystère au sultan, je vais de ce pas l'informer de ce prodige. » En même temps il l'alla trouver et lui en fit un rapport fidèle.

Le sultan, fort surpris, marqua beaucoup d'empressement de voir cette merveille. Pour cet effet, il envoya chercher le pêcheur. « Mon ami, lui dit-il, ne pourrais-tu pas m'apporter encore quatre poissons de diverses couleurs ? » Le pêcheur répondit au sultan que, si Sa Majesté voulait lui accorder trois jours pour faire ce qu'elle désirait, il se promettait de la contenter. Les ayant obtenus, il alla à l'étang pour la troisième fois, et il ne fut pas moins heureux que les deux autres : car, du premier coup de filet, il prit quatre poissons de couleur différente. Il ne manqua pas de les porter à l'heure même au sultan, qui en eut d'autant plus de joie qu'il ne s'attendait pas à les avoir sitôt, et qui lui fit donner encore quatre cents pièces d'or de sa monnaie.

D'abord que le sultan eut les poissons, il les fit porter dans son cabinet avec tout ce qui était nécessaire pour les faire cuire. Là, s'étant enfermé avec son grand-vizir, ce ministre les habilla, les mit ensuite sur le feu dans une casserole, et, quand ils furent cuits d'un côté, il les retourna de l'autre. Alors le mur du cabinet s'entrouvrit; mais, au lieu de la jeune dame, ce fut un noir qui en sortit. Ce noir avait un habillement d'esclave; il était d'une grosseur et d'une grandeur gigantesques, et tenait un gros bâton vert à la main. Il s'avança jusqu'à la casserole, et, touchant de son bâton un des poissons, il lui dit d'une voix terrible : *Poisson, poisson, es-tu dans ton devoir ?* A ces mots, les poissons levèrent la tête et répondirent : *Oui, oui, nous y sommes ; si vous comptez, nous comptons ; si vous payez vos dettes, nous payons les nôtres ; si vous fuyez, nous vainquons et nous sommes contents.*

Les poissons eurent à peine achevé ces paroles que le noir renversa la casserole au milieu du cabinet et réduisit les poissons en charbon. Cela étant fait, il se retira fièrement et rentra dans l'ouverture du mur, qui se referma et qui parut dans le même état qu'auparavant. « Après ce que je viens de voir, dit le sultan à son grand-

vizir, il ne me sera pas possible d'avoir l'esprit en repos.
Ces poissons, sans doute, signifient quelque chose d'extraordinaire dont je veux être éclairci. » Il envoya chercher le pêcheur; on le lui amena. « Pêcheur, lui dit-il,
les poissons que tu nous as apportés me causent bien de
l'inquiétude. En quel endroit les as-tu pêchés ? — Sire,
répondit-il, je les ai pêchés dans un étang qui est situé
entre quatre collines, au-delà de la montagne que l'on
voit d'ici. — Connaissez-vous cet étang ? dit le sultan
au vizir. — Non, Sire, répondit le vizir, je n'en ai jamais
ouï parler; il y a pourtant soixante ans que je chasse aux
environs et au-delà de cette montagne. » Le sultan
demanda au pêcheur à quelle distance de son palais était
l'étang; le pêcheur assura qu'il n'y avait pas plus de trois
heures de chemin. Sur cette assurance, et comme il
restait encore assez de jour pour y arriver avant la nuit,
le sultan commanda à toute sa cour de monter à cheval,
et le pêcheur leur servit de guide.

Ils montèrent tous la montagne, et à la descente ils
virent avec beaucoup de surprise une vaste plaine que
personne n'avait remarquée jusqu'alors. Enfin, ils arrivèrent à l'étang, qu'ils trouvèrent effectivement situé
entre quatre collines comme le pêcheur l'avait rapporté.
L'eau en était si transparente qu'ils remarquèrent que
tous les poissons étaient semblables à ceux que le pêcheur
avait apportés au palais.

Le sultan s'arrêta sur le bord de l'étang, et, après avoir
quelque temps regardé les poissons avec admiration, il
demanda à ses émirs et à tous ses courtisans s'il était
possible qu'ils n'eussent pas encore vu cet étang, qui
était si peu éloigné de la ville. Ils lui répondirent qu'ils
n'en avaient jamais entendu parler. « Puisque vous conve-
nez tous, leur dit-il, que vous n'en avez jamais ouï parler,
et que je ne suis pas moins étonné que vous de cette
nouveauté, je suis résolu de ne pas rentrer dans mon
palais que je n'aie su pour quelle raison cet étang se
trouve ici, et pourquoi il n'y a dedans que des poissons
de quatre couleurs. » Après avoir dit ces paroles, il ordonna
de camper, et aussitôt son pavillon et les tentes de sa
maison furent dressés sur les bords de l'étang.

A l'entrée de la nuit, le sultan, retiré sous son pavillon,
parla en particulier à son grand-vizir et lui dit : « Vizir,
j'ai l'esprit dans une étrange inquiétude : cet étang
transporté dans ces lieux, ce noir qui nous est apparu
dans mon cabinet, ces poissons que nous avons entendus

parler, tout cela irrite tellement ma curiosité que je ne
puis résister à l'impatience de la satisfaire. Pour cet effet,
je médite un dessein que je veux absolument exécuter.
Je vais seul m'éloigner de ce camp; je vous ordonne de
tenir mon absence secrète; demeurez sous mon pavillon,
et demain matin, quand mes émirs et mes courtisans se
présenteront à l'entrée, renvoyez-les en leur disant que
j'ai une légère indisposition et que je veux être seul. Les
jours suivants, vous continuerez de leur dire la même
chose jusqu'à ce que je sois de retour. »

Le grand-vizir dit plusieurs choses au sultan pour
tâcher de le détourner de son dessein : il lui représenta le
danger auquel il s'exposait et la peine qu'il allait prendre
peut-être inutilement. Mais il eut beau épuiser son éloquence, le sultan ne quitta point sa résolution et se prépara
à l'exécuter. Il prit un habillement commode pour marcher à pied; il se munit d'un sabre, et, dès qu'il vit que
tout était tranquille dans son camp, il partit sans être
accompagné de personne.

Il tourna ses pas vers une des collines, qu'il monta sans
beaucoup de peine. Il en trouva la descente encore plus
aisée, et, lorsqu'il fut dans la plaine, il marcha jusqu'au
lever du soleil. Alors, apercevant de loin devant lui un
grand édifice, il s'en réjouit dans l'espérance d'y pouvoir
apprendre ce qu'il voulait savoir. Quand il en fut près, il
remarqua que c'était un palais magnifique, ou plutôt un
château très fort, d'un beau marbre noir poli et couvert
d'un acier fin et uni comme une glace de miroir. Ravi
de n'avoir pas été longtemps sans rencontrer quelque
chose digne au moins de sa curiosité, il s'arrêta devant
la façade du château et la considéra avec beaucoup d'attention.

Il s'avança ensuite jusqu'à la porte, qui était à deux
battants, dont l'un était ouvert. Quoiqu'il lui fût libre
d'entrer, il crut néanmoins devoir frapper. Il frappa un
coup assez légèrement et attendit quelque temps; mais,
ne voyant venir personne, il s'imagina qu'on ne l'avait
point entendu; c'est pourquoi il frappa un second coup
plus fort; mais, ne voyant ni n'entendant personne, il
redoubla; personne ne parut encore. Cela le surprit
extrêmement, car il ne pouvait penser qu'un château si
bien entretenu fût abandonné. « S'il n'y a personne,
disait-il en lui-même, je n'ai rien à craindre; et, s'il y a
quelqu'un, j'ai de quoi me défendre. »

Enfin le sultan entra, et, s'avançant sous le vestibule :

« N'y a-t-il personne ici, s'écria-t-il, pour recevoir un étranger qui aurait besoin de se rafraîchir en passant ? » Il répéta la même chose deux ou trois fois; mais, quoi-qu'il parlât fort haut, personne ne lui répondit. Ce silence augmenta son étonnement. Il passa dans une cour très spacieuse, et, regardant de tous côtés pour voir s'il ne découvrirait point quelqu'un, il n'aperçut pas le moindre être vivant...

« Mais, Sire, dit Scheherazade en cet endroit, le jour qui paraît vient m'imposer silence. — Ah! ma sœur, dit Dinarzade, vous nous laissez au plus bel endroit ! — Il est vrai, répondit la sultane; mais, ma sœur, vous en voyez la nécessité. Il ne tiendra qu'au sultan mon sei-gneur que vous entendiez le reste demain. » Ce ne fut pas tant pour faire plaisir à Dinarzade que Schahriar laissa vivre encore la sultane que pour contenter la curiosité qu'il avait d'apprendre ce qui se passerait dans ce châ-teau.

XXIᵉ NUIT

Dinarzade ne fut pas paresseuse à réveiller la sultane sur la fin de cette nuit. « Ma chère sœur, lui dit-elle, si vous ne dormez pas, je vous prie, en attendant le jour qui paraîtra bientôt, de nous raconter ce qui se passa dans ce beau château où vous nous laissâtes hier. » Schehe-razade reprit aussitôt le conte du jour précédent; et, s'adressant toujours à Schahriar :

Sire, dit-elle, le sultan, ne voyant donc personne dans la cour où il était, entra dans de grandes salles dont les tapis de pied étaient de soie, les estrades et les sofas couverts d'étoffe de la Mecque, et les portières, des plus riches étoffes des Indes relevées d'or et d'argent. Il passa ensuite dans un salon merveilleux, au milieu duquel il y avait un grand bassin avec un lion d'or massif à chaque coin. Les quatre lions jetaient de l'eau par la gueule, et cette eau, en tombant, formait des diamants et des perles; ce qui n'accompagnait pas mal un jet d'eau qui, s'élançant du milieu du bassin, allait presque frapper le fond d'un dôme peint à l'arabesque.

Le château, de trois côtés, était environné d'un jardin que les parterres, les pièces d'eau, les bosquets et mille autres agréments concouraient à embellir; et ce qui achevait de rendre ce lieu admirable, c'était une infinité d'oiseaux qui y remplissaient l'air de leurs chants harmonieux, et qui y faisaient toujours leur demeure, parce que les filets tendus au-dessus des arbres et du palais les empêchaient d'en sortir.

Le sultan se promena longtemps d'appartements en appartements, où tout lui parut grand et magnifique. Lorsqu'il fut las de marcher, il s'assit dans un cabinet ouvert qui avait vue sur le jardin; et là, rempli de tout ce qu'il avait déjà vu et de tout ce qu'il voyait encore, il faisait des réflexions sur tous ces différents objets, quand tout à coup une voix plaintive, accompagnée de cris lamentables, vint frapper son oreille. Il écouta avec attention, et il entendit distinctement ces tristes paroles : *O fortune, qui n'as pu me laisser jouir longtemps d'un heureux sort et qui m'as rendu le plus infortuné de tous les hommes, cesse de me persécuter, et viens, par une prompte mort, mettre fin à mes douleurs ! Hélas ! est-il possible que je sois encore en vie après tous les tourments que j'ai soufferts ?*

Le sultan, touché de ces pitoyables plaintes, se leva pour aller du côté d'où elles étaient parties. Lorsqu'il fut à la porte d'une grande salle, il ouvrit la portière, et vit un jeune homme bien fait, et très richement vêtu, qui était assis sur un trône un peu élevé de terre. La tristesse était peinte sur son visage. Le sultan s'approcha de lui et le salua. Le jeune homme lui rendit son salut en lui faisant une inclination de tête fort basse; et, comme il ne se levait pas : « Seigneur, dit-il au sultan, je juge bien que vous méritez que je me lève pour vous recevoir et vous rendre tous les honneurs possibles; mais une raison si forte s'y oppose que vous ne devez pas m'en savoir mauvais gré. — Seigneur, lui répondit le sultan, je vous suis fort obligé de la bonne opinion que vous avez de moi. Quant au sujet que vous avez de ne pas vous lever, quelle que puisse être votre excuse, je la reçois de fort bon cœur. Attiré par vos plaintes, pénétré de vos peines, je viens vous offrir mon secours. Plût à Dieu qu'il dépendît de moi d'apporter du soulagement à vos maux! je m'y emploierais de tout mon pouvoir. Je me flatte que vous voudrez bien me raconter l'histoire de vos malheurs; mais, de grâce, apprenez-moi auparavant ce que signifie cet étang qui est près d'ici, et où l'on voit des poissons de quatre couleurs différentes; ce que c'est que ce château; pourquoi vous vous y trouvez, et d'où vient que vous y êtes seul. » Au lieu de répondre à ces questions, le jeune homme se mit à pleurer amèrement. *Que la fortune est inconstante !* s'écria-t-il. *Elle se plaît à abaisser les hommes qu'elle a élevés. Où sont ceux qui jouissent tranquillement d'un bonheur qu'ils tiennent d'elle et dont les jours sont toujours purs et sereins ?*

Le sultan, touché de compassion de le voir en cet état, le pria très instamment de lui dire le sujet d'une si grande douleur. « Hélas ! Seigneur, lui répondit le jeune homme, comment pourrais-je n'être pas affligé, et le moyen que mes yeux ne soient pas des sources intarissables de larmes ? » A ces mots, ayant levé sa robe, il fit voir au sultan qu'il n'était homme que depuis la tête jusqu'à la ceinture, et que l'autre moitié de son corps était de marbre noir...

En cet endroit, Scheherazade interrompit son discours pour faire remarquer au sultan des Indes que le jour paraissait. Schahriar fut tellement charmé de ce qu'il venait d'entendre, et il se sentit si fort attendri en faveur de Scheherazade, qu'il résolut de la laisser vivre pendant un mois. Il se leva néanmoins à son ordinaire sans lui parler de sa résolution.

XXIIᵉ NUIT

Dinarzade avait tant d'impatience d'entendre la suite du conte de la nuit précédente qu'elle appela sa sœur de fort bonne heure. « Ma chère sœur, lui dit-elle, si vous ne dormez pas, je vous supplie de continuer le merveilleux conte que vous ne pûtes achever hier. — J'y consens », répondit la sultane, écoutez-moi :

Vous jugez bien, poursuivit-elle, que le sultan fut étrangement étonné quand il vit l'état déplorable où était le jeune homme. « Ce que vous me montrez là, lui dit-il, en me donnant de l'horreur, irrite ma curiosité ; je brûle d'apprendre votre histoire, qui doit être, sans doute, fort étrange, et je suis persuadé que l'étang et les poissons y ont quelque part : ainsi je vous conjure de me la raconter ; vous y trouverez quelque sorte de consolation, puisqu'il est certain que les malheureux trouvent une espèce de soulagement à conter leurs malheurs. — Je ne veux pas vous refuser cette satisfaction, repartit le jeune

homme, quoique je ne puisse vous la donner sans renouveler mes vives douleurs ; mais je vous avertis par avance
de préparer vos oreilles, votre esprit et vos yeux même à
des choses qui surpassent tout ce que l'imagination peut
concevoir de plus extraordinaire. »

HISTOIRE DU JEUNE ROI

DES ILES NOIRES

« Vous saurez, Seigneur, continua-t-il, que mon père, qui s'appelait Mahmoud, était roi de cet État. C'est le royaume des Iles Noires, qui prend son nom des quatre petites montagnes voisines, car ces montagnes étaient ci-devant des îles ; et la capitale où le roi mon père faisait son séjour était dans l'endroit où est présentement cet étang que vous avez vu. La suite de mon histoire vous instruira de tous ces changements.

« Le roi mon père mourut à l'âge de soixante et dix ans. Je n'eus pas plus tôt pris sa place que je me mariai ; et la personne que je choisis pour partager la dignité royale avec moi était ma cousine. J'eus tout lieu d'être content des marques d'amour qu'elle me donna ; et, de mon côté, je conçus pour elle tant de tendresse que rien n'était comparable à notre union, qui dura cinq années. Au bout de ce temps-là, je m'aperçus que la reine ma cousine n'avait plus de goût pour moi.

Un jour qu'elle était au bain l'après-dînée, je me sentis une envie de dormir, et je me jetai sur un sofa. Deux de ses femmes, qui se trouvèrent alors dans ma chambre, vinrent s'asseoir, l'une à ma tête, et l'autre à mes pieds, avec un éventail à la main, tant pour modérer la chaleur que pour me garantir des mouches qui auraient pu troubler mon sommeil. Elles me croyaient endormi, et elles s'entretenaient tout bas ; mais j'avais seulement les yeux fermés, et je ne perdis pas une parole de leur conversation.

« Une de ces femmes dit à l'autre : « N'est-il pas vrai que la reine a grand tort de ne pas aimer un prince aussi aimable que le nôtre ? — Assurément, répondit la seconde. Pour moi, je n'y comprends rien, et je ne sais pourquoi elle sort toutes les nuits, et le laisse seul. Est-ce qu'il ne s'en aperçoit pas ? — Hé! comment voudrais-tu qu'il s'en aperçût ? reprit la première. Elle mêle tous les soirs dans sa boisson un certain suc d'herbe qui le fait dormir toute la nuit d'un sommeil si profond qu'elle a le temps d'aller où il lui plaît; et, à la pointe du jour, elle vient se recoucher auprès de lui; alors elle le réveille en lui passant sous le nez une certaine odeur. »

« Jugez, Seigneur, de ma surprise à ce discours et des sentiments qu'il m'inspira. Néanmoins, quelque émotion qu'il me pût causer, j'eus assez d'empire sur moi pour dissimuler : je fis semblant de m'éveiller et de n'avoir rien entendu.

« La reine revint du bain; nous soupâmes ensemble, et, avant de nous coucher, elle me présenta elle-même la tasse pleine d'eau que j'avais coutume de boire; mais, au lieu de la porter à ma bouche, je m'approchai d'une fenêtre qui était ouverte, et je jetai l'eau si adroitement qu'elle ne s'en aperçut pas. Je lui remis ensuite la tasse entre les mains, afin qu'elle ne doutât point que je n'eusse bu.

« Nous nous couchâmes ensuite; et bientôt après, croyant que j'étais endormi, quoique je ne le fusse pas, elle se leva avec si peu de précaution qu'elle dit assez haut : *Dors, et puisses-tu ne te réveiller jamais !* Elle s'habilla promptement, et sortit de la chambre... »

En achevant ces mots, Scheherazade, s'étant aperçue qu'il était jour, cessa de parler. Dinarzade avait écouté sa sœur avec beaucoup de plaisir. Schahriar trouvait l'histoire du roi des Iles Noires si digne de sa curiosité qu'il se leva fort impatient d'en apprendre la suite la nuit suivante.

XXIIIe NUIT

Une heure avant le jour, Dinarzade, s'étant réveillée, ne manqua pas de dire à la sultane : « Ma chère sœur, si vous ne dormez pas, je vous prie de continuer l'histoire du jeune roi des quatre Iles Noires. » Scheherazade, rappelant aussitôt dans sa mémoire l'endroit où elle en était demeurée, la reprit en ces termes :

« D'abord que la reine ma femme fut sortie, poursuivit le roi des Iles Noires, je me levai et m'habillai à la hâte; je pris mon sabre, et la suivis de si près que je l'entendis

bientôt marcher devant moi. Alors, réglant mes pas sur
les siens, je marchai doucement, de peur d'en être entendu.
Elle passa par plusieurs portes qui s'ouvrirent par la
vertu de certaines paroles magiques qu'elle prononça;
et la dernière qui s'ouvrit fut celle du jardin, où elle
entra. Je m'arrêtai à cette porte afin qu'elle ne pût
m'apercevoir pendant qu'elle traversait un parterre; et,
la conduisant des yeux autant que l'obscurité me le
permettait, je remarquai qu'elle entra dans un petit
bois dont les allées étaient bordées de palissades fort
épaisses. Je m'y rendis par un autre chemin; et, me
glissant derrière la palissade d'une allée assez longue,
je la vis qui se promenait avec un homme.

« Je ne manquai pas de prêter une oreille attentive à
leurs discours; et voici ce que j'entendis : « Je ne mérite
pas, disait la reine à son amant, le reproche que vous me
faites de n'être pas assez diligente; vous savez bien la
raison qui m'en empêche. Mais, si toutes les marques
d'amour que je vous ai données jusqu'à présent ne suffisent
pas pour vous persuader de ma sincérité, je suis prête
à vous en donner de plus éclatantes : vous n'avez qu'à
commander; vous savez quel est mon pouvoir. Je vais,
si vous le souhaitez, avant que le soleil se lève, changer
cette grande ville et ce beau palais en des ruines affreuses,
qui ne seront habitées que par des loups, des hiboux
et des corbeaux. Voulez-vous que je transporte toutes les
pierres de ces murailles si solidement bâties au-delà du
mont Caucase, et hors des bornes du monde habitable ?
Vous n'avez qu'à dire un mot, et tous ces lieux vont
changer de face. »

« Comme la reine achevait ces paroles, son amant et
elle, se trouvant au bout de l'allée, tournèrent pour entrer
dans une autre, et passèrent devant moi. J'avais déjà
tiré mon sabre; et, comme l'amant était de mon côté,
je le frappai sur le cou et le renversai par terre. Je crus
l'avoir tué, et, dans cette opinion, je me retirai brusquement sans me faire connaître à la reine, que je voulus
épargner à cause qu'elle était ma parente.

« Cependant le coup que j'avais porté à son amant
était mortel; mais elle lui conserva la vie par la force
de ses enchantements, de manière toutefois qu'on peut
dire de lui qu'il n'est ni mort ni vivant. Comme je traver-
sais le jardin pour regagner le palais, j'entendis la reine
qui poussait de grands cris; et, jugeant par là de sa
douleur, je me sus bon gré de lui avoir laissé la vie.

« Lorsque je fus rentré dans mon appartement, je me recouchai; et, satisfait d'avoir puni le téméraire qui m'avait offensé, je m'endormis. En me réveillant le lendemain, je trouvai la reine couchée auprès de moi... »

Scheherazade fut obligée de s'arrêter en cet endroit, parce qu'elle vit paraître le jour. « Bon Dieu, ma sœur, dit alors Dinarzade, je suis bien fâchée que vous n'en puissiez pas dire davantage. — Ma sœur, répondit la sultane, vous deviez me réveiller de meilleure heure; c'est votre faute. — Je la réparerai, s'il plaît à Dieu, la nuit prochaine, répliqua Dinarzade : car je ne doute pas que le sultan n'ait autant d'envie que moi de savoir la fin de cette histoire, et j'espère qu'il aura la bonté de vous laisser vivre encore jusqu'à demain. »

XXIVe NUIT

Effectivement, Dinarzade, comme elle se l'était promis, appela de très bonne heure la sultane. « Ma chère sœur, lui dit-elle, si vous ne dormez pas, je vous supplie de nous achever l'agréable histoire du roi des Iles Noires. Je meurs d'impatience de savoir comment il fut changé en marbre. — Vous l'allez apprendre, répondit Scheherazade, avec la permission du sultan. »

« Je trouvai donc la reine couchée auprès de moi, continua le roi des quatre Iles Noires; je ne vous dirai point si elle dormait ou non; mais je me levai sans faire de bruit, et je passai dans mon cabinet, où j'achevai de m'habiller. J'allai ensuite tenir mon conseil; et, à mon retour, la reine, habillée de deuil, les cheveux épars et en partie arrachés, vint se présenter devant moi. « Sire, me dit-elle, je viens supplier Votre Majesté de ne pas trouver étrange que je sois dans l'état où je suis. Trois nouvelles affligeantes que je viens de recevoir en même temps sont la juste cause de la vive douleur dont vous ne voyez que les faibles marques. — Hé! quelles sont ces nouvelles, Madame ? lui dis-je. — La mort de la reine, ma chère mère, me répondit-elle, celle du roi mon père, tué dans une bataille, et celle d'un de mes frères, qui est tombé dans un précipice. »

« Je ne fus pas fâché qu'elle prît ce prétexte pour cacher le véritable sujet de son affliction, et je jugeai

qu'elle ne me soupçonnait pas d'avoir tué son amant.
« Madame, lui dis-je, loin de blâmer votre douleur, je
vous assure que j'y prends toute la part que je dois. Je
serais extrêmement surpris que vous fussiez insensible
à la perte que vous avez faite. Pleurez : vos larmes sont
d'infaillibles marques de votre excellent naturel. J'espère
néanmoins que le temps et la raison pourront apporter
de la modération à vos déplaisirs. »

« Elle se retira dans son appartement, où, se livrant
sans réserve à ses chagrins, elle passa une année entière
à pleurer et à s'affliger. Au bout de ce temps-là, elle me
demanda la permission de faire bâtir le lieu de sa sépulture dans l'enceinte du palais, où elle voulait, disait-elle,
demeurer jusqu'à la fin de ses jours. Je le lui permis, et
elle fit bâtir un palais superbe, avec un dôme qu'on peut
voir d'ici ; elle l'appela le Palais des larmes.

« Quand il fut achevé, elle y fit porter son amant, qu'elle
avait fait transporter où elle avait jugé à propos, la même
nuit que je l'avais blessé. Elle l'avait empêché de mourir
jusqu'alors par des breuvages qu'elle lui avait fait prendre,
et elle continua de lui en donner et de les lui porter elle-
même tous les jours dès qu'il fut au Palais des larmes.

« Cependant, avec tous ses enchantements, elle ne pouvait guérir ce malheureux. Il était non seulement hors
d'état de marcher et de se soutenir, mais il avait encore
perdu l'usage de la parole, et il ne donnait aucun signe
de vie que par ses regards. Quoique la reine n'eût que la
consolation de le voir et de lui dire tout ce que son fol
amour pouvait lui inspirer de plus tendre et de plus passionné, elle ne laissait pas de lui rendre chaque jour deux
visites assez longues. J'étais bien informé de tout cela,
mais je feignais de l'ignorer.

« Un jour, j'allai par curiosité au Palais des larmes, pour
savoir quelle y était l'occupation de cette princesse ; et,
d'un endroit où je ne pouvais être vu, je l'entendis parler
dans ces termes à son amant : « Je suis dans la dernière
affliction de vous voir en l'état où vous êtes ; je ne sens
pas moins vivement que vous-même les maux cuisants
que vous souffrez ; mais, chère âme, je vous parle toujours et vous ne répondez pas. Jusques à quand garderez-
vous le silence ? Dites un mot seulement. Hélas ! les
plus doux moments de ma vie sont ceux que je passe ici à
partager vos douleurs. Je ne puis vivre éloignée de vous,
et je préférerais le plaisir de vous voir sans cesse à l'empire de l'univers. »

« A ce discours, qui fut plus d'une fois interrompu par ses soupirs et ses sanglots, je perdis enfin patience. Je me montrai; et, m'approchant d'elle : « Madame, lui dis-je, c'est assez pleurer; il est temps de mettre fin à une douleur qui nous déshonore tous deux; c'est trop oublier ce que vous me devez et ce que vous vous devez à vous-même. — Sire, me répondit-elle, s'il vous reste encore quelque considération, ou plutôt quelque complaisance pour moi, je vous supplie de ne me pas contraindre. Laissez-moi m'abandonner à mes chagrins mortels; il est impossible que le temps les diminue. »

« Quand je vis que mes discours, au lieu de la faire rentrer en son devoir, ne servaient qu'à irriter sa fureur, je cessai de lui parler et me retirai. Elle continua de visiter tous les jours son amant, et durant deux années entières elle ne fit que se désespérer.

« J'allai une seconde fois au Palais des larmes pendant qu'elle y était. Je me cachai encore, et j'entendis qu'elle disait à son amant : « Il y a trois ans que vous ne m'avez dit une seule parole et que vous ne répondez point aux marques d'amour que je vous donne par mes discours et mes gémissements : est-ce par insensibilité ou par mépris ? O tombeau! aurais-tu détruit cet excès de tendresse qu'il avait pour moi ? aurais-tu fermé ces yeux qui me montraient tant d'amour, et qui faisaient toute ma joie ? Non, non, je n'en crois rien. Dis-moi plutôt par quel miracle tu es devenu le dépositaire du plus rare trésor qui fut jamais. »

« Je vous avoue, Seigneur, que je fus indigné de ces paroles : car, enfin, cet amant chéri, ce mortel adoré, n'était pas tel que vous pourriez vous l'imaginer : c'était un Indien noir, originaire de ces pays. Je fus, dis-je, tellement indigné de ce discours que je me montrai brusquement; et, apostrophant le même tombeau à mon tour : « O tombeau! m'écriai-je, que n'engloutis-tu ce monstre qui fait horreur à la nature, ou plutôt que ne consumes-tu l'amant et la maîtresse! »

« J'eus à peine achevé ces mots que la reine, qui était assise auprès du noir, se leva comme une furie. « Ah! cruel! me dit-elle, c'est toi qui causes ma douleur. Ne pense pas que je l'ignore, je ne l'ai que trop longtemps dissimulé. C'est ta barbare main qui a mis l'objet de mon amour dans l'état pitoyable où il est; et tu as la dureté de venir insulter une amante au désespoir! — Oui, c'est moi, interrompis-je transporté de colère, c'est moi

qui ai châtié ce monstre comme il le méritait; je devais
te traiter de la même manière : je me repens de ne l'avoir
pas fait, et il y a trop longtemps que tu abuses de
ma bonté. » En disant cela, je tirai mon sabre et je levai le
bras pour la punir; mais, regardant tranquillement mon
action : « Modère ton courroux », me dit-elle avec un
souris moqueur. En même temps elle prononça des
paroles que je n'entendis point, et puis elle ajouta : « Par
la vertu de mes enchantements, je te commande de devenir tout à l'heure moitié marbre et moitié homme. »
Aussitôt, Seigneur, je devins tel que vous me voyez,
déjà mort parmi les vivants, et vivant parmi les morts... »

Scheherazade, en cet endroit, ayant remarqué qu'il
était jour, cessa de poursuivre son conte. « Ma chère
sœur, dit alors Dinarzade, je suis bien obligée au sultan;
c'est à sa bonté que je dois l'extrême plaisir que je prends
à vous écouter. — Ma sœur, lui répondit la sultane, si
cette même bonté veut bien encore me laisser vivre jusqu'à demain, vous entendrez des choses qui ne vous
feront pas moins de plaisir que celles que je viens de vous
raconter. » Quand Schahriar n'aurait pas résolu de
différer d'un mois la mort de Scheherazade, il ne l'aurait pas fait mourir ce jour-là.

XXVᵉ NUIT

Sur la fin de la nuit, Dinarzade s'écria : « Ma sœur, si
vous ne dormez pas, je vous prie d'achever l'histoire du
roi des Iles Noires. » Scheherazade, s'étant réveillée à
la voix de sa sœur, se prépara à lui donner la satisfaction
qu'elle demandait. Elle commença de cette sorte :

Le roi demi-marbre et demi-homme continua de
raconter son histoire au sultan :
« Après, dit-il, que la cruelle magicienne, indigne de
porter le nom de reine, m'eut ainsi métamorphosé et
fait passer en cette salle par un autre enchantement, elle
détruisit ma capitale, qui était très florissante et fort
peuplée; elle anéantit les maisons, les places publiques
et les marchés, et en fit l'étang et la campagne déserte
que vous avez pu voir. Les poissons de quatre couleurs
qui sont dans l'étang sont les quatre sortes d'habitants de
différentes religions qui la composaient : les blancs

étaient les musulmans; les rouges, les Perses, adorateurs
du feu; les bleus, les chrétiens; les jaunes, les juifs; les
quatre collines étaient les quatre îles qui donnaient le
nom à ce royaume. J'appris tout cela de la magicienne,
qui, pour comble d'affliction, m'annonça elle-même ces
effets de sa rage. Ce n'est pas tout encore; elle n'a point
borné sa fureur à la destruction de mon empire et à ma
métamorphose : elle vient chaque jour me donner sur
mes épaules nues cent coups de nerf de bœuf, qui me
mettent tout en sang. Quand ce supplice est achevé, elle
me couvre d'une grosse étoffe de poil de chèvre, et met,
par-dessus, cette robe de brocart que vous voyez, non
pour me faire honneur, mais pour se moquer de moi. »

En cet endroit de son discours, le jeune roi des Iles
Noires ne put retenir ses larmes; et le sultan en eut le
cœur si serré qu'il ne put prononcer une parole pour le
consoler. Peu de temps après, le jeune roi, levant les
yeux au ciel, s'écria : « Puissant créateur de toutes choses,
je me soumets à vos jugements et aux décrets de votre
providence! Je souffre patiemment tous mes maux,
puisque telle est votre volonté; mais j'espère que votre
bonté infinie m'en récompensera. »

Le sultan, attendri par le récit d'une histoire si étrange
et animé à la vengeance de ce malheureux prince, lui
dit : « Apprenez-moi où se retire cette perfide magicienne, et où peut être cet indigne amant qui est enseveli
avant sa mort. — Seigneur, répondit le prince, l'amant,
comme je vous l'ai déjà dit, est au Palais des larmes,
dans un tombeau en forme de dôme; et ce palais com-
munique à ce château du côté de la porte. Pour ce qui est
de la magicienne, je ne puis vous dire précisément où
elle se retire; mais tous les jours, au lever du soleil, elle
va visiter son amant, après avoir fait sur moi la sanglante
exécution dont je vous ai parlé; et vous jugez bien que je
ne puis me défendre d'une si grande cruauté. Elle lui
porte le breuvage qui est le seul aliment avec quoi, jusqu'à présent, elle l'a empêché de mourir; et elle ne cesse
de lui faire des plaintes sur le silence qu'il a toujours
gardé depuis qu'il est blessé.

— Prince qu'on ne peut assez plaindre, repartit le
sultan, on ne saurait être plus vivement touché de votre
malheur que je le suis. Jamais rien de si extraordinaire
n'est arrivé à personne; et les auteurs qui feront votre
histoire auront l'avantage de rapporter un fait qui surpasse tout ce qu'on a jamais écrit de plus surprenant.

Il n'y manque qu'une chose : c'est la vengeance qui vous est due; mais je n'oublierai rien pour vous la procurer. »

En effet, le sultan, en s'entretenant sur ce sujet avec le jeune prince, après lui avoir déclaré qui il était, et pourquoi il était entré dans ce château, imagina un moyen de le venger, qu'il lui communiqua. Ils convinrent des mesures qu'il y avait à prendre pour faire réussir ce projet, dont l'exécution fut remise au jour suivant. Cependant, la nuit étant fort avancée, le sultan prit quelque repos. Pour le jeune prince, il la passa à son ordinaire dans une insomnie continuelle (car il ne pouvait dormir depuis qu'il était enchanté), avec quelque espérance néanmoins d'être bientôt délivré de ses souffrances.

Le lendemain, le sultan se leva dès qu'il fut jour; et, pour commencer à exécuter son dessein, il cacha dans un endroit son habillement de dessus qui l'aurait embarrassé, et s'en alla au Palais des larmes. Il le trouva éclairé d'une infinité de flambeaux de cire blanche, et il sentit une odeur délicieuse qui sortait de plusieurs cassolettes de fin or d'un ouvrage admirable, toutes rangées dans un fort bel ordre. D'abord qu'il aperçut le lit où le noir était couché, il tira son sabre, et ôta, sans résistance, la vie à ce misérable, dont il traîna le corps dans la cour du château, et le jeta dans un puits. Après cette expédition, il alla se coucher dans le lit du noir, mit son sabre près de lui sous la couverture, et y demeura pour achever ce qu'il avait projeté.

La magicienne arriva bientôt. Son premier soin fut d'aller dans la chambre où était le roi des Iles Noires, son mari. Elle le dépouilla, et commença de lui donner sur les épaules les cent coups de nerf de bœuf, avec une barbarie qui n'a pas d'exemple. Le pauvre prince avait beau remplir le palais de ses cris, et la conjurer de la manière du monde la plus touchante d'avoir pitié de lui, la cruelle ne cessa de le frapper qu'après lui avoir donné les cent coups. « Tu n'as pas eu compassion de mon amant, lui disait-elle, tu n'en dois point attendre de moi... »

Scheherazade aperçut le jour en cet endroit, ce qui l'empêcha de continuer son récit. « Mon Dieu ! ma sœur, dit Dinarzade, voilà une magicienne bien barbare ! Mais en demeurerons-nous là, et ne nous apprendrez-vous pas si elle reçut le châtiment qu'elle méritait ? — Ma chère sœur, répondit la sultane, je ne demande pas mieux que de vous l'apprendre demain; mais vous savez

que cela dépend de la volonté du sultan. » Après ce que
Schahriar venait d'entendre, il était bien éloigné de
vouloir faire mourir Scheherazade; au contraire : « Je
ne veux pas lui ôter la vie, disait-il en lui-même, qu'elle
n'ait achevé cette histoire étonnante, quand le récit en
devrait durer deux mois. Il sera toujours en mon pouvoir de garder le serment que j'ai fait. »

XXVIᵉ NUIT

Dinarzade n'eut pas plus tôt jugé qu'il était temps d'appeler la sultane qu'elle lui dit : « Ma chère sœur, si vous
ne dormez pas, je vous supplie de nous raconter ce qui se
passa dans le Palais des larmes. » Schahriar ayant témoigné qu'il avait la même curiosité que Dinarzade, la sultane prit la parole, et reprit ainsi l'histoire du jeune prince
enchanté :

Sire, après que la magicienne eut donné cent coups de
nerf de bœuf au roi son mari, elle le revêtit du gros habillement de poil de chèvre et de la robe de brocart par-
dessus. Elle alla ensuite au Palais des larmes; et, en y
entrant, elle renouvela ses pleurs, ses cris et ses lamentations; puis s'approchant du lit où elle croyait que son
amant était toujours : « Quelle cruauté, s'écria-t-elle,
d'avoir ainsi troublé le contentement d'une amante aussi
tendre et aussi passionnée que je le suis! O toi qui me
reproches que je suis trop inhumaine quand je te fais
sentir les effets de mon ressentiment, cruel prince, ta
barbarie ne surpasse-t-elle pas celle de ma vengeance ?
Ah! traître! en attentant à la vie de l'objet que j'adore,
ne m'as-tu pas ravi la mienne ? Hélas! ajouta-t-elle en
adressant la parole au sultan, croyant parler au noir, mon
soleil, ma vie, garderez-vous toujours le silence ? êtes-
vous résolu de me laisser mourir sans me donner la
consolation de me dire encore que vous m'aimez ? Mon
âme, dites-moi au moins un mot, je vous en conjure. »
Alors le sultan, feignant de sortir d'un profond sommeil et contrefaisant le langage des noirs, répondit à la
reine d'un ton grave : *Il n'y a de force et de pouvoir qu'en
Dieu seul, qui est tout-puissant.* A ces paroles, la magicienne, qui ne s'y attendait pas, fit un grand cri pour
marquer l'excès de sa joie. « Mon cher seigneur, s'écria-
t-elle, ne me trompé-je pas ? est-il bien vrai que je vous

entends, et que vous me parlez ? — Malheureuse, reprit le sultan, es-tu digne que je réponde à tes discours ? — Et pourquoi, répliqua la reine, me faites-vous ce reproche ? — Les cris, repartit-il, les pleurs et les gémissements de ton mari, que tu traites tous les jours avec tant d'indignité et de barbarie, m'empêchent de dormir nuit et jour. Il y a longtemps que je serais guéri, et que j'aurais recouvré l'usage de la parole, si tu l'avais désenchanté : voilà la cause de ce silence que je garde et dont tu te plains. — Hé bien, dit la magicienne, pour vous apaiser je suis prête à faire ce que vous me commanderez : voulez-vous que je lui rende sa première forme ? — Oui, répondit le sultan, et hâte-toi de le mettre en liberté, afin que je ne sois plus incommodé de ses cris. »

La magicienne sortit aussitôt du Palais des larmes. Elle prit une tasse d'eau, et prononça dessus des paroles qui la firent bouillir comme si elle eût été sur le feu. Elle alla ensuite à la salle où était le jeune roi son mari ; elle jeta de cette eau sur lui, en disant : « Si le Créateur de toutes choses t'a formé tel que tu es présentement, ou s'il est en colère contre toi, ne change pas ; mais, si tu n'es dans cet état que par la vertu de mon enchantement, reprends ta forme naturelle, et redeviens tel que tu étais auparavant. » A peine eut-elle achevé ces mots que le prince, se retrouvant dans son premier état, se leva librement, avec toute la joie qu'on peut s'imaginer, et il en rendit grâces à Dieu. La magicienne, reprenant la parole : « Va, lui dit-elle, éloigne-toi de ce château, et n'y reviens jamais, ou bien il t'en coûtera la vie. »

Le jeune roi, cédant à la nécessité, s'éloigna de la magicienne sans répliquer, et se retira dans un lieu écarté, où il attendit impatiemment le succès du dessein dont le sultan venait de commencer l'exécution avec tant de bonheur.

Cependant la magicienne retourna au Palais des larmes ; et en entrant, comme elle croyait toujours parler au noir : « Cher amant, lui dit-elle, j'ai fait ce que vous m'avez ordonné : rien ne vous empêche de vous lever, et de me donner par là une satisfaction dont je suis privée depuis si longtemps. »

Le sultan continua de contrefaire le langage des noirs. « Ce que tu viens de faire, répondit-il d'un ton brusque, ne suffit pas pour me guérir : tu n'as ôté qu'une partie du mal, il en faut couper jusqu'à la racine. — Mon aimable noir, reprit-elle, qu'entendez-vous par la racine ? —

Malheureuse, repartit le sultan, ne comprends-tu pas que je veux parler de cette ville et de ses habitants, et des quatre îles que tu as détruites par tes enchantements ? Tous les jours, à minuit, les poissons ne manquent pas de lever la tête hors de l'étang et de crier vengeance contre moi et contre toi. Voilà le véritable sujet du retardement de ma guérison. Va promptement rétablir les choses en leur premier état, et à ton retour je te donnerai la main, et tu m'aideras à me lever. »

La magicienne, remplie de l'espérance que ces paroles lui firent concevoir, s'écria, transportée de joie : « Mon cœur, mon âme, vous aurez bientôt recouvré votre santé, car je vais faire ce que vous me commandez. » En effet, elle partit dans le moment; et, lorsqu'elle fut arrivée sur le bord de l'étang, elle prit un peu d'eau dans sa main, et en fit une aspersion dessus...

Scheherazade, en cet endroit, voyant qu'il était jour, n'en voulut pas dire davantage. Dinarzade dit à la sultane : « Ma sœur, j'ai bien de la joie de savoir le jeune roi des quatre Iles Noires désenchanté, et je regarde déjà la ville et les habitants comme rétablis en leur premier état; mais je suis en peine d'apprendre ce que deviendra la magicienne. — Donnez-vous un peu de patience, répondit la sultane : vous aurez demain la satisfaction que vous désirez, si le sultan mon seigneur veut bien y consentir. » Schahriar, qui, comme on l'a déjà dit, avait pris son parti là-dessus, se leva pour aller remplir ses devoirs.

XXVIIᵉ NUIT

Dinarzade, à l'heure ordinaire, ne manqua pas d'appeler la sultane. « Ma chère sœur, dit-elle, si vous ne dormez pas, je vous prie de nous raconter quel fut le sort de la reine magicienne, comme vous me l'avez promis. » Scheherazade tint aussitôt sa promesse, et parla de cette sorte :

La magicienne, ayant fait l'aspersion, n'eut pas plus tôt prononcé quelques paroles sur les poissons et sur l'étang que la ville reparut à l'heure même. Les poissons redevinrent hommes, femmes ou enfants; mahométans, chrétiens, persans ou juifs, gens libres ou esclaves, chacun reprit sa forme naturelle. Les maisons et les boutiques furent bientôt remplies de leurs habitants qui y trouvèrent toutes choses dans la même situation et dans le même ordre où elles étaient avant l'enchantement. La suite nombreuse du sultan, qui se trouva campée dans la plus grande place, ne fut pas peu étonnée de se voir en un instant au milieu d'une ville belle, vaste et bien peuplée.

Pour revenir à la magicienne, dès qu'elle eut fait ce changement merveilleux, elle se rendit en diligence au Palais des larmes pour en recueillir le fruit. « Mon cher seigneur, s'écria-t-elle en entrant, je viens me réjouir avec vous du retour de votre santé; j'ai fait tout ce que vous avez exigé de moi : levez-vous donc, et me donnez la main. — Approche », lui dit le sultan en contrefaisant toujours le langage des noirs. Elle s'approcha. « Ce n'est pas assez, reprit-il, approche-toi davantage. » Elle obéit. Alors il se leva, et la saisit par le bras si brusquement qu'elle n'eut pas le temps de se reconnaître, et, d'un coup de sabre, il sépara son corps en deux parties, qui tombèrent l'une d'un côté, et l'autre de l'autre. Cela étant fait, il laissa le cadavre sur la place, et, sortant du Palais des larmes, il alla trouver le jeune roi des Iles Noires, qui l'attendait avec impatience. « Prince, lui dit-il en l'embrassant, réjouissez-vous, vous n'avez plus rien à craindre : votre cruelle ennemie n'est plus. »

Le jeune prince remercia le sultan d'une manière qui marquait que son cœur était pénétré de reconnaissance; et, pour prix de lui avoir rendu un service si important, il lui souhaita une longue vie, avec toutes sortes de prospérités. « Vous pouvez désormais, lui dit le sultan, demeurer paisible dans votre capitale, à moins que vous ne vouliez venir dans la mienne, qui en est si voisine; je vous y recevrai avec plaisir, et vous n'y serez pas moins honoré et respecté que chez vous. — Puissant monarque à qui je suis si redevable, répondit le roi, vous croyez donc être fort près de votre capitale ? — Oui, répliqua le sultan, je le crois; il n'y a pas plus de quatre ou cinq heures de chemin. — Il y a une année entière de voyage, reprit le jeune prince. Je veux bien croire que vous êtes venu ici de votre capitale dans le peu de temps que vous dites, parce que la mienne était enchantée; mais, depuis qu'elle ne l'est plus, les choses ont bien changé. Cela ne m'empêchera pas de vous suivre, quand ce serait pour aller aux extrémités de la terre. Vous êtes mon libérateur, et, pour vous donner toute ma vie des marques de ma reconnaissance, je prétends vous accompagner, et j'abandonne sans regret mon royaume. »

Le sultan fut extraordinairement surpris d'apprendre qu'il était si loin de ses États, et il ne comprenait pas comment cela se pouvait faire. Mais le jeune roi des Îles Noires le convainquit si bien de cette possibilité qu'il n'en douta plus. « Il n'importe, reprit alors le sultan : la peine de m'en retourner dans mes États est suffisamment récompensée par la satisfaction de vous avoir obligé et d'avoir acquis un fils en votre personne : car, puisque vous voulez bien me faire l'honneur de m'accompagner et que je n'ai point d'enfants, je vous regarde comme tel, et je vous fais dès à présent mon héritier et mon successeur. »

L'entretien du sultan et du roi des Îles Noires se termina par les plus tendres embrassements. Après quoi le jeune prince ne songea qu'aux préparatifs de son voyage. Ils furent achevés en trois semaines, au grand regret de toute sa cour et de ses sujets, qui reçurent de sa main un de ses proches parents pour leur roi.

Enfin, le sultan et le jeune prince se mirent en chemin avec cent chameaux chargés de richesses inestimables tirées des trésors du jeune roi, qui se fit suivre par cinquante cavaliers bien faits, parfaitement bien montés et équipés. Leur voyage fut heureux; et, lorsque le sultan, qui avait envoyé des courriers pour donner avis de son retardement et de l'aventure qui en était la cause, fut près de sa capitale, les principaux officiers qu'il y avait laissés vinrent le recevoir, et l'assurèrent que sa longue absence n'avait apporté aucun changement dans son empire. Les habitants sortirent aussi en foule, le reçurent avec des grandes acclamations, et firent des réjouissances qui durèrent plusieurs jours.

Le lendemain de son arrivée, le sultan fit à tous ses courtisans assemblés un détail fort ample des choses qui, contre son attente, avaient rendu son absence si longue. Il leur déclara ensuite l'adoption qu'il avait faite du roi des quatre Îles Noires, qui avait bien voulu abandonner un grand royaume pour l'accompagner et vivre avec lui. Enfin, pour reconnaître la fidélité qu'ils lui avaient tous gardée, il leur fit des largesses proportionnées au rang que chacun tenait à sa cour.

Pour le pêcheur, comme il était la première cause de la délivrance du jeune prince, le sultan le combla de biens, et le rendit, lui et sa famille, très heureux le reste de leurs jours.

Scheherazade finit là le conte du pêcheur et du génie. Dinarzade lui marqua qu'elle y avait pris un plaisir infini; et, Schahriar lui ayant témoigné la même chose, elle leur dit qu'elle en savait un autre qui était encore plus beau que celui-là, et que, si le sultan le lui voulait permettre, elle le raconterait le lendemain, car le jour commençait à paraître. Schahriar, se souvenant du délai d'un mois qu'il avait accordé à la sultane, et curieux d'ailleurs de savoir si ce nouveau conte serait aussi agréable qu'elle le promettait, se leva dans le dessein de l'entendre la nuit suivante.

XXVIIIᵉ NUIT

Dinarzade, suivant sa coutume, n'oublia pas d'appeler la sultane lorsqu'il en fut temps : « Ma chère sœur, lui dit-elle, si vous ne dormez pas, je vous supplie, en attendant le jour, de me raconter un de ces beaux contes que vous savez. » Scheherazade, sans lui répondre, commença d'abord, et, adressant la parole au sultan :

HISTOIRE DE TROIS CALENDERS

FILS DE ROIS

ET DE CINQ DAMES DE BAGDAD

Sire, dit-elle, sous le règne du calife Haroun-al-Raschid, il y avait à Bagdad, où il faisait sa résidence, un porteur qui, malgré sa profession basse et pénible, ne laissait pas d'être homme d'esprit et de bonne humeur. Un matin qu'il était, à son ordinaire, avec un grand panier à jour près de lui, dans une place où il attendait que quelqu'un eût besoin de son ministère, une jeune dame de belle taille, couverte d'un grand voile de mousseline, l'aborda, et lui dit d'un air gracieux : « Écoutez, porteur, prenez votre panier, et suivez-moi. » Le porteur, enchanté de ce peu de paroles prononcées si agréablement, prit aussitôt son panier, le mit sur sa tête, et suivit la dame en disant : *Ô jour heureux ! ô jour de bonne rencontre !*

D'abord la dame s'arrêta devant une porte fermée et frappa. Un chrétien vénérable par une longue barbe blanche ouvrit, et elle lui mit de l'argent dans la main sans lui dire un seul mot. Mais le chrétien, qui savait ce qu'elle demandait, rentra, et peu de temps après apporta une grosse cruche d'un vin excellent. « Prenez cette cruche, dit la dame au porteur, et la mettez dans votre panier. » Cela étant fait, elle lui commanda de la suivre ; puis elle continua de marcher, et le porteur continua de dire : *Ô jour de félicité ! ô jour d'agréable surprise et de joie !*

La dame s'arrêta à la boutique d'un vendeur de fruits et de fleurs, où elle choisit de plusieurs sortes de pommes, des abricots, des pêches, des coings, des limons, des citrons, des oranges, du myrte, du basilic, des lis, du jasmin, et de quelques autres sortes de fleurs et de plantes de bonne odeur. Elle dit au porteur de mettre tout cela dans son panier et de la suivre. En passant devant l'étalage d'un boucher, elle se fit peser vingt-cinq livres de la plus belle viande qu'il eût ; ce que le porteur mit encore

dans son panier par son ordre. A une autre boutique, elle
prit des câpres, de l'estragon, de petits concombres,
de la percepierre et autres herbes, le tout confit dans le
vinaigre; à une autre, des pistaches, des noix, des noisettes, des pignons, des amandes et d'autres fruits semblables; à une autre encore, elle acheta toutes sortes de
pâtes d'amande. Le porteur, en mettant toutes ces choses
dans son panier, remarquant qu'il se remplissait, dit à la
dame : « Ma bonne dame, il fallait m'avertir que vous
feriez tant de provisions, j'aurais pris un cheval, ou plutôt
un chameau pour les porter. J'en aurai beaucoup plus
que ma charge, pour peu que vous en achetiez d'autres. »
La dame rit de cette plaisanterie, et ordonna de nouveau
au porteur de la suivre.

Elle entra chez un droguiste, où elle se fournit de toutes
sortes d'eaux de senteur, de clous de girofle, de muscade,
de poivre gingembre, d'un gros morceau d'ambre gris
et de plusieurs autres épiceries des Indes; ce qui acheva
de remplir le panier du porteur, auquel elle dit encore de
la suivre. Alors ils marchèrent tous deux jusqu'à ce qu'ils
arrivèrent à un hôtel magnifique, dont la façade était
ornée de belles colonnes, et qui avait une porte d'ivoire.
Ils s'y arrêtèrent, et la dame frappa un petit coup...

En cet endroit, Scheherazade aperçut qu'il était jour,
et cessa de parler. « Franchement, ma sœur, dit Dinarzade,
voilà un commencement qui donne beaucoup de curiosité. Je crois que le sultan ne voudra pas se priver du plaisir d'entendre la suite. » Effectivement, Schahriar, loin
d'ordonner la mort de la sultane, attendit impatiemment
la nuit suivante pour apprendre ce qui se passerait dans
l'hôtel dont elle avait parlé.

XXIXᵉ NUIT

Dinarzade, réveillée avant le jour, adressa ces paroles à la
sultane : « Ma sœur, si vous ne dormez pas, je vous prie de
poursuivre l'histoire que vous commençâtes hier. »
Scheherazade aussitôt la continua de cette manière :

Pendant que la jeune dame et le porteur attendaient
que l'on ouvrît la porte de l'hôtel, le porteur faisait mille
réflexions. Il était étonné qu'une dame faite comme celle
qu'il voyait fît l'office de pourvoyeur : car enfin il jugeait

bien que ce n'était pas une esclave; il lui trouvait l'air trop noble pour penser qu'elle ne fût pas libre, et même une personne de distinction. Il lui aurait volontiers fait des questions pour s'éclaircir de sa qualité; mais, dans le temps qu'il se préparait à lui parler, une autre dame qui vint ouvrir la porte lui parut si belle qu'il en demeura tout surpris, ou plutôt il fut si vivement frappé de l'éclat de ses charmes qu'il en pensa laisser tomber son panier avec tout ce qui était dedans, tant cet objet le mit hors de lui-même. Il n'avait jamais vu de beauté qui approchât de celle qu'il avait devant les yeux.

La dame qui avait amené le porteur s'aperçut du désordre qui se passait dans son âme et du sujet qui le causait. Cette découverte la divertit; et elle prenait tant de plaisir à examiner la contenance du porteur qu'elle ne songeait pas que la porte était ouverte. « Entrez donc, ma sœur, lui dit la belle portière; qu'attendez-vous ? Ne voyez-vous pas que ce pauvre homme est si chargé qu'il n'en peut plus ? »

Lorsqu'elle fut entrée avec le porteur, la dame qui avait ouvert la porte la ferma; et tous trois, après avoir traversé un beau vestibule, ils passèrent dans une cour très spacieuse, et environnée d'une galerie à jour, qui communiquait à plusieurs appartements de plain-pied de la dernière magnificence. Il y avait dans le fond de cette cour un sofa richement garni, avec un trône d'ambre au milieu, soutenu de quatre colonnes d'ébène enrichies de diamants et de perles d'une grosseur extraordinaire, et garnies d'un satin rouge relevé d'une broderie d'or des Indes d'un travail admirable. Au milieu de la cour, il y avait un grand bassin bordé de marbre blanc, et plein d'une eau très claire, qui y tombait abondamment par un mufle de lion de bronze doré.

Le porteur, tout chargé qu'il était, ne laissait pas d'admirer la magnificence de cette maison et la propreté qui y régnait partout; mais ce qui attira particulièrement son attention fut une troisième dame, qui lui parut encore plus belle que la seconde, et qui était assise sur le trône dont j'ai parlé. Elle en descendit dès qu'elle aperçut les deux premières dames, et s'avança au-devant d'elles. Il jugea par les égards que les autres avaient pour celle-là que c'était la principale; en quoi il ne se trompait pas. Cette dame se nommait Zobéide; celle qui avait ouvert la porte s'appelait Safie, et Amine était le nom de celle qui avait été aux provisions.

Zobéide dit aux deux dames en les abordant : « Mes sœurs, ne voyez-vous pas que ce bon homme succombe sous le fardeau qu'il porte ? qu'attendez-vous à le décharger ? » Alors Amine et Safie prirent le panier, l'une par devant, l'autre par derrière. Zobéide y mit aussi la main, et toutes trois le posèrent à terre. Elles commencèrent à le vider, et, quand cela fut fait, l'agréable Amine tira de l'argent, paya libéralement le porteur...

Le jour, venant à paraître en cet endroit, imposa silence à Scheherazade, et laissa non seulement à Dinarzade, mais encore à Schahriar, un grand désir d'entendre la suite ; ce que ce prince remit à la nuit suivante.

XXXᵉ NUIT

Le lendemain, Dinarzade, réveillée par l'impatience d'entendre la suite du conte commencé, dit à la sultane : « Au nom de Dieu, ma sœur, si vous ne dormez pas, je vous prie de nous conter ce que firent ces trois belles dames de toutes les provisions qu'Amine avait achetées. — Vous l'allez savoir, répondit Scheherazade, si vous voulez m'écouter avec attention. » En même temps elle reprit ce conte dans ces termes :

Le porteur, très satisfait de l'argent qu'on lui avait donné, devait prendre son panier et se retirer ; mais il ne put s'y résoudre : il se sentait, malgré lui, arrêter par le plaisir de voir trois beautés si rares, et qui lui paraissaient également charmantes : car Amine avait aussi ôté son voile, et il ne la trouvait pas moins belle que les autres. Ce qu'il ne pouvait comprendre, c'est qu'il ne voyait aucun homme dans cette maison. Néanmoins, la plupart des provisions qu'il avait apportées, comme les fruits secs et les différentes sortes de gâteaux et de confitures, ne convenaient proprement qu'à des gens qui voulaient boire et se réjouir.

Zobéide crut d'abord que le porteur s'arrêtait pour prendre haleine ; mais, voyant qu'il demeurait trop longtemps : « Qu'attendez-vous ? lui dit-elle ; n'êtes-vous pas payé suffisamment ? Ma sœur, ajouta-t-elle en s'adressant à Amine, donnez-lui encore quelque chose : qu'il s'en aille content. — Madame, répondit le porteur, ce n'est pas cela qui me retient ; je ne suis que trop payé de ma peine. Je vois bien que j'ai commis une incivilité en demeurant ici plus que je ne devais; mais j'espère que vous aurez la bonté de la pardonner à l'étonnement où je suis de ne voir aucun homme avec trois dames d'une beauté si peu commune. Une compagnie de femmes sans hommes est pourtant une chose aussi triste qu'une compagnie d'hommes sans femmes. » Il ajouta à ce discours plusieurs choses fort plaisantes pour prouver ce qu'il avançait. Il n'oublia pas de citer ce qu'on disait à Bagdad, qu'on n'est pas bien à table si l'on n'y est quatre; et, enfin, il finit en concluant que, puisqu'elles étaient trois, elles avaient besoin d'un quatrième.

Les dames se prirent à rire du raisonnement du porteur. Après cela, Zobéide lui dit d'un air sérieux : « Mon ami, vous poussez un peu trop loin votre indiscrétion; mais, quoique vous ne méritiez pas que j'entre dans aucun détail avec vous, je veux bien toutefois vous dire que nous sommes trois sœurs qui faisons si secrètement nos affaires que personne n'en sait rien. Nous avons un trop grand sujet de craindre d'en faire part à des indiscrets; et un bon auteur que nous avons lu dit : *Garde ton secret, et ne le révèle à personne : qui le révèle n'en est plus le maître. Si ton sein ne peut contenir ton secret, comment le sein de celui à qui tu l'auras confié pourra-t-il le contenir ?*

« Mesdames, reprit le porteur, à votre air seulement, j'ai jugé d'abord que vous étiez des personnes d'un mérite très rare, et je m'aperçois que je ne me suis pas trompé. Quoique la fortune ne m'ait pas donné assez de biens pour m'élever à une profession au-dessus de la mienne, je n'ai pas laissé de cultiver mon esprit autant que je l'ai pu par la lecture des livres de science et d'histoire; et vous me permettrez, s'il vous plaît, de vous dire que j'ai lu aussi dans un autre auteur une maxime que j'ai toujours heureusement pratiquée : *Nous ne cachons notre secret,* dit-il, *qu'à des gens reconnus de tout le monde pour des indiscrets qui abuseraient de notre confiance ; mais nous ne faisons nulle difficulté de le découvrir aux sages, parce que nous sommes persuadés qu'ils sauront le garder.* Le secret chez moi est dans une aussi grande sûreté que s'il était dans un cabinet dont la clef fût perdue et la porte bien scellée. »

Zobéide connut que le porteur ne manquait pas d'esprit; mais, jugeant qu'il avait envie d'être du régal qu'elles voulaient se donner, elle lui repartit en souriant : « Vous savez que nous nous préparons à nous régaler;

mais vous savez en même temps que nous avons fait une dépense considérable, et il ne serait pas juste que, sans y contribuer, vous fussiez de la partie. » La belle Safie appuya le sentiment de sa sœur. « Mon ami, dit-elle au porteur, n'avez-vous jamais ouï dire ce que l'on dit assez communément : *Si vous apportez quelque chose, vous serez quelque chose avec nous ; si vous n'apportez rien, retirez-vous avec rien ?* »

Le porteur, malgré sa rhétorique, aurait peut-être été obligé de se retirer avec confusion, si Amine, prenant fortement son parti, n'eût dit à Zobéide et à Safie : « Mes chères sœurs, je vous conjure de permettre qu'il demeure avec nous ; il n'est pas besoin de vous dire qu'il nous divertira : vous voyez bien qu'il en est capable. Je vous assure que sans sa bonne volonté, sa légèreté et son courage à me suivre, je n'aurais pu venir à bout de faire tant d'emplettes en si peu de temps. D'ailleurs, si je vous répétais toutes les douceurs qu'il m'a dites en chemin, vous seriez peu surprises de la protection que je lui donne. »

A ces paroles d'Amine, le porteur, transporté de joie, se laissa tomber sur les genoux, baisa la terre aux pieds de cette charmante personne, et, en se relevant : « Mon aimable dame, lui dit-il, vous avez commencé aujourd'hui mon bonheur ; vous y mettez le comble par une action si généreuse ; je ne puis assez vous témoigner ma reconnaissance. Au reste, Mesdames, ajouta-t-il en s'adressant aux trois sœurs ensemble, puisque vous me faites un si grand honneur, ne croyez pas que j'en abuse, et que je me considère comme un homme qui le mérite : non, je me regarderai toujours comme le plus humble de vos esclaves. » En achevant ces mots, il voulut rendre l'argent qu'il avait reçu ; mais la grave Zobéide lui ordonna de le garder. « Ce qui est une fois sorti de nos mains, dit-elle, pour récompenser ceux qui nous ont rendu service, n'y retourne plus... »

L'aurore, qui parut, vint en cet endroit imposer silence à Scheherazade. Dinarzade, qui l'écoutait avec beaucoup d'attention, en fut fort fâchée ; mais elle eut sujet de s'en consoler, parce que le sultan, curieux de savoir ce qui se passerait entre les trois belles dames et le porteur, remit la suite de ce conte à la nuit suivante, et se leva pour aller s'acquitter de ses fonctions ordinaires.

parole au nom des trois dames, dit au porteur : « Levez-
vous, partez, il est temps de vous retirer. » Le porteur
ne pouvant se résoudre à les quitter, répondit : « Hé ! Mesdames ! où me commandez-vous que j'aille, et... [texte], me

XXXIe NUIT

Dinarzade, le lendemain, ne manqua pas de réveiller
la sultane à l'heure ordinaire et de lui dire : « Ma chère
sœur, si vous ne dormez pas, je vous prie, en attendant
le jour qui paraîtra bientôt, de poursuivre le merveilleux
conte que vous avez commencé. » Scheherazade prit alors
la parole, et, s'adressant au sultan : « Sire, dit-elle, je
vais, avec votre permission, contenter la curiosité de ma
sœur. » En même temps elle reprit ainsi l'histoire des
trois calenders :

Zobéide ne voulut donc point reprendre l'argent du
porteur. « Mais, mon ami, lui dit-elle, en consentant que
vous demeuriez avec nous, je vous avertis que ce n'est
pas seulement à condition que vous garderez le secret
que nous avons exigé de vous, nous prétendons encore
que vous observiez exactement les règles de la bienséance
et de l'honnêteté. » Pendant qu'elle tenait ce discours, la
charmante Amine quitta son habillement de ville, attacha sa robe à sa ceinture pour agir avec plus de liberté,
et prépara la table ; elle servit plusieurs sortes de mets, et
mit sur un buffet des bouteilles de vin et des tasses d'or.
Après cela, les dames se placèrent, et firent asseoir à leur
côté le porteur, qui était satisfait au-delà de tout ce qu'on
peut dire de se voir à table avec trois personnes d'une
beauté si extraordinaire.

Après les premiers morceaux, Amine, qui s'était placée
près du buffet, prit une bouteille et une tasse, se versa à
boire, et but la première, suivant la coutume des Arabes.
Elle versa ensuite à ses sœurs, qui burent l'une après
l'autre ; puis, remplissant pour la quatrième fois la même
tasse, elle la présenta au porteur, lequel, en la recevant,
baisa la main d'Amine, et chanta, avant que de boire, une
chanson dont le sens était que, comme le vent emporte
avec lui la bonne odeur des lieux parfumés par où il
passe, de même le vin qu'il allait boire, venant de sa
main, en recevait un goût plus exquis que celui qu'il avait
naturellement. Cette chanson réjouit les dames, qui chan-
tèrent à leur tour. Enfin, la compagnie fut de très bonne
humeur pendant le repas, qui dura fort longtemps et fut
accompagné de tout ce qui pouvait le rendre agréable.

Le jour allait bientôt finir, lorsque Safie, prenant la

parole au nom des trois dames, dit au porteur : « Levez-vous, partez, il est temps de vous retirer. » Le porteur, ne pouvant se résoudre à les quitter, répondit : « Eh ! Mesdames ! où me commandez-vous d'aller en l'état où je me trouve ? Je suis hors de moi-même à force de vous voir et de boire : je ne retrouverais jamais le chemin de ma maison. Donnez-moi la nuit pour me reconnaître, je la passerai où il vous plaira ; mais il ne me faut pas moins de temps pour me remettre dans le même état où j'étais lorsque je suis entré chez vous ; avec cela, je doute encore que je n'y laisse la meilleure partie de moi-même. »

Amine prit une seconde fois le parti du porteur. « Mes sœurs, dit-elle, il a raison ; je lui sais bon gré de la demande qu'il nous fait. Il nous a assez bien diverties ; si vous voulez m'en croire, ou plutôt si vous m'aimez autant que j'en suis persuadée, nous le retiendrons pour passer la soirée avec nous. — Ma sœur, dit Zobéide, nous ne pouvons rien refuser à votre prière. Porteur, continua-t-elle en s'adressant à lui, nous voulons bien encore vous faire cette grâce, mais nous y mettons une nouvelle condition. Quoi que nous puissions faire en votre présence, par rapport à nous ou à autre chose, gardez-vous bien d'ouvrir seulement la bouche pour nous en demander la raison : car, en nous faisant des questions sur des choses qui ne vous regardent nullement, vous pourriez entendre ce qui ne vous plairait pas. Prenez-y garde, et ne vous avisez pas d'être trop curieux en voulant approfondir les motifs de nos actions.

— Madame, repartit le porteur, je vous promets d'observer cette condition avec tant d'exactitude que vous n'aurez pas lieu de me reprocher d'y avoir contrevenu, et encore moins de punir mon indiscrétion. Ma langue, en cette occasion, sera immobile, et mes yeux seront comme un miroir, qui ne conserve rien des objets qu'il a reçus. — Pour vous faire voir, reprit Zobéide d'un air très sérieux, que ce que nous vous demandons n'est pas nouvellement établi parmi nous, levez-vous, et allez lire ce qui est écrit au-dessus de notre porte en dedans. »

Le porteur alla jusque-là, et y lut ces mots qui étaient écrits en gros caractères d'or : *Qui parle des choses qui ne le regardent point entend ce qui ne lui plaît pas.* Il revint ensuite trouver les trois sœurs : « Mesdames, leur dit-il, je vous jure que vous ne m'entendrez parler d'aucune chose qui ne me regardera pas, et où vous puissiez avoir intérêt. »

Cette convention faite, Amine apporta le souper ; et, quand elle eut éclairé la salle d'un grand nombre de bougies préparées avec le bois d'aloès et l'ambre gris, qui répandirent une odeur agréable et firent une belle illumination, elle s'assit à table avec ses sœurs et le porteur. Ils recommencèrent à manger, à boire, à chanter et à réciter des vers. Les dames prenaient plaisir à enivrer le porteur, sous prétexte de le faire boire à leur santé. Les bons mots ne furent point épargnés. Enfin, ils étaient tous dans la meilleure humeur du monde, lorsqu'ils ouïrent frapper à la porte...

Scheherazade fut obligée, en cet endroit, d'interrompre son récit, parce qu'elle vit paraître le jour. Le sultan, ne doutant point que la suite de cette histoire ne méritât d'être entendue, la remit au lendemain, et se leva.

XXXIIᵉ NUIT

Sur la fin de la nuit suivante, Dinarzade appela la sultane. « Au nom de Dieu, ma sœur, lui dit-elle, si vous ne dormez pas, je vous supplie de continuer le conte de ces trois belles filles ; je suis dans une extrême impatience de savoir qui frappait à leur porte. — Vous l'allez apprendre, répondit Scheherazade. Je vous assure que ce que je vais vous raconter n'est pas indigne de l'attention du sultan mon seigneur. »

Dès que les dames, poursuivit-elle, entendirent frapper à la porte, elles se levèrent toutes trois en même temps pour aller ouvrir ; mais Safie, à qui cette fonction appartenait particulièrement, fut la plus diligente ; les deux autres, se voyant prévenues, demeurèrent, et attendirent qu'elle vînt leur apprendre qui pouvait avoir affaire chez elles si tard. Safie revint. « Mes sœurs, dit-elle, il se présente une belle occasion de passer une bonne partie de la nuit fort agréablement ; et, si vous êtes de même sentiment que moi, nous ne la laisserons point échapper. Il y a à notre porte trois calenders ; au moins ils me paraissent tels à leur habillement ; mais, ce qui va sans doute vous surprendre, ils sont tous trois borgnes de l'œil droit, et ont la tête, la barbe et les sourcils ras. Ils ne font, disent-ils, que d'arriver tout présentement à Bagdad, où ils ne sont jamais venus ; et, comme il est nuit et qu'ils

ne savent où aller loger, ils ont frappé par hasard à notre
porte, et ils nous prient, pour l'amour de Dieu, d'avoir
la charité de les recevoir. Ils se mettent peu en peine
du lieu que nous voudrons leur donner, pourvu qu'ils
soient à couvert; ils se contenteront d'une écurie. Ils
sont jeunes et assez bien faits; ils paraissent même avoir
beaucoup d'esprit; mais je ne puis penser sans rire à leur
figure plaisante et uniforme. » En cet endroit, Safie
s'interrompit elle-même, et se mit à rire de si bon cœur
que les deux autres dames et le porteur ne purent s'empêcher de rire aussi. « Mes bonnes sœurs, reprit-elle,
ne voulez-vous pas bien que nous les fassions entrer ?
Il est impossible qu'avec des gens tels que je viens de
vous les dépeindre nous n'achevions la journée encore
mieux que nous ne l'avons commencée. Ils nous diver-
tiront fort, et ne nous seront point à charge, puisqu'ils
ne nous demandent une retraite que pour cette nuit
seulement, et que leur intention est de nous quitter
d'abord qu'il sera jour. »

Zobéide et Amine firent difficulté d'accorder à Safie
ce qu'elle demandait, et elle en savait bien la raison elle-
même; mais elle leur témoigna une si grande envie
d'obtenir d'elles cette faveur qu'elles ne purent la lui
refuser. « Allez, lui dit Zobéide, faites-les donc entrer;
mais n'oubliez pas de les avertir de ne point parler de
ce qui ne les regardera pas, et de leur faire lire ce qui
est écrit au-dessus de la porte. » A ces mots, Safie courut
ouvrir avec joie; et peu de temps après elle revint accompagnée des trois calenders.

Les trois calenders firent en entrant une révérence aux
dames, qui s'étaient levées pour les recevoir, et qui leur
dirent obligeamment qu'ils étaient les bienvenus; qu'elles
étaient bien aises de trouver l'occasion de les obliger et
de contribuer à les remettre de la fatigue de leur voyage ;
et enfin elles les invitèrent à s'asseoir auprès d'elles. La
magnificence du lieu et l'honnêteté des dames firent
concevoir aux calenders une haute idée de ces belles
hôtesses; mais, avant que de prendre place, ayant par
hasard jeté les yeux sur le porteur, et le voyant habillé
à peu près comme d'autres calenders avec lesquels ils
étaient en différend sur plusieurs points de discipline,
et qui ne se rasaient pas la barbe et les sourcils, un
d'entre eux prit la parole : « Voilà, dit-il, apparemment un
de nos frères arabes les révoltés. »

Le porteur, à moitié endormi, et la tête échauffée

du vin qu'il avait bu, se trouva choqué de ces paroles, et, sans se lever de sa place, répondit aux calenders en les regardant fièrement : « Asseyez-vous, et ne vous mêlez pas de ce que vous n'avez que faire. N'avez-vous pas lu au-dessus de la porte l'inscription qui y est ? Ne prétendez pas obliger le monde à vivre à votre mode ; vivez à la vôtre.

— Bon homme, reprit le calender qui avait parlé, ne vous mettez point en colère ; nous serions bien fâchés de vous en avoir donné le moindre sujet, et nous sommes au contraire prêts à recevoir vos commandements. » La querelle aurait pu avoir de la suite ; mais les dames s'en mêlèrent, et pacifièrent toutes choses.

Quand les calenders se furent assis à table, les dames leur servirent à manger, et l'enjouée Safie particulièrement prit soin de leur verser à boire...

Scheherazade s'arrêta en cet endroit parce qu'elle remarqua qu'il était jour. Le sultan se leva pour aller remplir ses devoirs, se promettant bien d'entendre la suite de ce conte le lendemain : car il avait grande envie d'apprendre pourquoi les calenders étaient borgnes, et tous trois du même œil.

XXXIIIᵉ NUIT

Une heure avant le jour, Dinarzade, s'étant éveillée, dit à la sultane : « Ma chère sœur, si vous ne dormez pas, contez-moi, je vous prie, ce qui se passa entre les dames et les calenders. — Très volontiers », répondit Scheherazade. En même temps elle continua de cette manière le conte de la nuit précédente.

Après que les calenders eurent bu et mangé à discrétion, ils témoignèrent aux dames qu'ils se feraient un grand plaisir de leur donner un concert, si elles avaient des instruments et qu'elles voulussent leur en faire apporter. Elles acceptèrent l'offre avec joie. La belle Safie se leva pour en aller quérir. Elle revint un moment ensuite, et leur présenta une flûte du pays, une autre à la persienne, et un tambour de basque. Chaque calender reçut de sa main l'instrument qu'il voulut choisir, et ils commencèrent tous trois à jouer un air. Les dames, qui savaient des paroles sur cet air qui était des plus gais, l'accompa-

gnèrent de leurs voix; mais elles s'interrompaient de
temps en temps par de grands éclats de rire que leur
faisaient faire les paroles. Au plus fort de ce divertissement, et lorsque la compagnie était le plus en joie, on
frappa à la porte. Safie cessa de chanter, et alla voir ce
que c'était.

Mais, Sire, dit en cet endroit Scheherazade au sultan,
il est bon que Votre Majesté sache pourquoi l'on frappait
si tard à la porte des dames : en voici la raison. Le calife
Haroun-al-Raschid avait coutume de marcher très souvent
la nuit incognito, pour savoir par lui-même si tout était
tranquille dans la ville, et s'il ne s'y commettait pas
de désordre.

Cette nuit-là, le calife était sorti de bonne heure,
accompagné de Giafar, son grand-vizir, et de Mesrour,
chef des eunuques de son palais, tous trois déguisés en
marchands. En passant par la rue des trois dames, ce
prince, entendant le son des instruments et des voix et
le bruit des éclats de rire, dit au vizir : « Allez, frappez
à la porte de cette maison où l'on fait tant de bruit; je
veux y entrer et en apprendre la cause. » Le vizir eut beau
lui représenter que c'étaient des femmes qui se régalaient
ce soir-là; que le vin apparemment leur avait échauffé
la tête, et qu'il ne devait pas s'exposer à recevoir d'elles
quelque insulte; qu'il n'était pas encore heure indue, et
qu'il ne fallait pas troubler leur divertissement : « Il
n'importe, repartit le calife, frappez, je vous l'ordonne. »

C'était donc le grand-vizir Giafar qui avait frappé à
la porte des dames, par ordre du calife, qui ne voulait
pas être connu. Safie ouvrit; et le vizir, remarquant, à
la clarté d'une bougie qu'elle tenait, que c'était une dame
d'une grande beauté, joua parfaitement bien son personnage. Il lui fit une profonde révérence, et lui dit d'un
air respectueux : « Madame, nous sommes trois marchands
de Mossoul, arrivés depuis environ dix jours, avec
de riches marchandises que nous avons en magasin dans
un khan où nous avons pris logement. Nous avons été
aujourd'hui chez un marchand de cette ville qui nous
avait invités à l'aller voir. Il nous a régalés d'une collation;
et comme le vin nous avait mis de belle humeur, il a fait
venir une troupe de danseuses. Il était déjà nuit, et dans
le temps que l'on jouait des instruments, que les danseuses
dansaient, et que la compagnie faisait grand bruit, le
guet a passé et s'est fait ouvrir. Quelques-uns de la
compagnie ont été arrêtés. Pour nous, nous avons été

assez heureux pour nous sauver par-dessus une muraille ; mais, ajouta le vizir, comme nous sommes étrangers, et avec cela un peu pris de vin, nous craignons de rencontrer une autre escouade du guet, ou la même, avant que d'arriver à notre khan, qui est éloigné d'ici. Nous y arriverions même inutilement : car la porte est fermée, et ne sera ouverte que demain matin, quelque chose qui puisse arriver. C'est pourquoi, Madame, ayant ouï en passant des instruments et des voix, nous avons jugé que l'on n'était pas encore retiré chez vous, et nous avons pris la liberté de frapper, pour vous supplier de nous donner retraite jusqu'au jour. Si nous vous paraissons dignes de prendre part à votre divertissement, nous tâcherons d'y contribuer en ce que nous pourrons pour réparer l'interruption que nous y avons causée; sinon, faites-nous seulement la grâce de souffrir que nous passions la nuit à couvert sous votre vestibule. »

Pendant ce discours de Giafar, la belle Safie eut le temps d'examiner ce vizir et les deux personnes qu'il disait marchands comme lui; et, jugeant à leur physionomie que ce n'étaient pas des gens du commun, elle leur dit qu'elle n'était pas la maîtresse, et que, s'ils voulaient se donner un moment de patience, elle reviendrait leur apporter la réponse.

Safie alla faire ce rapport à ses sœurs, qui balancèrent quelque temps sur le parti qu'elles devaient prendre. Mais elles étaient naturellement bienfaisantes, et elles avaient déjà fait la même grâce aux trois calenders. Ainsi, elles résolurent de les laisser entrer...

Scheherazade se préparait à poursuivre son conte; mais, s'étant aperçue qu'il était jour, elle interrompit là son récit. La qualité des nouveaux acteurs que la sultane venait d'introduire sur la scène piquant la curiosité de Schahriar, et le laissant dans l'attente de quelque événement singulier, ce prince attendit la nuit suivante avec impatience.

XXXIVᵉ NUIT

Dinarzade, aussi curieuse que le sultan d'apprendre ce que produirait l'arrivée du calife chez les trois dames, n'oublia pas de réveiller la sultane de fort bonne heure. « Si vous ne dormez pas, ma sœur, lui dit-elle, je vous supplie de reprendre l'histoire des calenders. » Schehe-

razade aussitôt la poursuivit de cette sorte, avec la permission du sultan :

Le calife, son grand-vizir et le chef de ses eunuques,
ayant été introduits par la belle Safie, saluèrent les dames
et les calenders avec beaucoup de civilité. Les dames les
reçurent de même, les croyant marchands ; et Zobéide,
comme la principale, leur dit d'un air grave et sérieux
qui lui convenait : « Vous êtes les bienvenus ; mais,
avant toutes choses, ne trouvez pas mauvais que nous
vous demandions une grâce. — Eh ! quelle grâce, Madame ?
répondit le vizir. Peut-on refuser quelque chose à de si
belles dames ? — C'est, reprit Zobéide, de n'avoir que
des yeux et point de langue ; de ne nous pas faire de
questions sur quoi que vous puissiez voir, pour en apprendre la cause, et de ne point parler de ce qui ne vous
regardera pas, de crainte que vous n'entendiez ce qui ne
vous serait pas agréable. — Vous serez obéie, Madame ?
repartit le vizir. Nous ne sommes ni censeurs, ni curieux
indiscrets ; c'est bien assez que nous ayons attention à
ce qui nous regarde sans nous mêler de ce qui ne nous
regarde pas. » À ces mots, chacun s'assit, la conversation
se lia, et l'on recommença de boire en faveur des nouveaux venus.

Pendant que le vizir Giafar entretenait les dames,
le calife ne pouvait cesser d'admirer leur beauté extraordinaire, leur bonne grâce, leur humeur enjouée et leur
esprit. D'un autre côté, rien ne lui paraissait plus surprenant que les calenders, tous trois borgnes de l'œil
droit. Il se serait volontiers informé de cette singularité,
mais la condition qu'on venait d'imposer à lui et à sa
compagnie l'empêcha d'en parler. Avec cela, quand il
faisait réflexion à la richesse des meubles, à leur arrange-
ment bien entendu et à la propreté de cette maison, il
ne pouvait se persuader qu'il n'y eût pas de l'enchantement.

L'entretien étant tombé sur les divertissements et
les différentes manières de se réjouir, les calenders se
levèrent et dansèrent à leur mode une danse qui augmenta
la bonne opinion que les dames avaient déjà conçue
d'eux, et qui leur attira l'estime du calife et de sa compagnie.

Quand les trois calenders eurent achevé leur danse,
Zobéide se leva, et, prenant Amine par la main : « Ma
sœur, lui dit-elle, levez-vous ; la compagnie ne trouvera

pas mauvais que nous ne nous contraignions point, et leur présence n'empêchera pas que nous ne fassions ce que nous avons coutume de faire. » Amine, qui comprit ce que sa sœur voulait dire, se leva et emporta les plats, la table, les flacons, les tasses et les instruments dont les calenders avaient joué.

Safie ne demeura pas à rien faire; elle balaya la salle, mit à sa place tout ce qui était dérangé, moucha les bougies, et y appliqua d'autre bois d'aloès et d'autre ambre gris. Cela étant fait, elle pria les trois calenders de s'asseoir sur le sofa d'un côté, et le calife de l'autre avec sa compagnie. A l'égard du porteur, elle lui dit : « Levez-vous et vous préparez à nous prêter la main à ce que nous allons faire : un homme tel que vous, qui est comme de la maison, ne doit pas demeurer dans l'inaction. »

Le porteur avait un peu cuvé son vin; il se leva promptement, et, après avoir attaché le bas de sa robe à sa ceinture : « Me voilà prêt, dit-il; de quoi s'agit-il ? — Cela va bien, répondit Safie; attendez que l'on vous parle; vous ne serez pas longtemps les bras croisés. » Peu de temps après, on vit paraître Amine avec un siège, qu'elle posa au milieu de la salle. Elle alla ensuite à la porte d'un cabinet, et, l'ayant ouverte, elle fit signe au porteur de s'approcher. « Venez, lui dit-elle, et m'aidez. » Il obéit; et, y étant entré avec elle, il en sortit un moment après suivi de deux chiennes noires, dont chacune avait un collier attaché à une chaîne qu'il tenait, et qui paraissaient avoir été maltraitées à coups de fouet. Il s'avança avec elles au milieu de la salle.

Alors Zobéide, qui s'était assise entre les calenders et le calife, se leva et marcha gravement jusqu'où était le porteur. « Çà, dit-elle en poussant un grand soupir, faisons notre devoir. » Elle se retroussa les bras jusqu'au coude, et, après avoir pris un fouet que Safie lui présenta : « Porteur, dit-elle, remettez une de ces deux chiennes à ma sœur Amine, et approchez-vous de moi avec l'autre. »

Le porteur fit ce qu'on lui commandait; et, quand il se fut approché de Zobéide, la chienne qu'il tenait commença de faire des cris, et se tourna vers Zobéide en levant la tête d'une manière suppliante. Mais Zobéide, sans avoir égard à la triste contenance de la chienne, qui faisait pitié, ni à ses cris qui remplissaient toute la maison, lui donna des coups de fouet à perte d'haleine; et, lorsqu'elle n'eut plus la force de lui en donner davantage, elle jeta le fouet par terre; puis, prenant la chaîne de la main du porteur,

elle leva la chienne par les pattes, et, se mettant toutes
deux à se regarder d'un air triste et touchant, elles
pleurèrent l'une et l'autre. Enfin, Zobéide tira son mouchoir, essuya les larmes de la chienne, la baisa, et, remettant la chaîne au porteur : « Allez, lui dit-elle, ramenez-
la où vous l'avez prise, et amenez-moi l'autre. »

Le porteur ramena la chienne fouettée au cabinet, et,
en revenant, il prit l'autre des mains d'Amine et l'alla
présenter à Zobéide, qui l'attendait. « Tenez-la comme
la première », lui dit-elle. Puis, ayant repris le fouet, elle
la maltraita de la même manière. Elle pleura ensuite
avec elle, essuya ses pleurs, la baisa, et la remit au porteur,
à qui l'agréable Amine épargna la peine de la remener
au cabinet : car elle s'en chargea elle-même.

Cependant les trois calenders, le calife et sa compagnie
furent extraordinairement étonnés de cette exécution.
Ils ne pouvaient comprendre comment Zobéide, après
avoir fouetté avec tant de furie les deux chiennes, animaux
immondes selon la religion musulmane, pleurait ensuite
avec elles, leur essuyait les larmes, et les baisait. Ils en
murmurèrent en eux-mêmes. Le calife surtout, plus
impatient que les autres, mourait d'envie de savoir le
sujet d'une action qui lui paraissait si étrange, et ne cessait
de faire signe au vizir de parler pour s'en informer. Mais
le vizir tournait la tête d'un autre côté, jusqu'à ce que,
pressé par des signes si souvent réitérés, il répondit par
d'autres signes que ce n'était pas le temps de satisfaire
sa curiosité.

Zobéide demeura quelque temps à la même place au
milieu de la salle, comme pour se remettre de la fatigue
qu'elle venait de se donner en fouettant les deux chiennes.
« Ma chère sœur, lui dit la belle Safie, ne vous plaît-il
pas de retourner à votre place, afin qu'à mon tour je
fasse aussi mon personnage ? — Oui », répondit Zobéide.
En disant cela, elle alla s'asseoir sur le sofa, ayant à sa
droite le calife, Giafar et Mesrour, et à sa gauche les trois
calenders et le porteur...

« Sire, dit en cet endroit Scheherazade, ce que Votre
Majesté vient d'entendre doit sans doute lui paraître
merveilleux; mais ce qui reste à raconter l'est encore
bien davantage. Je suis persuadée que vous en conviendrez
la nuit prochaine, si vous voulez bien me permettre de
vous achever cette histoire. » Le sultan y consentit, et se
leva parce qu'il était jour.

XXXVe NUIT

Dinarzade ne fut pas plus tôt éveillée le lendemain qu'elle s'écria : « Ma sœur, si vous ne dormez pas, je vous prie de reprendre le beau conte d'hier. » La sultane, se souvenant de l'endroit où elle en était demeurée, parla aussitôt de cette sorte, en adressant la parole au sultan :

Sire, après que Zobéide eut repris sa place, toute la compagnie garda quelque temps le silence. Enfin Safie, qui s'était assise sur le siège au milieu de la salle, dit à sa sœur Amine : « Ma chère sœur, levez-vous, je vous en conjure; vous comprenez bien ce que je veux dire. » Amine se leva et alla dans un autre cabinet que celui d'où les deux chiennes avaient été amenées. Elle en revint, tenant un étui de satin jaune, relevé d'une riche broderie d'or et de soie verte. Elle s'approcha de Safie, et ouvrit l'étui, d'où elle tira un luth qu'elle lui présenta. Elle le prit, et, après avoir mis quelque temps à l'accorder, elle commença de le toucher, et, l'accompagnant de sa voix, elle chanta une chanson sur les tourments de l'absence, avec tant d'agrément que le calife et tous les autres en furent charmés. Lorsqu'elle eut achevé, comme elle avait chanté avec beaucoup de passion et d'action en même temps : « Tenez, ma sœur, dit-elle à l'agréable Amine, je n'en puis plus, et la voix me manque; obligez la compagnie en jouant et en chantant à ma place. — Très volontiers », répondit Amine en s'approchant de Safie, qui lui remit le luth entre les mains et lui céda sa place.

Amine, ayant un peu prélude pour voir si l'instrument était d'accord, joua et chanta presque aussi longtemps sur le même sujet, mais avec tant de véhémence, et elle était si touchée, ou, pour mieux dire, si pénétrée du sens des paroles qu'elle chantait, que les forces lui manquèrent en achevant.

Zobéide voulut lui marquer sa satisfaction : « Ma sœur, dit-elle, vous avez fait des merveilles; on voit bien que vous sentez le mal que vous exprimez si vivement. » Amine n'eut pas le temps de répondre à cette honnêteté; elle se sentit le cœur si pressé en ce moment qu'elle ne songea qu'à se donner de l'air, en laissant voir à toute la compagnie une gorge et un sein, non pas blanc, tel qu'une dame comme Amine devait l'avoir, mais tout meurtri de cicatrices; ce qui fit une espèce d'horreur aux spectateurs. Néanmoins, cela ne lui donna pas de soulagement, et ne l'empêcha pas de s'évanouir...

« Mais, Sire, dit Scheherazade, je ne m'aperçois pas que voilà le jour. » A ces mots, elle cessa de parler, et le sultan se leva. Quand ce prince n'aurait pas résolu de différer la mort de la sultane, il n'aurait pu encore se résoudre à lui ôter la vie. Sa curiosité était trop intéressée à entendre jusqu'à la fin un conte rempli d'événements si peu attendus.

XXXVIe NUIT

Dinazarde, suivant sa coutume, dit à la sultane : « Ma chère sœur, si vous ne dormez pas, je vous supplie de continuer l'histoire des dames et des calenders. » Scheherazade la reprit ainsi :

Pendant que Zobéide et Safie coururent au secours de leur sœur, un des calenders ne put s'empêcher de dire : « Nous aurions mieux aimé coucher à l'air que d'entrer ici, si nous avions cru y voir de pareils spectacles.» Le calife, qui l'entendit, s'approcha de lui et des autres calenders, et, s'adressant à eux : « Que signifie tout ceci ? » dit-il. Celui qui venait de parler lui répondit : « Seigneur, nous ne le savons pas plus que vous. — Quoi! reprit le calife, vous n'êtes pas de la maison ? Vous ne pouvez rien nous apprendre de ces deux chiennes noires, et de cette dame évanouie et si indignement maltraitée ? — Seigneur, repartirent les calenders, de notre vie nous ne sommes venus en cette maison, et nous n'y sommes entrés que quelques moments avant vous. »

Cela augmenta l'étonnement du calife. « Peut-être, répliqua-t-il, que cet homme qui est avec vous en sait quelque chose. » L'un des calenders fit signe au porteur de s'approcher, et lui demanda s'il ne savait pas pourquoi les chiennes noires avaient été fouettées, et pourquoi le sein d'Amine paraissait meurtri. « Seigneur, répondit le porteur, je puis jurer par le grand Dieu vivant que, si vous ne savez rien de tout cela, nous n'en savons pas plus les uns que les autres. Il est bien vrai que je suis de cette ville, mais je ne suis jamais entré qu'aujourd'hui dans cette maison, et, si vous êtes surpris de m'y voir, je ne le suis pas moins de m'y trouver en votre compagnie. Ce qui redouble ma surprise, ajouta-t-il, c'est de ne voir ici aucun homme avec ces dames. »

Le calife, sa compagnie et les calenders avaient cru que le porteur était du logis et qu'il pourrait les informer de ce qu'ils désiraient savoir. Le calife, résolu de satisfaire sa curiosité à quelque prix que ce fût, dit aux autres : « Écoutez, puisque nous voilà sept hommes et que nous n'avons affaire qu'à trois dames, obligeons-les à nous donner l'éclaircissement que nous souhaitons. Si elles refusent de nous le donner de bon gré, nous sommes en état de les y contraindre. »

Le grand-vizir Giafar s'opposa à cet avis, et en fit voir les conséquences au calife, sans toutefois faire connaître ce prince aux calenders ; et, lui adressant la parole comme s'il eût été marchand : « Seigneur, dit-il, considérez, je vous prie, que nous avons notre réputation à conserver. Vous savez à quelle condition ces dames ont bien voulu nous recevoir chez elles ; nous l'avons acceptée. Que dirait-on de nous si nous y contrevenions ? Nous serions encore plus blâmables s'il nous arrivait quelque malheur. Il n'y a pas d'apparence qu'elles aient exigé de nous cette promesse sans être en état de nous faire repentir si nous ne la tenons pas. »

En cet endroit, le vizir tira le calife à part, et, lui parlant tout bas : « Seigneur, poursuivit-il, la nuit ne durera pas encore longtemps ; que Votre Majesté se donne un peu de patience. Je viendrai prendre ces dames demain matin, je les amènerai devant votre trône, et vous apprendrez d'elles tout ce que vous voulez savoir. » Quoique ce conseil fût très judicieux, le calife le rejeta, imposa silence au vizir, en lui disant qu'il ne pouvait attendre si longtemps et qu'il prétendait avoir à l'heure même l'éclaircissement qu'il désirait.

Il ne s'agissait plus que de savoir qui porterait la parole. Le calife tâcha d'engager les calenders à parler les premiers, mais ils s'en excusèrent. A la fin, ils convinrent tous ensemble que ce serait le porteur. Il se préparait à faire la question fatale, lorsque Zobéide, après avoir secouru Amine qui était revenue de son évanouissement, s'approcha d'eux. Comme elle les avait ouïs parler haut et avec chaleur, elle leur dit : « Seigneurs, de quoi parlez-vous ? quelle est votre contestation ? »

Le porteur prit alors la parole : « Madame, dit-il, ces seigneurs vous supplient de vouloir bien leur expliquer pourquoi, après avoir maltraité vos deux chiennes, vous avez pleuré avec elles, et d'où vient que la dame qui s'est évanouie a le sein couvert de cicatrices. C'est, Madame, ce que je suis chargé de vous demander de leur part. »

Zobéide, à ces mots, prit un air fier, et, se tournant du côté du calife, de sa compagnie et des calenders : « Est-il vrai, Seigneurs, leur dit-elle, que vous l'ayez chargé de me faire cette demande ? » Ils répondirent tous que oui, excepté le vizir Giafar qui ne dit mot. Sur cet aveu, elle leur dit d'un ton qui marquait combien elle se tenait offensée : « Avant que de vous accorder la grâce que vous nous avez demandée, de vous recevoir, afin de prévenir tout sujet d'être mécontentes de vous, parce que nous sommes seules, nous l'avons fait sous la condition que nous vous avons imposée de ne pas parler de ce qui ne vous regarderait point de peur d'entendre ce qui ne vous plairait pas. Après vous avoir reçus et régalés du mieux qu'il nous a été possible, vous ne laissez pas toutefois de manquer de parole. Il est vrai que cela arrive par la facilité que nous avons eue ; mais c'est ce qui ne vous excuse point, et votre procédé n'est pas honnête. » En achevant ces paroles, elle frappa fortement des pieds et des mains par trois fois, et cria : « Venez vite. » Aussitôt une porte s'ouvrit, et sept esclaves noirs, puissants et robustes, entrèrent le sabre à la main, se saisirent chacun d'un des sept hommes de la compagnie, les jetèrent par terre, les traînèrent au milieu de la salle, et se préparèrent à leur couper la tête.

Il est aisé de se représenter quelle fut la frayeur du calife. Il se repentit alors, mais trop tard, de n'avoir pas voulu suivre le conseil de son vizir. Cependant, ce malheureux prince, Giafar, Mesrour, le porteur et les calenders, étaient prêts à payer de leurs vies leur indiscrète curiosité ; mais, avant qu'ils reçussent le coup de la mort, un des esclaves dit à Zobéide et à ses sœurs : « Hautes, puissantes et respectables maîtresses, nous commandez-vous de leur couper le cou ? — Attendez, lui répondit Zobéide, il faut que je les interroge auparavant. — Madame, interrompit le porteur effrayé, au nom de Dieu ne me faites pas mourir pour le crime d'autrui. Je suis innocent : ce sont eux qui sont les coupables. Hélas ! continua-t-il en pleurant, nous passions le temps si agréablement ! Ces calenders borgnes sont la cause de ce malheur. Il n'y a pas de ville qui ne tombe en ruine devant des gens de si mauvais augure. Madame, je vous supplie de ne pas confondre le premier avec le dernier, et songez qu'il est plus beau de pardonner à un misérable comme moi, dépourvu de tout secours, que de l'accabler de votre pouvoir et de le sacrifier à votre ressentiment. »

Zobéide, malgré sa colère, ne put s'empêcher de rire en elle-même des lamentations du porteur. Mais, sans s'arrêter à lui, elle adressa la parole aux autres une seconde fois : « Répondez-moi, dit-elle, et m'apprenez qui vous êtes ; autrement vous n'avez plus qu'un moment à vivre. Je ne puis croire que vous soyez d'honnêtes gens, ni des personnes d'autorité ou de distinction dans votre pays, quel qu'il puisse être. Si cela était, vous auriez eu plus de retenue et plus d'égards pour nous. »

Le calife, impatient de son naturel, souffrait infiniment plus que les autres de voir que sa vie dépendait du commandement d'une dame offensée et justement irritée ; mais il commença de concevoir quelque espérance quand il vit qu'elle voulait savoir qui ils étaient tous : car il s'imagina qu'elle ne lui ferait pas ôter la vie lorsqu'elle serait informée de son rang. C'est pourquoi il dit tout bas au vizir, qui était près de lui, de déclarer promptement qui il était. Mais le vizir, prudent et sage, voulant sauver l'honneur de son maître et ne pas rendre public le grand affront qu'il s'était attiré lui-même, répondit seulement : « Nous n'avons que ce que nous méritons. » Mais, quand, pour obéir au calife, il aurait voulu parler, Zobéide ne lui en aurait pas donné le temps. Elle s'était déjà adressée aux calenders, et, les voyant tous trois borgnes, elle leur demanda s'ils étaient frères. Un d'entre eux lui répondit po�端r les autres : « Non, Madame, nous ne sommes pas frères par le sang ; nous ne le sommes qu'en qualité de calenders, c'est-à-dire en observant le même genre de vie. — Vous, reprit-elle, en parlant à un seul en particulier, êtes-vous borgne de naissance ? — Non, Madame, répondit-il, je le suis par une aventure si surprenante qu'il n'y a personne qui n'en profitât si elle était écrite. Après ce malheur, je me fis raser la barbe et les sourcils, et me fis calender, en prenant l'habit que je porte.

Zobéide fit la même question aux deux autres calenders, qui lui firent la même réponse que le premier. Mais le dernier qui parla ajouta : « Pour vous faire connaître, Madame, que nous ne sommes pas des personnes du commun, et afin que vous ayez quelque considération pour nous, apprenez que nous sommes tous trois fils de rois. Quoique nous ne nous soyons jamais vus que ce soir, nous avons eu toutefois le temps de nous faire connaître les uns aux autres pour ce que nous sommes; et j'ose vous assurer que les rois de qui nous tenons le jour font quelque bruit dans le monde. »

A ce discours, Zobéide modéra son courroux, et dit aux esclaves : « Donnez-leur un peu de liberté, mais demeurez ici. Ceux qui nous raconteront leur histoire et le sujet qui les a amenés en cette maison, ne leur faites point de mal, laissez-les aller où il leur plaira; mais n'épargnez pas ceux qui refuseront de nous donner cette satisfaction... »

A ces mots, Scheherazade se tut, et, son silence, aussi bien que le jour qui paraissait, faisant connaître à Schahriar qu'il était temps qu'il se levât, ce prince le fit, se proposant d'entendre le lendemain Scheherazade, parce qu'il souhaitait de savoir qui étaient les trois calenders borgnes.

XXXVIIᵉ NUIT

Dinarzade, qui prenait toujours un plaisir extrême au conte de la sultane, la réveilla vers la fin de la nuit suivante. « Ma chère sœur, lui dit-elle, si vous ne dormez pas, poursuivez, je vous en conjure, l'agréable histoire des calenders. » Scheherazade en demanda la permission au sultan, et, l'ayant obtenue :

Sire, continua-t-elle, les trois calenders, le calife, le grand-vizir Giafar, l'eunuque Mesrour et le porteur étaient tous au milieu de la salle, assis sur le tapis de pied, en présence des trois dames, qui étaient sur le sofa, et des esclaves prêts à exécuter tous les ordres qu'elles voudraient leur donner.

Le porteur, ayant compris qu'il ne s'agissait que de raconter son histoire pour se délivrer d'un si grand danger, prit la parole le premier et dit : « Madame, vous savez déjà mon histoire et le sujet qui m'a amené chez vous. Ainsi, ce que j'ai à vous raconter sera bientôt achevé. Madame votre sœur que voilà m'a pris ce matin à la place où, en qualité de porteur, j'attendais que quelqu'un m'employât et me fît gagner ma vie. Je l'ai suivie chez un marchand de vin, chez un vendeur d'herbes, chez un vendeur d'oranges, de limons et de citrons; puis chez un vendeur d'amandes, de noix, de noisettes et d'autres fruits ; ensuite chez un confiturier et chez un droguiste ; de chez le droguiste, mon panier sur la tête et chargé autant que je le pouvais être, je suis venu jusque chez vous, où vous avez eu la bonté de me souffrir jusqu'à présent. C'est une grâce dont je me souviendrai éternellement. Voilà mon histoire. »

Quand le porteur eut achevé, Zobéide, satisfaite, lui dit : « Sauve-toi, marche, que nous ne te voyions plus. — Madame, reprit le porteur, je vous supplie de me permettre encore de demeurer. Il ne serait pas juste qu'après avoir donné aux autres le plaisir d'entendre mon histoire, je n'eusse pas aussi celui d'écouter la leur. » En disant cela, il prit place sur un bout du sofa, fort joyeux de se voir hors d'un péril qui l'avait tant alarmé. Après lui, un des trois calenders, prenant la parole et s'adressant à Zobéide, comme à la principale des trois dames et comme à celle qui lui avait commandé de parler, commença ainsi son histoire :

HISTOIRE DU PREMIER CALENDER

FILS DE ROI

« Madame, pour vous apprendre pourquoi j'ai perdu mon œil droit et la raison qui m'a obligé de prendre l'habit de calender, je vous dirai que je suis né fils de roi. Le roi mon père avait un frère, qui régnait comme lui dans un État voisin. Ce frère eut deux enfants, un prince et une princesse, et le prince et moi nous étions à peu près du même âge.

Lorsque j'eus fait tous mes exercices, et que le roi mon père m'eut donné une liberté honnête, j'allais régulièrement chaque année voir le roi mon oncle, et je demeurais à sa cour un mois ou deux, après quoi je me rendais auprès du roi mon père. Ces voyages nous donnèrent occasion, au prince mon cousin et à moi, de contracter ensemble une amitié très forte et très particulière. La dernière fois que je le vis, il me reçut avec de plus grandes démonstrations de tendresse qu'il n'avait fait encore ; et, voulant un jour me régaler, il fit pour cela des préparatifs extraordinaires. Nous fûmes longtemps à table, et, après que nous eumes bien soupé tous deux : « Mon cousin, me dit-il, vous ne devineriez jamais à quoi je me suis occupé depuis votre dernier voyage. Il y a un an qu'après votre départ je mis un grand nombre d'ouvriers en besogne pour un dessein que je médite. J'ai fait faire un édifice qui est achevé, et on y peut loger présentement ; vous ne serez pas fâché de le voir ; mais il faut auparavant que vous me fassiez serment de me garder le secret et la fidélité : ce sont deux choses que j'exige de vous. »

« L'amitié et la familiarité qui étaient entre nous ne me permettant pas de lui rien refuser, je fis sans hésiter un serment tel qu'il le souhaitait ; alors il me dit : « Attendez-moi ici, je suis à vous dans un moment. » En effet, il ne tarda pas à revenir, et je le vis entrer avec une dame

d'une beauté singulière et magnifiquement habillée. Il
ne me dit pas qui elle était, et je ne crus pas devoir m'en
informer. Nous nous remîmes à table avec la dame, et
nous y demeurâmes encore quelque temps, en nous
entretenant de choses indifférentes et en buvant des
rasades à la santé l'un de l'autre. Après cela, le prince
me dit : « Mon cousin, nous n'avons pas de temps à
perdre ; obligez-moi d'emmener avec vous cette dame, et
de la conduire d'un tel côté, à un endroit où vous verrez
un tombeau en dôme nouvellement bâti. Vous le reconnaîtrez aisément ; la porte est ouverte : entrez-y ensemble,
et m'attendez. Je m'y rendrai bientôt. »

« Fidèle à mon serment, je n'en voulus pas savoir
davantage. Je présentai la main à la dame, et, aux
enseignes que le prince mon cousin m'avait données, je
la conduisis heureusement, au clair de la lune, sans
m'égarer. A peine fûmes-nous arrivés au tombeau que
nous vîmes paraître le prince, qui nous suivait, chargé
d'une petite cruche pleine d'eau, d'une houe et d'un petit
sac où il y avait du plâtre.

« La houe lui servit à démolir le sépulcre vide qui était
au milieu du tombeau ; il ôta les pierres l'une après
l'autre, et les rangea dans un coin. Quand il les eut toutes
ôtées, il creusa la terre, et je vis une trappe qui était sous
le sépulcre. Il la leva, et au-dessous j'aperçus le haut d'un
escalier en limaçon. Alors mon cousin, s'adressant à la
dame, lui dit : « Madame, voilà par où l'on se rend au
lieu dont je vous ai parlé. » La dame, à ces mots, s'approcha et descendit, et le prince se mit en devoir de la
suivre ; mais, se tournant auparavant de mon côté :
« Mon cousin, me dit-il, je vous suis infiniment obligé
de la peine que vous avez prise ; je vous en remercie ;
adieu. — Mon cher cousin, m'écriai-je, qu'est-ce que
cela signifie ? — Que cela vous suffise, me répondit-il ;
vous pouvez reprendre le chemin par où vous êtes venu. »

Scheherazade en était là, lorsque le jour, venant à
paraître, l'empêcha de passer outre. Le sultan se leva,
fort en peine de savoir le dessein du prince et de la
dame, qui semblaient vouloir s'enterrer tout vifs. Il
attendit impatiemment la nuit suivante pour en être
éclairci.

XXXVIIIe NUIT

« Si vous ne dormez pas, ma sœur, s'écria Dinarzade le lendemain avant le jour, je vous supplie de continuer l'histoire du premier calender. Schahriar ayant aussi témoigné à la sultane qu'elle lui ferait plaisir de poursuivre ce conte, elle en reprit le fil dans ces termes :

« Madame, dit le calender à Zobéide, je ne pus tirer autre chose du prince mon cousin, et je fus obligé de prendre congé de lui. En m'en retournant au palais du roi mon oncle, les vapeurs du vin me montaient à la tête. Je ne laissai pas néanmoins de gagner mon appartement et de me coucher. Le lendemain, à mon réveil, faisant réflexion sur ce qui m'était arrivé la nuit, et après avoir rappelé toutes les circonstances d'une aventure si singulière, il me sembla que c'était un songe. Prévenu de cette pensée, j'envoyai savoir si le prince mon cousin était en état d'être vu. Mais lorsqu'on me rapporta qu'il n'avait pas couché chez lui, qu'on ne savait ce qu'il était devenu et qu'on en était fort en peine, je jugeai bien que l'étrange événement du tombeau n'était que trop véritable. J'en fus vivement affligé, et, me dérobant à tout le monde, je me rendis secrètement au cimetière public, où il y avait une infinité de tombeaux semblables à celui que j'avais vu. Je passai la journée à les considérer l'un après l'autre ; mais je ne pus démêler celui que je cherchais, et je fis durant quatre jours la même recherche inutilement.

« Il faut savoir que pendant ce temps-là le roi mon oncle était absent. Il y avait plusieurs jours qu'il était à la chasse. Je m'ennuyai de l'attendre, et, après avoir prié ses ministres de lui faire mes excuses à son retour, je partis de son palais pour me rendre à la cour de mon père, dont je n'avais pas coutume d'être éloigné si longtemps. Je laissai les ministres du roi mon oncle fort en peine d'apprendre ce qu'était devenu le prince mon cousin. Mais, pour ne pas violer le serment que j'avais fait de lui garder le secret, je n'osai les tirer d'inquiétude, et ne voulus rien leur communiquer de ce que je savais.

« J'arrivai à la capitale où le roi mon père faisait sa résidence, et, contre l'ordinaire, je trouvai à la porte de son palais une grosse garde, dont je fus environné en entrant. J'en demandai la raison, et l'officier, prenant la parole, me répondit : « Prince, l'armée a reconnu le grand-vizir à la place du roi votre père, qui n'est plus, et je vous arrête prisonnier de la part du nouveau roi. » A ces mots, les gardes se saisirent de moi et me conduisirent devant le tyran. Jugez, Madame, de ma surprise et de ma douleur.

Ce rebelle vizir avait conçu pour moi une forte haine, qu'il nourrissait depuis longtemps. En voici le sujet : dans ma plus tendre jeunesse, j'aimais à tirer de l'arbalète; j'en tenais une un jour au haut du palais sur la terrasse, et je me divertissais à en tirer. Il se présenta un oiseau devant moi, je mirai à lui, mais je le manquai, et la balle, par hasard, alla donner droit contre l'œil du vizir, qui prenait l'air sur la terrasse de sa maison, et le creva. Lorsque j'appris ce malheur, j'en fis faire des excuses au vizir, et je lui en fis moi-même; mais il ne laissa pas d'en conserver un vif ressentiment, dont il me donnait des marques quand l'occasion s'en présentait. Il le fit éclater d'une manière barbare quand il me vit en son pouvoir. Il vint à moi comme un furieux d'abord qu'il m'aperçut, et, enfonçant ses doigts dans mon œil droit, il l'arracha lui-même. Voilà par quelle aventure je suis borgne.

« Mais l'usurpateur ne borna pas là sa cruauté : il me fit enfermer dans une caisse, et ordonna au bourreau de me porter en cet état fort loin du palais, et de m'abandonner aux oiseaux de proie, après m'avoir coupé la tête. Le bourreau, accompagné d'un autre homme, monta à cheval, chargé de la caisse, et s'arrêta dans la campagne pour exécuter son ordre. Mais je fis si bien par mes prières et par mes larmes que j'excitai sa compassion. « Allez, me dit-il, sortez promptement du royaume, et gardez-vous bien d'y revenir : car vous y rencontreriez votre perte, et vous seriez cause de la mienne. » Je le remerciai de la grâce qu'il me faisait, et je ne fus pas plus tôt seul que je me consolai d'avoir perdu mon œil en songeant que j'avais évité un plus grand malheur.

« Dans l'état où j'étais, je ne faisais pas beaucoup de chemin. Je me retirais en des lieux écartés pendant le jour, et je marchais la nuit, autant que mes forces me le pouvaient permettre. J'arrivai enfin dans les États du roi mon oncle, et je me rendis à sa capitale.

« Je lui fis un long détail de la cause tragique de mon retour et du triste état où il me voyait. « Hélas ! s'écria-t-il, n'était-ce pas assez d'avoir perdu mon fils ? fallait-il que j'apprisse encore la mort d'un frère qui m'était cher, et que je vous visse dans le déplorable état où vous êtes réduit! » Il me marqua l'inquiétude où il était de n'avoir reçu aucune nouvelle du prince son fils, quelques perquisitions qu'il en eût fait faire, et quelque diligence qu'il y eût apportée. Ce malheureux père pleurait à chaudes larmes en me parlant; et il me parut tellement affligé que je ne pus résister à sa douleur. Quelque serment que j'eusse fait au prince mon cousin, il me fut impossible de le garder. Je racontai au roi son père tout ce que je savais. Le roi m'écouta avec quelque sorte de consolation, et, quand j'eus achevé : « Mon neveu, me dit-il, le récit que vous venez de me faire me donne quelque espérance. J'ai su que mon fils faisait bâtir ce tombeau, et je sais à peu près en quel endroit : avec l'idée qui vous en est restée, je me flatte que nous le trouverons. Mais, puisqu'il l'a fait faire secrètement et qu'il a exigé de vous le secret, je suis d'avis que nous l'allions chercher tous deux seuls, pour éviter l'éclat. » Il avait une autre raison, qu'il ne me disait pas, d'en vouloir dérober la connaissance à tout le monde. C'était une raison très importante, comme la suite de mon discours le fera connaître.

« Nous nous déguisâmes l'un et l'autre, et nous sortîmes par une porte du jardin qui ouvrait sur la campagne. Nous fûmes assez heureux pour trouver bientôt ce que nous cherchions. Je reconnus le tombeau, et j'en eus d'autant plus de joie que je l'avais en vain cherché longtemps. Nous y entrâmes et trouvâmes la trappe de fer abattue sur l'entrée de l'escalier. Nous eûmes de la peine à la lever, parce que le prince l'avait scellée en dedans avec le plâtre et l'eau dont j'ai parlé; mais enfin nous la levâmes.

« Le roi mon oncle descendit le premier. Je le suivis, et nous descendîmes environ cinquante degrés. Quand nous fûmes au bas de l'escalier, nous nous trouvâmes dans une espèce d'antichambre remplie d'une fumée épaisse et de mauvaise odeur, et dont la lumière que rendait un très beau lustre était obscurcie.

« De cette antichambre, nous passâmes dans une chambre fort grande, soutenue de grosses colonnes et éclairée de plusieurs autres lustres. Il y avait une citerne au milieu, et l'on voyait plusieurs sortes de provisions de bouche rangées d'un côté. Nous fûmes assez surpris de n'y voir personne. Il y avait en face un sofa assez élevé, où l'on montait par quelques degrés, et au-dessus duquel paraissait un lit fort large, dont les rideaux étaient fermés. Le roi monta, et, les ayant ouverts, il aperçut le prince son fils et la dame couchés ensemble, mais brûlés et changés en charbon, comme si on les eût jetés dans un grand feu et qu'on les en eût retirés avant que d'être consumés.

« Ce qui me surprit plus que toute autre chose, c'est qu'à ce spectacle, qui faisait horreur, le roi mon oncle, au lieu de témoigner de l'affliction en voyant le prince son fils dans un état si affreux, lui cracha au visage, en lui disant d'un air indigné : « Voilà quel est le châtiment de ce monde ; mais celui de l'autre durera éternellement. » Il ne se contenta pas d'avoir prononcé ces paroles, il se déchaussa et donna sur la joue de son fils un grand coup de sa babouche.

« Mais, Sire, dit Scheherazade, il est jour, je suis fâchée que Votre Majesté n'ait pas le loisir de m'écouter davantage. » Comme cette histoire du premier calender n'était pas encore finie et qu'elle paraissait étrange au sultan, il se leva dans la résolution d'en entendre le reste la nuit suivante.

XXXIXe NUIT

Le lendemain, Dinarzade s'étant encore réveillée de meilleure heure qu'à son ordinaire, elle appela sa sœur Scheherazade. « Ma bonne sultane, lui dit-elle, si vous ne dormez pas, je vous prie d'achever l'histoire du premier calender : car je meurs d'impatience d'en savoir la fin. — Hé bien, dit Scheherazade, vous saurez donc que le premier calender, continuant de raconter son histoire à Zobéide :

« Je ne puis vous exprimer, Madame, poursuivit-il, quel fut mon étonnement lorsque je vis le roi mon oncle maltraiter ainsi le prince mon fils après sa mort. « Sire, lui dis-je, quelque douleur qu'un objet si funeste soit capable de me causer, je ne laisse pas de la suspendre pour demander à Votre Majesté quel crime peut avoir commis le prince mon cousin pour mériter que vous traitiez ainsi son cadavre. — Mon neveu, me répondit le roi, je vous dirai que mon fils, indigne de porter ce nom, aima sa sœur dès ses premières années, et que sa sœur l'aima de même. Je ne m'opposai point à leur amitié naissante, parce que je ne prévoyais pas le mal qui en pourrait arriver. Et qui aurait pu le prévoir ? Cette tendresse augmenta avec l'âge, et parvint à un point que j'en craignis enfin la suite. J'y apportai alors le remède qui était en mon pouvoir. Je ne me contentai pas de prendre mon fils en particulier et de lui faire une forte réprimande, en lui représentant l'horreur de la passion dans laquelle il s'engageait et la honte éternelle dont il allait couvrir ma famille s'il persistait dans des sentiments si criminels; je représentai les mêmes choses à ma fille, et je la renfermai de sorte qu'elle n'eut plus de communication avec son frère. Mais la malheureuse avait avalé le poison, et tous les obstacles que put mettre ma prudence à leur amour ne servirent qu'à l'irriter. Mon fils, persuadé que sa sœur était toujours la même pour lui, sous prétexte de se faire bâtir un tombeau, fit préparer cette demeure souterraine, dans l'espérance de trouver un jour l'occasion d'enlever le coupable objet de sa flamme et de l'amener ici. Il a choisi le temps de mon absence pour forcer la retraite où était sa sœur ; et c'est une circonstance que mon honneur ne m'a pas permis de publier. Après une action si condamnable, il s'est venu renfermer avec elle dans ce lieu, qu'il a muni, comme vous voyez, de toutes sortes de provisions, afin d'y pouvoir jouir longtemps de ses détestables amours, qui doivent faire horreur à tout le monde. Mais Dieu n'a pas voulu souffrir cette abomination, et les a justement châtiés l'un et l'autre. » Il fondit en pleurs en achevant ces paroles, et je mêlai mes larmes avec les siennes.

« Quelque temps après, il jeta les yeux sur moi. « Mais, mon cher neveu, reprit-il en m'embrassant, si je perds un indigne fils, je retrouve heureusement en vous de quoi mieux remplir la place qu'il occupait. » Les réflexions qu'il fit encore sur la triste fin du prince et de la princesse sa fille nous arrachèrent de nouvelles larmes.

« Nous remontâmes par le même escalier, et sortîmes enfin de ce lieu funeste. Nous abaissâmes la trappe de fer, et la couvrîmes de terre et des matériaux dont le sépulcre avait été bâti, afin de cacher autant qu'il nous était possible un effet si terrible de la colère de Dieu.

« Il n'y avait pas longtemps que nous étions de retour au palais sans que personne se fût aperçu de notre absence, lorsque nous entendîmes un bruit confus de trompettes, de timbales, de tambours et d'autres instruments de guerre. Une poussière épaisse dont l'air était obscurci nous apprit bientôt ce que c'était, et nous annonça l'arrivée d'une armée formidable. C'était le même vizir qui avait détrôné mon père et usurpé ses États qui venait pour s'emparer aussi de ceux du roi mon oncle avec des troupes innombrables.

« Ce prince, qui n'avait alors que sa garde ordinaire, ne put résister à tant d'ennemis. Ils investirent la ville, et, comme les portes leur furent ouvertes sans résistance, ils eurent peu de peine à s'en rendre maîtres. Ils n'en eurent pas davantage à pénétrer jusqu'au palais du roi mon oncle, qui se mit en défense; mais il fut tué après avoir vendu chèrement sa vie. De mon côté, je combattis quelque temps; mais, voyant bien qu'il fallait céder à la force, je songeai à me retirer, et j'eus le bonheur de me sauver par des détours et de me rendre chez un officier du roi dont la fidélité m'était connue.

« Accablé de douleur, persécuté par la fortune, j'eus recours à un stratagème qui était la seule ressource qui me restait pour me conserver la vie. Je me fis raser la barbe et les sourcils, et, ayant pris l'habit de calender, je sortis de la ville sans que personne me reconnût. Après cela, il me fut aisé de m'éloigner du royaume du roi mon oncle en marchant par des chemins écartés. J'évitai de passer par les villes, jusqu'à ce qu'étant arrivé dans l'empire du puissant Commandeur des croyants, le glorieux et renommé calife Haroun-al-Raschid, je cessai de craindre. Alors, me consultant sur ce que j'avais à faire, je pris la résolution de venir à Bagdad me jeter aux pieds de ce grand monarque dont on vante partout la générosité. « Je le toucherai, disais-je, par le récit d'une histoire aussi surprenante que la mienne; il aura pitié, sans doute, d'un malheureux prince, et je n'implorerai pas vainement son appui. »

« Enfin, après un voyage de plusieurs mois, je suis arrivé aujourd'hui à la porte de cette ville; j'y suis entré sur la fin du jour, et, m'étant un peu arrêté pour reprendre mes esprits et délibérer de quel côté je tournerais mes pas, cet autre calender que voici près de moi arriva aussi en voyageur. Il me salue, je le salue de même. « A vous voir, lui dis-je, vous êtes étranger comme moi. » Il me répond que je ne me trompe pas. Dans le moment qu'il me fait cette réponse, le troisième calender que vous voyez survient. Il nous salue et fait connaître qu'il est aussi étranger et nouveau venu à Bagdad. Comme frères, nous nous joignons ensemble et nous résolvons de ne nous pas séparer.

« Cependant il était tard, et nous ne savions où aller loger dans une ville où nous n'avions aucune habitude et où nous n'étions jamais venus. Mais, notre bonne fortune nous ayant conduits devant votre porte, nous avons pris la liberté de frapper ; vous nous avez reçus avec tant de charité et de bonté que nous ne pouvons assez vous en remercier. Voilà, Madame, ajouta-t-il, ce que vous m'avez commandé de vous raconter, pourquoi j'ai perdu mon œil droit, pourquoi j'ai la barbe et les sourcils ras, et pourquoi je suis en ce moment chez vous.

— C'est assez, dit Zobéide, nous sommes contentes ; retirez-vous où il vous plaira. »

Le calender s'en excusa, et supplia la dame de lui permettre de demeurer pour avoir la satisfaction d'entendre l'histoire de ses deux confrères, qu'il ne pouvait, disait-il, abandonner honnêtement, et celle des trois autres personnes de la compagnie.

« Sire, dit en cet endroit Scheherazade, le jour que je vois m'empêche de passer à l'histoire du second calender ; mais, si Votre Majesté veut l'entendre demain, elle n'en sera pas moins satisfaite que de celle du premier. » Le sultan y consentit, et se leva pour aller tenir son conseil.

XLᵉ NUIT

Dinarzade, ne doutant point qu'elle ne prît autant de plaisir à l'histoire du second calender qu'elle en avait pris à l'autre, ne manqua pas d'éveiller la sultane avant le jour. « Si vous ne dormez pas, ma sœur, lui dit-elle, je vous prie de commencer l'histoire que vous nous avez promise. » Scheherazade aussitôt adressa la parole au sultan, et parla dans ces termes :

Sire, l'histoire du premier calender parut étrange à toute la compagnie, et particulièrement au calife. La présence des esclaves avec leurs sabres à la main ne l'empêcha pas de dire tout bas au vizir : « Depuis que je me connais, j'ai bien entendu des histoires, mais je n'ai jamais rien ouï qui approchât de celle de ce calender. » Pendant qu'il parlait ainsi, le second calender prit la parole, et, l'adressant à Zobéide :

HISTOIRE DU SECOND CALENDER

FILS DE ROI

« Madame, dit-il, pour obéir à votre commandement, et vous apprendre par quelle étrange aventure je suis devenu borgne de l'œil droit, il faut que je vous conte toute l'histoire de ma vie.

« J'étais à peine hors de l'enfance que le roi mon père (car vous saurez, Madame, que je suis né prince), remarquant en moi beaucoup d'esprit, n'épargna rien pour le cultiver. Il appela auprès de moi tout ce qu'il y avait dans ses États de gens qui excellaient dans les sciences et dans les beaux-arts. Je ne sus pas plus tôt lire et écrire que j'appris par cœur l'Alcoran tout entier, ce livre admirable qui contient le fondement, les préceptes et la règle de notre religion. Et, afin de m'en instruire à fond, je lus les ouvrages des auteurs les plus approuvés, et qui l'ont éclairci par leurs commentaires. J'ajoutai à cette lecture la connaissance de toutes les traditions recueillies de la bouche de notre prophète par les grands hommes ses contemporains. Je ne me contentai pas de ne rien ignorer de tout ce qui regardait notre religion, je me fis une étude particulière de nos histoires; je me perfectionnai dans les belles-lettres, dans la lecture de nos poètes, dans la versification. Je m'attachai à la géographie, à la chronologie, et à parler purement notre langue, sans toutefois négliger aucun des exercices qui conviennent à un prince. Mais une chose que j'aimais beaucoup, et à quoi je réussissais principalement, c'était à former les caractères de notre langue arabe. J'y fis tant de progrès que je surpassai tous les maîtres écrivains de notre royaume qui s'étaient acquis le plus de réputation.

« La renommée me fit plus d'honneur que je ne méritais. Elle ne se contenta pas de semer le bruit de mes talents dans les États du roi mon père, elle le porta jusqu'à la cour des Indes, dont le puissant monarque, curieux de me voir, envoya un ambassadeur avec de riches présents pour me demander à mon père, qui fut ravi de cette ambassade pour plusieurs raisons. Il était persuadé que rien ne convenait mieux à un prince de mon âge que de voyager dans les cours étrangères; et d'ailleurs il était bien aise de s'attirer l'amitié du sultan des Indes. Je partis donc avec l'ambassadeur, mais avec peu d'équipage à cause de la longueur et de la difficulté des chemins.

« Il y avait un mois que nous étions en marche lorsque nous découvrîmes de loin un gros nuage de poussière sous lequel nous vîmes bientôt paraître cinquante cavaliers bien armés. C'étaient des voleurs qui venaient à nous au grand galop... »

Scheherazade, étant en cet endroit, aperçut le jour, et en avertit le sultan, qui se leva; mais, voulant savoir ce qui se passerait entre les cinquante cavaliers et l'ambassadeur des Indes, ce prince attendit la nuit suivante impatiemment.

XLIᵉ NUIT

Il était presque jour lorsque Dinarzade se réveilla le lendemain. « Ma chère sœur, cria-t-elle, si vous ne dormez pas, je vous supplie de continuer l'histoire du second calender. » Scheherazade la reprit de cette manière :

« Madame, poursuivit le calender en parlant toujours à Zobéide, comme nous avions dix chevaux chargés de notre bagage et des présents que je devais faire au sultan des Indes de la part du roi mon père et que nous étions peu de monde, vous jugez bien que ces voleurs ne manquèrent pas de venir à nous hardiment. N'étant pas en état de repousser la force par la force, nous leur dîmes que nous étions des ambassadeurs du sultan des Indes, et que nous espérions qu'ils ne feraient rien contre le respect qu'ils lui devaient. Nous crûmes sauver par là notre équipage et nos vies; mais les voleurs nous répondirent insolemment : « Pourquoi voulez-vous que nous respections le sultan votre maître ? Nous ne sommes pas ses sujets, et nous ne sommes pas même sur ses terres. » En achevant ces paroles, ils nous enveloppèrent et nous attaquèrent. Je me défendis le plus longtemps qu'il me fut possible ; mais, me sentant blessé et voyant que l'ambassadeur, ses gens et les miens avaient tous été jetés par terre, je profitai du reste des forces de mon cheval, qui avait aussi été fort blessé, et je m'éloignai d'eux. Je le poussai tant qu'il put me porter ; mais, venant tout à coup à manquer sous moi, il tomba raide mort de lassitude et du sang qu'il avait perdu. Je me débarrassai de lui assez vite, et, remarquant que personne ne me poursuivait, je jugeai que les voleurs n'avaient pas voulu s'écarter du butin qu'ils avaient fait. »

En cet endroit, Scheherazade, s'apercevant qu'il était jour, fut obligée de s'arrêter. « Ah ! ma sœur, dit Dinarzade, je suis bien fâchée que vous ne puissiez pas continuer cette histoire ! — Si vous n'aviez pas été paresseuse aujourd'hui, répondit la sultane, j'en aurais dit davantage. — Hé bien, reprit Dinarzade, je serai demain plus diligente, et j'espère que vous dédommagerez la curiosité du sultan de ce que ma négligence lui a fait perdre. » Schahriar se leva sans rien dire et alla à ses occupations ordinaires.

XLIIᵉ NUIT

Dinarzade ne manqua pas d'appeler la sultane de meilleure heure que le jour précédent. « Ma chère sœur, lui dit-elle, si vous ne dormez pas, reprenez, je vous prie, le conte du second calender. — J'y consens », répondit Scheherazade. En même temps elle continua dans ces termes :

« Me voilà donc, Madame, dit le calender, seul, blessé, destitué de tout secours, dans un pays qui m'était inconnu. Je n'osai reprendre le grand chemin, de peur de retomber entre les mains de ces voleurs. Après avoir bandé ma plaie, qui n'était pas dangereuse, je marchai le reste du jour, et j'arrivai au pied d'une montagne où j'aperçus à mi-côte l'ouverture d'une grotte ; j'y entrai et j'y passai la nuit un peu tranquillement, après avoir mangé quelques fruits que j'avais cueillis en mon chemin.

« Je continuai de marcher le lendemain et les jours suivants sans trouver d'endroit où m'arrêter. Mais, au bout d'un mois, je découvris une grande ville très peuplée

et située d'autant plus avantageusement qu'elle était
arrosée, aux environs, de plusieurs rivières, et qu'il y
régnait un printemps perpétuel. Les objets agréables
qui se présentèrent alors à mes yeux me causèrent de
la joie, et suspendirent pour quelques moments la tristesse mortelle où j'étais de me voir en l'état où je me
trouvais. J'avais le visage, les mains et les pieds d'une
couleur basanée, car le soleil me les avait brûlés ; à force
de marcher, ma chaussure s'était usée, et j'avais été
réduit à marcher nu-pieds ; outre cela, mes habits étaient
tout en lambeaux.

« J'entrai dans la ville pour prendre langue et m'informer du lieu où j'étais ; je m'adressai à un tailleur qui travaillait à sa boutique. A ma jeunesse et à mon air qui
marquait autre chose que ce que je paraissais, il me fit
asseoir près de lui. Il me demanda qui j'étais, d'où je
venais, et ce qui m'avait amené. Je ne lui déguisai rien
de tout ce qui m'était arrivé, et ne fis pas même difficulté
de lui découvrir ma condition. Le tailleur m'écouta avec
attention ; mais, lorsque j'eus achevé de parler, au lieu
de me donner de la consolation, il augmenta mes chagrins.
« Gardez-vous bien, me dit-il, de faire confidence à personne de ce que vous venez de m'apprendre : car le
prince qui règne en ces lieux est le plus grand ennemi
qu'ait le roi votre père, et il vous ferait sans doute quelque
outrage, s'il était informé de votre arrivée en cette ville. »
Je ne doutai point de la sincérité du tailleur quand
il m'eut nommé le prince. Mais, comme l'inimitié qui
est entre mon père et lui n'a pas de rapport avec mes
aventures, vous trouverez bon, Madame, que je la
passe sous silence.

« Je remerciai le tailleur de l'avis qu'il me donnait,
et lui témoignai que je m'en remettais entièrement à
ses bons conseils et que je n'oublierais jamais le plaisir
qu'il me faisait. Comme il jugea que je ne devais pas
manquer d'appétit, il me fit apporter à manger et m'offrit
même un logement chez lui ; ce que j'acceptai.

« Quelques jours après mon arrivée, remarquant que
j'étais assez remis de la fatigue du long et pénible voyage
que je venais de faire, et n'ignorant pas que la plupart
des princes de notre religion, par précaution contre les
revers de la fortune, apprennent quelque art ou quelque
métier pour s'en servir en cas de besoin, il me demanda
si j'en savais quelqu'un dont je pusse vivre sans être à
charge à personne. Je lui répondis que je savais l'un et

l'autre droit, que j'étais grammairien, poète, et surtout que j'écrivais parfaitement bien. « Avec tout ce que vous venez de dire, répliqua-t-il, vous ne gagnerez pas dans ce pays-ci de quoi vous avoir un morceau de pain ; rien n'est ici plus inutile que ces sortes de connaissances. Si vous voulez suivre mon conseil, ajouta-t-il, vous prendrez un habit court ; et, comme vous me paraissez robuste et d'une bonne constitution, vous irez dans la forêt prochaine faire du bois à brûler ; vous viendrez l'exposer en vente à la place, et je vous assure que vous vous ferez un petit revenu dont vous vivrez indépendamment de personne. Par ce moyen, vous vous mettrez en état d'attendre que le Ciel vous soit favorable, et qu'il dissipe le nuage de mauvaise fortune qui traverse le bonheur de votre vie et vous oblige à cacher votre naissance. Je me charge de vous faire trouver une corde et une cognée. »

« La crainte d'être reconnu et la nécessité de vivre me déterminèrent à prendre ce parti, malgré la bassesse et la peine qui y étaient attachées. Dès le jour suivant, le tailleur m'acheta une cognée et une corde, avec un habit court ; et, me recommandant à de pauvres habitants qui gagnaient leur vie de la même manière, il les pria de me mener avec eux. Ils me conduisirent à la forêt, et, dès le premier jour, j'en rapportai sur ma tête une grosse charge de bois, que je vendis une demi-pièce de monnaie d'or du pays : car, quoique la forêt ne fût pas éloignée, le bois néanmoins ne laissait pas d'être cher en cette ville à cause du peu de gens qui se donnaient la peine d'en aller couper. En peu de temps je gagnai beaucoup, et je rendis au tailleur l'argent qu'il avait avancé pour moi.

« Il y avait déjà plus d'une année que je vivais de cette sorte, lorsqu'un jour, ayant pénétré dans la forêt plus avant que de coutume, j'arrivai dans un endroit fort agréable où je me mis à couper du bois. En arrachant une racine d'arbre, j'aperçus un anneau de fer attaché à une trappe de même métal. J'ôtai aussitôt la terre qui la couvrait ; je la levai, et je vis un escalier par où je descendis avec ma cognée. Quand je fus au bas de l'escalier, je me trouvai dans un vaste palais, qui me causa une grande admiration par la lumière qui l'éclairait, comme s'il eût été sur la terre dans l'endroit le mieux exposé. Je m'avançai par une galerie soutenue de colonnes de jaspe avec des bases et des chapiteaux d'or massif ; mais, voyant venir au-devant de moi une dame, elle me parut avoir un air si noble, si aisé, et une beauté si extraordinaire, que, détournant mes yeux de tout autre objet, je m'attachai uniquement à la regarder. »

Là, Scheherazade cessa de parler, parce qu'elle vit qu'il était jour. « Ma chère sœur, dit alors Dinarzade, je vous avoue que je suis fort contente de ce que vous avez raconté aujourd'hui, et je m'imagine que ce qui vous reste à raconter n'est pas moins merveilleux.

— Vous ne vous trompez pas, répondit la sultane : car la suite de l'histoire de ce second calender est plus digne de l'attention du sultan mon seigneur que tout ce qu'il a entendu jusqu'à présent. — J'en doute, dit Schahriar en se levant; mais nous verrons cela demain. »

XLIIIe NUIT

Dinarzade fut encore très diligente cette nuit. « Si vous ne dormez pas, ma sœur, dit-elle à la sultane, je vous prie de nous raconter ce qui se passa dans ce palais souterrain entre la dame et le prince. — Vous l'allez entendre, répondit Scheherazade, écoutez-moi. »

Le second calender, continua-t-elle, poursuivant son histoire :

« Pour épargner à la belle dame, dit-il, la peine de venir jusqu'à moi, je me hâtai de la joindre, et, dans le temps que je lui faisais une profonde révérence, elle me dit : « Qui êtes-vous ? êtes-vous homme ou génie ? —
— Je suis homme, Madame, lui répondis-je en me relevant, et je n'ai point de commerce avec les génies. — Par quelle aventure, reprit-elle avec un grand soupir, vous trouvez-vous ici ? Il y a vingt-cinq ans que j'y demeure, et pendant tout ce temps-là je n'y ai pas vu d'autre homme que vous. »

« Sa grande beauté, qui m'avait déjà donné dans la vue, sa douceur et l'honnêteté avec laquelle elle me recevait, me donnèrent la hardiesse de lui dire : « Madame, avant que j'aie l'honneur de satisfaire votre curiosité, permettez-moi de vous dire que je me sais un gré infini de cette rencontre imprévue, qui m'offre l'occasion de me consoler dans l'affliction où je suis, et peut-être celle de vous rendre plus heureuse que vous n'êtes. » Je lui racontai fidèlement par quel étrange accident elle voyait en ma personne le fils d'un roi, dans l'état où je paraissais en sa présence, et comment le hasard avait voulu que je découvrisse l'entrée de la prison magnifique où je la trouvais, mais ennuyeuse selon toutes les apparences.

« Hélas! Prince, dit-elle en soupirant encore, vous avez bien raison de croire que cette prison si riche et si pompeuse ne laisse pas d'être un séjour fort ennuyeux. Les lieux les plus charmants ne sauraient plaire lorsqu'on y est contre sa volonté. Il n'est pas possible que vous n'ayez jamais entendu parler du grand Épitimarus, roi de l'île d'Ébène, ainsi nommée à cause de ce bois précieux qu'elle produit si abondamment. Je suis la princesse sa fille. Le roi mon père m'avait choisi pour époux un prince qui était mon cousin; mais la première nuit de mes noces, au milieu des réjouissances de la cour et de la capitale du royaume de l'île d'Ébène, avant que je fusse livrée à mon mari, un génie m'enleva. Je m'évanouis en ce moment, je perdis toute connaissance, et, lorsque j'eus repris mes esprits, je me trouvai ce palais. J'ai été longtemps inconsolable; mais le temps et la nécessité m'ont accoutumée à voir et à souffrir le génie. Il y a vingt-cinq ans, comme je vous l'ai déjà dit, que je suis dans ce lieu, où je puis dire que j'ai à souhait tout ce qui est nécessaire à la vie et tout ce qui peut contenter une princesse qui n'aimerait que les parures et les ajustements. De dix en dix jours, continua la princesse, le génie vient coucher une nuit avec moi; il n'y couche pas plus souvent, et l'excuse qu'il en apporte est qu'il est marié à une autre femme, qui aurait de la jalousie si l'infidélité qu'il lui fait venait à sa connaissance. Cependant, si j'ai besoin de lui, soit de jour, soit de nuit, je n'ai pas plus tôt touché un talisman qui est à l'entrée de ma chambre que le génie paraît. Il y a aujourd'hui quatre jours qu'il est venu; ainsi, je ne l'attends que dans six. C'est pourquoi vous en pourrez demeurer cinq avec moi, pour me tenir compagnie, si vous le voulez bien, et je tâcherai de vous régaler selon votre qualité et votre mérite. »

Je me serais estimé trop heureux d'obtenir une si grande faveur en la demandant pour la refuser après une offre si obligeante. La princesse me fit entrer dans un bain, le plus propre, le plus commode et le plus somptueux que l'on puisse s'imaginer, et, lorsque j'en sortis, à la place de mon habit, j'en trouvai un autre très riche, que je pris moins pour sa richesse que pour me rendre plus digne d'être avec elle. Nous nous assîmes sur un sofa garni d'un superbe tapis et de coussins d'appui du plus beau brocart des Indes, et, quelque temps après, elle mit sur une table des mets très délicats. Nous mangeâmes ensemble, nous passâmes le reste de la journée très agréablement, et la nuit elle me reçut dans son lit.

« Le lendemain, comme elle cherchait tous les moyens de me faire plaisir, elle servit au dîner une bouteille de vin vieux, le plus excellent que l'on puisse goûter; et elle voulut bien, par complaisance, en boire quelques coups avec moi. Quand j'eus la tête un peu échauffée de cette liqueur agréable : « Belle princesse, lui dis-je, il y a trop longtemps que vous êtes enterrée toute vive; suivez-moi, venez jouir de la clarté du véritable jour, dont vous êtes privée depuis tant d'années. Abandonnez la fausse lumière dont vous jouissez ici.

— Prince, me répondit-elle en souriant, laissez là ce discours. Je compte pour rien le plus beau jour du monde, pourvu que de dix vous m'en donniez neuf et que vous cédiez le dixième au génie. — Princesse, repris-je, je vois bien que la crainte du génie vous fait tenir ce langage. Pour moi, je le redoute si peu que je vais mettre son talisman en pièces avec le grimoire qui est écrit dessus. Qu'il vienne alors, je l'attends. Quelque brave, quelque redoutable qu'il puisse être, je lui ferai sentir le poids de mon bras. Je fais serment d'exterminer tout ce qu'il y a de génies au monde, et lui le premier. » La princesse, qui en savait la conséquence, me conjura de ne pas toucher au talisman. « Ce serait le moyen, me dit-elle, de nous perdre, vous et moi. Je connais les génies mieux que vous ne les connaissez. » Les vapeurs du vin ne me permirent pas de goûter les raisons de la princesse : je donnai du pied dans le talisman et le mis en plusieurs morceaux. »

En achevant ces paroles, Scheherazade, remarquant qu'il était jour, se tut, et le sultan se leva. Mais, comme il ne douta point que le talisman brisé ne fût suivi de quelque événement fort remarquable, il résolut d'entendre le reste de l'histoire.

XLIVe NUIT

Quelque temps avant le jour, Dinarzade, s'étant réveillée, dit à la sultane : « Ma sœur, si vous ne dormez pas, apprenez-nous, je vous en supplie, ce qui arriva dans le palais souterrain après que le prince eut brisé le talisman.

— Je vais vous le dire », répondit Scheherazade, et aussitôt, reprenant sa narration, elle continua de parler ainsi
sous la personne du second calender :

« Le talisman ne fut pas sitôt rompu que le palais
s'ébranla, prêt à s'écrouler, avec un bruit effroyable et
pareil à celui du tonnerre, accompagné d'éclairs redoublés
et d'une grande obscurité. Ce fracas épouvantable dissipa
en un moment les fumées du vin, et me fit connaître,
mais trop tard, la faute que j'avais faite. « Princesse,
m'écriai-je, que signifie ceci ? » Elle me répondit tout
effrayée, et sans penser à son propre malheur : « Hélas !
c'est fait de vous si vous ne vous sauvez. »

« Je suivis son conseil, et mon épouvante fut si grande
que j'oubliai ma cognée et mes babouches. J'avais à
peine gagné l'escalier par où j'avais descendu que le
palais enchanté s'entrouvrit et fit un passage au génie.
Il demanda en colère à la princesse : « Que vous est-il
arrivé, et pourquoi m'appelez-vous ? — Un mal de cœur,
lui répondit la princesse, m'a obligée d'aller chercher
la bouteille que vous voyez ; j'en ai bu deux ou trois
coups ; par malheur j'ai fait un faux pas, et je suis tombée
sur le talisman, qui s'est brisé. Il n'y a pas autre chose. »

« A cette réponse, le génie, furieux, lui dit : « Vous
êtes une impudente, une menteuse. La cognée et les
babouches que voilà, pourquoi se trouvent-elles ici ? — Je
ne les ai jamais vues qu'en ce moment, reprit la princesse.
De l'impétuosité dont vous êtes venu, vous les avez
peut-être enlevées avec vous en passant par quelque
endroit, et vous les avez apportées sans y prendre garde. »

« Le génie ne repartit que par des injures et par des
coups dont j'entendis le bruit. Je n'eus pas la fermeté
d'ouïr les pleurs et les cris pitoyables de la princesse
maltraitée d'une manière si cruelle. J'avais déjà quitté
l'habit qu'elle m'avait fait prendre, et repris le mien que
j'avais porté sur l'escalier le jour précédent à la sortie
du bain. Ainsi j'achevai de monter, d'autant plus pénétré
de douleur et de compassion que j'étais la cause d'un
si grand malheur, et qu'en sacrifiant la plus belle princesse de la terre à la barbarie d'un génie implacable, je
m'étais rendu criminel et le plus ingrat de tous les
hommes. « Il est vrai, disais-je, qu'elle est prisonnière
depuis vingt-cinq ans ; mais, la liberté à part, elle n'avait
rien à désirer pour être heureuse. Mon emportement
met fin à son bonheur, et la soumet à la cruauté d'un

démon impitoyable. » J'abaissai la trappe, la recouvris de terre, et retournai à la ville avec une charge de bois que j'accommodai sans savoir ce que je faisais, tant j'étais troublé et affligé.

« Le tailleur, mon hôte, marqua une grande joie de me revoir. « Votre absence, me dit-il, m'a causé beaucoup d'inquiétude à cause du secret de votre naissance que vous m'avez confié. Je ne savais ce que je devais penser, et je craignais que quelqu'un ne vous eût reconnu. Dieu soit loué de votre retour ! » Je le remerciai de son zèle et de son affection ; mais je ne lui communiquai rien de ce qui m'était arrivé, ni de la raison pourquoi je retournais sans cognée et sans babouches. Je me retirai dans ma chambre, où je me reprochai mille fois l'excès de mon imprudence. « Rien, disais-je, n'aurait égalé le bonheur de la princesse et le mien, si j'eusse pu me contenir et que je n'eusse pas brisé le talisman. » Pendant que je m'abandonnais à ces pensées affligeantes, le tailleur entra et me dit : « Un vieillard que je ne connais pas vient d'arriver avec votre cognée et vos babouches, qu'il a trouvées en son chemin, à ce qu'il dit. Il a appris de vos camarades qui vont au bois avec vous que vous demeuriez ici. Venez lui parler, il veut vous les rendre en main propre. » A ce discours, je changeai de couleur, et tout le corps me trembla. Le tailleur m'en demandait le sujet, lorsque le pavé de ma chambre s'entrouvrit. Le vieillard, qui n'avait pas eu la patience d'attendre, parut et se présenta à nous avec la cognée et les babouches. C'était le génie ravisseur de la belle princesse de l'île d'Ébène, qui s'était ainsi déguisé après l'avoir traitée avec la dernière barbarie. « Je suis génie, nous dit-il, fils de la fille d'Eblis, prince des génies. N'est-ce pas là ta cognée ? ajouta-t-il en s'adressant à moi ; ne sont-ce pas là tes babouches ? »

Scheherazade, en cet endroit, aperçut le jour et cessa de parler. Le sultan trouvait l'histoire du second calender trop belle pour ne pas vouloir en entendre davantage. C'est pourquoi il se leva dans l'intention d'en apprendre la suite le lendemain.

XLVe NUIT

Le jour suivant, Dinarzade appela la sultane. « Ma chère sœur, lui dit-elle, je vous prie de nous raconter de quelle manière le génie traita le prince. — Je vais

satisfaire votre curiosité », répondit Scheherazade. Alors
elle reprit de cette sorte l'histoire du second calender.

Le calender, continuant à parler à Zobéide :

« Madame, dit-il, le génie, m'ayant fait cette question,
ne me donna pas le temps de lui répondre, et je ne l'aurais
pu faire, tant sa présence affreuse m'avait mis hors de
moi-même. Il me prit par le milieu du corps, me traîna
hors de la chambre, et, s'élançant dans l'air, m'enleva
jusqu'au ciel avec tant de force et de vitesse que je m'aperçus plus tôt que j'étais monté si haut que du chemin
qu'il m'avait fait faire en peu de moments. Il fondit de
même vers la terre; et, l'ayant fait entrouvrir en frappant
du pied, il s'y enfonça, et aussitôt je me trouvai dans
le palais enchanté, devant la belle princesse de l'île
d'Ébène. Mais, hélas! quel spectacle! je vis une chose
qui me perça le cœur. Cette princesse était nue et tout
en sang, étendue sur la terre, plus morte que vive et
les joues baignées de larmes. « Perfide, lui dit le génie
en me montrant à elle, n'est-ce pas là ton amant? »
Elle jeta sur moi ses yeux languissants, et répondit tristement : « Je ne le connais pas; jamais je ne l'ai vu qu'en
ce moment. — Quoi! reprit le génie, il est cause que tu
es dans l'état où te voilà si justement, et tu oses dire
que tu ne le connais pas? — Si je ne le connais pas,
repartit la princesse, voulez-vous que je fasse un mensonge
qui soit cause de sa perte? — Hé bien, dit le génie en
tirant un sabre et le présentant à la princesse, si tu ne
l'as jamais vu, prends ce sabre et lui coupe la tête. —
Hélas! dit la princesse, comment pourrais-je exécuter
ce que vous exigez de moi? Mes forces sont tellement
épuisées que je ne saurais lever le bras; et, quand je
le pourrais, aurais-je le courage de donner la mort à une
personne que je ne connais point, à un innocent? —
Ce refus, dit alors le génie à la princesse, me fait connaître
tout ton crime. » Ensuite, se tournant de mon côté :
« Et toi, me dit-il, ne la connais-tu pas? »

« J'aurais été le plus ingrat et le plus perfide de tous les
hommes si je n'eusse pas eu pour la princesse la même
fidélité qu'elle avait pour moi qui étais la cause de son
malheur.

« C'est pourquoi je répondis au génie : « Comment la
connaîtrais-je, moi qui ne l'ai jamais vue que cette seule
fois? — Si cela est, reprit-il, prends donc ce sabre et
coupe-lui la tête. C'est à ce prix que je te mettrai en

liberté, et que je serai convaincu que tu ne l'as jamais vue qu'à présent, comme tu le dis. — Très volontiers », lui repartis-je. Je pris le sabre de sa main... »

« Mais, Sire, dit Scheherazade en s'interrompant en cet endroit, il est jour, et je ne dois point abuser de la patience de Votre Majesté. — Voilà des événements merveilleux, dit le sultan en lui-même; nous verrons demain si le prince eut la cruauté d'obéir au génie. »

XLVIe NUIT

Sur la fin de la nuit, Dinarzade, ayant appelé la sultane, lui dit : « Ma sœur, si vous ne dormez pas, je vous prie de continuer l'histoire que vous ne pûtes achever hier. — Je le veux, répondit Scheherazade, et, sans perdre de temps, vous saurez que le second calender poursuivit ainsi :

« Ne croyez pas, Madame, que je m'approchai de la belle princesse de l'île d'Ébène pour être le ministre de la barbarie du génie. Je le fis seulement pour lui marquer par mes gestes, autant qu'il me l'était permis, que, comme elle avait la fermeté de sacrifier sa vie pour l'amour de moi, je ne refusais pas d'immoler aussi la mienne pour l'amour d'elle. La princesse comprit mon dessein. Malgré ses douleurs et son affliction, elle me le témoigna par un regard obligeant, et me fit entendre qu'elle mourait volontiers et qu'elle était contente de voir que je voulais aussi mourir pour elle. Je reculai alors, et, jetant le sabre par terre : « Je serais, dis-je au génie, éternellement blâmable devant tous les hommes, si j'avais la lâcheté de massacrer, je ne dis pas une personne que je ne connais point, mais même une dame comme celle que je vois, dans l'état où elle est, prête à rendre l'âme. Vous ferez de moi ce qu'il vous plaira, puisque je suis à votre discrétion, mais je ne puis obéir à votre commandement barbare. »

« — Je vois bien, dit le génie, que vous me bravez l'un et l'autre, et que vous voulez insultez à ma jalousie; mais, par le traitement que je vous ferai, vous connaîtrez tous deux de quoi je suis capable. » A ces mots, le monstre reprit le sabre et coupa une des mains de la princesse, qui n'eut que le temps de me faire un signe de l'autre pour me dire un éternel adieu : car le sang qu'elle avait déjà perdu et celui qu'elle perdit alors ne lui permirent pas de vivre plus d'un moment ou deux après cette dernière cruauté, dont le spectacle me fit évanouir.

« Lorsque je fus revenu à moi, je me plaignis au génie de ce qu'il me faisait languir dans l'attente de la mort. « Frappez, lui dis-je, je suis prêt à recevoir le coup mortel; je l'attends de vous comme la plus grande grâce que vous me puissiez faire. » Mais, au lieu de me l'accorder : « Voilà, me dit-il, de quelle sorte les génies traitent les femmes qu'ils soupçonnent d'infidélité. Elle t'a reçu ici; si j'étais assuré qu'elle m'eût fait un plus grand outrage, je te ferais périr dans ce moment; mais je me contenterai de te changer en chien, en âne, en lion ou en oiseau. Choisis un de ces changements; je veux bien te laisser maître du choix. »

« Ces paroles me donnèrent quelque espérance de le fléchir. « O génie! lui dis-je, modérez votre colère, et, puisque vous ne voulez pas m'ôter la vie, accordez-la-moi généreusement. Je me souviendrai toujours de votre clémence, si vous me pardonnez, de même que le meilleur homme du monde pardonna à un de ses voisins qui lui portait une envie mortelle. » Le génie me demanda ce qui s'était passé entre ces deux voisins, en me disant qu'il voulait bien avoir la patience d'écouter cette histoire. Voici de quelle manière je lui en fis le récit. Je crois, Madame, que vous ne serez pas fâchée que je vous la raconte aussi.

HISTOIRE DE L'ENVIEUX

ET DE L'ENVIÉ

« Dans une ville assez considérable, deux hommes demeuraient porte à porte. L'un conçut contre l'autre une envie si violente que celui qui en était l'objet résolut de changer de demeure et de s'éloigner, persuadé que le voisinage seul lui avait attiré l'animosité de son voisin : car, quoiqu'il lui eût rendu de bons offices, il s'était aperçu qu'il n'en était pas moins haï. C'est pourquoi il vendit sa maison avec le peu de bien qu'il avait, et, se retirant à la capitale du pays, qui n'était pas éloignée, il acheta une petite terre environ à une demi-lieue de la ville. Il y avait une maison assez commode, un beau jardin et une cour raisonnablement grande, dans laquelle était une citerne profonde dont on ne se servait plus.

« Le bonhomme, ayant fait cette acquisition, prit l'habit de derviche, pour mener une vie plus retirée, et fit faire plusieurs cellules dans la maison, où il établit en peu de temps une communauté nombreuse de derviches. Sa vertu le fit bientôt connaître, et ne manqua pas de lui attirer une infinité de monde, tant du peuple que des principaux de la ville. Enfin, chacun l'honorait et le chérissait extrêmement. On venait aussi de bien loin se recommander à ses prières; et tous ceux qui se retiraient d'auprès de lui publiaient les bénédictions qu'ils croyaient avoir reçues du Ciel par son moyen.

« La grande réputation du personnage s'étant répandue dans la ville d'où il était sorti, l'envieux en eut un chagrin si vif qu'il abandonna sa maison et ses affaires dans la résolution de l'aller perdre. Pour cet effet, il se rendit au nouveau couvent de derviches, dont le chef, ci-devant son voisin, le reçut avec toutes les marques d'amitié imaginables. L'envieux lui dit qu'il était venu exprès pour lui communiquer une affaire importante dont il ne pouvait l'entretenir qu'en particulier. « Afin, ajouta-t-il, que personne ne nous entende, promenons-nous, je vous prie, dans votre cour ; et, puisque la nuit approche, commandez à vos derviches de se retirer dans leurs cellules. » Le chef des derviches fit ce qu'il souhaitait.

« Lorsque l'envieux se vit seul avec le bonhomme, il commença de lui raconter ce qui lui plut, en marchant l'un à côté de l'autre dans la cour, jusqu'à ce que, se trouvant sur le bord de la citerne, il le poussa et le jeta dedans, sans que personne fût témoin d'une si méchante action. Cela étant fait, il s'éloigna promptement, gagna la porte du couvent, d'où il sortit sans être vu, et retourna chez lui fort content de son voyage, et persuadé que l'objet de son envie n'était plus au monde ; mais il se trompait fort... »

Scheherazade n'en put dire davantage, car le jour paraissait. Le sultan fut indigné de la malice de l'envieux. « Je souhaite fort, dit-il en lui-même, qu'il n'en arrive point de mal au bon derviche. J'espère que j'apprendrai demain que le Ciel ne l'abandonna point dans cette occasion. »

XLVIIᵉ NUIT

« Si vous ne dormez pas, ma sœur, s'écria Dinarzade à son réveil, apprenez-nous, je vous en conjure, si le bon derviche sortit sain et sauf de la citerne. — Oui », répondit Scheherazade.

Et le second calender, poursuivant son histoire : « La vieille citerne, dit-il, était habitée par des fées et par des génies, qui se trouvèrent si à propos pour secourir le chef des derviches qu'ils le reçurent et le soutinrent jusqu'au bas, de manière qu'il ne se fit aucun mal. Il s'aperçut bien qu'il y avait quelque chose d'extraordinaire dans une chute dont il devait perdre la vie ; mais il ne voyait ni ne sentait rien. Néanmoins il entendit bientôt une voix qui dit : « Savez-vous qui est ce bonhomme à qui nous venons de rendre ce bon office ? » Et, d'autres voix ayant répondu que non, la première reprit : « Je vais vous le dire. Cet homme, par la plus grande charité du monde, a abandonné la ville où il demeurait, et est venu s'établir en ce lieu dans l'espérance de guérir un de ses voisins de l'envie qu'il avait contre lui. Il s'est attiré ici une estime si générale que l'envieux, ne pouvant le souffrir, est venu dans le dessein de le faire périr ; ce qu'il aurait exécuté sans le secours que nous avons prêté à ce bonhomme, dont la réputation est si grande que le sultan, qui fait son séjour dans la ville voisine, doit venir demain le visiter pour recommander la princesse sa fille à ses prières. »

« Une autre voix demanda quel besoin la princesse avait des prières du derviche ; à quoi la première repartit : « Vous ne savez donc pas qu'elle est possédée du génie Maimoun, fils de Dimdim, qui est devenu amoureux d'elle ? Mais je sais bien comment ce bon chef des derviches pourrait la guérir ; la chose est très aisée, et je vais vous la dire. Il a dans son couvent un chat noir, qui a une tache blanche au bout de la queue, environ de la grandeur d'une petite pièce de monnaie d'argent. Il n'a qu'à arracher sept brins de poils de cette tache blanche, les brûler, et parfumer la tête de la princesse de leur fumée. A l'instant elle sera si bien guérie et si bien délivrée de Maimoun, fils de Dimdim, que jamais il ne s'avisera d'approcher d'elle une seconde fois. »

« Le chef des derviches ne perdit pas un mot de cet entretien des fées et des génies, qui gardèrent un grand silence toute la nuit après avoir dit ces paroles. Le lendemain, au commencement du jour, dès qu'il put distinguer les objets, comme la citerne était démolie en plusieurs endroits, il aperçut un trou par où il sortit sans peine.

« Les derviches, qui le cherchaient, furent ravis de le revoir. Il leur raconta en peu de mots la méchanceté de l'hôte qu'il avait si bien reçu le jour précédent, et se retira dans sa cellule. Le chat noir, dont il avait ouï parler la nuit dans l'entretien des fées et des génies, ne fut pas longtemps à venir lui faire des caresses à son ordinaire. Il le prit, lui arracha sept brins de poil de la tache blanche qu'il avait à la queue, et les mit à part pour s'en servir quand il en aurait besoin.

« Il n'y avait pas longtemps que le soleil était levé lorsque le sultan, qui ne voulait rien négliger de ce qu'il croyait pouvoir apporter une prompte guérison à la princesse, arriva à la porte du couvent. Il ordonna à sa garde de s'y arrêter, et entra avec les principaux officiers qui l'accompagnaient. Les derviches le reçurent avec un profond respect.

Le sultan tira leur chef à l'écart : « Bon scheik, lui dit-il, vous savez peut-être déjà le sujet qui m'amène. — Oui,

Sire, répondit modestement le derviche : c'est, si je ne me trompe, la maladie de la princesse qui m'attire cet honneur que je ne mérite pas. — C'est cela même, répliqua le sultan. Vous me rendriez la vie, si, comme je l'espère, vos prières obtenaient la guérison de ma fille. — Sire, repartit le bonhomme, si Votre Majesté veut bien la faire venir ici, je me flatte, par l'aide et la faveur de Dieu, qu'elle retournera en parfaite santé. »

« Le prince, transporté de joie, envoya sur-le-champ chercher sa fille, qui parut bientôt accompagnée d'une nombreuse suite de femmes et d'eunuques, et voilée de manière qu'on ne lui voyait pas le visage. Le chef des derviches fit tenir un poêle au-dessus de la tête de la princesse, et il n'eut pas sitôt posé les sept brins de poil sur les charbons allumés qu'il avait fait apporter que le génie Maimoun, fils de Dimdim, fit de grands cris sans que l'on vît rien, et laissa la princesse libre. Elle porta d'abord la main au voile qui lui couvrait le visage, et le leva pour voir où elle était. « Où suis-je ? s'écria-t-elle. Qui m'a amenée ici ? » A ces paroles, le sultan ne put cacher l'excès de sa joie ; il embrassa sa fille, et la baisa aux yeux ; il baisa aussi la main du chef des derviches, et dit aux officiers qui l'accompagnaient : « Dites-moi votre sentiment : quelle récompense mérite celui qui a ainsi guéri ma fille ? » Ils répondirent tous qu'il méritait de l'épouser. « C'est ce que j'avais dans la pensée, reprit le sultan, et je le fais mon gendre dès ce moment. »

« Peu de temps après, le premier vizir mourut. Le sultan mit le derviche à sa place, et, le sultan étant mort lui-même sans enfants mâles, les ordres de religion et de milice assemblés, le bonhomme fut déclaré et reconnu sultan d'un commun consentement... »

Le jour qui paraissait obligea Scheherazade à s'arrêter en cet endroit. Le derviche parut à Schahriar digne de la couronne qu'il venait d'obtenir ; mais ce prince était en peine de savoir si l'envieux n'en serait pas mort de chagrin et il se leva dans la résolution de l'apprendre la nuit suivante.

XLVIIIe NUIT

Dinarzade, quand il en fut temps, adressa ces paroles à la sultane : « Ma chère sœur, si vous ne dormez pas, je vous prie de nous raconter la fin de l'histoire de l'Envié et de l'Envieux. — Très volontiers, répondit Scheherazade. Voici comme le second calender la poursuivit :

« Le bon derviche, dit-il, étant donc monté sur le trône de son beau-père, un jour qu'il était au milieu de sa cour, dans une marche, il aperçut l'envieux parmi la foule du monde qui était sur son passage. Il fit approcher un des vizirs qui l'accompagnait, et lui dit tout bas : « Allez, et amenez-moi cet homme que voilà, et prenez bien garde de l'épouvanter. » Le vizir obéit; et, quand l'envieux fut en présence du sultan, le sultan lui dit : « Mon ami, je suis ravi de vous voir. » Et alors, s'adressant à un officier : « Qu'on lui compte, dit-il, tout à l'heure mille pièces de monnaie d'or de mon trésor. De plus, qu'on lui livre vingt charges de marchandises les plus précieuses de mes magasins, et qu'une garde suffisante le conduise et l'escorte jusque chez lui. » Après avoir chargé l'officier de cette commission, il dit adieu à l'envieux et continua sa marche. »

« Lorsque j'eus achevé de conter cette histoire au génie, assassin de la princesse de l'île d'Ébène, je lui en fis l'application. « O génie! lui dis-je, vous voyez que ce sultan bienfaisant ne se contenta pas d'oublier qu'il n'avait pas tenu à l'envieux qu'il n'eût perdu la vie; il le traita encore et le renvoya avec toute la bonté que je viens de vous dire. » Enfin, j'employai toute mon éloquence à le prier d'imiter un si bel exemple et de me pardonner; mais il ne me fut pas possible de le fléchir. « Tout ce que je puis faire pour toi, me dit-il, c'est de ne te pas ôter la vie; ne te flatte pas que je te renvoie sain et sauf. Il faut que je te fasse sentir ce que je suis par mes enchantements. » A ces mots, il se saisit de moi avec violence, et, m'emportant au travers de la voûte du palais souterrain, qui s'entrouvrit pour lui faire un passage, il m'enleva si haut que la terre ne me parut qu'un petit nuage blanc. De cette hauteur, il se lança sur la terre comme la foudre, et prit pied sur la cime d'une montagne.

« Là, il ramassa une poignée de terre, prononça, ou plutôt marmotta dessus certaines paroles auxquelles je ne compris rien et, la jetant sur moi : « Quitte, me dit-il, la figure d'homme et prends celle de singe. » Il disparut aussitôt, et je demeurai seul, changé en singe, accablé de douleur, dans un pays inconnu, ne sachant si j'étais près ou éloigné des États du roi mon père.

« Je descendis du haut de la montagne, j'entrai dans un plat pays, dont je ne trouvai l'extrémité qu'au bout d'un mois, que j'arrivai au bord de la mer. Elle était alors dans un grand calme, et j'aperçus un vaisseau à une demi-lieue de terre. Pour ne pas perdre une si belle occasion, je rompis une grosse branche d'arbre, je la tirai après moi dans la mer, et me mis dessus, jambe deçà, jambe delà, avec un bâton à chaque main, pour me servir de rames.

« Je voguai dans cet état et m'avançai vers le vaisseau. Quand j'en fus assez près pour être reconnu, je donnai un spectacle fort extraordinaire aux matelots et aux passagers qui parurent sur le tillac. Ils me regardaient tous avec une grande admiration. Cependant j'arrivai à bord, et, me prenant à un cordage, je grimpai jusque sur le tillac. Mais, comme je ne pouvais parler, je me trouvai dans un terrible embarras. En effet, le danger que je courus alors ne fut pas moins grand que celui d'avoir été à la discrétion du génie.

« Les marchands, superstitieux et scrupuleux, crurent que je porterais malheur à leur navigation si on me recevait ; c'est pourquoi l'un dit : « Je vais l'assommer d'un coup de maillet » ; un autre : « Je veux lui passer une flèche au travers du corps » ; un autre : « Il faut le jeter à la mer. » Quelqu'un n'aurait pas manqué de faire ce qu'il disait, si, me rangeant du côté du capitaine, je ne m'étais pas prosterné à ses pieds ; mais, le prenant par son habit, dans la posture de suppliant, il fut tellement touché de cette action et des larmes qu'il vit couler de mes yeux qu'il me prit sous sa protection, en menaçant de faire repentir celui qui me ferait le moindre mal. Il me fit même mille caresses. De mon côté, au défaut de la parole, je lui donnai par mes gestes toutes les marques de reconnaissance qu'il me fut possible.

« Le vent, qui succéda au calme, ne fut pas fort ; mais il fut favorable : il ne changea point durant cinquante jours, et il nous fit heureusement aborder au port d'une belle ville très peuplée et d'un grand commerce, où nous jetâmes l'ancre. Elle était d'autant plus considérable que c'était la capitale d'un puissant État.

« Notre vaisseau fut bientôt environné d'une infinité de petits bateaux remplis de gens qui venaient pour féliciter leurs amis sur leur arrivée, ou s'informer de ceux qu'ils avaient vus au pays d'où ils arrivaient, ou simplement par la curiosité de voir un vaisseau qui venait de loin. Il arriva entre autres quelques officiers qui demandèrent à

parler, de la part du sultan, aux marchands de notre bord.
Les marchands se présentèrent à eux, et l'un des officiers,
prenant la parole, leur dit : « Le sultan notre maître nous a
chargés de vous témoigner qu'il a bien de la joie de votre
arrivée, et de vous prier de prendre la peine d'écrire, sur
le rouleau de papier que voici, chacun quelques lignes de
votre écriture. Pour vous apprendre quel est son dessein,
vous saurez qu'il avait un premier vizir qui, avec une très
grande capacité dans le maniement des affaires, écrivait
dans la dernière perfection. Ce ministre est mort depuis
peu de jours. Le sultan en est fort affligé ; et, comme il ne
regardait jamais les écritures de sa main sans admiration,
il a fait un serment solennel de ne donner sa place qu'à un
homme qui écrira aussi bien qu'il écrivait. Beaucoup de
gens ont présenté de leur écriture ; mais jusqu'à présent il
ne s'est trouvé personne, dans l'étendue de cet empire,
qui ait été jugé digne d'occuper la place du vizir. »

« Ceux des marchands qui crurent assez bien écrire
pour prétendre à cette haute dignité écrivirent l'un après
l'autre ce qu'ils voulurent. Lorsqu'ils eurent achevé, je
m'avançai, et enlevai le rouleau de la main de celui qui le
tenait. Tout le monde, et particulièrement les marchands
qui venaient d'écrire, s'imaginant que je voulais le déchi-
rer ou le jeter à la mer, firent de grands cris ; mais ils se
rassurèrent quand ils virent que je tenais le rouleau fort
proprement, et que je faisais signe de vouloir écrire à mon
tour. Cela fit changer leur crainte en admiration. Néanmoins, comme ils n'avaient jamais vu de singe qui sût
écrire et qu'ils ne pouvaient se persuader que je fusse plus
habile que les autres, ils voulurent m'arracher le rouleau
des mains ; mais le capitaine prit encore mon parti. « Laissez-le faire, dit-il : qu'il écrive. S'il ne fait que barbouiller
le papier, je vous promets que je le punirai sur-le-champ ;
si au contraire il écrit bien, comme je l'espère, car je n'ai
vu de ma vie un singe plus adroit et plus ingénieux, ni qui
comprît mieux toutes choses, je déclare que je le reconnaîtrai pour mon fils. J'en avais un qui n'avait pas, à beaucoup
près, tant d'esprit que lui. »

« Voyant que personne ne s'opposait plus à mon dessein, je pris la plume, et ne la quittai qu'après avoir écrit
six sortes d'écritures usitées chez les Arabes ; et chaque
essai d'écriture contenait un distique ou un quatrain
impromptu à la louange du sultan. Mon écriture n'effa-
çait pas seulement celle des marchands, j'ose dire qu'on
n'en avait point vu de si belle jusqu'alors en ce pays-là.

Quand j'eus achevé, les officiers prirent le rouleau et le portèrent au sultan... »

Scheherazade en était là, lorsqu'elle aperçut le jour. « Sire, dit-elle à Schahriar, si j'avais le temps de continuer, je raconterais à Votre Majesté des choses encore plus surprenantes que celles que je viens de raconter. » Le sultan, qui s'était proposé d'entendre toute cette histoire, se leva sans dire ce qu'il pensait.

XLIXᵉ NUIT

Le lendemain, Dinarzade, éveillée avant le jour, appela la sultane et lui dit : « Ma sœur, si vous ne dormez pas, je vous supplie de nous apprendre la suite des aventures du singe. Je crois que le sultan mon seigneur n'a pas moins de curiosité que moi de l'entendre. — Vous allez être satisfaits l'un et l'autre, répondit Scheherazade ; et, pour ne vous pas faire languir, je vous dirai que le second calender continua ainsi son histoire :

« Le sultan ne fit aucune attention aux autres écritures ; il ne regarda que la mienne, qui lui plut tellement qu'il dit aux officiers : « Prenez le cheval de mon écurie le plus beau et le plus richement enharnaché, et une robe de brocart des plus magnifiques pour revêtir la personne de qui sont ces six sortes d'écritures, et amenez-la-moi. »

« A cet ordre du sultan, les officiers se mirent à rire. Ce prince, irrité de leur hardiesse, était près de les punir ; mais ils lui dirent : « Sire, nous supplions Votre Majesté de nous pardonner : ces écritures ne sont pas celles d'un homme, elles sont d'un singe. — Que dites-vous ! s'écria le sultan, ces écritures merveilleuses ne sont pas de la main d'un homme ? — Non, Sire, répondit un des officiers, nous assurons Votre Majesté qu'elles sont d'un singe, qui les a faites devant nous. » Le sultan trouva la chose trop surprenante pour n'être pas curieux de me voir. « Faites ce que je vous ai commandé, leur dit-il ; amenez-moi promptement un singe si rare. »

« Les officiers revinrent au vaisseau et exposèrent leur ordre au capitaine, qui leur dit que le sultan était le maître. Aussitôt ils me revêtirent d'une robe de brocart très riche, et me portèrent à terre, où ils me mirent sur le cheval du sultan, qui m'attendait dans son palais avec un grand nombre de personnes de sa cour, qu'il avait assemblées pour me faire plus d'honneur.

« La marche commença. Le port, les rues, les places publiques, les fenêtres, les terrasses des palais et des maisons, tout était rempli d'une multitude innombrable de monde de l'un et de l'autre sexe et de tous les âges, que la curiosité avait fait venir de tous les endroits de la ville pour me voir : car le bruit s'était répandu en un moment que le sultan venait de choisir un singe pour son grand-vizir. Après avoir donné un spectacle si nouveau à tout ce peuple, qui par des cris redoublés ne cessait de marquer sa surprise, j'arrivai au palais du sultan.

« Je trouvai ce prince assis sur son trône, au milieu des grands de sa cour. Je lui fis trois révérences profondes, et, à la dernière, je me prosternai et baisai la terre devant lui. Je me mis ensuite sur mon séant en posture de singe. Toute l'assemblée ne pouvait se lasser de m'admirer, et ne comprenait pas comment il était possible qu'un singe sût si bien rendre aux sultans le respect qui leur est dû ; et le sultan en était plus étonné que personne. Enfin, la cérémonie de l'audience eût été complète si j'eusse pu ajouter la harangue à mes gestes ; mais les singes ne parlèrent jamais, et l'avantage d'avoir été homme ne me donnait pas ce privilège.

« Le sultan congédia ses courtisans, et il ne resta auprès de lui que le chef de ses eunuques, un petit esclave fort jeune et moi. Il passa de la salle d'audience dans son appartement où il se fit apporter à manger. Lorsqu'il fut à table, il me fit signe d'approcher et de manger avec lui. Pour lui marquer mon obéissance, je baisai la terre, je me levai et me mis à table. Je mangeai avec beaucoup de retenue et de modestie.

« Avant que l'on desservît, j'aperçus une écritoire : je fis signe qu'on me l'apportât ; et, quand je l'eus, j'écrivis sur une grosse pêche des vers de ma façon, qui marquaient ma reconnaissance au sultan ; et la lecture qu'il en fit, après que je lui eus présenté la pêche, augmenta son étonnement. La table levée, on lui apporta d'une boisson particulière, dont il me fit présenter un verre. Je bus, et j'écrivis dessus de nouveaux vers, qui expliquaient l'état où je me trouvais après de grandes souffrances. Le sultan les lut encore, et dit : « Un homme qui serait capable d'en faire autant serait au-dessus des plus grands hommes. »

« Ce prince, s'étant fait apporter un jeu d'échecs, me demanda par signes si j'y savais jouer, et si je voulais

jouer avec lui. Je baisai la terre, et, en portant la main sur
ma tête, je marquai que j'étais prêt à recevoir cet honneur.
Il me gagna la première partie; mais je gagnai la seconde
et la troisième, et, m'apercevant que cela lui faisait
quelque peine, pour le consoler, je fis un quatrain que
je lui présentai. Je lui disais que deux puissantes armées
s'étaient battues tout le jour avec beaucoup d'ardeur,
mais qu'elles avaient fait la paix sur le soir, et qu'elles
avaient passé la nuit ensemble fort tranquillement sur le
champ de bataille.

« Tant de choses paraissant au sultan fort au-delà de
tout ce qu'on avait jamais vu ou entendu de l'adresse et
de l'esprit des singes, il ne voulut pas être le seul témoin
de ces prodiges. Il avait une fille qu'on appelait Dame
de beauté. « Allez, dit-il au chef des eunuques, qui était
présent et attaché à cette princesse, allez, faites venir
ici votre dame; je suis bien aise qu'elle ait part au plaisir
que je prends. »

« Le chef des eunuques partit et amena bientôt la
princesse. Elle avait le visage découvert; mais elle ne fut
pas plus tôt dans la chambre qu'elle se le couvrit promptement de son voile en disant au sultan : « Sire, il faut
que Votre Majesté se soit oubliée. Je suis fort surprise
qu'elle me fasse venir pour paraître devant les hommes.
— Comment donc, ma fille! répondit le sultan, vous n'y
pensez pas vous-même. Il n'y a ici que le petit esclave,
l'eunuque votre gouverneur et moi, qui avons la liberté
de vous voir le visage; néanmoins vous baissez votre voile
et vous me faites un crime de vous avoir fait venir ici. —
Sire, répliqua la princesse, Votre Majesté va connaître
que je n'ai pas tort. Le singe que vous voyez, quoiqu'il
ait la forme d'un singe, est un jeune prince fils d'un
grand roi. Il a été métamorphosé en singe par enchantement. Un génie, fils de la fille d'Eblis, lui a fait cette
malice après avoir cruellement ôté la vie à la princesse
de l'île d'Ébène, fille du roi Épitimarus. »

« Le sultan, étonné de ce discours, se tourna de mon
côté, et, ne me parlant plus par signes, me demanda si ce
que sa fille venait de dire était véritable. Comme je ne
pouvais parler, je mis la main sur ma tête pour lui témoigner que la princesse avait dit la vérité. « Ma fille, reprit
alors le sultan, comment savez-vous que ce prince a été
transformé en singe par enchantement ? — Sire, repartit
la princesse Dame de beauté, Votre Majesté peut se
souvenir qu'au sortir de mon enfance j'ai eu près de

moi une vieille dame. C'était une magicienne très habile ;
elle m'a enseigné soixante-dix règles de sa science, par
la vertu de laquelle je pourrais, en un clin d'œil, faire
transporter votre capitale au milieu de l'Océan, au-delà
du mont Caucase. Par cette science, je connais toutes
les personnes qui sont enchantées seulement à les voir ;
je sais qui elles sont et par qui elles ont été enchantées ;
ainsi, ne soyez pas surpris si j'ai d'abord démêlé ce prince
au travers du charme qui l'empêche de paraître à vos
yeux·tel qu'il est naturellement. — Ma fille, dit le sultan,
je ne vous croyais pas si habile. — Sire, répondit la
princesse, ce sont des choses curieuses qu'il est bon de
savoir ; mais il m'a semblé que je ne devais pas m'en
vanter. — Puisque cela est ainsi, reprit le sultan, vous
pourrez donc dissiper l'enchantement du prince ? — Oui,
Sire, repartit la princesse, je puis lui rendre sa première
forme. — Rendez-la-lui donc, interrompit le sultan ; vous
ne sauriez me faire un plus grand plaisir, car je veux
qu'il soit mon grand-vizir et qu'il vous épouse. — Sire,
dit la princesse, je suis prête à vous obéir en tout ce qu'il
vous plaira de m'ordonner... »

Scheherazade, en achevant ces derniers mots, s'aperçut
qu'il était jour, et cessa de poursuivre l'histoire du second
calender. Schahriar, jugeant que la suite ne serait pas
moins agréable que ce qu'il avait entendu, résolut de
l'écouter le lendemain.

Lᵉ NUIT

Dinarzade, appelant la sultane à l'heure ordinaire, lui
dit : « Ma sœur, si vous ne dormez pas, racontez-nous,
de grâce, comment la Dame de beauté remit le second
calender dans son premier état. — Vous l'allez savoir »,
répondit Scheherazade.

Le calender reprit ainsi son discours :
« La princesse Dame de beauté alla dans son appartement, d'où elle apporta un couteau qui avait des mots
hébreux gravés sur la lame. Elle nous fit descendre ensuite,
le sultan, le chef des eunuques, le petit esclave et moi,
dans une cour secrète du palais ; et là, nous laissant sous
une galerie qui régnait autour, elle s'avança au milieu
de la cour, où elle décrivit un grand cercle, et y traça

plusieurs mots en caractères arabes, anciens et autres, qu'on appelle caractères de Cléopâtre.

« Lorsqu'elle eut achevé et préparé le cercle de la manière qu'elle le souhaitait, elle se plaça et s'arrêta au milieu, où elle fit des adjurations, et récita des versets de l'Alcoran. Insensiblement l'air s'obscurcit, de sorte qu'il semblait qu'il fût nuit, et que la machine du monde allait se dissoudre. Nous nous sentîmes saisis d'une frayeur extrême; et cette frayeur augmenta encore quand nous vîmes tout à coup paraître le génie fils de la fille d'Eblis sous la forme d'un lion d'une grandeur épouvantable.

« Dès que la princesse aperçut ce monstre, elle lui dit : « Chien, au lieu de ramper devant moi, tu oses te présenter sous cette horrible forme, et tu crois m'épouvanter ? — Et toi, reprit le lion, tu ne crains pas de contrevenir au traité que nous avons fait et confirmé par un serment solennel, de ne nous nuire ni faire aucun tort l'un à l'autre ? — Ah! maudit! répliqua la princesse, c'est à toi que j'ai ce reproche à faire. — Tu vas, interrompit brusquement le lion, être payée de la peine que tu m'as donnée de revenir. » En disant cela, il ouvrit une gueule effroyable et s'avança sur elle pour la dévorer. Mais elle, qui était sur ses gardes, fit un saut en arrière, eut le temps de s'arracher un cheveu, et, en prononçant deux ou trois paroles, elle le changea en un glaive tranchant dont elle coupa le lion en deux par le milieu du corps. Les deux parties du lion disparurent, et il ne resta que la tête, qui se changea eu un gros scorpion. Aussitôt la princesse se changea en serpent, et livra un rude combat au scorpion, qui, n'ayant pas l'avantage, prit la forme d'un aigle, et s'envola. Mais le serpent prit alors celle d'un aigle noir plus puissant, et le poursuivit. Nous les perdîmes de vue l'un et l'autre.

« Quelque temps après qu'ils eurent disparu, la terre s'entrouvrit devant nous, et il en sortit un chat noir et blanc, dont le poil était tout hérissé, et qui miaulait d'une manière effrayante. Un loup noir le suivit de près, et ne lui donna aucun relâche.

« Le chat, trop pressé, se changea en un ver, et se trouva près d'une grenade tombée par hasard d'un grenadier qui était planté sur le bord d'un canal d'eau assez profond, mais peu large. Ce ver perça la grenade en un instant et s'y cacha. La grenade alors s'enfla et devint grosse comme une citrouille, et s'éleva sur le toit de la galerie, d'où, après avoir fait quelques tours en roulant, elle tomba dans la cour et se rompit en plusieurs morceaux.

« Le loup, qui pendant ce temps-là s'était transformé en coq, se jeta sur les grains de la grenade et se mit à les avaler l'un après l'autre. Lorsqu'il n'en vit plus, il vint à nous les ailes étendues, en faisant un grand bruit, comme pour nous demander s'il n'y avait plus de grains. Il en restait un sur le bord du canal, dont il s'aperçut en se retournant. Il y courut vite ; mais, dans le moment qu'il allait porter le bec dessus, le grain roula dans le canal et se changea en petit poisson... »

« Mais voilà le jour, Sire, dit Scheherazade ; s'il n'eût pas sitôt paru, je suis persuadée que Votre Majesté aurait pris beaucoup de plaisir à entendre ce que je lui aurais raconté. » A ces mots elle se tut, et le sultan se leva, rempli de tous ces événements inouïs, qui lui inspirèrent une forte envie et une extrême impatience d'apprendre le reste de cette histoire.

LIᵉ NUIT

Dinarzade, le lendemain, ne craignit pas d'interrompre le sommeil de la sultane. « Si vous ne dormez pas, ma sœur, lui dit-elle, je vous prie de reprendre le fil de cette merveilleuse histoire que vous ne pûtes achever hier. Je suis curieuse d'entendre la suite de toutes ces métamorphoses. »

Scheherazade rappela dans sa mémoire l'endroit où elle en était demeurée ; et puis, s'adressant au sultan : « Sire, dit-elle, le second calender continua de cette sorte son histoire :

« Le coq se jeta dans le canal, et se changea en un brochet qui poursuivit le petit poisson. Ils furent l'un et l'autre deux heures entières sous l'eau, et nous ne savions ce qu'ils étaient devenus, lorsque nous entendîmes des cris horribles qui nous firent frémir. Peu de temps après nous vîmes le génie et la princesse tout en feu. Ils se lancèrent l'un contre l'autre des flammes par la bouche jusqu'à ce qu'ils vinrent à se prendre corps à corps. Alors les deux feux s'augmentèrent, et jetèrent une fumée épaisse et enflammée qui s'éleva fort haut. Nous craignîmes avec raison qu'elle n'embrasât tout le palais ; mais nous eûmes bientôt un sujet de crainte beaucoup plus pressant : car le génie, s'étant débarrassé de la princesse, vint jusqu'à la galerie où nous étions, et nous souffla des tourbillons de feux. C'était fait de nous, si la princesse, accourant à notre secours, ne l'eût obligé, par ses cris, à s'éloigner et à se garder d'elle. Néanmoins, quelque diligence qu'elle fît, elle ne put empêcher que le sultan n'eût la barbe brûlée et le visage gâté; que le chef des eunuques ne fût étouffé et consumé sur-le-champ, et qu'une étincelle n'entrât dans mon œil droit et ne me rendît borgne. Le sultan et moi nous nous attendions à périr, mais bientôt nous ouïmes crier : « Victoire, victoire! » et nous vîmes tout à coup paraître la princesse sous sa forme naturelle, et le génie réduit en un monceau de cendres.

« La princesse s'approcha de nous, et, pour ne pas perdre de temps, elle demanda une tasse pleine d'eau, qui lui fut apportée par le jeune esclave, à qui le feu n'avait fait aucun mal. Elle la prit, et, après quelques paroles prononcées dessus, elle jeta l'eau sur moi en disant : « Si tu es singe par enchantement, change de figure, et prends celle d'homme, que tu avais auparavant. » A peine eut-elle achevé ces mots que je redevins homme, tel que j'étais avant ma métamorphose, à un œil près.

« Je me préparais à remercier la princesse; mais elle ne m'en donna pas le temps. Elle s'adressa au sultan son père et lui dit : « Sire, j'ai remporté la victoire sur le génie, comme Votre Majesté le peut voir; mais c'est une victoire qui me coûte cher. Il me reste peu de moment à vivre, et vous n'aurez pas la satisfaction de faire le mariage que vous méditiez. Le feu m'a pénétrée dans ce combat terrible, et je sens qu'il me consume peu à peu. Cela ne serait point arrivé si je m'étais aperçue du dernier grain de la grenade, et que je l'eusse avalé comme les autres lorsque j'étais changée en coq. Le génie s'y était réfugié comme en son dernier retranchement; et de là dépendait le succès du combat, qui aurait été heureux et sans danger pour moi. Cette faute m'a obligée de recourir au feu, et de combattre avec ces puissantes armes, comme je l'ai fait entre le ciel et la terre, et en votre présence. Malgré le pouvoir de son art redoutable et son expérience, j'ai fait connaître au génie que j'en savais plus que lui : je l'ai vaincu et réduit en cendres; mais je ne puis échapper à la mort qui s'approche... »

Scheherazade interrompit en cet endroit l'histoire du second calender, et dit au sultan : « Sire, le jour qui

paraît m'avertit de n'en pas dire davantage; mais, si
Votre Majesté veut bien encore me laisser vivre jusqu'à
demain, elle entendra la fin de cette histoire. » Schahriar
y consentit, et se leva, suivant sa coutume, pour aller
vaquer aux affaires de son empire.

LIIe NUIT

Quelque temps avant le jour, Dinarzade, éveillée,
appela la sultane. « Ma chère sœur, lui dit-elle, si vous
ne dormez pas, je vous supplie d'achever l'histoire du
second calender. » Scheherazade prit aussitôt la parole
et poursuivit ainsi son conte :

Le calender, parlant toujours à Zobéide, lui dit :
« Madame, le sultan laissa la princesse Dame de beauté
achever le récit de son combat, et, quand elle l'eut fini,
il lui dit d'un ton qui marquait la vive douleur dont il
était pénétré : « Ma fille, vous voyez en quel état est
votre père. Hélas! je m'étonne que je sois encore en
vie! L'eunuque votre gouverneur est mort, et le prince
que vous venez de délivrer de son enchantement a perdu
un œil. » Il n'en put dire davantage : car les larmes, les
soupirs et les sanglots lui coupèrent la parole. Nous
fûmes extrêmement touchés de son affliction, sa fille et
moi, et nous pleurâmes avec lui. Pendant que nous nous
affligions comme à l'envi l'un de l'autre, la princesse se
mit à crier : « Je brûle! je brûle! » Elle sentit que le feu
qui la consumait s'était enfin emparé de tout son corps,
et elle ne cessa de crier : « Je brûle! » que la mort n'eût
mis fin à ses douleurs insupportables. L'effet de ce feu
fut si extraordinaire qu'en peu de moments elle fut
réduite tout en cendres comme le génie.

« Je ne vous dirai pas, Madame, jusqu'à quel point
je fus touché d'un spectacle si funeste. J'aurais mieux
aimé être toute ma vie singe ou chien que de voir ma
bienfaitrice périr si misérablement. De son côté, le sultan,
affligé au-delà de tout ce qu'on peut s'imaginer, poussa
des cris pitoyables en se donnant de grands coups à
la tête et sur la poitrine, jusqu'à ce que, succombant à
son désespoir, il s'évanouit et me fit craindre pour sa
vie. Cependant les eunuques et les officiers accoururent
aux cris du sultan, qu'ils n'eurent pas peu de peine à
faire revenir de sa faiblesse. Ce prince et moi n'eûmes

pas besoin de leur faire un long récit de cette aventure pour les persuader de la douleur que nous en avions : les deux monceaux de cendres en quoi la princesse et le génie avaient été réduits la leur firent assez concevoir. Comme le sultan pouvait à peine se soutenir, il fut obligé de s'appuyer sur ses eunuques pour gagner son appartement.

« Dès que le bruit d'un événement si tragique se fut répandu dans le palais et dans la ville, tout le monde plaignit le malheur de la princesse Dame de beauté, et prit part à l'affliction du sultan. On mena grand deuil durant sept jours; on fit beaucoup de cérémonies : on jeta au vent les cendres du génie; on recueillit celles de la princesse dans un vase précieux, pour y être conservées, et ce vase fut déposé dans un superbe mausolée que l'on bâtit au même endroit où les cendres avaient été recueillies.

Le chagrin que conçut le sultan de la perte de sa fille lui causa une maladie qui l'obligea de garder le lit un mois entier. Il n'avait pas encore entièrement recouvré sa santé qu'il me fit appeler. « Prince, me dit-il, écoutez l'ordre que j'ai à vous donner : il y va de votre vie si vous ne l'exécutez. » Je l'assurai que j'obéirais exactement. Après quoi, reprenant la parole : « J'avais toujours vécu, poursuivit-il, dans une parfaite félicité, et jamais aucun accident ne l'avait traversée; votre arrivée a fait évanouir le bonheur dont je jouissais. Ma fille est morte, son gouverneur n'est plus, et ce n'est que par un miracle que je suis en vie. Vous êtes donc la cause de tous ces malheurs, dont il n'est pas possible que je puisse me consoler. C'est pourquoi retirez-vous en paix, mais retirez-vous incessamment; je périrais moi-même si vous demeuriez ici davantage, car je suis persuadé que votre présence porte malheur. C'est tout ce que j'avais à vous dire. Partez, et prenez garde de paraître jamais dans mes États, aucune considération ne m'empêcherait de vous en faire repentir. » Je voulus parler; mais il me ferma la bouche par des paroles remplies de colère, et je fus obligé de m'éloigner de son palais.

« Rebuté, chassé, abandonné de tout le monde et ne sachant ce que je deviendrais, avant que de sortir de la ville, j'entrai dans un bain, je me fis raser la barbe et les sourcils et pris l'habit de calender. Je me mis en chemin, en pleurant moins ma misère que la mort des belles princesses que j'avais causée. Je traversai plusieurs

pays sans me faire connaître ; enfin je résolus de venir
à Bagdad, dans l'espérance de me faire présenter au
Commandeur des croyants et d'exciter sa compassion
par le récit d'une histoire si étrange. J'y suis arrivé ce
soir, et la première personne que j'ai rencontrée en
arrivant, c'est le calender notre frère qui vient de parler
avant moi. Vous savez le reste, Madame, et pourquoi j'ai
l'honneur de me trouver dans votre hôtel. »

Quand le second calender eut achevé son histoire,
Zobéide, à qui il avait adressé la parole, lui dit : « Voilà
qui est bien ; allez, retirez-vous où il vous plaira, je vous
en donne la permission. » Mais, au lieu de sortir, il
supplia aussi la dame de lui faire la même grâce qu'au
premier calender, auprès de qui il alla prendre place.

« Mais, Sire, dit Scheherazade en achevant ces derniers mots, il est jour, il ne m'est pas permis de continuer.
J'ose assurer néanmoins que, quelque agréable que soit
l'histoire du second calender, celle du troisième n'est
pas moins belle. Que Votre Majesté se consulte ; qu'elle
voie si elle veut avoir la patience de l'entendre. » Le
sultan, curieux de savoir si elle était aussi merveilleuse
que la dernière, se leva, résolu de prolonger encore la
vie de Scheherazade, quoique le délai qu'il avait accordé
fût fini depuis plusieurs jours.

LIIIᵉ NUIT

Sur la fin de la nuit suivante, Dinarzade adressa ces
paroles à la sultane : « Ma chère sœur, si vous ne dormez
pas, je vous prie, en attendant le jour qui paraîtra bientôt,
de me raconter quelqu'un de ces beaux contes que vous
savez. — Je voudrais bien, dit alors Schahriar, entendre
l'histoire du troisième calender. — Sire, répondit Scheherazade, vous allez être obéi. »

Le troisième calender, ajouta-t-elle, voyant que c'était
à lui à parler, s'adressant, comme les autres, à Zobéide,
commença son histoire de cette manière :

HISTOIRE DU TROISIÈME CALENDER

FILS DE ROI

« Très honorable dame, ce que j'ai à vous raconter est bien différent de ce que vous venez d'entendre. Les deux princes qui ont parlé avant moi ont perdu chacun un œil par un pur effet de leur destinée, et moi, je n'ai perdu le mien que par ma faute, qu'en prévenant moi-même et cherchant mon propre malheur, comme vous l'apprendrez par la suite de mon discours.

« Je m'appelle Agib et suis fils d'un roi qui se nommait Cassib. Après sa mort je pris possession de ses États et établis mon séjour dans la même ville où il avait demeuré. Cette ville est située sur le bord de la mer; elle a un port des plus beaux et des plus sûrs, avec un arsenal assez grand pour fournir à l'armement de cent cinquante vaisseaux de guerre toujours prêts à servir dans l'occasion, pour en équiper cinquante en marchandises, et autant de petites frégates légères pour les promenades et les divertissements sur l'eau. Plusieurs belles provinces composaient mon royaume en terre ferme, avec un grand nombre d'îles considérables, presque toutes situées à la vue de ma capitale.

« Je visitai premièrement les provinces; je fis ensuite armer et équiper toute ma flotte, et j'allai descendre dans mes îles, pour me concilier par ma présence le cœur de mes sujets et les affermir dans le devoir. Quelque temps après que j'en fus revenu, j'y retournai; et ces voyages, en me donnant quelque teinture de la navigation, m'y firent prendre tant de goût que je résolus d'aller faire des découvertes au-delà de mes îles. Pour cet effet, je fis équiper dix vaisseaux seulement. Je m'embarquai et nous mîmes à la voile. Notre navigation fut heureuse pendant quarante jours de suite; mais, la nuit du quarante-unième, le vent devint contraire et même si furieux que nous fûmes battus d'une tempête violente qui pensa nous submerger. Néanmoins, à la pointe du jour, le vent s'apaisa, les nuages se dissipèrent, et, le soleil ayant ramené le beau temps, nous abordâmes à une île où nous nous arrêtâmes deux jours à prendre des rafraîchissements. Cela étant fait, nous nous remîmes en mer. Après dix jours de navigation, nous commencions à espérer de voir terre : car la tempête que nous avions essuyée m'avait détourné de mon dessein, et j'avais fait prendre la route de mes États, lorsque je m'aperçus que mon pilote ne savait où nous étions. Effectivement, le dixième jour, un matelot, commandé pour faire la découverte au haut du grand mât, rapporta qu'à la droite et à la gauche il n'avait vu que le ciel et la mer qui bornassent l'horizon; mais que devant lui, du côté où nous avions la proue, il avait remarqué une grande noirceur.

« Le pilote changea de couleur à ce récit, jeta d'une main son turban sur le tillac, et de l'autre se frappant le visage : « Ah! Sire! s'écria-t-il, nous sommes perdus! Personne de nous ne peut échapper au danger où nous nous trouvons, et, avec toute mon expérience, il n'est pas en mon pouvoir de nous en garantir. » En disant ces paroles, il se mit à pleurer comme un homme qui croyait sa perte inévitable, et son désespoir jeta l'épouvante dans tout le vaisseau. Je lui demandai quelle raison il avait de se désespérer ainsi. « Hélas! Sire, me répondit-il, la tempête que nous avons essuyée nous a tellement égarés de notre route que demain à midi nous nous trouverons près de cette noirceur, qui n'est autre chose que la Montagne Noire; et cette Montagne Noire est une mine d'aimant, qui dès à présent attire toute votre flotte, à cause des clous et des ferrements qui entrent dans la structure des vaisseaux. Lorsque nous en serons demain à une certaine distance, la force de l'aimant sera si violente que tous les clous se détacheront et iront se coller contre la montagne : vos vaisseaux se dissoudront et seront submergés. Comme l'aimant a la vertu d'attirer le fer à soi et de se fortifier par cette attraction, cette montagne, du côté de la mer, est couverte des clous d'une infinité de vaisseaux qu'elle a fait périr; ce qui conserve et augmente en même temps cette vertu. Cette montagne, poursuivit le pilote, est très escarpée; et au sommet il y a un dôme de bronze fin, soutenu de colonnes de même métal; au haut du dôme paraît un cheval aussi de bronze, sur lequel est un cavalier qui a la poitrine couverte d'une plaque de plomb, sur laquelle sont gravés des caractères talismaniques. La tradition, Sire, ajouta-t-il, est que cette statue est la cause principale de la perte de tant de vaisseaux et de tant d'hommes qui ont été submergés en cet endroit, et qu'elle ne cessera d'être funeste à tous ceux qui auront le malheur d'en approcher, jusqu'à ce qu'elle soit renversée. »

« Le pilote, ayant tenu ce discours, se remit à pleurer, et ses larmes excitèrent celles de tout l'équipage. Je ne doutai pas moi-même que je ne fusse arrivé à la fin de mes jours. Chacun toutefois ne laissa pas de songer à sa conservation et de prendre pour cela toutes les mesures possibles; et, dans l'incertitude de l'événement, ils se firent tous héritiers les uns des autres par un testament en faveur de ceux qui se sauveraient.

« Le lendemain matin, nous aperçûmes à découvert la Montagne Noire; et l'idée que nous en avions conçue nous la fit paraître plus affreuse qu'elle n'était. Sur le midi, nous nous en trouvâmes si près que nous éprouvâmes ce que le pilote nous avait prédit. Nous vîmes voler les clous et tous les autres ferrements de la flotte vers la montagne, où, par la violence de l'attraction, ils se collèrent avec un bruit horrible. Les vaisseaux s'entrouvrirent, et s'abîmèrent dans la mer, qui était si haute en cet endroit qu'avec la sonde nous n'aurions pu en découvrir la profondeur. Tous mes gens furent noyés; mais Dieu eut pitié de moi, et permit que je me sauvasse en me saisissant d'une planche qui fut poussée par le vent droit au pied de la montagne. Je ne me fis pas le moindre mal, mon bonheur m'ayant fait aborder à un endroit où il y avait des degrés pour monter au sommet... »

Scheherazade voulait poursuivre ce conte; mais le jour qui vint à paraître lui imposa silence. Le sultan jugea bien par ce commencement que la sultane ne l'avait pas trompé. Ainsi, il n'y a pas lieu de s'étonner s'il ne la fit pas encore mourir ce jour-là.

LIVᵉ NUIT

« Au nom de Dieu, ma sœur, s'écria le lendemain Dinarzade, si vous ne dormez pas, continuez, je vous en conjure, l'histoire du troisième calender. — Ma chère

sœur, répondit Scheherazade, voici comment ce prince
la reprit :

« A la vue de ces degrés, dit-il (car il n'y avait pas de
terrain ni à droite ni à gauche où l'on pût mettre le pied,
et par conséquent se sauver), je remerciai Dieu, et invo-
quai son saint nom en commençant à monter. L'escalier
était si étroit, si raide et si difficile, que, pour peu que le
vent eût eu de violence, il m'aurait renversé et précipité
dans la mer. Mais enfin j'arrivai jusqu'au haut sans accident; j'entrai sous le dôme, et, me prosternant contre
terre, je remerciai Dieu de la grâce qu'il m'avait faite.

« Je passai la nuit sous le dôme. Pendant que je dormais, un vénérable vieillard s'apparut à moi et me dit :
« Écoute, Agib : lorsque tu seras éveillé, creuse la terre
sous tes pieds; tu y trouveras un arc de bronze, et trois
flèches de plomb, fabriquées sous certaines constellations,
pour délivrer le genre humain de tant de maux qui le
menacent. Tire les trois flèches contre la statue : le cavalier tombera dans la mer, et le cheval de ton côté, que tu
enterreras au même endroit d'où tu auras tiré l'arc et
les flèches. Cela fait, la mer s'enflera et montera jusqu'au
pied du dôme, à la hauteur de la montagne. Lorsqu'elle
y sera montée, tu verras aborder une chaloupe où il n'y
aura qu'un seul homme avec une rame à chaque main.
Cet homme sera de bronze, mais différent de celui que
tu auras renversé. Embarque-toi avec lui sans prononcer
le nom de Dieu, et te laisse conduire. Il te conduira en
dix jours dans une autre mer, où tu trouveras le moyen
de retourner chez toi sain et sauf, pourvu que, comme je
te l'ai déjà dit, tu ne prononces pas le nom de Dieu pendant tout le voyage. »

« Tel fut le discours du vieillard. D'abord que je fus
éveillé, je me levai extrêmement consolé de cette vision,
et je ne manquai pas de faire ce que le vieillard m'avait
commandé. Je déterrai l'arc et les flèches, et les tirai contre
le cavalier. A la troisième flèche, je le renversai dans la
mer, et le cheval tomba de mon côté. Je l'enterrai à la
place de l'arc et des flèches, et dans cet intervalle la mer
s'enfla et s'éleva peu à peu. Lorsqu'elle fut arrivée au
pied du dôme, à la hauteur de la montagne, je vis de loin
sur la mer une chaloupe qui venait à moi. Je bénis Dieu,
voyant que les choses succédaient conformément au songe
que j'avais eu.

« Enfin la chaloupe aborda, et j'y vis l'homme de bronze

tel qu'il m'avait été dépeint. Je m'embarquai, et me gardai
bien de prononcer le nom de Dieu ; je ne dis pas même un
seul autre mot. Je m'assis ; et l'homme de bronze recommença de ramer en s'éloignant de la montagne. Il vogua
sans discontinuer jusqu'au neuvième jour que je vis des
îles, qui me firent espérer que je serais bientôt hors du
danger que j'avais à craindre. L'excès de ma joie me fit
oublier la défense qui m'avait été faite : « Dieu soit béni !
dis-je alors ; Dieu soit loué ! »

« Je n'eus pas achevé ces paroles que la chaloupe s'enfonça dans la mer avec l'homme de bronze. Je demeurai
sur l'eau, et je nageai le reste du jour du côté de la terre
qui me parut la plus voisine. Une nuit fort obscure succéda ; et, comme je ne savais plus où j'étais, je nageais à
l'aventure. Mes forces s'épuisèrent à la fin, et je commençais à désespérer de me sauver, lorsque, le vent venant à se
fortifier, une vague plus grosse qu'une montagne me jeta
sur une plage où elle me laissa en se retirant. Je me hâtai
aussitôt de prendre terre, de crainte qu'une autre vague
ne me reprît ; et la première chose que je fis fut de me
dépouiller, d'exprimer l'eau de mon habit, et de l'étendre
pour le faire sécher sur le sable qui était encore échauffé
de la chaleur du jour.

« Le lendemain, le soleil eut bientôt achevé de sécher
mon habit. Je le repris, et m'avançai pour reconnaître où
j'étais. Je n'eus pas marché longtemps, que je connus que
j'étais dans une petite île déserte fort agréable, où il y
avait plusieurs sortes d'arbres fruitiers et sauvages. Mais je
remarquai qu'elle était considérablement éloignée de
terre, ce qui diminua fort la joie que j'avais d'être échappé
de la mer. Néanmoins je me remettais à Dieu du soin
de disposer de mon sort selon sa volonté, quand j'aperçus
un petit bâtiment qui venait de terre ferme à pleines voiles
et avait la proue sur l'île où j'étais.

« Comme je ne doutais pas qu'il n'y vînt mouiller, et que
j'ignorais si les gens qui étaient dessus seraient amis ou
ennemis, je crus ne devoir pas me montrer d'abord. Je
montai sur un arbre fort touffu, d'où je pouvais impunément examiner leur contenance. Le bâtiment vint se
ranger dans une petite anse, où débarquèrent dix esclaves
qui portaient une pelle et d'autres instruments propres à
remuer la terre. Ils marchèrent vers le milieu de l'île, où
je les vis s'arrêter et remuer la terre quelque temps ; et, à
leur action, il me parut qù'ils levèrent une trappe. Ils
retournèrent ensuite au bâtiment, débarquèrent plusieurs

sortes de provisions et de meubles, et en firent chacun une
charge, qu'ils portèrent à l'endroit où ils avaient remué
la terre, et ils y descendirent; ce qui me fit comprendre
qu'il y avait là un lieu souterrain. Je les vis encore une fois
aller au vaisseau, et en ressortir peu de temps après avec
un vieillard qui menait avec lui un jeune homme de qua-
torze ou quinze ans, très bien fait. Ils descendirent tous où
la trappe avait été levée; et, quand ils furent remontés,
qu'ils eurent abaissé la trappe, qu'ils l'eurent recouverte
de terre, et qu'ils reprirent le chemin de l'anse où était le
navire, je remarquai que le jeune homme n'était pas avec
eux, d'où je conclus qu'il était resté dans le lieu souterrain, circonstance qui me causa un extrême étonnement.

« Le vieillard et les esclaves se rembarquèrent; et le
bâtiment, ayant remis à la voile, reprit la route de la terre
ferme. Quand je le vis si éloigné que je ne pouvais être
aperçu de l'équipage, je descendis de l'arbre, et me rendis
promptement à l'endroit où j'avais vu remuer la terre.
Je la remuai à mon tour, jusqu'à ce que, trouvant une
pierre de deux ou trois pieds en carré, je la levai, et je vis
qu'elle couvrait l'entrée d'un escalier aussi de pierre. Je
le descendis, et me trouvai au bas dans une grande chambre
où il y avait un tapis de pied et un sofa garni d'un autre
tapis et de coussins d'une riche étoffe, où le jeune homme
était assis avec un éventail à la main. Je distinguai toutes
ces choses à la clarté de deux bougies, aussi bien que des
fruits et des pots de fleurs qu'il avait près de lui. Le jeune
homme fut effrayé de ma vue; mais, pour le rassurer, je
lui dis en entrant : « Qui que vous soyez, Seigneur, ne
craignez rien : un roi et fils de roi tel que je suis n'est pas
capable de vous faire la moindre injure. C'est au contraire
votre bonne destinée qui a voulu apparemment que je me
trouvasse ici pour vous tirer de ce tombeau, où il semble
qu'on vous ait enterré tout vivant pour des raisons que
j'ignore. Mais ce qui m'embarrasse, et ce que je ne puis
concevoir (car je vous dirai que j'ai été témoin de tout ce
qui s'est passé depuis que vous êtes arrivé dans cette
île), c'est qu'il m'a paru que vous vous êtes laissé ensuve-
lir dans ce lieu sans résistance... »

Scheherazade se tut en cet endroit, et le sultan se leva
très impatient d'apprendre pourquoi ce jeune homme
avait ainsi été abandonné dans une île déserte; ce qu'il se
promit d'entendre la nuit suivante.

LVe NUIT

Dinarzade, lorsqu'il en fut temps, appela la sultane. « Si vous ne dormez pas, ma sœur, lui dit-elle, je vous prie de reprendre l'histoire du troisième calender. » Scheherazade ne se le fit pas répéter, et la poursuivit de cette sorte :

« Le jeune homme, continua le troisième calender, se rassura à ces paroles, et me pria d'un air riant de m'asseoir près de lui. Dès que je fus assis : « Prince, me dit-il, je vais vous apprendre une chose qui vous surprendra par sa singularité. Mon père est un marchand joaillier qui a acquis de grands biens par son travail et par son habileté dans sa profession. Il a un grand nombre d'esclaves et de commissionnaires, qui font des voyages par mer sur des vaisseaux qui lui appartiennent, afin d'entretenir les correspondances qu'il a en plusieurs cours où il fournit les pierreries dont on a besoin. Il y avait longtemps qu'il était marié sans avoir eu d'enfants, lorsqu'il apprit qu'il aurait un fils, dont la vie néanmoins ne serait pas de longue durée ; ce qui lui donna beaucoup de chagrin à son réveil. Quelques jours après, ma mère lui annonça qu'elle était grosse ; et le temps qu'elle croyait avoir conçu s'accordait fort avec le jour du songe de mon père. Elle accoucha de moi dans le terme des neuf mois, et ce fut une grande joie dans la famille. Mon père, qui avait exactement observé le moment de ma naissance, consulta les astrologues, qui lui dirent : « Votre fils vivra sans nul accident jusqu'à l'âge de quinze ans. Mais alors il courra risque de perdre la vie, et il sera difficile qu'il en échappe. Si néanmoins son bonheur veut qu'il ne périsse pas, sa vie sera de longue durée. C'est qu'en ce temps-là, ajoutèrent-ils, la statue équestre de bronze qui est au haut de la montagne d'aimant aura été renversée dans la mer par le prince Agib, fils du roi Cassib, et que les astres marquent que, cinquante jours après, votre fils doit être tué par ce prince. » Comme cette prédiction s'accordait avec le songe de mon père, il en fut vivement frappé et affligé. Il ne laissa pas pourtant de prendre beaucoup de soin de mon éducation, jusqu'à cette présente année, qui est la quinzième de mon âge. Il apprit hier que depuis dix jours le cavalier de bronze a été jeté dans la mer par le

prince que je viens de vous nommer. Cette nouvelle lui a
coûté tant de pleurs, et causé tant d'alarmes, qu'il n'est
pas reconnaissable dans l'état où il est. Sur la prédiction
des astrologues, il a cherché les moyens de tromper mon
horoscope et de me conserver la vie. Il y a longtemps qu'il
a pris la précaution de faire bâtir cette demeure, pour m'y
tenir caché durant cinquante jours, dès qu'il apprendrait
que la statue serait renversée. C'est pourquoi, comme il a
su qu'elle l'était depuis dix jours, il est venu promptement me cacher ici, et il a promis que dans quarante il
viendrait me reprendre. Pour moi, ajouta-t-il, j'ai bonne
espérance, et je ne crois pas que le prince Agib vienne me
chercher sous terre, au milieu d'une île déserte. Voilà,
Seigneur, ce que j'avais à vous dire. »

« Pendant que le fils du joaillier me racontait son histoire, je me moquais en moi-même des astrologues qui
avaient prédit que je lui ôterais la vie ; et je me sentais si
éloigné de vérifier la prédiction qu'à peine eut-il achevé
de parler je lui dis avec transport : « Mon cher seigneur,
ayez de la confiance en la bonté de Dieu, et ne craignez
rien. Comptez que c'était une dette que vous aviez à
payer, et que vous en êtes quitte dès à présent. Je suis
ravi, après avoir fait naufrage, de me trouver heureusement ici pour vous défendre contre ceux qui voudraient
attenter à votre vie. Je ne vous abandonnerai pas durant
ces quarante jours que les vaines conjectures des astrologues vous font appréhender. Je vous rendrai, pendant ce
temps-là, tous les services qui dépendront de moi.
Après cela, je profiterai de l'occasion de gagner la terre
ferme, en m'embarquant avec vous sur votre bâtiment,
avec la permission de votre père et la vôtre ; et, quand je
serai de retour en mon royaume, je n'oublierai point
l'obligation que je vous aurai, et je tâcherai de vous en
témoigner ma reconnaissance de la manière que je le
devrai. »

« Je rassurai par ce discours le fils du joaillier, et m'at-
tirai sa confiance. Je me gardai bien, de peur de l'épouvanter, de lui dire que j'étais cet Agib qu'il craignait,
et je pris grand soin de ne lui en donner aucun soupçon.
Nous nous entretînmes de plusieurs choses jusqu'à la
nuit, et je connus que le jeune homme avait beaucoup
d'esprit. Nous mangeâmes ensemble de ses provisions.
Il en avait une si grande quantité qu'il en aurait eu de
reste au bout de quarante jours, quand il aurait eu d'autres
hôtes que moi. Après le souper, nous continuâmes de

nous entretenir quelque temps, et ensuite nous nous couchâmes.

« Le lendemain, à son lever, je lui présentai le bassin et l'eau. Il se lava, je préparai le dîner, et le servis quand il en fut temps. Après le repas, j'inventai un jeu pour nous désennuyer, non seulement ce jour-là, mais encore les suivants. Je préparai le souper de la même manière que j'avais apprêté le dîner. Nous soupâmes et nous couchâmes comme le jour précédent. Nous eûmes le temps de contracter amitié ensemble, Je m'aperçus qu'il avait de l'inclination pour moi; et de mon côté j'en avais conçu une si forte pour lui que je me disais souvent à moi-même que les astrologues qui avaient prédit au père que son fils serait tué par mes mains étaient des imposteurs, et qu'il n'était pas possible que je pusse commettre une si méchante action. Enfin, Madame, nous passâmes trente-neuf jours le plus agréablement du monde dans ce lieu souterrain.

« Le quarantième arriva. Le matin, le jeune homme, en s'éveillant, me dit avec un transport de joie dont il ne fut pas le maître : « Prince, me voilà aujourd'hui au quarantième jour, et je ne suis pas mort, grâce à Dieu et à votre bonne compagnie. Mon père ne manquera pas tantôt de vous en marquer sa reconnaissance, et de vous fournir tous les moyens et toutes les commodités nécessaires pour vous en retourner dans votre royaume. Mais, en attendant, ajouta-t-il, je vous supplie de vouloir bien faire chauffer de l'eau pour me laver tout le corps dans le bain portatif; je veux me décrasser et changer d'habit, pour mieux recevoir mon père. » Je mis de l'eau sur le feu; et, lorsqu'elle fut tiède, j'en remplis le bain portatif. Le jeune homme se mit dedans; je le lavai et le frottai moi-même. Il en sortit ensuite, se coucha dans son lit que j'avais préparé, et je le couvris de sa couverture. Après qu'il se fut reposé, et qu'il eut dormi quelque temps : « Mon prince, me dit-il, obligez-moi de m'apporter un melon et du sucre, que j'en mange pour me rafraîchir. »

« De plusieurs melons qui nous restaient, je choisis le meilleur, et le mis dans un plat; et, comme je ne trouvais pas de couteau pour le couper, je demandai au jeune homme s'il ne savait pas où il y en avait. « Il y en a un, me répondit-il, sur cette corniche au-dessus de ma tête. » Effectivement, j'y en aperçus un; mais je me pressai si fort pour le prendre, et, dans le temps que je l'avais à la main, mon pied s'embarrassa de sorte dans la couverture, que je glissai, et tombai si malheureusement sur le jeune homme que je lui enfonçai le couteau dans le cœur. Il expira dans le moment.

« A ce spectacle, je poussai des cris épouvantables. Je me frappai la tête, le visage et la poitrine. Je déchirai mon habit, et me jetai par terre avec une douleur et des regrets inexprimables. « Hélas! m'écriai-je, il ne lui restait que quelques heures pour être hors du danger contre lequel il avait cherché un asile, et, dans le temps que je compte moi-même que le péril est passé, c'est alors que je deviens son assassin et que je rends la prédiction véritable. Mais, Seigneur, ajoutai-je en levant la tête et les mains au ciel, je vous en demande pardon; et, si je suis coupable de sa mort, ne me laissez pas vivre plus longtemps... »

Scheherazade, voyant paraître le jour en cet endroit, fut obligée d'interrompre ce récit funeste. Le sultan des Indes en fut ému; et, se sentant quelque inquiétude sur ce que deviendrait après cela le calender, il se garda bien de faire mourir ce jour-là Scheherazade, qui seule pouvait le tirer de peine.

LVIe NUIT

Dinarzade, suivant sa coutume, éveilla la sultane le lendemain. « Si vous ne dormez pas, ma sœur, lui dit-elle, je vous prie de nous raconter ce qui se passa après la mort du jeune homme. » Scheherazade prit aussitôt la parole et parla de cette sorte :

« Madame, poursuivit le troisième calender en s'adressant à Zobéide, après le malheur qui venait de m'arriver, j'aurais reçu la mort sans frayeur, si elle s'était présentée à moi. Mais le mal, ainsi que le bien, ne nous arrive pas toujours lorsque nous le souhaitons. Néanmoins, faisant réflexion que mes larmes et ma douleur ne feraient pas revivre le jeune homme, et que, les quarante jours finissant, je pouvais être surpris par son père, je sortis de cette demeure souterraine, et montai au haut de l'escalier. J'abaissai la grosse pierre sur l'entrée, et la couvris de terre.

« J'eus à peine achevé que, portant la vue sur la mer du côté de la terre ferme, j'aperçus le bâtiment qui venait reprendre le jeune homme. Alors, me consultant sur ce que j'avais à faire, je dis en moi-même : « Si je me fais voir, le vieillard ne manquera pas de me faire arrêter et massacrer peut-être par ses esclaves, quand il aura vu son fils dans l'état où je l'ai mis. Tout ce que je pourrai alléguer pour me justifier ne le persuadera point de mon innocence. Il vaut mieux, puisque j'en ai le moyen, me soustraire à son ressentiment que de m'y exposer. » Il y avait près du lieu souterrain un gros arbre dont l'épais feuillage me parut propre à me cacher. J'y montai, et je ne me fus pas plus tôt placé de manière que je ne pouvais être aperçu que je vis aborder le bâtiment au même endroit que la première fois.

« Le vieillard et les esclaves débarquèrent bientôt, et s'avancèrent vers la demeure souterraine, d'un air qui marquait qu'ils avaient quelque espérance; mais, lorsqu'ils virent la terre nouvellement remuée, ils changèrent de visage, et particulièrement le vieillard. Ils levèrent la pierre et descendirent. Ils appellent le jeune homme par son nom, il ne répond point : leur crainte redouble; ils le cherchent et le trouvent enfin étendu sur son lit, avec le couteau au milieu du cœur : car je n'avais pas eu le courage de l'ôter. A cette vue, ils poussèrent des cris de douleur qui renouvelèrent la mienne; le vieillard tomba évanoui; ses esclaves, pour lui donner de l'air, l'apportèrent en haut entre leurs bras, et le posèrent au pied de l'arbre où j'étais. Mais, malgré tous leurs soins, ce malheureux père demeura longtemps en cet état, et leur fit plus d'une fois désespérer de sa vie.

« Il revint toutefois de ce long évanouissement. Alors les esclaves apportèrent le corps de son fils, revêtu de ses plus beaux habillements, et, dès que la fosse qu'on lui faisait fut achevée, on l'y descendit. Le vieillard, soutenu par deux esclaves et le visage baigné de larmes, lui jeta le premier un peu de terre, après quoi les esclaves en comblèrent la fosse.

« Cela étant fait, l'ameublement de la demeure souterraine fut enlevé et embarqué avec le reste des provisions. Ensuite le vieillard, accablé de douleur, ne pouvant se soutenir, fut mis sur une espèce de brancard et transporté dans le vaisseau, qui remit à la voile. Il s'éloigna de l'île en peu de temps, et je le perdis de vue... »

Le jour, qui éclairait déjà l'appartement du sultan des Indes, obligea Scheherazade à s'arrêter en cet endroit. Schahriar se leva à son ordinaire, et, par la même raison que le jour précédent, prolongea encore la vie de la sultane, qu'il laissa avec Dinarzade.

LVIIᵉ NUIT

Le lendemain, avant le jour, Dinarzade adressa ces paroles à la sultane : « Ma chère sœur, si vous ne dormez pas, je vous prie de poursuivre les aventures du troisième calender. — Eh bien, ma sœur, répondit Scheherazade, vous saurez que ce prince continua de les raconter ainsi à Zobéide et à sa compagnie :

« Après le départ, dit-il, du vieillard, de ses esclaves et du navire, je restai seul dans l'île : je passais la nuit dans la demeure souterraine qui n'avait pas été rebouchée, et, le jour, je me promenais autour de l'île, et m'arrêtais dans les endroits les plus propres à prendre du repos quand j'en avais besoin.

« Je menai cette vie ennuyeuse pendant un mois. Au bout de ce temps-là, je m'aperçus que la mer diminuait considérablement, et que l'île devenait plus grande; il semblait que la terre ferme s'approchait. Effectivement, les eaux devinrent si basses qu'il n'y avait plus qu'un petit trajet de mer entre moi et la terre ferme. Je le traversai, et n'eus de l'eau presque qu'à mi-jambe. Je marchai si longtemps sur la plage et sur le sable que j'en fus très fatigué. A la fin, je gagnai un terrain plus ferme; et j'étais déjà assez éloigné de la mer lorsque je vis fort loin au-devant de moi comme un grand feu, ce qui me donna quelque joie. « Je trouverai quelqu'un, disais-je, et il n'est pas possible que ce feu se soit allumé de lui-même. » Mais à mesure que je m'en approchais mon erreur se dissipait, et je reconnus bientôt que ce que j'avais pris pour du feu était un château de cuivre rouge, que les rayons du soleil faisaient paraître de loin comme enflammé.

« Je m'arrêtai près de ce château, et m'assis, autant pour en considérer la structure admirable que pour me remettre un peu de ma lassitude. Je n'avais pas encore donné à cette maison magnifique toute l'attention qu'elle méritait, quand j'aperçus dix jeunes hommes fort bien faits, qui paraissaient venir de la promenade. Mais, ce qui me parut assez surprenant, ils étaient tous borgnes de l'œil droit. Ils accompagnaient un vieillard d'une taille haute et d'un air vénérable.

« J'étais étrangement étonné de rencontrer tant de borgnes à la fois, et tous privés du même œil. Dans le temps que je cherchais dans mon esprit par quelle aventure ils pouvaient être assemblés, ils m'abordèrent et me témoignèrent de la joie de me voir. Après les premiers compliments, il me demandèrent ce qui m'avait amené là. Je leur répondis que mon histoire était un peu longue, et que, s'ils voulaient prendre la peine de s'asseoir, je leur donnerais la satisfaction qu'ils souhaitaient. Ils s'assirent, et je leur racontai ce qui m'était arrivé depuis que j'étais sorti de mon royaume jusqu'alors, ce qui leur causa une grande surprise.

« Après que j'eus achevé mon discours, ces jeunes seigneurs me prièrent d'entrer avec eux dans le château. J'acceptai leur offre; nous traversâmes une enfilade de salles, d'antichambres, de chambres et de cabinets fort proprement meublés, et nous arrivâmes dans un grand salon où il y avait en rond dix petits sofas bleus et séparés, tant pour s'asseoir et se reposer le jour que pour dormir la nuit. Au milieu de ce rond était un onzième sofa moins élevé, et de la même couleur, sur lequel se plaça le vieillard dont on a parlé, et les jeunes seigneurs s'assirent sur les dix autres.

« Comme chaque sofa ne pouvait tenir qu'une personne, un de ces jeunes gens me dit : « Camarade, asseyez-vous sur le tapis au milieu de la place, et ne vous informez de quoi que ce soit qui nous regarde, non plus que du sujet pourquoi nous sommes tous borgnes de l'œil droit; contentez-vous de voir, et ne portez pas plus loin votre curiosité. »

« Le vieillard ne demeura pas longtemps assis; il se leva et sortit; mais il revint quelques moments après, apportant le souper des dix seigneurs, auxquels il distribua à chacun sa portion en particulier. Il me servit aussi la mienne, que je mangeai seul à l'exemple des autres; et, sur la fin du repas, le même vieillard nous présenta une tasse de vin à chacun.

« Mon histoire leur avait paru si extraordinaire qu'ils me la firent répéter à l'issue du souper, et elle donna lieu à un entretien qui dura une grande partie de la nuit. Un des seigneurs, faisant réflexion qu'il était tard, dit au vieillard : « Vous voyez qu'il est temps de dormir, et vous ne nous apportez pas de quoi nous acquitter de notre devoir. » A ces mots, le vieillard se leva et entra dans un cabinet, d'où il apporta sur sa tête dix bassins l'un après l'autre, tous couverts d'une étoffe bleue. Il en posa un avec un flambeau devant chaque seigneur.

« Ils découvrirent leurs bassins, dans lesquels il y avait de la cendre, du charbon en poudre et du noir à noircir. Ils mêlèrent toutes ces choses ensemble, et commencèrent à s'en frotter et barbouiller le visage, de manière qu'ils étaient affreux à voir. Après s'être noircis de la sorte, ils se mirent à pleurer, à se lamenter et à se frapper la tête et la poitrine, en criant sans cesse : *Voilà le fruit de notre oisiveté et de nos débauches.*

« Ils passèrent presque toute la nuit dans cette étrange occupation. Ils la cessèrent enfin ; après quoi le vieillard leur apporta de l'eau dont ils se lavèrent le visage et les mains ; ils quittèrent aussi leurs habits, qui étaient gâtés, et en prirent d'autres ; de sorte qu'il ne paraissait pas qu'ils eussent rien fait des choses étonnantes dont je venais d'être spectateur.

« Jugez, Madame, de la contrainte où j'avais été durant tout ce temps-là. J'avais été mille fois tenté de rompre le silence que ces seigneurs m'avaient imposé, pour leur faire des questions, et il me fut impossible de dormir le reste de la nuit.

« Le jour suivant, d'abord que nous fûmes levés, nous sortîmes pour prendre l'air, et alors je leur dis : « Seigneurs, je vous déclare que je renonce à la loi que vous me prescrivîtes hier au soir ; je ne puis l'observer. Vous êtes des gens sages, et vous avez tous de l'esprit infiniment, vous me l'avez fait assez connaître ; néanmoins je vous ai vu faire des actions dont tout autres personnes que des insensés ne peuvent être capables. Quelque malheur qui puisse m'arriver, je ne saurais m'empêcher de vous demander pourquoi vous vous êtes barbouillé le visage de cendre, de charbon et de noir à noircir, et enfin pourquoi vous n'avez tous qu'un œil ; il faut que quelque chose de singulier en soit la cause : c'est pourquoi je vous conjure de satisfaire ma curiosité. » A des instances si pressantes, ils ne répondirent rien, sinon que les demandes que je leur faisais ne me regardaient pas ; que je n'y avais pas le moindre intérêt, et que je demeurasse en repos.

« Nous passâmes la journée à nous entretenir de choses indifférentes ; et, quand la nuit fut venue, après avoir tous soupé séparément, le vieillard apporta encore les bassins bleus ; les jeunes seigneurs se barbouillèrent, ils pleurèrent, se frappèrent, et crièrent : *Voilà le fruit de notre oisiveté et de nos débauches.* Ils firent, le lendemain et les nuits suivantes, la même action.

« A la fin je ne pus résister à ma curiosité, et je les priai très sérieusement de la contenter, ou de m'enseigner par quel chemin je pourrais retourner dans mon royaume : car je leur dis qu'il ne m'était pas possible de demeurer plus longtemps avec eux et d'avoir toutes les nuits un spectacle si extraordinaire sans qu'il me fût permis d'en savoir les motifs.

« Un des seigneurs me répondit pour tous les autres : « Ne vous étonnez pas de notre conduite à votre égard; si jusqu'à présent nous n'avons pas cédé à vos prières, ce n'a été que par pure amitié pour vous, et que pour vous épargner le chagrin d'être réduit au même état où vous nous voyez. Si vous voulez bien éprouver notre malheureuse destinée, vous n'avez qu'à parler, nous allons vous donner la satisfaction que vous nous demandez. » Je leur dis que j'étais résolu à tout événement. « Encore une fois, reprit le même seigneur, nous vous conseillons de modérer votre curiosité; il y va de la perte de votre œil droit. — Il n'importe, repartis-je, je vous déclare que, si ce malheur m'arrive, je ne vous en tiendrai pas coupables, et que je ne l'imputerai qu'à moi-même. » Il me représenta encore que, quand j'aurais perdu un œil, je ne devais point espérer de demeurer avec eux, supposé que j'eusse cette pensée, parce que leur nombre était complet et qu'il ne pouvait pas être augmenté. Je leur dis que je me ferais un plaisir de ne me séparer jamais d'aussi honnêtes gens qu'eux; mais que, si c'était une nécessité, j'étais prêt encore à m'y soumettre, puisque, à quelque prix que ce fût, je souhaitais qu'ils m'accordassent ce que je leur demandais.

« Les dix seigneurs, voyant que j'étais inébranlable dans ma résolution, prirent un mouton qu'ils égorgèrent, et, après lui avoir ôté la peau, ils me présentèrent le couteau dont ils s'étaient servis et me dirent : « Prenez ce couteau, il vous servira dans l'occasion que nous vous dirons bientôt. Nous allons vous coudre dans cette peau, dont il faut que vous vous enveloppiez, ensuite nous vous laisserons sur la place, et nous nous retirerons. Alors un oiseau d'une grosseur énorme, qu'on appelle roc, paraîtra dans l'air, et, vous prenant pour un mouton, fondra sur vous et vous enlèvera jusqu'aux nues; mais que cela ne vous épouvante pas. Il reprendra son vol vers la terre et vous posera sur la cime d'une montagne. D'abord que vous vous sentirez à terre, fendez la peau avec le couteau et vous développez. Le roc ne vous aura pas plus tôt vu qu'il s'envolera de peur, et vous laissera libre. Ne vous arrêtez point, marchez jusqu'à ce que vous arriviez à un château d'une grandeur prodigieuse, tout couvert de plaques d'or, de grosses émeraudes et d'autres pierreries fines. Présentez-vous à la porte, qui est toujours ouverte, et entrez. Nous avons été dans ce château tous tant que nous sommes ici. Nous ne vous disons rien de ce que nous y avons vu, ni de ce qui nous est arrivé; vous l'apprendrez par vous-même. Ce que nous pouvons vous dire, c'est qu'il nous en coûte à chacun notre œil droit; et la pénitence dont vous avez été témoin est une chose que nous sommes obligés de faire pour y avoir été. L'histoire de chacun de nous en particulier est remplie d'aventures extraordinaires, et on en ferait un gros livre; mais nous ne pouvons vous en dire davantage. »

En achevant ces mots, Scheherazade interrompit son conte, et dit au sultan des Indes : « Sire, comme ma sœur m'a réveillée aujourd'hui un peu plus tôt que de coutume, je commençais à craindre d'ennuyer Votre Majesté; mais voilà le jour qui paraît à propos, et m'impose silence. » La curiosité de Schahriar l'emporta encore sur le serment cruel qu'il avait fait.

LVIIIe NUIT

Dinarzade ne fut pas si matineuse cette nuit que la précédente; elle ne laissa pas néanmoins d'appeler la sultane avant le jour. « Si vous ne dormez pas, ma sœur, lui dit-elle, je vous prie de continuer l'histoire du troisième calender. » Scheherazade la poursuivit ainsi, en faisant toujours parler le calender à Zobéide :

« Madame, un des dix seigneurs borgnes m'ayant tenu le discours que je viens de vous rapporter, je m'enveloppai dans la peau de mouton, saisi du couteau qui m'avait été donné; et, après que les jeunes seigneurs eurent pris la peine de me coudre dedans, ils me laissèrent sur la place et se retirèrent dans leur salon. Le roc dont ils m'avaient parlé ne fut pas longtemps à se faire voir; il fondit sur moi, me prit entre ses griffes comme un mouton, et me transporta au haut d'une montagne.

« Lorsque je me sentis à terre, je ne manquai pas de me servir du couteau; je fendis la peau, me développai,

et parus devant le roc, qui s'envola dès qu'il m'aperçut.
Ce roc est un oiseau blanc, d'une grandeur et d'une
grosseur monstrueuses. Pour sa force, elle est telle qu'il
enlève les éléphants dans les plaines, et les porte sur le
sommet des montagnes où il en fait sa pâture.

« Dans l'impatience que j'avais d'arriver au château,
je ne perdis point de temps, et je pressai si bien le pas
qu'en moins d'une demi-journée je m'y rendis; et je
puis dire que je le trouvai encore plus beau qu'on ne
me l'avait dépeint. La porte était ouverte. J'entrai dans
une cour carrée et si vaste qu'il y avait autour quatre-
vingt-dix-neuf portes de bois de sandal et d'aloès et une
d'or, sans compter celles de plusieurs escaliers magnifiques qui conduisaient aux appartements d'en haut,
d'autres encore que je ne voyais pas. Les cent que je
dis donnaient entrée dans des jardins ou des magasins
remplis de richesses, ou enfin dans des lieux qui renfer-
maient des choses surprenantes à voir.

« Je vis en face une porte ouverte, par où j'entrai dans
un grand salon où étaient assises quarante jeunes dames
d'une beauté si parfaite que l'imagination même ne
saurait aller au-delà. Elles étaient habillées très magnifiquement. Elles se levèrent toutes ensemble sitôt qu'elles
m'aperçurent, et, sans attendre mon compliment, elles
me dirent avec de grandes démonstrations de joie :
« Brave seigneur, soyez le bienvenu, soyez le bienvenu »;
et une d'entre elles, prenant la parole pour les autres :
« Il y a longtemps, dit-elle, que nous attendions un cavalier comme vous. Votre air nous marque assez que vous
avez toutes les bonnes qualités que nous pouvons souhaiter, et nous espérons que vous ne trouverez pas notre
compagnie désagréable et indigne de vous. »

« Après beaucoup de résistance de ma part, elles me
forcèrent de m'asseoir dans une place un peu élevée
au-dessus des leurs; et, comme je témoignais que cela
me faisait de la peine : « C'est votre place, me dirent-elles;
vous êtes de ce moment notre seigneur, notre maître
et notre juge, et nous sommes vos esclaves, prêtes à recevoir vos commandements. »

« Rien au monde, Madame, ne m'étonna tant que
l'ardeur et l'empressement de ces belles filles à me rendre
tous les services imaginables. L'une apporta de l'eau
chaude et me lava les pieds; une autre me versa de l'eau
de senteur sur les mains; celles-ci apportèrent tout ce
qui était nécessaire pour me faire changer d'habillement;

celles-là servirent une collation magnifique; et d'autres
enfin se présentèrent le verre à la main, prêtes à me verser
d'un vin délicieux; et tout cela s'exécutait sans confusion,
avec un ordre, une union admirable et des manières dont
j'étais charmé. Je bus et mangeai. Après quoi toutes les
dames, s'étant placées autour de moi, me demandèrent
une relation de mon voyage. Je leur fis un détail de mes
aventures, qui dura jusqu'à l'entrée de la nuit... »

Scheherazade s'étant arrêtée en cet endroit, sa sœur
lui en demanda la raison. « Ne voyez-vous pas bien
qu'il est jour ? répondit la sultane. Pourquoi ne m'avez-
vous pas plus tôt éveillée ? » Le sultan, à qui l'arrivée
du calender au palais des quarante belles dames promettait d'agréables choses, ne voulant pas se priver du plaisir
de les entendre, différa encore la mort de la sultane.

LIXe NUIT

Dinarzade ne fut pas plus diligente cette nuit que la
dernière, et il était presque jour lorsqu'elle dit à la sultane:
« Ma chère sœur, si vous ne dormez pas, je vous supplie
de m'apprendre ce qui se passa dans le beau château où
vous nous laissâtes hier. — Je vais vous le dire », répondit Scheherazade; et, s'adressant au sultan :

Sire, poursuivit-elle, le prince calender reprit sa narration dans ces termes :
« Lorsque j'eus achevé de raconter mon histoire aux
quarante dames, quelques-unes de celles qui étaient
assises le plus près de moi demeurèrent pour m'entretenir
pendant que d'autres, voyant qu'il était nuit, se levèrent
pour aller quérir des bougies. Elles en apportèrent une
prodigieuse quantité, qui répara merveilleusement la
clarté du jour; mais elles les disposèrent avec tant de
symétrie qu'il semblait qu'on n'en pouvait moins souhaiter.
« D'autres dames servirent une table de fruits secs,
de confitures et d'autres mets propres à boire, et garnirent
un buffet de plusieurs sortes de vins et de liqueurs;
et d'autres enfin parurent avec des instruments de
musique. Quand tout fut prêt, elles m'invitèrent à me
mettre à table. Les dames s'y assirent avec moi, et nous
y demeurâmes assez longtemps. Celles qui devaient jouer

des instruments et les accompagner de leurs voix se levèrent et firent un concert charmant. Les autres commencèrent une espèce de bal, et dansèrent deux à deux les unes après les autres, de la meilleure grâce du monde.

« Il était plus de minuit lorsque tous ces divertissements finirent. Alors une des dames, prenant la parole, me dit : « Vous êtes fatigué du chemin que vous avez fait aujourd'hui, il est temps que vous vous reposiez. Votre appartement est préparé ; mais, avant que de vous y retirer, choisissez, de nous toutes, celle qui vous plaira davantage, et la menez coucher avec vous. » Je répondis que je me garderais bien de faire le choix qu'elles me proposaient, qu'elles étaient toutes également belles, spirituelles, dignes de mes respects et de mes services, et que je ne commettrais pas l'incivilité d'en préférer une aux autres.

« La même dame qui m'avait parlé reprit : « Nous sommes très persuadées de votre honnêteté, et nous voyons bien que la crainte de faire naître de la jalousie entre nous vous retient ; mais que cette discrétion ne vous arrête pas ; nous vous avertissons que le bonheur de celle que vous choisirez ne fera point de jalouses : car nous sommes convenues que tous les jours nous aurons l'une après l'autre le même honneur, et qu'au bout des quarante jours ce sera à recommencer. Choisissez donc librement, et ne perdez pas un temps que vous devez donner au repos dont vous avez besoin. »

« Il fallut céder à leurs instances ; je présentai la main à la dame qui portait la parole pour les autres. Elle me donna la sienne, et on nous conduisit à un appartement magnifique. On nous y laissa seuls, et les autres dames se retirèrent dans les leurs... »

« Mais il est jour, Sire, dit Scheherazade au sultan, et Votre Majesté voudra bien me permettre de laisser le prince calender avec sa dame. » Schahriar ne répondit rien, mais il dit en lui-même en se levant : « Il faut avouer que le conte est parfaitement beau ; j'aurais le plus grand tort du monde de ne me pas donner le loisir de l'entendre jusqu'à la fin. »

LXᵉ NUIT

Dinarzade, sur la fin de la nuit suivante, ne manqua pas d'adresser ces paroles à la sultane : « Si vous ne dormez pas, ma sœur, je vous prie de nous raconter la suite

de la merveilleuse histoire du troisième calender. —
Très volontiers, répondit Scheherazade; voici de quelle
manière le prince en reprit le fil :

« J'avais, dit-il, à peine achevé de m'habiller le lendemain, que les trente-neuf autres dames vinrent dans
mon appartement toutes parées autrement que le jour
précédent. Elles me souhaitèrent le bonjour, et me demandèrent des nouvelles de ma santé. Ensuite elles me conduisirent au bain, où elles me lavèrent elles-mêmes, et
me rendirent malgré moi tous les services dont on y a
besoin; et, lorsque j'en sortis, elles me firent prendre un
autre habit qui était encore plus magnifique que le premier.

« Nous passâmes la journée presque toujours à table;
et, quand l'heure de se coucher fut venue, elles me prièrent
encore de choisir une d'entre elles pour me tenir compagnie. Enfin, Madame, pour ne vous point ennuyer en
répétant toujours la même chose, je vous dirai que je
passai une année entière avec les quarante dames, en
les recevant dans mon lit l'une après l'autre, et que pendant tout ce temps-là cette vie voluptueuse ne fut point
interrompue par le moindre chagrin.

« Au bout de l'année (rien ne pouvait me surprendre
davantage), les quarante dames, au lieu de se présenter
à moi avec leur gaieté ordinaire et de me demander
comment je me portais, entrèrent un matin dans mon
appartement, les joues baignées de pleurs. Elles vinrent
m'embrasser tendrement l'une après l'autre, en me
disant : « Adieu, cher prince, adieu; il faut que nous vous
quittions. » Leurs larmes m'attendrirent. Je les suppliai
de me dire le sujet de leur affliction et de cette séparation
dont elles me parlaient. « Au nom de Dieu, mes belles
dames, ajoutai-je, apprenez-moi s'il est en mon pouvoir
de vous consoler, ou si mon secours vous est inutile. »
Au lieu de me répondre précisément : « Plût à Dieu,
dirent-elles, que nous ne vous eussions jamais vu ni
connu! Plusieurs cavaliers avant vous nous ont fait
l'honneur de nous visiter; mais pas un n'avait cette
grâce, cette douceur, cet enjouement et ce mérite que
vous avez. Nous ne savons comment nous pourrons
vivre sans vous. » En achevant ces paroles, elles recommencèrent à pleurer amèrement. « Mes aimables dames,
repris-je, de grâce, ne me faites pas languir davantage :
dites-moi la cause de votre douleur. — Hélas! répon-

dirent-elles, quel autre sujet serait capable de nous affliger
que la nécessité de nous séparer de vous ? Peut-être ne
vous reverrons-nous jamais! Si pourtant vous le vouliez
bien, et si vous aviez assez de pouvoir sur vous pour
cela, il ne serait pas impossible de nous rejoindre. —
Mesdames, repartis-je, je ne comprends rien à ce que
vous dites; je vous prie de me parler plus clairement.
— Hé bien, dit une d'elles, pour vous satisfaire, nous
vous dirons que nous sommes toutes princesses filles
de rois. Nous vivons ici ensemble avec l'agrément que
vous avez vu; mais, au bout de chaque année, nous
sommes obligées de nous absenter pendant quarante
jours pour des devoirs indispensables, qu'il ne nous est
pas permis de révéler; après quoi nous revenons dans
ce château. L'année finit hier, il faut que nous vous quittions aujourd'hui : c'est ce qui fait le sujet de notre
affliction. Avant que de partir, nous vous laisserons les
clefs de toutes choses, particulièrement celles des cent
portes, où vous trouverez de quoi contenter votre curiosité et adoucir votre solitude pendant notre absence.
Mais, pour votre bien et pour notre intérêt particulier,
nous vous recommandons de vous abstenir d'ouvrir la
porte d'or. Si vous l'ouvrez, nous ne vous reverrons
jamais; et la crainte que nous en avons augmente notre
douleur. Nous espérons que vous profiterez de l'avis
que nous vous donnons. Il y va de votre repos et du
bonheur de votre vie : prenez-y garde. Si vous cédiez
à votre indiscrète curiosité, vous vous feriez un tort
considérable. Nous vous conjurons donc de ne pas
commettre cette faute, et de nous donner la consolation
de vous retrouver ici dans quarante jours. Nous empor-
terions bien la clef de la porte d'or avec nous; mais ce
serait faire une offense à un prince tel que vous que de
douter de sa discrétion et de sa retenue... »

Scheherazade voulait continuer, mais elle vit paraître
le jour. Le sultan, curieux de savoir ce que ferait le
calender seul dans le château après le départ des quarante
dames, remit au jour suivant à s'en éclaircir.

LXIᵉ NUIT

L'officieuse Dinarzade, s'étant réveillée assez longtemps
avant le jour, appela la sultane. « Si vous ne dormez pas,
ma sœur, lui dit-elle, songez qu'il est temps de raconter

au sultan votre seigneur la suite de l'histoire que vous
avez commencée. » Scheherazade alors, s'adressant à
Schahriar, lui dit :

Sire, Votre Majesté saura que le calender poursuivit
ainsi son histoire :

« Madame, dit-il, le discours de ces belles princesses
me causa une véritable douleur. Je ne manquai pas de
leur témoigner que leur absence me causerait beaucoup
de peine, et je les remerciai des bons avis qu'elles me
donnaient. Je les assurai que j'en profiterais, et que je
ferais des choses encore plus difficiles pour me procurer
le bonheur de passer le reste de mes jours avec des dames
d'un si rare mérite. Nos adieux furent des plus tendres ;
je les embrassai toutes l'une après l'autre : elles partirent
ensuite, et je restai seul dans le château.

« L'agrément de la compagnie, la bonne chère, les concerts, les plaisirs, m'avaient tellement occupé durant
l'année que je n'avais pas eu le temps ni la moindre envie
de voir les merveilles qui pouvaient être dans ce palais
enchanté. Je n'avais pas même fait attention à mille
objets admirables que j'avais tous les jours devant les
yeux, tant j'avais été charmé de la beauté des dames et
du plaisir de les voir uniquement occupées du soin de
me plaire. Je fus sensiblement affligé de leur départ ; et,
quoique leur absence ne dût être que de quarante jours,
l me parut que j'allais passer un siècle sans elles.

« Je me promettais bien de ne pas oublier l'avis important qu'elles m'avaient donné, de ne pas ouvrir la
porte d'or ; mais, comme, à cela près, il m'était permis
de satisfaire ma curiosité, je pris la première des clefs
des autres portes, qui étaient rangées par ordre.

« J'ouvris la première porte, et j'entrai dans un jardin
fruitier, auquel je crois que dans l'univers il n'y en a
point qui soit comparable. Je ne pense pas même que
celui que notre religion nous promet après la mort
puisse le surpasser. La symétrie, la propreté, la disposition admirable des arbres, l'abondance et la diversité
des fruits de mille espèces inconnues, leur fraîcheur,
leur beauté, tout ravissait ma vue. Je ne dois pas négliger,
Madame, de vous faire remarquer que ce jardin délicieux
était arrosé d'une manière fort singulière : des rigoles
creusées avec art et proportion portaient de l'eau abondamment à la racine des arbres qui en avaient besoin pour
pousser leurs premières feuilles et leurs fleurs ; d'autres

en portaient moins à ceux dont les fruits étaient déjà
noués ; d'autres encore moins à ceux où ils grossissaient ;
d'autres n'en portaient que ce qu'il en fallait précisément
à ceux dont le fruit avait acquis la grosseur convenable
et n'attendait plus que sa maturité ; mais cette grosseur sur-
passait de beaucoup celle des fruits ordinaires de nos
jardins. Les autres rigoles enfin, qui aboutissaient aux
arbres dont le fruit était mûr, n'avaient d'humidité que
ce qui était nécessaire pour le conserver dans le même
état sans le corrompre. Je ne pouvais me lasser d'examiner
et d'admirer un si beau lieu ; et je n'en serais jamais sorti,
si je n'eusse pas conçu dès lors une plus grande idée
des autres choses que je n'avais point vues. J'en sortis
l'esprit rempli de ces merveilles ; je fermai la porte et
ouvris celle qui suivit.

« Au lieu d'un jardin de fruits, j'en trouvai un de
fleurs qui n'était pas moins singulier dans son genre.
Il renfermait un parterre spacieux, arrosé non pas avec
la même profusion que le précédent, mais avec un plus
grand ménagement, pour ne pas fournir plus d'eau que
chaque fleur n'en avait besoin. La rose, le jasmin, la
violette, le narcisse, l'hyacinthe, l'anémone, la tulipe,
la renoncule, l'œillet, le lis et une infinité d'autres fleurs
qui ne fleurissent ailleurs qu'en différents temps, s'y
trouvaient là fleuries toutes à la fois, et rien n'était
plus doux que l'air qu'on respirait dans ce jardin.

« J'ouvris la troisième porte ; je trouvai une volière
très vaste. Elle était pavée de marbre de plusieurs sortes
de couleurs, du plus fin, du moins commun. La cage
était de sandal et de bois d'aloès ; elle renfermait une
infinité de rossignols, de chardonnerets, de serins,
d'alouettes et d'autres oiseaux encore plus harmonieux
dont je n'avais entendu parler de ma vie. Les vases où
étaient leur grain et leur eau étaient de jaspe ou d'agate
la plus précieuse. D'ailleurs, cette volière était d'une
grande propreté : à voir sa capacité, je jugeais qu'il ne
fallait pas moins de cent personnes pour la tenir aussi
nette qu'elle était ; personne toutefois n'y paraissait,
non plus que dans les jardins où j'avais été, dans lesquels
je n'avais pas remarqué une mauvaise herbe, ni la moindre
superfluité qui m'eût blessé la vue. Le soleil était déjà
couché, et je me retirai charmé du ramage de cette
multitude d'oiseaux, qui cherchaient alors à se percher
dans l'endroit le plus commode pour jouir du repos
de la nuit. Je me rendis à mon appartement, résolu d'ou-

vrir les autres portes les jours suivants, à l'exception
de la centième.

Le lendemain, je ne manquai pas d'aller ouvrir la
quatrième porte. Si ce que j'avais vu le jour précédent
avait été capable de me causer de la surprise, ce que je
vis alors me ravit en extase. Je mis le pied dans une
grande cour environnée d'un bâtiment d'une architecture
merveilleuse, dont je ne vous ferai point la description
pour éviter la prolixité. Ce bâtiment avait quarante portes
toutes ouvertes, dont chacune donnait entrée dans un
trésor, et, de ces trésors, il y en avait plusieurs qui valaient
mieux que les plus grands royaumes. Le premier contenait des monceaux de perles, et, ce qui passe toute
croyance, les plus précieuses, qui étaient grosses comme
des œufs de pigeon, surpassaient en nombre les médiocres.
Dans le second trésor, il y avait des diamants, des escar-
boucles et des rubis ; dans le troisième, des émeraudes ;
dans le quatrième, de l'or en lingots ; dans le cinquième,
du monnayé ; dans le sixième, de l'argent en lingots ;
dans les deux suivants, du monnayé. Les autres conte-
naient des améthystes, des chrysolithes, des topazes,
des opales, des turquoises, des hyacinthes, et toutes les
autres pierres fines que nous connaissons, sans parler
de l'agate, du jaspe, de la cornaline et du corail, dont
il y avait un magasin rempli, non seulement de branches,
mais même d'arbres entiers.

« Rempli de surprise et d'admiration, je m'écriai
après avoir vu toutes ces richesses : « Non, quand tous
les trésors de tous les rois de l'univers seraient assemblés
en un même lieu, ils n'approcheraient pas de ceux-ci.
Quel est mon bonheur de posséder tous ces biens avec
tant d'aimables princesses ! »

« Je ne m'arrêterai point, Madame, à vous faire le
détail de toutes les autres choses rares et précieuses que
je vis les jours suivants. Je vous dirai seulement qu'il
ne me fallut pas moins de trente-neuf jours pour ouvrir
les quatre-vingt-dix-neuf portes, et admirer tout ce
qui s'offrit à ma vue. Il ne restait plus que la centième
porte, dont l'ouverture m'était défendue... »

Le jour, qui vint éclairer l'appartement du sultan des
Indes, imposa silence à Scheherazade en cet endroit.
Mais cette histoire faisait trop de plaisir à Schahriar pour
qu'il n'en voulût pas entendre la suite le lendemain.
Ce prince se leva dans cette résolution.

LXIIe NUIT

Dinarzade, qui ne souhaitait pas moins ardemment que Schahriar d'apprendre quelles merveilles pouvaient être renfermées sous la clef de la centième porte, appela la sultane de très bonne heure. « Si vous ne dormez pas, ma sœur, lui dit-elle, je vous prie d'achever la surprenante histoire du troisième calender. — Il la continua de cette sorte, dit Scheherazade :

« J'étais, dit-il, au quarantième jour depuis le départ des charmantes princesses. Si j'avais pu ce jour-là conserver sur moi le pouvoir que je devais avoir, je serais aujourd'hui le plus heureux de tous les hommes, au lieu que j'en suis le plus malheureux. Elles devaient arriver le lendemain, et le plaisir de les revoir devait servir de frein à ma curiosité; mais, par une faiblesse dont je ne cesserai jamais de me repentir, je succombai à la tentation du démon, qui ne me donna point de repos que je ne me fusse livré moi-même à la peine que j'ai éprouvée.

« J'ouvris la porte fatale que j'avais promis de ne pas ouvrir, et je n'eus pas avancé le pied pour entrer, qu'une odeur assez agréable, mais contraire à mon tempérament, me fit tomber évanoui. Néanmoins je revins à moi, et, au lieu de profiter de cet avertissement, de refermer la porte et de perdre pour jamais l'envie de satisfaire ma curiosité, j'entrai. Après avoir attendu quelque temps que le grand air eût modéré cette odeur, je n'en fus plus incommodé.

« Je trouvai un lieu vaste, bien voûté, et dont le pavé était parsemé de safran. Plusieurs flambeaux d'or massif, avec des bougies allumées qui rendaient l'odeur d'aloès et d'ambre gris, y servaient de lumière, et cette illumination était encore augmentée par des lampes d'or et d'argent, remplies d'une huile composée de diverses sortes d'odeurs. Parmi un assez grand nombre d'objets qui attirèrent mon attention, j'aperçus un cheval noir, le plus beau et le mieux fait qu'on puisse voir au monde. Je m'approchai de lui pour le considérer de près; je trouvai qu'il avait une selle et une bride d'or massif d'un ouvrage excellent; que son auge d'un côté était remplie d'orge mondé et de sésame, et, de l'autre, d'eau de rose. Je le pris par la bride, et le tirai dehors pour le voir au jour. Je le montai, et voulus le faire avancer; mais, comme il

ne branlait pas, je le frappai d'une houssine que j'avais
ramassée dans son écurie magnifique. Mais à peine eut-il
senti le coup qu'il se mit à hennir avec un bruit horrible;
puis, étendant des ailes dont je ne m'étais point aperçu,
il s'éleva dans l'air à perte de vue. Je ne songeai plus
qu'à me tenir ferme, et, malgré la frayeur dont j'étais saisi,
je ne me tenais point mal. Il reprit ensuite son vol vers la
terre, et se posa sur le toit en terrasse d'un château, où,
sans me donner le temps de mettre pied à terre, il me
secoua si violemment qu'il me fit tomber en arrière, et
du bout de sa queue il me creva l'œil droit.

« Voilà de quelle manière je devins borgne, et je me
souvins bien alors de ce que m'avaient prédit les dix jeunes
seigneurs. Le cheval reprit son vol, et disparut. Je me
relevai fort affligé du malheur que j'avais cherché moi-
même. Je marchai sur la terrasse, la main sur mon œil
qui me faisait beaucoup de douleur. Je descendis, et
me trouvai dans un salon qui me fit connaître, par les
dix sofas disposés en rond et un autre moins élevé au
milieu, que ce château était celui d'où j'avais été enlevé
par le roc.

« Les dix jeunes seigneurs borgnes n'étaient pas dans
le salon. Je les y attendis, et ils arrivèrent peu de temps
après le vieillard. Ils ne parurent pas étonnés de me
revoir, ni de la perte de mon œil. « Nous sommes bien
fâchés, me dirent-ils, de ne pouvoir vous féliciter sur
votre retour de la manière que nous le souhaiterions;
mais nous ne sommes pas la cause de votre malheur. —
J'aurais tort de vous en accuser, leur répondis-je; je
me le suis attiré moi-même, et je m'en impute toute la
faute. — Si la consolation des malheureux, reprirent-ils,
est d'avoir des semblables, notre exemple peut vous en
fournir un sujet. Tout ce qui vous est arrivé nous est
arrivé aussi. Nous avons goûté toutes sortes de plaisirs
pendant une année entière; et nous aurions continué de
jouir du même bonheur si nous n'eussions pas ouvert
la porte d'or pendant l'absence des princesses. Vous
n'avez pas été plus sage que nous, et vous avez éprouvé
la même punition. Nous voudrions bien vous recevoir
parmi nous pour faire la pénitence que nous faisons,
et dont nous ne savons pas de combien sera la durée;
mais nous vous avons déjà déclaré les raisons qui nous
en empêchent. C'est pourquoi retirez-vous, et vous en
allez à la cour de Bagdad : vous y trouverez celui qui
doit décider de votre destinée. »

« Ils m'enseignèrent la route que je devais tenir, et je me séparai d'eux. Je me fis raser en chemin la barbe et les sourcils, et pris l'habit de calender. Il y a longtemps que je marche. Enfin je suis arrivé aujourd'hui en cette ville à l'entrée de la nuit. J'ai rencontré à la porte ces calenders mes confrères, tous étrangers comme moi. Nous avons été tous trois fort surpris de nous voir borgnes du même œil. Mais nous n'avons pas eu le temps de nous entretenir de cette disgrâce qui nous est commune. Nous n'avons eu, Madame, que celui de venir implorer le secours que vous nous avez généreusement accordé. »

Le troisième calender ayant achevé de raconter son histoire, Zobéide prit la parole, et, s'adressant à lui et à ses confrères : « Allez, leur dit-elle, vous êtes libres tous trois, retirez-vous où il vous plaira. » Mais l'un d'entre eux lui répondit : « Madame, nous vous supplions de nous pardonner notre curiosité, et de nous permettre d'entendre l'histoire de ces seigneurs qui n'ont pas encore parlé. » Alors la dame, se tournant du côté du calife, du vizir Giafar et de Mesrour, qu'elle ne connaissait pas pour ce qu'ils étaient, leur dit : « C'est à vous à me raconter votre histoire; parlez. »

Le grand-vizir Giafar, qui avait toujours porté la parole, répondit encore à Zobéide : « Madame, pour vous obéir nous n'avons qu'à répéter ce que nous avons déjà dit avant que d'entrer chez vous. Nous sommes, poursuivit-il, des marchands de Mossoul, et nous venons à Bagdad négocier nos marchandises qui sont en magasin dans un khan où nous sommes logés. Nous avons dîné aujourd'hui avec plusieurs autres personnes de notre profession chez un marchand de cette ville, lequel, après nous avoir régalés de mets délicats et de vins exquis, a fait venir des danseurs et des danseuses, avec des chanteurs et des joueurs d'instruments. Le grand bruit que nous faisions tous ensemble a attiré le guet, qui a arrêté une partie des gens de l'assemblée. Pour nous, par bonheur, nous nous sommes sauvés; mais, comme il était déjà tard et que la porte de notre khan était fermée, nous ne savions où nous retirer. Le hasard a voulu que nous ayons passé par votre rue, et que nous ayons entendu qu'on se réjouissait chez vous : cela nous a déterminés à frapper à votre porte. Voilà, Madame, le compte que nous avons à vous rendre pour obéir à vos ordres. »

Zobéide, après avoir écouté ce discours, semblait

hésiter sur ce qu'elle devait dire. De quoi les calenders s'apercevant, la supplièrent d'avoir pour les trois prétendus marchands de Mossoul la même bonté qu'elle avait eue pour eux. « Hé bien! leur dit-elle, j'y consens. Je veux que vous m'ayez tous la même obligation. Je vous fais grâce; mais c'est à condition que vous sortirez tous de ce logis présentement, et que vous vous retirerez où il vous plaira. » Zobéide ayant donné cet ordre d'un ton qui marquait qu'elle voulait être obéie, le calife, le vizir, Mesrour, les trois calenders et le porteur sortirent sans répliquer : car la présence des sept esclaves armés les tenait en respect. Lorsqu'ils furent hors de la maison et que la porte fut fermée, le calife dit aux calenders sans leur faire connaître qui il était : « Et vous, Seigneurs, qui êtes étrangers et nouvellement arrivés en cette ville, de quel côté allez-vous présentement qu'il n'est pas jour encore ? — Seigneur, lui répondirent-ils, c'est ce qui nous embarrasse. — Suivez-nous, reprit le calife, nous allons vous tirer d'embarras. » Après avoir achevé ces paroles, il parla bas au vizir, et lui dit : « Conduisez-les chez vous; et demain matin vous me les amènerez. Je veux faire écrire leurs histoires; elles méritent bien d'avoir place dans les annales de mon règne. »

Le vizir Giafar emmena avec lui les trois calenders; le porteur se retira dans sa maison; et le calife, accompagné de Mesrour, se rendit à son palais. Il se coucha; mais il ne put fermer l'œil, tant il avait l'esprit agité de toutes les choses extraordinaires qu'il avait vues et entendues. Il était surtout fort en peine de savoir qui était Zobéide, quel sujet elle pouvait avoir de maltraiter les deux chiennes noires, et pourquoi Amine avait le sein meurtri. Le jour parut qu'il était encore occupé de ces pensées. Il se leva, et se rendit dans la chambre où il tenait son conseil et donnait audience; il s'assit sur son trône.

Le grand-vizir arriva peu de temps après, et lui rendit ses respects à son ordinaire. « Vizir, lui dit le calife, les affaires que nous aurions à régler présentement ne sont pas fort pressantes; celle des trois dames et des deux chiennes noires l'est davantage. Je n'aurai pas l'esprit en repos que je ne sois pleinement instruit de tant de choses qui m'ont surpris. Allez, faites venir ces dames, et amenez en même temps les calenders. Partez, et souvenez-vous que j'attends impatiemment votre retour. »

Le vizir, qui connaissait l'humeur vive et bouillante de son maître, se hâta de lui obéir. Il arriva chez les dames, et leur exposa d'une manière très honnête l'ordre qu'il avait de les conduire au calife, sans toutefois leur parler de ce qui s'était passé la nuit chez elles. Les dames se couvrirent de leur voile, et partirent avec le vizir, qui prit en passant chez lui les trois calenders, qui avaient eu le temps d'apprendre qu'ils avaient vu le calife et qu'ils lui avaient parlé sans le connaître. Le vizir les mena au palais, et s'acquitta de sa commission avec tant de diligence que le calife en fut fort satisfait. Ce prince, pour garder la bienséance devant tous les officiers de sa maison qui étaient présents, fit placer les trois dames derrière la portière de la salle qui conduisait à son appartement, et retint près de lui les trois calenders, qui firent assez connaître par leurs respects qu'ils n'ignoraient pas devant qui ils avaient l'honneur de paraître.

Lorsque les dames furent placées, le calife se tourna de leur côté et leur dit : « Mesdames, en vous apprenant que je me suis introduit chez vous cette nuit déguisé en marchand, je vais sans doute vous alarmer; vous craindrez de m'avoir offensé, et vous croirez peut-être que je ne vous ai fait venir ici que pour vous donner des marques de mon ressentiment; mais rassurez-vous : soyez persuadées que j'ai oublié le passé, et que je suis même très content de votre conduite. Je souhaiterais que toutes les dames de Bagdad eussent autant de sagesse que vous m'en avez fait voir. Je me souviendrai toujours de la modération que vous eûtes après l'incivilité que nous avons commise. J'étais alors marchand de Mossoul; mais je suis à présent Haroun-al-Raschid, le septième calife de la glorieuse maison d'Abbas, qui tient la place de notre grand prophète. Je vous ai mandées seulement pour savoir de vous qui vous êtes, et vous demander pour quel sujet l'une de vous, après avoir maltraité les deux chiennes noires, a pleuré avec elles. Je ne suis pas moins curieux d'apprendre pourquoi une autre a le sein tout couvert de cicatrices. »

Quoique le calife eût prononcé ces paroles très distinctement, et que les trois dames les eussent entendues, le vizir Giafar, par un air de cérémonie, ne laissa pas de les leur répéter...

« Mais, Sire, dit Scheherazade, il est jour. Si Votre Majesté veut que je lui raconte la suite, il faut qu'elle

ait la bonté de prolonger encore ma vie jusqu'à demain. »
Le sultan y consentit, jugeant bien que Scheherazade
lui conterait l'histoire de Zobéide, qu'il n'avait pas peu
d'envie d'entendre.

LXIIIe NUIT

« Ma chère sœur, s'écria Dinarzade sur la fin de la
nuit, si vous ne dormez pas, dites-nous, je vous en conjure, l'histoire de Zobéide, car cette dame la raconta
sans doute au calife. — Elle n'y manqua pas », répondit
Scheherazade.

Dès que le prince l'eut rassurée par le discours qu'il
venait de faire, elle lui donna de cette sorte la satisfaction
qu'il lui demandait.

HISTOIRE DE ZOBÉIDE

« Commandeur des croyants, dit-elle, l'histoire que j'ai à raconter à Votre Majesté est une des plus surprenantes dont on ait jamais ouï parler. Les deux chiennes noires et moi sommes trois sœurs nées d'une même mère et d'un même père ; et je vous dirai par quel accident étrange elles ont été changées en chiennes. Les deux dames qui demeurent avec moi, et qui sont ici présentes, sont aussi mes sœurs de même père, mais d'une autre mère. Celle qui a le sein couvert de cicatrices se nomme Amine ; l'autre s'appelle Safie, et moi Zobéide.

« Après la mort de notre père, le bien qu'il nous avait laissé fut partagé entre nous également ; et, lorsque ces deux dernières sœurs eurent touché leur portion, elles se séparèrent et allèrent demeurer en particulier avec leur mère. Mes deux autres sœurs et moi restâmes avec la nôtre, qui vivait encore, et qui depuis, en mourant, nous laissa à chacune mille sequins.

« Lorsque nous eûmes touché ce qui nous appartenait, mes deux aînées, car je suis la cadette, se marièrent, suivirent leurs maris, et me laissèrent seule. Peu de temps après leur mariage, le mari de la première vendit tout ce qu'il avait de biens et de meubles, et, avec l'argent qu'il en put faire et celui de ma sœur, ils passèrent tous deux en Afrique. Là, le mari dépensa en bonne chère et en débauche tout son bien et celui que ma sœur lui avait apporté. Ensuite, se voyant réduit à la dernière misère, il trouva un prétexte pour la répudier, et la chassa.

« Elle revint à Bagdad, non sans avoir souffert des maux incroyables dans un si long voyage, et vint se réfugier chez moi, dans un état si digne de pitié qu'elle en aurait inspiré aux cœurs les plus durs. Je la reçus avec toute l'affection qu'elle pouvait attendre de moi. Je lui deman-

dai pourquoi je la voyais dans une si malheureuse situation ; elle m'apprit en pleurant la mauvaise conduite
de son mari et l'indigne traitement qu'il lui avait fait.
Je fus touchée de son malheur, et j'en pleurai avec elle.
Je la fis ensuite entrer au bain, je lui donnai de mes
propres habits, et lui dis : « Ma sœur, vous êtes mon aînée,
et je vous regarde comme ma mère. Pendant votre
absence, Dieu a béni le peu de bien qui m'est tombé
en partage et l'emploi que j'en fais à nourrir et à élever
des vers à soie. Comptez que je n'ai rien qui ne soit à
vous, et dont vous ne puissiez disposer comme moi-
même. »

« Nous demeurâmes toutes deux, et vécûmes ensemble
pendant plusieurs mois en bonne intelligence. Comme
nous nous entretenions souvent de notre troisième sœur,
et que nous étions surprises de ne pas apprendre de ses
nouvelles, elle arriva en aussi mauvais état que notre
aînée. Son mari l'avait traitée de la même sorte ; je la
reçus avec la même amitié.

« Quelque temps après, mes deux sœurs, sous prétexte qu'elles m'étaient à charge, me dirent qu'elles étaient
dans le dessein de se remarier. Je leur répondis que, si
elles n'avaient pas d'autres raisons que celle de m'être
à charge, elles pouvaient continuer de demeurer avec
moi en toute sûreté ; que mon bien suffisait pour nous
entretenir toutes trois d'une manière conforme à notre
condition. « Mais, ajoutai-je, je crains plutôt que vous
n'ayez véritablement envie de vous remarier. Si cela
était, je vous avoue que j'en serais fort étonnée. Après
l'expérience que vous avez du peu de satisfaction qu'on
a dans le mariage, y pouvez-vous penser une seconde
fois ? Vous savez combien il est rare de trouver un mari
parfaitement honnête homme. Croyez-moi, continuons
de vivre ensemble le plus agréablement qu'il nous sera
possible. »

« Tout ce que je leur dis fut inutile. Elles avaient pris
la résolution de se remarier ; elles l'exécutèrent. Mais
elles revinrent me trouver au bout de quelques mois,
et me firent mille excuses de n'avoir pas suivi mon conseil.
« Vous êtes notre cadette, me dirent-elles, mais vous
êtes plus sage que nous. Si vous voulez bien nous recevoir
encore dans votre maison et nous regarder comme vos
esclaves, il ne nous arrivera plus de faire une si grande
faute. — Mes chères sœurs, leur répondis-je, je n'ai
point changé à votre égard depuis notre dernière sépara-

tion ; revenez, et jouissez avec moi de ce que j'ai. » Je les embrassai, et nous demeurâmes ensemble comme auparavant.

« Il y avait un an que nous vivions dans une union parfaite, et, voyant que Dieu avait béni mon petit fonds, je formai le dessein de faire un voyage par mer et de hasarder quelque chose dans le commerce. Pour cet effet, je me rendis avec mes deux sœurs à Balsora, où j'achetai un vaisseau tout équipé, que je chargeai de marchandises que j'avais fait venir de Bagdad. Nous mîmes à la voile avec un vent favorable, et nous sortîmes bientôt du golfe Persique. Quand nous fûmes en pleine mer, nous prîmes la route des Indes ; et après vingt jours de navigation nous vîmes terre. C'était une montagne fort haute, au pied de laquelle nous aperçûmes une ville de grande apparence. Comme nous avions le vent frais, nous arrivâmes de bonne heure au port, et nous y jetâmes l'ancre.

« Je n'eus pas la patience d'attendre que mes sœurs fussent en état de m'accompagner ; je me fis débarquer seule, et j'allai droit à la porte de la ville. J'y vis une garde nombreuse de gens assis, et d'autres qui étaient debout avec un bâton à la main. Mais ils avaient tous l'air si hideux que j'en fus effrayée. Remarquant toutefois qu'ils étaient immobiles et qu'ils ne remuaient pas même les yeux, je me rassurai, et, m'étant approchée d'eux, je reconnus qu'ils étaient pétrifiés.

« J'entrai dans la ville, et passai par plusieurs rues où il y avait des hommes d'espace en espace, dans toutes sortes d'attitudes ; mais ils étaient tous sans mouvement et pétrifiés. Au quartier des marchands, je trouvai la plupart des boutiques fermées, et j'aperçus dans celles qui étaient ouvertes des personnes aussi pétrifiées. Je jetai la vue sur les cheminées, et, n'en voyant pas sortir la fumée, cela me fit juger que tout ce qui était dans les maisons, de même que ce qui était dehors, était changé en pierres.

« Étant arrivée dans une vaste place au milieu de la ville, je découvris une grande porte couverte de plaques d'or, dont les deux battants étaient ouverts. Une portière d'étoffe de soie paraissait tirée devant, et l'on voyait une lampe suspendue au-dessus de la porte. Après avoir considéré le bâtiment, je ne doutai pas que ce ne fût le palais du prince qui régnait en ce pays-là. Mais, fort étonnée de n'avoir rencontré aucun être vivant, j'allai jusque-là, dans l'espérance d'en trouver quelqu'un. Je

levai la portière; et, ce qui augmenta ma surprise, je
ne vis sous le vestibule que quelques portiers ou gardes
pétrifiés, les uns debout et les autres assis ou à demi
couchés.

« Je traversai une grande cour où il y avait beaucoup
de monde : les uns semblaient aller et les autres venir,
et néanmoins ils ne bougeaient de leur place, parce
qu'ils étaient pétrifiés comme ceux que j'avais déjà
vus. Je passai dans une seconde cour, et de celle-là
dans une troisième; mais ce n'était partout qu'une solitude, et il y régnait un silence affreux.

« M'étant avancée dans une quatrième cour, j'y vis
en face un très beau bâtiment dont les fenêtres étaient
fermées d'un treillis d'or massif. Je jugeai que c'était
l'appartement de la reine. J'y entrai. Il y avait dans une
grande salle plusieurs eunuques noirs pétrifiés. Je passai
ensuite dans une chambre très richement meublée, où
j'aperçus une dame aussi changée en pierre. Je connus
que c'était la reine à une couronne d'or qu'elle avait
sur la tête, et à un collier de perles très rondes et plus
grosses que des noisettes. Je les examinai de près, et il
me parut qu'on ne pouvait rien voir de plus beau.

« J'admirai quelque temps les richesses et la magnificence de cette chambre, et surtout le tapis de pied, les
coussins et le sofa garni d'une étoffe des Indes à fond
d'or, avec des figures d'hommes et d'animaux en argent,
trait d'un travail admirable... »

Scheherazade aurait continué de parler; mais la clarté
du jour vint mettre fin à sa narration. Le sultan fut charmé
de ce récit. « Il faut, dit-il en se levant, que je sache à quoi
aboutira cette pétrification d'hommes étonnante. »

LXIVᵉ NUIT

Dinarzade, qui avait pris beaucoup de plaisir au commencement de l'histoire de Zobéide, ne manqua pas
d'appeler la sultane avant le jour. « Si vous ne dormez
pas, ma sœur, lui dit-elle, je vous supplie de nous apprendre ce que vit encore Zobéide dans ce palais singulier
où elle était entrée. — Voici, répondit Scheherazade,
comment cette dame continua de raconter son histoire
au calife :

« Sire, dit-elle, de la chambre de la reine pétrifiée, je passai dans plusieurs autres appartements et cabinets propres et magnifiques, qui me conduisirent dans une chambre d'une grandeur extraordinaire, où il y avait un trône d'or massif, élevé de quelques degrés et enrichi de grosses émeraudes enchâssées, et, sur le trône, un lit d'une riche étoffe sur laquelle éclatait une broderie de perles. Ce qui me surprit plus que tout le reste, ce fut une lumière brillante qui partait de dessus ce lit. Curieuse de savoir ce qui la rendait, je montai, et, avançant la tête, je vis sur un petit tabouret un diamant gros comme un œuf d'autruche, et si parfait que je n'y remarquai nul défaut. Il brillait tellement que je ne pouvais en soutenir l'éclat en le regardant au jour.

« Il y avait au chevet du lit, de l'un et de l'autre côté, un flambeau allumé, dont je ne compris pas l'usage. Cette circonstance néanmoins me fit juger qu'il y avait quelqu'un de vivant dans ce superbe palais : car je ne pouvais croire que ces flambeaux pussent s'entretenir allumés d'eux-mêmes. Plusieurs autres singularités m'arrêtèrent dans cette chambre, que le seul diamant dont je viens de parler rendait inestimable.

« Comme toutes les portes étaient ouvertes ou poussées seulement, je parcourus encore d'autres appartements aussi beaux que ceux que j'avais déjà vus. J'allai jusqu'aux offices et aux garde-meubles, qui étaient remplis de richesses infinies, et je m'occupai si fort de toutes ces merveilles que je m'oubliai moi-même. Je ne pensais plus ni à mon vaisseau ni à mes sœurs, je ne songeais qu'à satisfaire ma curiosité. Cependant la nuit s'approchait, et, son approche m'avertissant qu'il était temps de me retirer, je voulus reprendre le chemin des cours par où j'étais venue ; mais il ne me fut pas aisé de le retrouver. Je m'égarai dans les appartements ; et, me retrouvant dans la grande chambre où étaient le trône, le lit, le gros diamant et les flambeaux allumés, je résolus d'y passer la nuit, et de remettre au lendemain de grand matin à regagner mon vaisseau. Je me jetai sur le lit, non sans quelque frayeur de me voir seule dans ce lieu si désert, et ce fut sans doute cette crainte qui m'empêcha de dormir.

« Il était environ minuit, lorsque j'entendis la voix comme d'un homme qui lisait l'Alcoran de la même manière et du ton que nous avons coutume de le lire dans nos temples. Cela me donna beaucoup de joie.

Je me levai aussitôt, et, prenant un flambeau pour me conduire, j'allai de chambre en chambre du côté où j'entendais la voix. Je m'arrêtai à la porte d'un cabinet d'où je ne pouvais douter qu'elle ne partît. Je posai le flambeau à terre, et, regardant par une fente, il me parut que c'était un oratoire. En effet, il y avait, comme dans nos temples, une niche qui marquait où il fallait se tourner pour faire la prière, des lampes suspendues et allumées, et deux chandeliers avec de gros cierges de cire blanche, allumés de même.

« Je vis aussi un petit tapis étendu, de la forme de ceux qu'on étend chez nous pour se poser dessus et faire la prière. Un jeune homme de bonne mine, assis sur ce tapis, récitait avec grande attention l'Alcoran qui était posé devant lui sur un petit pupitre. A cette vue, ravie d'admiration, je cherchais en mon esprit comment il se pouvait faire qu'il fût le seul vivant dans une ville où tout le monde était pétrifié, et je ne doutais pas qu'il n'y eût en cela quelque chose de très merveilleux.

« Comme la porte n'était que poussée, je l'ouvris ; j'entrai, et, me tenant debout devant la niche, je fis cette prière à haute voix : « *Louange à Dieu, qui nous a favorisés d'une heureuse navigation ! Qu'il nous fasse la grâce de nous protéger de même jusqu'à notre arrivée en notre pays. Écoutez-moi, Seigneur, et exaucez ma prière.* »

« Le jeune homme jeta les yeux sur moi, et me dit : « Ma bonne dame, je vous prie de me dire qui vous êtes et ce qui vous a amenée en cette ville désolée. En récompense, je vous apprendrai qui je suis, ce qui m'est arrivé, pour quel sujet les habitants de cette ville sont réduits en l'état où vous les avez vus, et pourquoi moi seul je suis sain et sauf dans un désastre si épouvantable. »

« Je lui racontai en peu de mots d'où je venais, ce qui m'avait engagée à faire ce voyage, et de quelle manière j'avais heureusement pris port après une navigation de vingt jours. En achevant, je le suppliai de s'acquitter à son tour de la promesse qu'il m'avait faite, et je lui témoignai combien j'étais frappée de la désolation affreuse que j'avais remarquée dans tous les endroits par où j'avais passé.

« Ma chère dame, dit alors le jeune homme, donnez-vous un moment de patience. » A ces mots, il ferma l'Alcoran, le mit dans un étui précieux, et le posa dans la niche. Je pris ce temps-là pour le considérer attentivement, et je lui trouvai tant de grâce et de beauté que je sentis des mouvements que je n'avais jamais sentis jusqu'alors. Il me fit asseoir près de lui, et, avant qu'il commençât son discours, je ne pus m'empêcher de lui dire d'un air qui lui fit connaître les sentiments qu'il m'avait inspirés : « Aimable seigneur, cher objet de mon âme, on ne peut attendre avec plus d'impatience que je l'attends l'éclaircissement de tant de choses surprenantes qui ont frappé ma vue depuis le premier pas que j'ai fait pour entrer en votre ville, et ma curiosité ne saurait être assez tôt satisfaite. Parlez, je vous en conjure ; apprenez-moi par quel miracle vous êtes seul en vie parmi tant de personnes mortes d'une manière inouïe. »

Scheherazade s'interrompit en cet endroit, et dit à Schahriar : « Sire, Votre Majesté ne s'aperçoit peut-être pas qu'il est jour. Si je continuais de parler, j'abuserais de votre attention. » Le sultan se leva, résolu d'entendre, la nuit suivante, le suite de cette merveilleuse histoire.

LXVe NUIT

« Si vous ne dormez pas, ma sœur, s'écria Dinarzade le lendemain avant le jour, je vous prie de reprendre l'histoire de Zobéide, et de nous raconter ce qui se passa entre elle et le jeune homme vivant, qu'elle rencontra dans ce palais dont vous nous avez fait une si belle description. — Je vais vous satisfaire », répondit la sultane.

Zobéide poursuivit son histoire dans ces termes :
« Madame, me dit le jeune homme, vous m'avez fait assez voir que vous avez la connaissance du vrai Dieu par la prière que vous venez de lui adresser. Vous allez entendre un effet très remarquable de sa grandeur et de sa puissance. Je vous dirai que cette ville était la capitale d'un puissant royaume dont le roi mon père portait le nom. Ce prince, toute sa cour, les habitants de la ville et tous les autres sujets étaient mages, adorateurs du feu et de Nardoun, ancien roi des géants rebelles à Dieu.
« Quoique né d'un père et d'une mère idolâtres, j'ai eu le bonheur d'avoir dans mon enfance pour gouvernante une bonne dame musulmane, qui savait l'Alcoran par cœur et l'expliquait parfaitement bien. « Mon prince, me disait-elle souvent, il n'y a qu'un vrai Dieu. Prenez garde d'en reconnaître et d'en adorer d'autres. » Elle

m'apprit à lire en arabe; et le livre qu'elle me donna pour m'exercer fut l'Alcoran. Dès que je fus capable de raison, elle m'expliqua tous les points de cet excellent livre, et elle m'en inspirait tout l'esprit à l'insu de mon père et de tout le monde. Elle mourut; mais ce fut après m'avoir fait toutes les instructions dont j'avais besoin pour être pleinement convaincu des vérités de la religion musulmane. Depuis sa mort, j'ai persisté constamment dans les sentiments qu'elle m'a fait prendre, et j'ai en horreur le faux dieu Nardoun et l'adoration du feu.

« Il y a trois ans et quelques mois qu'une voix bruyante se fit tout à coup entendre par toute la ville, si distinctement que personne ne perdit une de ces paroles qu'elle dit : *Habitants, abandonnez le culte de Nardoun et du feu. Adorez le Dieu unique qui fait miséricorde.*

« La même voix se fit ouïr trois années de suite; mais, personne ne s'étant converti, le dernier jour de la troisième, à trois ou quatre heures du matin, tous les habitants généralement furent changés en pierres en un instant, chacun dans l'état et la posture où il se trouva. Le roi mon père éprouva le même sort : il fut métamorphosé en une pierre noire, tel qu'on le voit dans un endroit de ce palais, et la reine ma mère eut une pareille destinée.

« Je suis le seul sur qui Dieu n'ait pas fait tomber ce châtiment terrible. Depuis ce temps-là, je continue de le servir avec plus de ferveur que jamais; et je suis persuadé, ma belle dame, qu'il vous envoie pour ma consolation. Je lui en rends des grâces infinies : car je vous avoue que cette solitude m'est bien ennuyeuse. »

« Tout ce récit et particulièrement ces derniers mots achevèrent de m'enflammer pour lui. « Prince, lui dis-je, il n'en faut pas douter, c'est la Providence qui m'a attirée dans votre port pour vous présenter l'occasion de vous éloigner d'un lieu si funeste. Le vaisseau sur lequel je suis venue peut vous persuader que je suis en quelque considération à Bagdad, où j'ai laissé d'autres biens assez considérables. J'ose vous y offrir une retraite jusqu'à ce que le puissant Commandeur des croyants, le vicaire du grand Prophète que vous reconnaissez, vous ait rendu les honneurs que vous méritez. Ce célèbre prince demeure à Bagdad; et il ne sera pas plus tôt informé de votre arrivée en sa capitale qu'il vous fera connaître qu'on n'implore pas en vain son appui. Il n'est pas possible que vous demeuriez davantage dans une ville où tous les objets doivent vous être insupportables. Mon vaisseau est à votre service, et vous en pouvez disposer absolument. » Il accepta l'offre, et nous passâmes le reste de la nuit à nous entretenir de notre embarquement.

« Dès que le jour parut, nous sortîmes du palais et nous rendîmes au port, où nous trouvâmes mes sœurs, le capitaine et mes esclaves fort en peine de moi. Après avoir présenté mes sœurs au prince, je leur racontai ce qui m'avait empêchée de revenir au vaisseau le jour précédent, la rencontre du jeune prince, son histoire, et le sujet de la désolation d'une si belle ville.

« Les matelots employèrent plusieurs jours à débarquer les marchandises que j'avais apportées, et à embarquer à leur place tout ce qu'il y avait de plus précieux dans le palais en pierreries, en or et en argent. Nous laissâmes les meubles et une infinité de pièces d'orfèvrerie, parce que nous ne pouvions les emporter. Il nous aurait fallu plusieurs vaisseaux pour transporter à Bagdad toutes les richesses que nous avions devant les yeux.

« Après que nous eumes chargé le vaisseau des choses que nous y voulûmes mettre, nous prîmes les provisions et l'eau dont nous jugeâmes avoir besoin pour notre voyage. A l'égard des provisions, il nous en restait encore beaucoup de celles que nous avions embarquées à Balsora. Enfin nous mîmes à la voile avec un vent tel que nous pouvions le souhaiter... »

En achevant ces paroles, Scheherazade vit qu'il était jour. Elle cessa de parler, et le sultan se leva sans rien dire ; mais il se proposa d'entendre jusqu'à la fin l'histoire de Zobéide et de ce jeune prince conservé si miraculeusement.

LXVIe NUIT

Sur la fin de la nuit suivante, Dinarzade, impatiente de savoir quel serait le succès de la navigation de Zobéide, appela la sultane. « Ma chère sœur, lui dit-elle, si vous ne dormez pas, poursuivez, de grâce, l'histoire d'hier ; dites-nous si le jeune prince et Zobéide arrivèrent heureusement à Bagdad. — Vous l'allez apprendre », répondit Scheherazade.

Zobéide reprit ainsi son histoire, en s'adressant toujours au calife :
« Sire, dit-elle, le jeune prince, mes sœurs et moi,

nous nous entretenions tous les jours agréablement ensemble; mais, hélas! notre union ne dura pas longtemps. Mes sœurs devinrent jalouses de l'intelligence qu'elles remarquèrent entre le jeune prince et moi, et me demandèrent un jour malicieusement ce que nous ferions de lui lorsque nous serions arrivées à Bagdad. Je m'aperçus bien qu'elles ne me faisaient cette question que pour découvrir mes sentiments. C'est pourquoi, faisant semblant de tourner la chose en plaisanterie, je leur répondis que je le prendrais pour mon époux; ensuite, me tournant vers le prince, je lui dis : « Mon prince, je vous supplie d'y consentir. D'abord que nous serons à Bagdad, mon dessein est de vous offrir ma personne, pour être votre très humble esclave, pour vous rendre mes services, et vous reconnaître pour le maître absolu de mes volontés.

— Madame, répondit le prince, je ne sais si vous plaisantez; mais, pour moi, je vous déclare fort sérieusement devant mesdames vos sœurs que dès ce moment j'accepte de bon cœur l'offre que vous me faites, non pas pour vous regarder comme une esclave, mais comme ma dame et ma maîtresse, et je ne prétends avoir aucun empire sur vos actions. » Mes sœurs changèrent de couleur à ce discours, et je remarquai depuis ce temps-là qu'elles n'avaient plus pour moi les mêmes sentiments qu'auparavant.

« Nous étions dans le golfe Persique, et nous approchions de Balsora, où, avec le bon vent que nous avions toujours, j'espérais que nous arriverions le lendemain. Mais la nuit, pendant que je dormais, mes sœurs prirent leur temps et me jetèrent à la mer; elles traitèrent de la même sorte le prince, qui fut noyé. Je me soutins quelques moments sur l'eau, et par bonheur, ou plutôt par miracle, je trouvai fond. Je m'avançai vers une noirceur qui me paraissait terre, autant que l'obscurité me permettait de la distinguer. Effectivement, je gagnai une plage, et le jour me fit connaître que j'étais dans une petite île déserte, située environ à vingt milles de Balsora. J'eus bientôt fait sécher mes habits au soleil; et, en marchant, je remarquai plusieurs sortes de fruits et même de l'eau douce; ce qui me donna quelque espérance que je pourrais conserver ma vie.

« Je me reposais à l'ombre, lorsque je vis un serpent ailé fort gros et fort long qui s'avançait vers moi en se démenant à droite et à gauche, et tirant la langue; cela me fit juger que quelque mal le pressait. Je me levai;

et, m'apercevant qu'il était suivi d'un autre serpent plus gros qui le tenait par la queue et faisait ses efforts pour le dévorer, j'en eus pitié. Au lieu de fuir, j'eus la hardiesse et le courage de prendre une pierre qui se trouva par hasard près de moi; je la jetai de toute ma force contre le plus gros serpent; je le frappai à la tête, et l'écrasai. L'autre, se sentant en liberté, ouvrit aussitôt ses ailes, et s'envola; je le regardai longtemps dans l'air comme une chose extraordinaire; mais, l'ayant perdu de vue, je me rassis à l'ombre dans un autre endroit, et je m'endormis.

« A mon réveil, imaginez-vous quelle fut ma surprise de voir près de moi une femme noire, qui avait des traits vifs et agréables, et qui tenait à l'attache deux chiennes de la même couleur. Je me mis à mon séant, et lui demandai qui elle était. « Je suis, me répondit-elle, le serpent que vous avez délivré de son cruel ennemi, il n'y a pas longtemps. J'ai cru ne pouvoir mieux reconnaître le service important que vous m'avez rendu qu'en faisant l'action que je viens de faire. J'ai su la trahison de vos sœurs; et, pour vous en venger, d'abord que j'ai été libre par vos généreux secours, j'ai appelé plusieurs de mes compagnes, qui sont fées comme moi; nous avons transporté toute la charge de votre vaisseau dans vos magasins de Bagdad, après quoi nous l'avons submergé. Ces deux chiennes noires sont vos deux sœurs, à qui j'ai donné cette forme. Mais ce châtiment ne suffit pas, et je veux que vous les traitiez encore de la manière que je vous dirai. »

« A ces mots, la fée m'embrassa étroitement d'un de ses bras, et les deux chiennes de l'autre, et nous transporta chez moi à Bagdad, où je vis dans mon magasin toutes les richesses dont mon vaisseau avait été chargé. Avant que de me quitter, elle me livra les deux chiennes, et me dit : « Sous peine d'être changée comme elles en chienne, je vous ordonne, de la part de celui qui confond les mers, de donner toutes les nuits cent coups de fouet à chacune de vos sœurs, pour les punir du crime qu'elles ont commis contre votre personne et contre le jeune prince qu'elles ont noyé. » Je fus obligée de lui promettre que j'exécuterais son ordre.

« Depuis ce temps-là, je les ai traitées chaque nuit, à regret, de la manière dont Votre Majesté a été témoin. Je leur témoigne par mes pleurs avec combien de douleur et de répugnance je m'acquitte d'un si cruel devoir;

et vous voyez bien qu'en cela je suis plus à plaindre
qu'à blâmer. S'il y a quelque chose qui me regarde, dont
vous puissiez souhaiter d'être informé, ma sœur Amine
vous en donnera l'éclaircissement par le récit de son
histoire. »

Après avoir écouté Zobéide avec admiration, le calife
fit prier par son grand-vizir l'agréable Amine de vouloir
bien lui expliquer pourquoi elle était marquée de cicatrices...

« Mais, Sire, dit Scheherazade en cet endroit, il est
jour, et je ne dois pas arrêter davantage Votre Majesté. »
Schahriar, persuadé que l'histoire que Scheherazade
avait à raconter serait le dénouement des précédentes,
dit en lui-même : « Il faut que je me donne le plaisir
tout entier. » Il se leva, et résolut de laisser vivre encore
la sultane ce jour-là.

LXVIIᵉ NUIT

Dinarzade souhaitait passionnément d'entendre l'histoire d'Amine ; c'est pourquoi, s'étant réveillée longtemps
avant le jour, elle dit à la sultane : « Ma chère sœur, si
vous ne dormez pas, apprenez-moi, je vous en conjure,
pourquoi l'aimable Amine avait le sein tout couvert de
cicatrices. — J'y consens, répondit Scheherazade ; et,
pour ne pas perdre le temps, vous saurez qu'Amine,
s'adressant au calife, commença son histoire dans ces
termes :

HISTOIRE D'AMINE

« Commandeur des croyants, dit-elle, pour ne pas répéter les choses dont Votre Majesté a déjà été instruite par l'histoire de ma sœur, je vous dirai que ma mère, ayant pris une maison pour passer son veuvage en son particulier, me donna en mariage, avec le bien que mon père m'avait laissé, à un des plus riches héritiers de cette ville.

« La première année de notre mariage n'était pas écoulée que je demeurai veuve et en possession de tout le bien de mon mari, qui montait à quatre-vingt-dix mille sequins. Le revenu seul de cette somme suffisait de reste pour me faire passer ma vie fort honnêtement. Cependant, dès que les premiers six mois de mon deuil furent passés, je me fis faire dix habits différents, d'une si grande magnificence qu'ils revenaient à mille sequins chacun, et je commençai au bout de l'année à les porter...

« Un jour que j'étais seule, occupée à mes affaires domestiques, on me vint dire qu'une dame demandait à me parler. J'ordonnai qu'on la fît entrer. C'était une personne fort avancée en âge. Elle me salua en baisant la terre, et me dit en demeurant sur ses genoux : « Ma bonne dame, je vous supplie d'excuser la liberté que je prends de vous venir importuner : la confiance que j'ai en votre charité me donne cette hardiesse. Je vous dirai, mon honorable dame, que j'ai une fille orpheline qui doit se marier aujourd'hui, qu'elle et moi sommes étrangères, et que nous n'avons pas la moindre connaissance en cette ville. Cela nous donne de la confusion : car nous voudrions faire connaître à la famille nombreuse avec laquelle nous allons faire alliance que nous ne sommes pas des inconnues, et que nous avons quelque crédit. C'est pourquoi, ma charitable dame, si vous avez pour

agréable d'honorer ces noces de votre présence, nous
vous aurons d'autant plus d'obligation que les dames
de notre pays connaîtront que nous ne sommes pas
regardées ici comme des misérables, quand elles apprendront qu'une personne de votre rang n'aura pas dédaigné
de nous faire un si grand honneur. Mais, hélas! si vous
rejetez ma prière, quelle mortification pour nous! Nous
ne savons à qui nous adresser. »

« Ce discours, que la pauvre dame entremêla de
larmes, me toucha de compassion. « Ma bonne mère,
lui dis-je, ne vous affligez pas; je veux bien vous faire
le plaisir que vous me demandez : dites-moi où il faut
que j'aille; je ne veux que le temps de m'habiller un peu
proprement. » La vieille dame, transportée de joie à
cette réponse, fut plus prompte à me baiser les pieds
que je ne le fus à l'en empêcher. « Ma charitable dame,
reprit-elle en se relevant, Dieu vous récompensera de
la bonté que vous avez pour vos servantes, et comblera
votre cœur de satisfaction de même que vous en comblez
le nôtre. Il n'est pas encore besoin que vous preniez
cette peine; il suffira que vous veniez avec moi sur le
soir, à l'heure que je viendrai vous prendre. Adieu,
Madame, ajouta-t-elle, jusqu'à l'honneur de vous revoir.

« Aussitôt qu'elle m'eut quittée, je pris celui de mes
habits qui me plaisait davantage, avec un collier de grosses
perles, des bracelets, des bagues et des pendants d'oreilles
de diamants les plus fins et les plus brillants. J'eus un
pressentiment de ce qui me devait arriver.

« La nuit commençait à paraître, lorsque la vieille
dame arriva chez moi d'un air qui marquait beaucoup
de joie. Elle me baisa la main, et me dit : « Ma chère dame,
les parentes de mon gendre, qui sont les premières dames
de la ville, sont assemblées. Vous viendrez quand il vous
plaira : me voilà prête à vous servir de guide. » Nous
partîmes aussitôt; elle marcha devant moi, et je la suivis
avec un grand nombre de mes femmes esclaves proprement habillées. Nous nous arrêtâmes dans une rue fort
large, nouvellement balayée et arrosée, à une grande
porte éclairée par un fanal, dont la lumière me fit lire
cette inscription qui était au-dessus de la porte, en lettres
d'or : *C'est ici la demeure éternelle des plaisirs et de la
joie.* La vieille dame frappa, et l'on ouvrit à l'instant.

« On me conduisit au fond de la cour, dans une grande
salle où je fus reçue par une jeune dame d'une beauté
sans pareille. Elle vint au-devant de moi; et, après m'avoir

embrassée et fait asseoir près d'elle sur un sofa où il y
avait un trône d'un bois précieux rehaussé de diamants :
« Madame, me dit-elle, on vous a fait venir ici pour assister à des noces ; mais j'espère que ces noces seront autres
que celles que vous vous imaginez. J'ai un frère, qui
est le mieux fait et le plus accompli de tous les hommes ;
il est si charmé du portrait qu'il a entendu faire de votre
beauté que son sort dépend de vous, et qu'il sera très
malheureux si vous n'avez pitié de lui. Il sait le rang que
vous tenez dans le monde ; et je puis vous assurer que le
sien n'est pas indigne de votre alliance. Si mes prières,
Madame, peuvent quelque chose sur vous, je les joins
aux siennes, et vous supplie de ne pas rejeter l'offre
qu'il vous fait de vous recevoir pour femme. »

« Depuis la mort de mon mari, je n'avais pas encore
eu la pensée de me remarier ; mais je n'eus pas la force
de refuser une si belle personne. D'abord que j'eus consenti à la chose par un silence accompagné d'une rougeur
qui parut sur mon visage, la jeune dame frappa des
mains : un cabinet s'ouvrit aussitôt, et il en sortit un
jeune homme d'un air si majestueux, et qui avait tant
de grâce, que je m'estimai heureuse d'avoir fait une si
belle conquête. Il prit place auprès de moi ; et je connus,
par l'entretien que nous eûmes, que son mérite était
encore au-dessus de ce que sa sœur m'en avait dit.

« Lorsqu'elle vit que nous étions contents l'un de
l'autre, elle frappa des mains une seconde fois, et un
cadi entra, qui dressa notre contrat de mariage, le signa,
et le fit signer aussi par quatre témoins qu'il avait amenés
avec lui. La seule chose que mon nouvel époux exigea
de moi fut que je ne me ferais point voir, ni ne parlerais
à aucun homme qu'à lui ; et il me jura qu'à cette condition
j'aurais tout sujet d'être contente de lui. Notre mariage
fut conclu et achevé de cette manière ; ainsi je fus la
principale actrice des noces auxquelles j'avais été invitée
seulement.

« Un mois après notre mariage, ayant besoin de
quelque étoffe, je demandai à mon mari la permission
de sortir pour aller faire cette emplette. Il me l'accorda,
et je pris pour m'accompagner la vieille dame dont j'ai
déjà parlé, qui était de la maison, et deux de mes femmes
esclaves. Quand nous fûmes dans la rue des marchands,
la vieille dame me dit : « Ma bonne maîtresse, puisque
vous cherchez une étoffe de soie, il faut que je vous mène
chez un jeune marchand que je connais ici ; il en a de

toutes sortes; et, sans vous fatiguer à courir de boutique en boutique, je puis vous assurer que vous trouverez chez lui ce que vous ne trouveriez pas ailleurs. » Je me laissai conduire, et nous entrâmes dans la boutique d'un jeune marchand assez bien fait. Je m'assis, et lui fis dire par la vieille dame de me montrer les plus belles étoffes de soie qu'il eût. La vieille voulait que je lui fisse la demande moi-même; mais je lui dis qu'une des conditions de mon mariage était de ne parler à aucun homme qu'à mon mari, et que je ne devais pas y contrevenir.

« Le marchand me montra plusieurs étoffes, dont l'une m'ayant agréé plus que les autres, je lui fis demander combien il l'estimait. Il répondit à la vieille : « Je ne la lui vendrai ni pour or ni pour argent; mais je lui en ferai un présent si elle veut bien me permettre de la baiser à la joue. » J'ordonnai à la vieille de lui dire qu'il était bien hardi de me faire cette proposition. Mais, au lieu de m'obéir, elle me représenta que ce que le marchand demandait n'était pas une chose fort importante, qu'il ne s'agissait point de parler, mais seulement de présenter la joue, et que ce serait une affaire bientôt faite. J'avais tant d'envie d'avoir l'étoffe que je fus assez simple pour suivre ce conseil. La vieille dame et mes femmes se mirent devant, afin qu'on ne me vît pas, et je me dévoilai; mais, au lieu de me baiser, le marchand me mordit jusqu'au sang. La douleur et la surprise furent telles que j'en tombai évanouie, et je demeurai assez longtemps en cet état pour donner au marchand celui de fermer sa boutique et de prendre la fuite. Lorsque je fus revenue à moi, je me sentis la joue tout ensanglantée. La vieille dame et mes femmes avaient eu soin de la couvrir d'abord de mon voile, afin que le monde qui accourut ne s'aperçût de rien et crût que ce n'était qu'une faiblesse qui m'avait prise... »

Scheherazade, en achevant ces dernières paroles, aperçut le jour et se tut. Le sultan trouva ce qu'il venait d'entendre assez extraordinaire, et se leva fort curieux d'en apprendre la suite.

LXVIIIᵉ NUIT

Sur la fin de la nuit suivante, Dinarzade, s'étant réveillée, appela la sultane : « Si vous ne dormez pas, ma sœur, lui dit-elle, je vous prie de vouloir bien continuer l'histoire d'Amine. — Voici comment cette dame la reprit », répondit Scheherazade.

« La vieille qui m'accompagnait, poursuivit-elle, extrêmement mortifiée de l'accident qui m'était arrivé, tâcha de me rassurer. « Ma bonne maîtresse, me dit-elle, je vous demande pardon : je suis cause de ce malheur. Je vous ai amenée chez ce marchand parce qu'il est de mon pays, et je ne l'aurais jamais cru capable d'une si grande méchanceté; mais ne vous affligez pas : ne perdons point de temps, retournons au logis; je vous donnerai un remède qui vous guérira en trois jours si parfaitement qu'il ne paraîtra pas la moindre marque. » Mon évanouissement m'avait rendue si faible qu'à peine pouvais-je marcher. J'arrivai néanmoins au logis; mais je tombai une seconde fois en faiblesse en entrant dans ma chambre. Cependant la vieille m'appliqua son remède; je revins à moi, et me mis au lit.

« La nuit venue, mon mari arriva; il s'aperçut que j'avais la tête enveloppée; il me demanda ce que j'avais. Je répondis que c'était un mal de tête; et j'espérais qu'il en demeurerait là; mais il prit une bougie, et, voyant que j'étais blessée à la joue : « D'où vient cette blessure ? » me dit-il. Quoique je ne fusse pas fort criminelle, je ne pouvais me résoudre à lui avouer la chose : faire cet aveu à un mari me paraissait choquer la bienséance. Je lui dis que, comme j'allais acheter une étoffe de soie, avec la permission qu'il m'en avait donnée, un porteur chargé de bois avait passé si près de moi dans une rue fort étroite qu'un bâton m'avait fait une égratignure au visage, mais que c'était peu de chose.

« Cette raison mit mon mari en colère. « Cette action, dit-il, ne demeurera pas impunie. Je donnerai demain ordre au lieutenant de police d'arrêter tous ces brutaux de porteurs et de les faire tous pendre. » Dans la crainte que j'eus d'être cause de la mort de tant d'innocents, je lui dis : « Seigneur, je serais fâchée qu'on fît une si grande injustice; gardez-vous bien de la commettre : je me croirais indigne de pardon si j'avais causé ce malheur. — Dites-moi donc sincèrement, reprit-il, ce que je dois penser de votre blessure. »

« Je lui repartis qu'elle m'avait été faite par l'inadvertance d'un vendeur de balais monté sur son âne; qu'il venait derrière moi, la tête tournée d'un autre côté; que son âne m'avait poussée si rudement que j'étais

tombée et que j'avais donné de la joue contre du verre.
« Cela étant, dit alors mon mari, le soleil ne se lèvera
pas demain que le grand-vizir Giafar ne soit averti de
cette insolence. Il fera mourir tous ces marchands de
balais. — Au nom de Dieu, Seigneur, interrompis-je,
je vous supplie de leur pardonner; ils ne sont pas coupables. — Comment donc, Madame! dit-il; que faut-il
que je croie ? Parlez, je veux absolument apprendre de
votre bouche la vérité. — Seigneur, lui répondis-je,
il m'a pris un étourdissement, et je suis tombée; voilà le
fait. »

« A ces dernières paroles, mon époux perdit patience.
« Ah! s'écria-t-il, c'est trop longtemps écouter des mensonges. » En disant cela il frappa des mains, et trois
esclaves entrèrent. « Tirez-la hors du lit, leur dit-il,
étendez-la au milieu de la chambre. » Les esclaves
exécutèrent son ordre; et, comme l'un me tenait par la
tête et l'autre par les pieds, il commanda au troisième
d'aller prendre un sabre; et, quand il l'eut apporté :
« Frappe, lui dit-il, coupe-lui le corps en deux, et va le
jeter dans le Tigre. Qu'il serve de pâture aux poissons :
c'est le châtiment que je fais aux personnes à qui j'ai
donné mon cœur et qui me manquent de foi. » Comme
il vit que l'esclave ne se hâtait pas d'obéir : « Frappe donc,
continua-t-il. Qui t'arrête ? Qu'attends-tu ? — Madame,
me dit alors l'esclave, vous touchez au dernier moment
de votre vie : voyez s'il y a quelque chose dont vous
vouliez disposer avant votre mort. »

« Je demandai la liberté de dire un mot. Elle me fut
accordée. Je soulevai la tête, et, regardant mon époux
bien tendrement : « Hélas! lui dis-je, en quel état me
voilà réduite! Il faut donc que je meure dans mes plus
beaux jours! » Je voulais poursuivre; mais mes larmes
et mes soupirs m'en empêchèrent. Cela ne toucha pas
mon époux. Au contraire, il me fit des reproches, à
quoi il eût été inutile de repartir. J'eus recours aux prières;
mais il ne les écouta pas, et il ordonna à l'esclave de faire
son devoir. En ce moment, la vieille dame qui avait été
nourrice de mon époux entra, et, se jetant à ses pieds
pour tâcher de l'apaiser : « Mon fils, lui dit-elle, pour prix
de vous avoir nourri et élevé, je vous conjure de m'accor-
cer sa grâce. Considérez que l'on tue celui qui tue, et
que vous allez flétrir votre réputation et perdre l'estime
des hommes. Que ne diront-ils point d'une colère si
sanglante ? » Elle prononça ces paroles d'un air si tou-

chant, et elle les accompagna de tant de larmes, qu'elles firent une forte impression sur mon époux. « Hé bien! dit-il à sa nourrice, pour l'amour de vous je lui donne la vie. Mais je veux qu'elle porte des marques qui la fassent souvenir de son crime. »

« A ces mots, un esclave, par son ordre, me donna de toute sa force sur les côtes et sur la poitrine tant de coups d'une petite canne pliante, qui enlevait la peau et la chair, que j'en perdis connaissance. Après cela, il me fit porter par les mêmes esclaves, ministres de sa fureur, dans une maison où la vieille eut grand soin de moi. Je gardai le lit quatre mois. Enfin je guéris; mais les cicatrices que vous vîtes hier, contre mon intention, me sont restées depuis. Dès que je fus en état de marcher et de sortir, je voulus retourner à la maison que j'avais eue de mon premier mari; mais je n'y trouvai que la place. Mon second époux, dans l'excès de la colère, ne s'était pas contenté de la faire abattre, il avait fait même raser toute la rue où elle était située. Cette violence était sans doute inouïe; mais contre qui aurais-je fait ma plainte ? L'auteur avait pris des mesures pour se cacher, et je n'ai pu le connaître. D'ailleurs, quand je l'aurais connu, ne voyais-je pas bien que le traitement qu'on me faisait partait d'un pouvoir absolu ? Aurais-je osé m'en plaindre ?

« Désolée, dépourvue de toutes choses, j'eus recours à ma chère sœur Zobéide, qui vient de raconter son histoire à Votre Majesté, et je lui fis le récit de ma disgrâce. Elle me reçut avec sa bonté ordinaire, et m'exhorta à la supporter patiemment. « Voilà quel est le monde, dit-elle; il nous ôte ordinairement nos biens, ou nos amis, ou nos amants, et souvent le tout ensemble. » En même temps, pour me prouver ce qu'elle me disait, elle me raconta la perte du jeune prince causée par la jalousie de ses deux sœurs. Elle m'apprit ensuite de quelle manière elles avaient été changées en chiennes. Enfin, après m'avoir donné mille marques d'amitié, elle me présenta ma cadette, qui s'était retirée chez elle après la mort de notre mère.

« Ainsi, remerciant Dieu de nous avoir toutes trois rassemblées, nous résolûmes de vivre libres sans nous séparer jamais. Il y a longtemps que nous menons cette vie tranquille; et, comme je suis chargée de la dépense de la maison, je me fais un plaisir d'aller moi-même faire les provisions dont nous avons besoin. J'en allai acheter hier, et les fis apporter par un porteur, homme d'esprit et d'humeur agréable, que nous retînmes pour nous divertir. Trois calenders survinrent au commencement de la nuit, et nous prièrent de leur donner retraite jusqu'à ce matin. Nous les reçûmes à une condition qu'ils acceptèrent; et, après les avoir fait asseoir à notre table, ils nous régalaient d'un concert à leur mode lorsque nous entendîmes frapper à notre porte. C'étaient trois marchands de Mossoul, de fort bonne mine, qui nous demandèrent la même grâce que les calenders; nous la leur accordâmes à la même condition. Mais ils ne l'observèrent ni les uns ni les autres; néanmoins, quoique nous fussions en état aussi bien qu'en droit de les en punir, nous nous contentâmes d'exiger d'eux le récit de leur histoire, et nous bornâmes notre vengeance à les renvoyer ensuite, et à les priver de la retraite qu'ils nous avaient demandée. »

Le calife Haroun-al-Raschid fut très content d'avoir appris ce qu'il voulait savoir, et témoigna publiquement l'admiration que lui causait tout ce qu'il venait d'entendre...

« Mais, Sire, dit en cet endroit Scheherazade, le jour qui commence à paraître ne me permet pas de raconter à Votre Majesté ce que fit le calife pour mettre fin à l'enchantement des deux chiennes noires. » Schahriar, jugeant que la sultane achèverait la nuit suivante l'histoire des cinq dames et des trois calenders, se leva, et lui laissa encore la vie jusqu'au lendemain.

AVERTISSEMENT

Le lecteur ne trouvera plus à chaque nuit : « Ma chère sœur, si vous ne dormez pas, etc. » Comme cette répétition a choqué plusieurs personnes d'esprit, on l'a retranchée pour s'accommoder à leur délicatesse. Le traducteur espère que les savants lui pardonneront l'infidélité qu'il fait en cela à son original, puisqu'il a d'ailleurs si religieusement conservé le génie et le caractère des contes orientaux qu'il a rendu par là son ouvrage digne de leur bibliothèque. Il avait pressenti que cette répétition pourrait bien déplaire aux Français ; mais par une timidité assez rare dans un auteur qui traduit un livre peu connu, il n'osa pas s'écarter de son texte. Le succès qu'ont eu les deux premiers volumes[1], qu'il a déjà donnés au public, doit répondre de la réussite des autres, qui ne contiennent pas des choses moins merveilleuses ni moins agréables.

LXIXe NUIT

« Au nom de Dieu, ma sœur, s'écria Dinarzade avant le jour, si vous ne dormez pas, je vous prie de nous raconter comment les deux chiennes noires reprirent leur première forme et ce que devinrent les trois calenders. — Je vais satisfaire votre curiosité », répondit Scheherazade. Alors, adressant son discours à Schahriar, elle poursuivit dans ces termes :

Sire, le calife, ayant satisfait sa curiosité, voulut donner des marques de sa grandeur et de sa générosité aux calenders princes et faire sentir aussi aux trois dames des effets de sa bonté. Sans se servir du ministère de son grand-vizir, il dit lui-même à Zobéide : « Madame, cette fée qui se fit voir d'abord à vous en serpent, et qui vous a imposé une si rigoureuse loi, cette fée ne vous a-

---

1. Dans l'édition originale, cet avertissement se lit en tête du tome III.

t-elle point parlé de sa demeure, ou plutôt ne vous pro-
mit-elle pas de vous revoir et de rétablir les deux
chiennes en leur premier état ?

— Commandeur des croyants, répondit Zobéide, j'ai
oublié de dire à Votre Majesté que la fée me mit entre
les mains un petit paquet de cheveux, en me disant qu'un
jour j'aurais besoin de sa présence, et qu'alors, si je
voulais seulement brûler deux brins de ces cheveux,
elle serait à moi dans le moment, quand elle serait au-
delà du mont Caucase. — Madame, reprit le calife, où
est ce paquet de cheveux ? » Elle repartit que depuis
ce temps-là elle avait eu grand soin de le porter toujours
avec elle. En effet, elle le tira ; et, ouvrant un peu la
portière qui la cachait, elle le lui montra. « Hé bien !
répliqua le calife, faisons venir ici la fée ; vous ne sauriez
l'appeler plus à propos, puisque je le souhaite. »

Zobéide y ayant consenti, on apporta du feu, et Zobéide
mit dessus tout le paquet de cheveux.

A l'instant même le palais s'ébranla, et la fée parut
devant le calife, sous la figure d'une dame habillée très
magnifiquement. « Commandeur des croyants, dit-elle
à ce prince, vous me voyez prête à recevoir vos commandements. La dame qui vient de m'appeler par votre
ordre m'a rendu un service important. Pour lui en marquer ma reconnaissance, je l'ai vengée de la perfidie de
ses sœurs en les changeant en chiennes ; mais, si Votre
Majesté le désire, je vais leur rendre leur figure naturelle.

— Belle fée, lui répondit le calife, vous ne pouvez
me faire un plus grand plaisir ; faites-leur cette grâce ;
après cela, je chercherai les moyens de les consoler d'une
si rude pénitence ; mais, auparavant, j'ai encore une
prière à vous faire en faveur de la dame qui a été si cruellement maltraitée par un mari inconnu. Comme vous
savez une infinité de choses, il est à croire que vous
n'ignorez pas celle-ci ; obligez-moi de me nommer le
barbare qui ne s'est pas contenté d'exercer sur elle une
si grande cruauté, mais qui lui a même enlevé très injustement tout le bien qui lui appartenait. Je m'étonne
qu'une action si injuste, si inhumaine, et qui fait tort
à mon autorité, ne soit pas venue jusqu'à moi.

— Pour faire plaisir à Votre Majesté, répliqua la fée,
je remettrai les deux chiennes en leur premier état ;
je guérirai la dame de ses cicatrices, de manière qu'il
ne paraîtra pas que jamais elle ait été frappée ; et ensuite
je vous nommerai celui qui l'a fait maltraiter ainsi. »

Le calife envoya quérir les deux chiennes chez Zobéide ; et, lorsqu'on les eut amenées, on présenta une tasse pleine d'eau à la fée, qui l'avait demandée. Elle prononça dessus des paroles que personne n'entendit, et elle en jeta sur Amine et sur les deux chiennes. Elles furent changées en deux dames d'une beauté surprenante, et les cicatrices d'Amine disparurent. Alors la fée dit au calife : « Commandeur des croyants, il faut vous découvrir présentement qui est l'époux inconnu que vous cherchez. Il vous appartient de fort près, puisque c'est le prince Amin, votre fils aîné, frère du prince Mamoun son cadet. Étant devenu passionnément amoureux de cette dame, sur le récit qu'on lui avait fait de sa beauté, il trouva un prétexte pour l'attirer chez lui, où il l'épousa. A l'égard des coups qu'il lui a fait donner, il est excusable en quelque façon. La dame son épouse avait eu un peu trop de facilité ; et les excuses qu'elle lui avait apportées étaient capables de faire croire qu'elle avait fait plus de mal qu'il n'y en avait. C'est tout ce que je puis dire pour satisfaire votre curiosité. » En achevant ces paroles, elle salua le calife et disparut.

Ce prince, rempli d'admiration et content des changements qui venaient d'arriver par son moyen, fit des actions dont il sera parlé éternellement. Il fit premièrement appeler le prince Amin, son fils, lui dit qu'il savait son mariage secret, et lui apprit la cause de la blessure d'Amine. Le prince n'attendit pas que son père lui parlât de la reprendre, il la reprit à l'heure même.

Le calife déclara ensuite qu'il donnait son cœur et sa main à Zobéide, et proposa les trois autres sœurs aux trois calenders fils de rois, qui les acceptèrent pour femmes avec beaucoup de reconnaissance. Le calife leur assigna à chacun un palais magnifique dans la ville de Bagdad ; il les éleva aux premières charges de son empire, et les admit dans ses conseils. Le premier cadi de Bagdad, appelé avec des témoins, dressa les contrats de mariage ; et le fameux calife Haroun-al-Raschid, en faisant le bonheur de tant de personnes qui avaient éprouvé des disgrâces incroyables, s'attira mille bénédictions.

Il n'était pas jour encore lorsque Scheherazade acheva cette histoire, qui avait été tant de fois interrompue et continuée. Cela lui donna lieu d'en commencer une autre. Ainsi, adressant la parole au sultan, elle lui dit :

HISTOIRE DE SINDBAD

LE MARIN

Sire, sous le règne de ce même calife Haroun-al-Raschid dont je viens de parler, il y avait à Bagdad un pauvre porteur qui se nommait Hindbad. Un jour qu'il faisait une chaleur excessive, il portait une charge très pesante d'une extrémité de la ville à une autre. Comme il était fort fatigué du chemin qu'il avait déjà fait et qu'il lui en restait encore beaucoup à faire, il arriva dans une rue où régnait un doux zéphyr, et dont le pavé était arrosé d'eau de rose. Ne pouvant désirer un lieu plus favorable pour se reposer et reprendre de nouvelles forces, il posa sa charge à terre, et s'assit dessus auprès d'une grande maison.

Il se sut bientôt très bon gré de s'être arrêté en cet endroit : car son odorat fut agréablement frappé d'un parfum exquis de bois d'aloès et de pastilles qui sortait par les fenêtres de cet hôtel, et qui, se mêlant avec l'odeur de l'eau de rose, achevait d'embaumer l'air. Outre cela, il ouït en dedans un concert de divers instruments accompagnés du ramage harmonieux d'un grand nombre de rossignols et d'autres oiseaux particuliers au climat de Bagdad. Cette gracieuse mélodie et la fumée de plusieurs sortes de viandes qui se faisaient sentir lui firent juger qu'il y avait là quelque festin, et qu'on s'y réjouissait. Il voulut savoir qui demeurait en cette maison qu'il ne connaissait pas bien, parce qu'il n'avait pas eu occasion de passer souvent par cette rue. Pour satisfaire sa curiosité, il s'approcha de quelques domestiques, qu'il vit à la porte, magnifiquement habillés, et demanda à l'un d'entre eux comment s'appelait le maître de cet hôtel. « Hé quoi! lui répondit le domestique, vous demeurez à Bagdad, et vous ignorez que c'est ici la demeure du seigneur Sindbad le marin, de ce fameux voyageur qui

a parcouru toutes les mers que le soleil éclaire ? » Le
porteur, qui avait ouï parler des richesses de Sindbad,
ne put s'empêcher de porter envie à un homme dont la
condition lui paraissait aussi heureuse qu'il trouvait la
sienne déplorable. L'esprit aigri par ses réflexions, il
leva les yeux au ciel, et dit assez haut pour être entendu :
« Puissant créateur de toutes choses, considérez la différence qu'il y a entre Sindbad et moi; je souffre tous les
jours mille fatigues et mille maux, et j'ai bien de la peine
à me nourrir, moi et ma famille, de mauvais pain d'orge,
pendant que l'heureux Sindbad dépense avec profusion
d'immenses richesses et mène une vie pleine de délices.
Qu'a-t-il fait pour obtenir de vous une destinée si
agréable ? Qu'ai-je fait pour en mériter une si rigoureuse ?
En achevant ces paroles, il frappa du pied contre terre
comme un homme entièrement possédé de sa douleur
et de son désespoir.

Il était encore occupé de ses tristes pensées, lorsqu'il
vit sortir de l'hôtel un valet qui vint à lui et qui, le prenant
par le bras, lui dit : « Venez, suivez-moi; le seigneur
Sindbad, mon maître, veut vous parler. »

Le jour qui parut en cet endroit empêcha Scheherazade
de continuer cette histoire; mais elle la reprit ainsi le
lendemain :

LXXe NUIT

Sire, Votre Majesté peut aisément s'imaginer qu'Hindbad ne fut pas peu surpris du compliment qu'on lui
faisait. Après le discours qu'il venait de tenir, il avait
sujet de craindre que Sindbad ne l'envoyât quérir pour
lui faire quelque mauvais traitement; c'est pourquoi il
voulut s'excuser sur ce qu'il ne pouvait abandonner sa
charge au milieu de la rue; mais le valet de Sindbad
l'assura qu'on y prendrait garde, et le pressa tellement
sur l'ordre dont il était chargé que le porteur fut obligé
de se rendre à ses instances.

Le valet l'introduisit dans une grande salle, où il
y avait un bon nombre de personnes autour d'une table
couverte de toutes sortes de mets délicats. On voyait à
la place d'honneur un personnage grave, bien fait et
vénérable par une longue barbe blanche; et derrière lui
étaient debout une foule d'officiers et de domestiques

fort empressés à le servir. Ce personnage était Sindbad. Le porteur, dont le trouble s'augmenta à la vue de tant de monde et d'un festin si superbe, salua la compagnie en tremblant. Sindbad lui dit de s'approcher, et, après l'avoir fait asseoir à sa droite, il lui servit à manger lui-même, et lui fit donner à boire d'un excellent vin, dont le buffet était abondamment garni.

Sur la fin du repas, Sindbad, remarquant que ses convives ne mangeaient plus, prit la parole, et, s'adressant à Hindbad, qu'il traita de frère, selon la coutume des Arabes lorsqu'ils se parlent familièrement, lui demanda comment il se nommait et quelle était sa profession. « Seigneur, lui répondit-il, je m'appelle Hindbad. — Je suis bien aise de vous voir, reprit Sindbad, et je vous réponds que la compagnie vous voit aussi avec plaisir ; mais je souhaiterais apprendre de vous-même ce que vous disiez tantôt dans la rue. » Sindbad, avant que de se mettre à table, avait entendu tout son discours par une fenêtre ; et c'était ce qui l'avait obligé à le faire appeler.

À cette demande, Hindbad, plein de confusion, baissa la tête et repartit : « Seigneur, je vous avoue que ma lassitude m'avait mis en mauvaise humeur, et il m'est échappé quelques paroles indiscrètes que je vous supplie de me pardonner. — Oh ! ne croyez pas, reprit Sindbad, que je sois assez injuste pour en conserver du ressentiment. J'entre dans votre situation ; au lieu de vous reprocher vos murmures, je vous plains ; mais il faut que je vous tire d'une erreur où vous me paraissez être à mon égard. Vous vous imaginez sans doute que j'ai acquis sans peine et sans travail toutes les commodités et le repos dont vous voyez que je jouis : désabusez-vous. Je ne suis parvenu à un état si heureux qu'après avoir souffert durant plusieurs années tous les travaux du corps et de l'esprit que l'imagination peut concevoir. Oui, Messeigneurs, ajouta-t-il en s'adressant à toute la compagnie, je puis vous assurer que ces travaux sont si extraordinaires qu'ils sont capables d'ôter aux hommes les plus avides de richesses l'envie fatale de traverser les mers pour en acquérir. Vous n'avez peut-être entendu parler que confusément de mes étranges aventures, et des dangers que j'ai courus sur mer dans les sept voyages que j'ai faits, et, puisque l'occasion s'en présente, je vais vous en faire un rapport fidèle : je crois que vous ne serez pas fâchés de l'entendre. »

Comme Sindbad voulait raconter son histoire, particulièrement à cause du porteur, avant que de la commencer il ordonna qu'on fît porter la charge qu'il avait laissée dans la rue au lieu où Hindbad marqua qu'il souhaitait qu'elle fût portée. Après cela, il parla dans ces termes :

PREMIER VOYAGE DE SINDBAD

LE MARIN

« J'avais hérité de ma famille des biens considérables, j'en dissipai la meilleure partie dans les débauches de ma jeunesse; mais je revins de mon aveuglement, et, rentrant en moi-même, je reconnus que les richesses étaient périssables, et qu'on en voyait bientôt la fin quand on les ménageait aussi mal que je faisais. Je pensai, de plus, que je consumais malheureusement dans une vie déréglée le temps, qui est la chose du monde la plus précieuse. Je considérai encore que c'était la dernière et la plus déplorable de toutes les misères que d'être pauvre dans la vieillesse. Je me souvins de ces paroles du grand Salomon, que j'avais autrefois ouï dire à mon père, qu'*il est moins fâcheux d'être dans le tombeau que dans la pauvreté.*

« Frappé de toutes ces réflexions, je ramassai les débris de mon patrimoine. Je vendis à l'encan en plein marché tout ce que j'avais de meubles. Je me liai ensuite avec quelques marchands qui négociaient par mer. Je consultai ceux qui me parurent capables de me donner de bons conseils. Enfin, je résolus de faire profiter le peu d'argent qui me restait, et, dès que j'eus pris cette résolution, je ne tardai guère à l'exécuter. Je me rendis à Balsora*, où je m'embarquai avec plusieurs marchands sur un vaisseau que nous avions équipé à frais communs.

« Nous mîmes à la voile, et prîmes la route des Indes orientales par le golfe Persique, qui est formé par les côtes de l'Arabie Heureuse à la droite, et par celles de la Perse à la gauche, et dont la plus grande largeur est de soixante et dix lieues, selon la commune opinion. Hors de ce golfe, la mer du Levant, la même que celle des Indes,

---

* Port de mer sur le golfe Persique.

est très spacieuse : elle a d'un côté pour bornes les côtes d'Abyssinie et quatre mille cinq cents lieues de longueur jusqu'aux îles de Vakvak *. Je fus d'abord incommodé de ce qu'on appelle le mal de mer ; mais ma santé se rétablit bientôt, et depuis ce temps-là je n'ai point été sujet à cette maladie.

« Dans le cours de notre navigation, nous abordâmes à plusieurs îles et nous y vendîmes ou échangeâmes nos marchandises. Un jour que nous étions à la voile, le calme nous prit vis-à-vis une petite île presque à fleur d'eau, qui ressemblait à une prairie par sa verdure. Le capitaine fit plier les voiles, et permit de prendre terre aux personnes de l'équipage qui voulurent y descendre. Je fus du nombre de ceux qui y débarquèrent. Mais, dans le temps que nous nous divertissions à boire et à manger, et à nous délasser de la fatigue de la mer, l'île trembla tout à coup, et nous donna une rude secousse... »

A ces mots, Scheherazade s'arrêta, parce que le jour commençait à paraître. Elle reprit ainsi son discours sur la fin de la nuit suivante :

LXXIe NUIT

Sire, Sindbad, poursuivant son histoire : « On s'aperçut, dit-il, du tremblement de l'île dans le vaisseau, d'où l'on nous cria de nous rembarquer promptement ; que nous allions tous périr ; que ce que nous prenions pour une île était le dos d'une baleine. Les plus diligents se sauvèrent dans la chaloupe, d'autres se jetèrent à la nage. Pour moi, j'étais encore sur l'île, ou plutôt sur la baleine, lorsqu'elle se plongea dans la mer, et je n'eus que le temps de me prendre à une pièce de bois qu'on avait apportée du vaisseau pour faire du feu. Cependant, le capitaine, après avoir reçu sur son bord ses gens qui étaient dans la chaloupe et recueilli quelques-uns de ceux qui nageaient, voulut profiter d'un vent frais et favorable qui s'était levé ; il fit hausser les voiles, et m'ôta par là l'espérance de gagner le vaisseau.

« Je demeurai donc à la merci des flots, poussé tantôt

---

* Ces îles, selon les Arabes, sont au-delà de la Chine et ainsi appelées d'un arbre qui porte un fruit de ce nom. Ce sont sans doute les îles du Japon, qui ne sont pourtant pas si éloignées de l'Abyssinie.

d'un côté et tantôt d'un autre ; je disputai contre eux ma
vie tout le reste du jour et de la nuit suivante. Je n'avais
plus de force le lendemain, et je désespérais d'éviter
la mort, lorsqu'une vague me jeta heureusement contre
une île. Le rivage en était haut et escarpé, et j'aurais
eu beaucoup de peine à y monter, si quelques racines
d'arbres que la fortune semblait avoir conservées en cet
endroit pour mon salut ne m'en eussent donné le moyen.
Je m'étendis sur la terre, où je demeurai à demi mort,
jusqu'à ce qu'il fit grand jour et que le soleil parut.

« Alors, quoique je fusse très faible à cause du travail
de la mer, et parce que je n'avais pris aucune nourriture
depuis le jour précédent, je ne laissai pas de me traîner
en cherchant des herbes bonnes à manger. J'en trouvai
quelques-unes, et j'eus le bonheur de rencontrer une
source d'eau excellente, qui ne contribua pas peu à me
rétablir. Les forces m'étant revenues, je m'avançai dans
l'île, marchant sans tenir de route assurée. J'entrai dans
une belle plaine, où j'aperçus de loin un cheval qui pais-
sait. Je portai mes pas de ce côté-là, flottant entre la
crainte et la joie : car j'ignorais si je n'allais pas chercher
ma perte plutôt qu'une occasion de mettre ma vie en
sûreté. Je remarquai, en approchant, que c'était une
cavale attachée à un piquet. Sa beauté attira mon attention ; mais, pendant que je la regardais, j'entendis la
voix d'un homme qui parlait sous terre. Un moment
ensuite, cet homme parut, vint à moi, et me demanda
qui j'étais. Je lui racontai mon aventure ; après quoi, me
prenant par la main, il me fit entrer dans une grotte, où
il y avait d'autres personnes qui ne furent pas moins
étonnées de me voir que je l'étais de les trouver là.

« Je mangeai de quelques mets qu'ils me présentèrent ;
puis, leur ayant demandé ce qu'ils faisaient dans un lieu
qui me paraissait si désert, ils me répondirent qu'ils
étaient palefreniers du roi Mihrage, souverain de cette
île ; que chaque année, dans la même saison, ils avaient
coutume d'y amener les cavales du roi, qu'ils attachaient
de la manière que je l'avais vu, pour les faire couvrir par
un cheval marin qui sortait de la mer ; que le cheval
marin, après les avoir couvertes, se mettait en état de
les dévorer ; mais qu'ils l'en empêchaient par leurs cris,
et l'obligeaient à rentrer dans la mer ; que, les cavales
étant pleines, ils les remenaient, et que les chevaux qui
en naissaient étaient destinés pour le roi et appelés
chevaux marins. Ils ajoutèrent qu'ils devaient partir le

lendemain, et que, si je fusse arrivé un jour plus tard, j'aurais péri infailliblement, parce que les habitations étaient éloignées et qu'il m'eût été impossible d'y arriver sans guide.

« Tandis qu'ils m'entretenaient ainsi, le cheval marin sortit de la mer comme ils me l'avaient dit, se jeta sur la cavale, la couvrit et voulut ensuite la dévorer; mais, au grand bruit que firent les palefreniers, il lâcha prise et alla se replonger dans la mer.

« Le lendemain, ils reprirent le chemin de la capitale de l'île avec les cavales, et je les accompagnai. A notre arrivée, le roi Mihrage, à qui je fus présenté, me demanda qui j'étais et par quelle aventure je me trouvais dans ses États. Dès que j'eus pleinement satisfait sa curiosité, il me témoigna qu'il prenait beaucoup de part à mon malheur. En même temps, il ordonna qu'on eût soin de moi et que l'on me fournît toutes les choses dont j'aurais besoin. Cela fut exécuté de manière que j'eus sujet de me louer de sa générosité et de l'exactitude de ses officiers.

« Comme j'étais marchand, je fréquentai les gens de ma profession. Je recherchais particulièrement ceux qui étaient étrangers, tant pour apprendre d'eux des nouvelles de Bagdad que pour en trouver quelqu'un avec qui je pusse y retourner : car la capitale du roi Mihrage est située sur le bord de la mer, et a un beau port où il aborde tous les jours des vaisseaux de différents endroits du monde. Je cherchais aussi la compagnie des savants des Indes, et je prenais plaisir à les entendre parler; mais celà ne m'empêchait pas de faire ma cour au roi très régulièrement, ni de m'entretenir avec des gouverneurs et de petits rois, ses tributaires, qui étaient auprès de sa personne. Ils me faisaient mille questions sur mon pays; et, de mon côté, voulant m'instruire des mœurs ou des lois de leurs États, je leur demandais tout ce qui me semblait mériter ma curiosité.

« Il y a sous la domination du roi Mihrage une île qui porte le nom de Cassel. On m'avait assuré qu'on y entendait toutes les nuits un son de timbales; ce qui a donné lieu à l'opinion qu'ont les matelots que Deggial * y fait sa demeure. Il me prit envie d'être témoin de cette

---

* Deggial, chez les Mahométans, est le même que l'Antéchrist. Selon eux, il viendra à la fin du monde, conquerra toute la Terre, excepté la Mecque, Médine, Tarse et Jérusalem, qui seront préservées par des Anges qu'il verra à l'entour.

merveille, et je vis dans mon voyage des poisssons longs
de cent et de deux cents coudées, qui font plus de peur
que de mal. Ils sont si timides qu'on les fait fuir en frappant sur des ais. Je remarquai d'autres poissons qui
n'étaient que d'une coudée, et qui ressemblaient par la
tête à des hiboux.

« A mon retour, comme j'étais un jour sur le port,
un navire y vint aborder. Dès qu'il fut à l'ancre, on commença de décharger les marchandises ; et les marchands à
qui elles appartenaient les faisaient transporter dans des
magasins. En jetant les yeux sur quelques ballots et sur
l'écriture qui marquait à qui ils étaient, je vis mon nom
dessus, et, après les avoir attentivement examinés, je
ne doutai pas que ce ne fussent ceux que j'avais fait
charger sur le vaisseau où je m'étais embarqué à Balsora.
Je reconnus même le capitaine ; mais, comme j'étais persuadé qu'il me croyait mort, je l'abordai et lui demandai
à qui appartenaient les ballots que je voyais. « J'avais
sur mon bord, me répondit-il, un marchand de Bagdad,
qui se nommait Sindbad. Un jour que nous étions près
d'une île, à ce qu'il nous paraissait, il mit pied à terre
avec plusieurs passagers dans cette île prétendue, qui
n'était autre chose qu'une baleine d'une grosseur énorme,
qui s'était endormie à fleur d'eau. Elle ne se sentit pas
plus tôt échauffée par le feu qu'on avait allumé sur son
dos pour faire la cuisine qu'elle commença de se mouvoir
et de s'enfoncer dans la mer. La plupart des personnes
qui étaient dessus se noyèrent, et le malheureux Sindbad
fut de ce nombre. Ces ballots étaient à lui, et j'ai résolu
de les négocier jusqu'à ce que je rencontre quelqu'un
de sa famille à qui je puisse rendre le profit que j'aurai
fait avec le principal. — Capitaine, lui dis-je alors, je
suis ce Sindbad que vous croyez mort, et qui ne l'est
pas : ces ballots sont mon bien et ma marchandise... »

Scheherazade n'en dit pas davantage cette nuit ; mais
elle continua le lendemain de cette sorte :

LXXIIᵉ NUIT

Sindbad, poursuivant son histoire, dit à la compagnie :

« Quand le capitaine du vaisseau m'entendit parler
ainsi : « Grand Dieu ! s'écria-t-il, à qui se fier aujourd'hui ?

Il n'y a plus de bonne foi parmi les hommes. J'ai vu de mes propres yeux périr Sindbad; les passagers qui étaient sur mon bord l'ont vu comme moi, et vous osez dire que vous êtes ce Sindbad? Quelle audace! A vous voir, il semble que vous soyez un homme de probité; cependant vous dites une horrible fausseté pour vous emparer d'un bien qui ne vous appartient pas. — Donnez-vous patience, repartis-je au capitaine, et me faites la grâce d'écouter ce que j'ai à vous dire. — Hé bien! reprit-il, que direz-vous? Parlez, je vous écoute. » Je lui racontai alors de quelle manière je m'étais sauvé, et par quelle aventure j'avais rencontré les palefreniers du roi Mihrage, qui m'avaient amené à sa cour.

« Il se sentit ébranlé de mon discours; mais il fut bientôt persuadé que je n'étais pas un imposteur : car il arriva des gens de son navire qui me reconnurent et me firent de grands compliments, en me témoignant la joie qu'ils avaient de me revoir. Enfin, il me reconnut aussi lui-même, et, se jetant à mon cou : « Dieu soit loué, me dit-il, de ce que vous êtes heureusement échappé d'un si grand danger! je ne puis assez vous marquer le plaisir que j'en ressens. Voilà votre bien, prenez-le, il est à vous; faites-en ce qu'il vous plaira. » Je le remerciai, je louai sa probité, et, pour la reconnaître, je le priai d'accepter quelques marchandises que je lui présentai; mais il les refusa.

« Je choisis ce qu'il y avait de plus précieux dans mes ballots, et j'en fis présent au roi Mihrage. Comme ce prince savait la disgrâce qui m'était arrivée, il me demanda où j'avais pris des choses si rares. Je lui contai par quel hasard je venais de les recouvrer; il eut la bonté de m'en témoigner de la joie; il accepta mon présent et m'en fit de beaucoup plus considérables. Après cela, je pris congé de lui et me rembarquai sur le même vaisseau. Mais, avant mon embarquement, j'échangeai les marchandises qui me restaient contre d'autres du pays. J'emportai avec moi du bois d'aloès, du sandal, du camphre, de la muscade, du clou de girofle, du poivre et du gingembre. Nous passâmes par plusieurs îles, et nous abordâmes enfin à Balsora, d'où j'arrivai en cette ville avec la valeur d'environ cent mille sequins. Ma famille me reçut, et je la revis avec tous les transports que peut causer une amitié vive et sincère. J'achetai des esclaves de l'un et de l'autre sexe, de belles terres, et je fis une grosse maison. Ce fut ainsi que je m'établis, résolu d'oublier les maux que j'avais soufferts et de jouir des plaisirs de la vie. »

Sindbad, s'étant arrêté en cet endroit, ordonna aux joueurs d'instruments de recommencer leurs concerts, qu'il avait interrompus par le récit de son histoire. On continua jusqu'au soir de boire et de manger, et, lorsqu'il fut temps de se retirer, Sindbad se fit apporter une bourse de cent sequins, et, la donnant au porteur : « Prenez, Hindbad, lui dit-il; retournez chez vous, et revenez demain entendre la suite de mes aventures. » Le porteur se retira fort confus de l'honneur et du présent qu'il venait de recevoir. Le récit qu'il en fit au logis fut très agréable à sa femme et à ses enfants, qui ne manquèrent pas de remercier Dieu du bien que la Providence leur faisait par l'entremise de Sindbad.

Hindbad s'habilla le lendemain plus proprement que le jour précédent, et retourna chez le voyageur libéral, qui le reçut d'un air riant et lui fit mille caresses. Dès que les conviés furent tous arrivés, on servit et l'on tint table fort longtemps. Le repas fini, Sindbad prit la parole, et, s'adressant à la compagnie : « Messeigneurs, dit-il, je vous prie de me donner audience et de vouloir bien écouter les aventures de mon second voyage; elles sont plus dignes de votre attention que celles du premier. » Tout le monde garda le silence, et Sindbad parla en ces termes :

SECOND VOYAGE DE SINDBAD

LE MARIN

« J'avais résolu, après mon premier voyage, de passer tranquillement le reste de mes jours à Bagdad, comme j'eus l'honneur de vous le dire hier. Mais je ne fus pas longtemps sans m'ennuyer d'une vie oisive; l'envie de voyager et de négocier par mer me reprit : j'achetai des marchandises propres à faire le trafic que je méditais, et je partis une seconde fois avec d'autres marchands dont la probité m'était connue. Nous nous embarquâmes sur un bon navire, et, après nous être recommandés à Dieu, nous commençâmes notre navigation.

« Nous allions d'île en île, et nous y faisions des trocs fort avantageux. Un jour, nous descendîmes en l'une, qui était couverte de plusieurs sortes d'arbres fruitiers, mais si déserte que nous n'y découvrîmes aucune habitation, et même pas une âme. Nous allâmes prendre l'air dans les prairies et le long des ruisseaux qui les arrosaient.

« Pendant que les uns se divertissaient à cueillir des fleurs et les autres des fruits, je pris mes provisions et du vin que j'avais apporté et m'assis près d'une eau coulant entre de grands arbres qui formaient un bel ombrage. Je fis un assez bon repas de ce que j'avais; après quoi le sommeil vint s'emparer de mes sens. Je ne vous dirai pas si je dormis longtemps; mais, quand je me réveillai, je ne vis plus le navire à l'ancre... »

Là, Scheherazade fut obligée d'interrompre son récit, parce qu'elle vit que le jour paraissait; mais la nuit suivante elle continua de cette manière le second voyage de Sindbad :

LXXIIIe NUIT

« Je fus bien étonné, dit Sindbad, de ne plus voir le vaisseau à l'ancre ; je me levai, je regardai de toutes parts, et je ne vis pas un des marchands qui étaient descendus dans l'île avec moi. J'aperçus seulement le navire à la voile, mais si éloigné que je le perdis de vue peu de temps après.

« Je vous laisse à imaginer les réflexions que je fis dans un état si triste. Je pensai mourir de douleur. Je poussai des cris épouvantables ; je me frappai la tête, et me jetai par terre, où je demeurai longtemps abîmé dans une confusion mortelle de pensées toutes plus affligeantes les unes que les autres. Je me reprochai cent fois de ne m'être pas contenté de mon premier voyage, qui devait m'avoir fait perdre pour jamais l'envie d'en faire d'autres. Mais tous mes regrets étaient inutiles et mon repentir hors de saison.

« A la fin, je me résignai à la volonté de Dieu, et, sans savoir ce que je deviendrais, je montai au haut d'un grand arbre, d'où je regardai de tous côtés pour voir si je ne découvrirais rien qui pût me donner quelque espérance. En jetant les yeux sur la mer, je ne vis que de l'eau et le ciel ; mais, ayant aperçu du côté de la terre quelque chose de blanc, je descendis de l'arbre, et, avec ce qui me restait de vivres, je marchai vers cette blancheur, qui était si éloignée que je ne pouvais pas bien distinguer ce que c'était.

« Lorsque j'en fus à une distance raisonnable, je remarquai que c'était une boule blanche d'une hauteur et d'une grosseur prodigieuses. Dès que j'en fus près, je la touchai et la trouvai fort douce. Je tournai à l'entour pour voir s'il n'y avait point d'ouverture ; je n'en pus découvrir aucune, et il me parut qu'il était impossible de monter dessus, tant elle était unie. Elle pouvait avoir cinquante pas en rondeur.

« Le soleil alors était prêt à se coucher. L'air s'obscurcit tout à coup comme s'il eût été couvert d'un nuage épais. Mais, si je fus étonné de cette obscurité, je le fus bien davantage quand je m'aperçus que ce qui la causait était un oiseau d'une grandeur et d'une grosseur extraordinaires, qui s'avançait de mon côté en volant. Je me

souvins d'un oiseau appelé roc* dont j'avais souvent
ouï parler aux matelots, et je conçus que la grosse boule
que j'avais tant admirée devait être un œuf de cet oiseau.
En effet, il s'abattit et se posa dessus, comme pour le
couver. En le voyant venir, je m'étais serré fort près de
l'œuf, de sorte que j'eus devant moi un des pieds de l'oiseau, et ce pied était aussi gros qu'un gros tronc d'arbre.
Je m'y attachai fortement avec la toile dont mon turban
était environné, dans l'espérance que le roc, lorsqu'il
reprendrait son vol le lendemain, m'emporterait hors
de cette île déserte. Effectivement, après avoir passé la
nuit en cet état, d'abord qu'il fut jour, l'oiseau s'envola
et m'enleva si haut que je ne voyais plus la terre; puis
il descendit tout à coup avec tant de rapidité que je ne
me sentais pas. Lorsque le roc fut posé et que je me vis
à terre, je déliai promptement le nœud qui me tenait
attaché à son pied. J'avais à peine achevé de me détacher
qu'il donna du bec sur un serpent d'une longueur inouïe.
Il le prit et s'envola aussitôt.

« Le lieu où il me laissa était une vallée très profonde,
environnée de toutes parts de montagnes si hautes qu'elles
se perdaient dans la nue, et tellement escarpées qu'il
n'y avait aucun chemin par où l'on y pût monter. Ce
fut un nouvel embarras pour moi, et, comparant cet
endroit à l'île déserte que je venais de quitter, je trouvai
que je n'avais rien gagné au change.

« En marchant par cette vallée, je remarquai qu'elle
était parsemée de diamants, dont il y en avait d'une
grosseur surprenante; je pris beaucoup de plaisir à les
regarder; mais j'aperçus bientôt de loin des objets qui
diminuèrent fort ce plaisir, et que je ne pus voir sans
effroi. C'étaient un grand nombre de serpents si gros
et si longs qu'il n'y en avait pas un qui n'eût englouti
un éléphant. Ils se retiraient pendant le jour dans leurs
antres, où ils se cachaient à cause du roc leur ennemi, et
ils n'en sortaient que la nuit.

« Je passai la journée à me promener dans la vallée,
et à me reposer de temps en temps dans les endroits les
plus commodes. Cependant le soleil se coucha; et, à
l'entrée de la nuit, je me retirai dans une grotte où je
jugeai que je serais en sûreté. J'en bouchai l'entrée,
qui était basse et étroite, avec une pierre assez grosse

---

* Marc Paul, dans ses voyages, et le Père Martini, dans son histoire
de la Chine, parlent de cet oiseau et disent qu'il enlève l'éléphant et
le rhinocéros.

pour me garantir des serpents, mais qui n'était pas assez
juste pour empêcher qu'il n'y entrât un peu de lumière.
Je soupai d'une partie de mes provisions, au bruit des
serpents qui commencèrent à paraître. Leurs affreux
sifflements me causèrent une frayeur extrême et ne me
permirent pas, comme vous pouvez penser, de passer
la nuit fort tranquillement. Le jour étant venu, les serpents se retirèrent. Alors je sortis de ma grotte en tremblant, et je puis dire que je marchai longtemps sur des
diamants sans en avoir la moindre envie. A la fin, je
m'assis, et, malgré l'inquiétude dont j'étais agité, comme
je n'avais pas fermé l'œil de toute la nuit, je m'endormis
après avoir fait encore un repas de mes provisions. Mais
j'étais à peine assoupi que quelque chose qui tomba
près de moi avec grand bruit me réveilla. C'était une
grosse pièce de viande fraîche, et, dans le moment, j'en
vis rouler plusieurs autres du haut des rochers en différents endroits.

« J'avais toujours tenu pour un conte fait à plaisir
ce que j'avais ouï dire plusieurs fois à des matelots et à
d'autres personnes touchant la vallée des diamants, et
l'adresse dont se servaient quelques marchands pour en
tirer ces pierres précieuses. Je connus bien qu'ils m'avaient
dit la vérité. En effet, ces marchands se rendent auprès
de cette vallée dans le temps que les aigles ont des petits.
Ils découpent de la viande et la jettent par grosses pièces
dans la vallée; les diamants sur la pointe desquels elles
tombent s'y attachent. Les aigles, qui sont en ce pays-là
plus forts qu'ailleurs, vont fondre sur ces pièces de
viande, et les emportent dans leurs nids au haut des
rochers pour servir de pâture à leur aiglons. Alors les
marchands, courant aux nids, obligent, par leurs cris,
les aigles à s'éloigner, et prennent les diamants qu'ils
trouvent attachés aux pièces de viande. Ils se servent
de cette ruse parce qu'il n'y a pas d'autre moyen de tirer
les diamants de cette vallée, qui est un précipice dans
lequel on ne saurait descendre.

« J'avais cru jusque-là qu'il ne me serait pas possible
de sortir de cet abîme, que je regardais comme mon
tombeau; mais je changeai de sentiment; et ce que je
venais de voir me donna lieu d'imaginer le moyen de
conserver ma vie... »

Le jour qui parut en cet endroit imposa silence à Scheherazade; mais elle poursuivit cette histoire le lendemain.

LXXIVᵉ NUIT

Sire, dit-elle en s'adressant toujours au sultan des Indes, Sindbad continua de raconter les aventures de son second voyage à la compagnie qui l'écoutait :

« Je commençai, dit-il, par amasser les plus gros diamants qui se présentèrent à mes yeux, et j'en remplis la bourse de cuir* qui m'avait servi à mettre mes provisions de bouche. Je pris ensuite la pièce de viande qui me parut la plus longue, et l'attachai fortement autour de moi avec la toile de mon turban, et en cet état je me couchai le ventre contre terre, la bourse de cuir attachée à ma ceinture de manière qu'elle ne pouvait tomber.

« Je ne fus pas plus tôt en cette situation que les aigles vinrent ; chacune se saisit d'une pièce de viande qu'elle emporta ; et une des plus puissantes, m'ayant enlevé de même avec le morceau de viande dont j'étais enveloppé, me porta au haut de la montagne jusque dans son nid. Les marchands ne manquèrent point alors de crier pour épouvanter les aigles ; et, lorsqu'ils les eurent obligées à quitter leur proie, un d'entre eux s'approcha de moi ; mais il fut saisi de crainte quand il m'aperçut. Il se rassura pourtant, et, au lieu de s'informer par quelle aventure je me trouvais là, il commença de me quereller en me demandant pourquoi je lui ravissais son bien. « Vous me parlerez, lui dis-je, avec plus d'humanité lorsque vous m'aurez mieux connu. Consolez-vous, ajoutai-je ; j'ai des diamants pour vous et pour moi plus que n'en peuvent avoir tous les autres marchands ensemble. S'ils en ont, ce n'est que par hasard ; mais j'ai choisi moi-même, au fond de la vallée, ceux que j'apporte dans cette bourse que vous voyez. » En disant cela, je la lui montrai. Je n'avais pas achevé de parler que les autres marchands qui m'aperçurent s'attroupèrent autour de moi, fort étonnés de me voir, et j'augmentai leur surprise par le récit de mon histoire. Ils n'admirèrent pas tant le stratagème que j'avais imaginé pour me sauver que ma hardiesse à le tenter.

* Les Orientaux qui voyagent mettent leurs vivres dans une bourse de cuir à peu près semblable à celles dont nous voyons que les barbiers se servent à porter leur bassin, leur linge et leur trousseau, lorsqu'ils vont raser en ville.

« Ils m'emmenèrent au logement où ils demeuraient tous ensemble; et là, ayant ouvert ma bourse en leur présence, la grosseur de mes diamants les surprit, et ils m'avouèrent que dans toutes les cours où ils avaient été ils n'en avaient pas vu un qui en approchât. Je priai le marchand à qui appartenait le nid où j'avais été transporté, car chaque marchand avait le sien, je le priai, dis-je, d'en choisir pour sa part autant qu'il en voudrait. Il se contenta d'en prendre un seul, encore le prit-il des moins gros; et, comme je le pressais d'en recevoir d'autres sans craindre de me faire tort : « Non, me dit-il; je suis fort satisfait de celui-ci, qui est assez précieux pour m'épargner la peine de faire désormais d'autres voyages pour l'établissement de ma petite fortune. »

« Je passai la nuit avec ces marchands, à qui je racontai une seconde fois mon histoire pour la satisfaction de ceux qui ne l'avaient pas entendue. Je ne pouvais modérer ma joie quand je faisais réflexion que j'étais hors des périls dont je vous ai parlé. Il me semblait que l'état où je me trouvais était un songe, et je ne pouvais croire que je n'eusse plus rien à craindre.

« Il y avait déjà plusieurs jours que les marchands jetaient des pièces de viande dans la vallée, et, comme chacun paraissait content des diamants qui lui étaient échus, nous partîmes le lendemain tous ensemble, et nous marchâmes par de hautes montagnes où il y avait des serpents d'une longueur prodigieuse, que nous eûmes le bonheur d'éviter. Nous gagnâmes le premier port, d'où nous passâmes à l'île de Roha, où croît l'arbre dont on tire le camphre et qui est si gros et si touffu que cent hommes y peuvent être à l'ombre aisément. Le suc dont se forme le camphre coule par une ouverture que l'on fait au haut de l'arbre, et se reçoit dans un vase où il prend consistance et devient ce qu'on appelle camphre. Le suc ainsi tiré, l'arbre se sèche et meurt.

« Il y a dans la même île des rhinocéros, qui sont des animaux plus petits que l'éléphant et plus grands que le buffle; ils ont une corne sur le nez, longue environ d'une coudée; cette corne est solide et coupée par le milieu d'une extrémité à l'autre. On voit dessus des traits blancs qui représentent la figure d'un homme. Le rhinocéros se bat avec l'éléphant, le perce de sa corne par-dessous le ventre, l'enlève et le porte sur sa tête; mais, comme le sang et la graisse de l'éléphant lui coulent sur les yeux et l'aveuglent, il tombe par terre, et, ce qui va vous étonner, le roc vient, qui les enlève tous deux entre ses griffes et les emporte pour nourrir ses petits.

« Je passe sous silence plusieurs autres particularités de cette île, de peur de vous ennuyer. J'y échangeai quelques-uns de mes diamants contre de bonnes marchandises. De là, nous allâmes à d'autres îles ; et enfin, après avoir touché à plusieurs villes marchandes de terre ferme, nous abordâmes à Balsora, d'où je me rendis à Bagdad. J'y fis d'abord de grandes aumônes aux pauvres, et je jouis honorablement du reste des richesses immenses que j'avais apportées et gagnées avec tant de fatigues. »

Ce fut ainsi que Sindbad raconta son second voyage. Il fit donner encore cent sequins à Hindbad, qu'il invita à venir le lendemain entendre le récit du troisième. Les conviés retournèrent chez eux, et revinrent le jour suivant à la même heure, de même que le porteur, qui avait déjà presque oublié sa misère passée. On se mit à table, et, après le repas, Sindbad, ayant demandé audience, fit de cette sorte le détail de son troisième voyage :

TROISIÈME VOYAGE DE SINDBAD

LE MARIN

« J'eus bientôt perdu, dit-il, dans les douceurs de la vie que je menais, le souvenir des dangers que j'avais courus dans mes deux voyages ; mais, comme j'étais à la fleur de mon âge, je m'ennuyai de vivre dans le repos ; et, m'étourdissant sur les nouveaux périls que je voulais affronter, je partis de Bagdad avec de riches marchandises du pays, que je fis transporter à Balsora. Là, je m'embarquai encore avec d'autres marchands. Nous fîmes une longue navigation, et nous abordâmes à plusieurs ports, où nous fîmes un commerce considérable.

« Un jour que nous étions en pleine mer, nous fûmes battus d'une tempête horrible qui nous fit perdre notre route. Elle continua plusieurs jours, et nous poussa devant le port d'une île où le capitaine aurait fort souhaité de se dispenser d'entrer ; mais nous fûmes bien obligés d'y aller mouiller. Lorsqu'on eut plié les voiles, le capitaine nous dit : « Cette île et quelques autres voisines sont habitées par des sauvages tout velus qui vont venir nous assaillir. Quoique ce soient des nains, notre malheur veut que nous ne fassions pas la moindre résistance, parce qu'ils sont en plus grand nombre que les sauterelles, et que, s'il nous arrivait d'en tuer quelqu'un, ils se jetteraient tous sur nous et nous assommeraient. »

Le jour, qui vint éclairer l'appartement de Schahriar, empêcha Scheherazade d'en dire davantage. La nuit suivante, elle reprit la parole en ces termes :

LXXVᵉ NUIT

« Le discours du capitaine, dit Sindbad, mit tout l'équipage dans une grande consternation, et nous connûmes bientôt que ce qu'il venait de nous dire n'était que trop véritable. Nous vîmes paraître une multitude innombrable de sauvages hideux, couverts par tout le corps d'un poil roux, et hauts seulement de deux pieds. Ils se jetèrent à la nage et environnèrent en peu de temps notre vaisseau. Ils nous parlaient en approchant; mais nous n'entendions pas leur langage. Ils se prirent aux bords et aux cordages du navire, et grimpèrent de tous côtés jusqu'au tillac avec une si grande agilité et avec tant de vitesse qu'il ne paraissait pas qu'ils posassent leurs pieds.

« Nous leur vîmes faire cette manœuvre avec la frayeur que vous pouvez vous imaginer, sans oser nous mettre en défense, ni leur dire un seul mot pour tâcher de les détourner de leur dessein, que nous soupçonnions être funeste. Effectivement, ils déplièrent les voiles, coupèrent le câble et l'ancre sans se donner la peine de la tirer; et, après avoir fait approcher de terre le vaisseau, ils nous firent tous débarquer. Ils emmenèrent ensuite le navire en une autre île d'où ils étaient venus. Tous les voyageurs évitaient avec soin celle où nous étions alors, et il était très dangereux de s'y arrêter pour la raison que vous allez entendre; mais il nous fallut prendre notre mal en patience.

« Nous nous éloignâmes du rivage, et, en nous avançant dans l'île, nous trouvâmes quelques fruits et des herbes, dont nous mangeâmes pour prolonger le dernier moment de notre vie le plus qu'il nous était possible : car nous nous attendions tous à une mort certaine. En marchant, nous aperçûmes assez loin de nous un grand édifice, vers où nous tournâmes nos pas. C'était un palais bien bâti et fort élevé, qui avait une porte d'ébène à deux battants, que nous ouvrîmes en la poussant. Nous entrâmes dans la cour, et nous vîmes en face un vaste appartement avec un vestibule, où il y avait, d'un côté, un monceau d'ossements humains, et, de l'autre, une infinité de broches à rôtir. Nous tremblâmes à ce spectacle, et, comme nous étions fatigués d'avoir marché, les jambes nous manquèrent : nous tombâmes par terre, saisis d'une frayeur mortelle, et nous y demeurâmes très longtemps immobiles.

« Le soleil se couchait; et, tandis que nous étions dans l'état pitoyable que je viens de vous dire, la porte de l'appartement s'ouvrit avec beaucoup de bruit, et aussitôt nous en vîmes sortir une horrible figure d'homme noir de la hauteur d'un grand palmier. Il avait au milieu du front un seul œil rouge et ardent comme un charbon allumé; les dents de devant, qu'il avait fort longues et fort aiguës, lui sortaient de la bouche, qui n'était pas moins fendue que celle d'un cheval; et la lèvre inférieure lui descendait sur la poitrine. Ses oreilles ressemblaient à celles d'un éléphant et lui couvraient les épaules. Il avait les ongles crochus et longs comme les griffes des plus grands oiseaux. A la vue d'un géant si effroyable, nous perdîmes tous connaissance, et demeurâmes comme morts.

« A la fin, nous revînmes à nous, et nous le vîmes assis sous le vestibule, qui nous examinait de tout son œil. Quand il nous eut bien considérés, il s'avança vers nous, et, s'étant approché, il étendit la main sur moi, me prit par la nuque du col, et me tourna de tous côtés, comme un boucher qui manie une tête de mouton. Après m'avoir bien regardé, voyant que j'étais si maigre que je n'avais que la peau et les os, il me lâcha. Il prit les autres tour à tour, les examina de la même manière, et, comme le capitaine était le plus gras de tout l'équipage, il le tint d'une main ainsi que j'aurais tenu un moineau, et lui passa une broche au travers du corps; ayant ensuite allumé un grand feu, il le fit rôtir, et le mangea à son souper, dans l'appartement où il s'était retiré. Ce repas achevé, il revint sous le vestibule, où il se coucha et s'endormit en ronflant d'une manière plus bruyante que le tonnerre. Son sommeil dura jusqu'au lendemain matin. Pour nous, il ne nous fut pas possible de goûter la douceur du repos, et nous passâmes la nuit dans la plus cruelle inquiétude dont on puisse être agité. Le jour étant venu, le géant se réveilla, se leva, sortit, et nous laissa dans le palais.

« Lorsque nous le crûmes éloigné, nous rompîmes le triste silence que nous avions gardé toute la nuit, et, nous affligeant tous comme à l'envi l'un de l'autre, nous fîmes retentir le palais de plaintes et de gémissements. Quoique nous fussions en assez grand nombre et que nous n'eussions qu'un seul ennemi, nous n'eûmes pas d'abord la pensée de nous délivrer de lui par sa mort. Cette entreprise, bien que fort difficile à exécuter, était pourtant celle que nous devions naturellement former.

« Nous délibérâmes sur plusieurs autres partis, mais nous ne nous déterminâmes à aucun, et, nous soumettant à ce qu'il plairait à Dieu d'ordonner de notre sort, nous passâmes la journée à parcourir l'île en nous nourrissant de fruits et de plantes comme le jour précédent. Sur le soir, nous cherchâmes quelque endroit à nous mettre à couvert; mais nous n'en trouvâmes point, et nous fûmes obligés malgré nous de retourner au palais.

« Le géant ne manqua pas d'y revenir et de souper encore d'un de nos compagnons, après quoi il s'endormit et ronfla jusqu'au jour, qu'il sortit, et nous laissa comme il avait déjà fait. Notre condition nous parut si affreuse que plusieurs de nos camarades furent sur le point d'aller se précipiter dans la mer, plutôt que d'attendre une mort si étrange; et ceux-là excitaient les autres à suivre leur conseil. Mais un de la compagnie, prenant alors la parole : « Il nous est défendu, dit-il, de nous donner nous-mêmes la mort; et, quand cela serait permis, n'est-il pas plus raisonnable que nous songions au moyen de nous défaire du barbare qui nous destine un trépas si funeste ? »

« Comme il m'était venu dans l'esprit un projet sur cela, je le communiquai à mes camarades, qui l'approuvèrent. « Mes frères, leur dis-je alors, vous savez qu'il y a beaucoup de bois le long de la mer; si vous m'en croyez, construisons plusieurs radeaux qui puissent nous porter, et, dès qu'ils seront achevés, nous les laisserons sur la côte jusqu'à ce que nous jugions à propos de nous en servir. Cependant, nous exécuterons le dessein que je vous ai proposé pour nous délivrer du géant : s'il réussit, nous pourrons attendre ici avec patience qu'il passe quelque vaisseau qui nous retire de cette île fatale; si au contraire nous manquons notre coup, nous gagnerons promptement nos radeaux, et nous nous mettrons en mer. J'avoue qu'en nous exposant à la fureur des flots sur de si fragiles bâtiments, nous courons risque de perdre la vie; mais, quand nous devrions périr, n'est-il pas plus doux de nous laisser ensevelir dans la mer que dans les entrailles de ce monstre, qui a déjà dévoré deux de nos compagnons ? » Mon avis fut goûté de tout le monde, et nous construisîmes des radeaux capables de porter trois personnes.

Nous retournâmes au palais vers la fin du jour, et le géant y arriva peu de temps après nous. Il fallut encore

nous résoudre à voir rôtir un de nos camarades. Mais
enfin voici de quelle manière nous nous vengeâmes
de la cruauté du géant. Après qu'il eut achevé son détestable souper, il se coucha sur le dos et s'endormit*.
D'abord que nous l'entendîmes ronfler selon sa coutume,
neuf des plus hardis d'entre nous et moi, nous prîmes
chacun une broche, nous en mîmes la pointe dans le feu
pour la faire rougir, et ensuite nous la lui enfonçâmes
dans l'œil en même temps, et nous le lui crevâmes.

« La douleur que sentit le géant lui fit pousser un cri
effroyable. Il se leva brusquement, et étendit les mains
de tous côtés pour se saisir de quelqu'un de nous, afin
de le sacrifier à sa rage; mais nous eûmes le temps de
nous éloigner de lui, et de nous jeter contre terre dans
des endroits où il ne pouvait nous rencontrer sous ses
pieds. Après nous avoir cherchés vainement, il trouva
la porte à tâtons et sortit avec des hurlements épouvantables... »

Scheherazade n'en dit pas davantage cette nuit; mais
la nuit suivante elle reprit ainsi cette histoire :

LXXVIᵉ NUIT

« Nous sortîmes du palais après le géant, poursuivit
Sindbad, et nous nous rendîmes au bord de la mer dans
l'endroit où étaient nos radeaux. Nous les mîmes d'abord
à l'eau; mais nous attendîmes qu'il fît jour pour nous jeter
dessus, supposé que nous vissions le géant venir à nous
avec quelque guide de son espèce; mais nous nous flattions
que, s'il ne paraissait pas lorsque le soleil serait levé, et
que nous n'entendissions plus ses hurlements, que nous
ne cessions pas d'ouïr, ce serait une marque qu'il aurait
perdu la vie, et, en ce cas, nous nous proposions de rester
dans l'île et de ne pas nous risquer sur nos radeaux. Mais
à peine fut-il jour que nous aperçûmes notre cruel ennemi,
accompagné de deux géants à peu près de sa grandeur
qui le conduisaient, et d'un assez grand nombre d'autres
encore qui marchaient devant lui à pas précipités.

« A cet objet, nous ne balançâmes point à nous jeter
sur nos radeaux, et nous commençâmes à nous éloigner

---

* Il est à croire que l'auteur arabe a tiré ce conte de l'Odyssée
d'Homère.

du rivage à force de rames. Les géants, qui s'en aperçurent, se munirent de grosses pierres, accoururent sur
la rive, entrèrent même dans l'eau jusqu'à la moitié du
corps, et nous les jetèrent si adroitement qu'à la réserve
du radeau sur lequel j'étais tous les autres en furent brisés,
et les hommes qui étaient dessus se noyèrent. Pour moi
et mes deux compagnons, comme nous ramions de toutes
nos forces, nous nous trouvâmes les plus avancés dans
la mer et hors de la portée des pierres.

« Quand nous fûmes en pleine mer, nous devînmes le
jouet du vent et des flots qui nous jetaient tantôt d'un
côté, et tantôt d'un autre, et nous passâmes ce jour-là
et la nuit suivante dans une cruelle incertitude de notre
destinée ; mais le lendemain nous eûmes le bonheur d'être
poussés contre une île où nous nous sauvâmes avec bien
de la joie. Nous y trouvâmes d'excellents fruits, qui nous
furent d'un grand secours pour réparer les forces que
nous avions perdues.

« Sur le soir, nous nous endormîmes sur le bord de la
mer ; mais nous fûmes réveillés par le bruit qu'un serpent
long comme un palmier faisait de ses écailles en rampant
sur la terre. Il se trouva si près de nous qu'il engloutit
un de mes deux camarades, malgré les cris et les efforts
qu'il put faire pour se débarrasser du serpent, qui, le
secouant à plusieurs reprises, l'écrasa contre terre et
acheva de l'avaler. Nous prîmes aussitôt la fuite, l'autre
camarade et moi ; et, quoique nous fussions assez éloignés,
nous entendîmes, quelque temps après, un bruit qui nous
fit juger que le serpent rendait les os du malheureux qu'il
avait surpris. En effet, nous les vîmes le lendemain avec
horreur. « O Dieu ! m'écriai-je alors, à quoi nous sommes-
nous exposés ! Nous nous réjouissions hier d'avoir dérobé
nos vies à la cruauté d'un géant et à la fureur des eaux,
et nous voilà tombés dans un péril qui n'est pas moins
terrible. »

« Nous remarquâmes, en nous promenant, un gros
arbre fort haut, sur lequel nous projetâmes de passer la
nuit suivante pour nous mettre en sûreté. Nous mangeâmes encore des fruits comme le jour précédent ; et,
à la fin du jour, nous montâmes sur l'arbre. Nous entendîmes bientôt le serpent, qui vint en sifflant jusqu'au
pied de l'arbre où nous étions. Il s'éleva contre le tronc,
et, rencontrant mon camarade qui était plus bas que moi,
il l'engloutit tout d'un coup, et se retira.

« Je demeurai sur l'arbre jusqu'au jour, et alors j'en

descendis plus mort que vif. Effectivement, je ne pouvais attendre un autre sort que celui de mes deux compagnons, et, cette pensée me faisant frémir d'horreur, je fis quelques pas pour m'aller jeter dans la mer; mais, comme il est doux de vivre le plus longtemps qu'on peut, je résistai à ce mouvement de désespoir, et me soumis à la volonté de Dieu qui dispose à son gré de nos vies.

« Je ne laissai pas toutefois d'amasser une grande quantité de menu bois, de ronces et d'épines sèches. J'en fis plusieurs fagots que je liai ensemble, après en avoir fait un grand cercle autour de l'arbre, et j'en liai quelques-uns en travers par-dessus pour me couvrir la tête. Cela étant fait, je m'enfermai dans ce cercle à l'entrée de la nuit, avec la triste consolation de n'avoir rien négligé pour me garantir du cruel sort qui me menaçait. Le serpent ne manqua pas de revenir et de tourner autour de l'arbre, cherchant à me dévorer; mais il n'y put réussir à cause du rempart que je m'étais fabriqué, et il fit en vain, jusqu'au jour, le manège d'un chat qui assiège une souris dans un asile qu'il ne peut forcer. Enfin, le jour étant venu, il se retira; mais je n'osai sortir de mon fort que le soleil ne parût.

« Je me trouvai si fatigué du travail qu'il m'avait donné, j'avais tant souffert de son haleine empestée, que, la mort me paraissant préférable à cette horreur, je m'éloignai de l'arbre; et, sans me souvenir de la résignation où j'étais le jour précédent, je courus vers la mer dans le dessein de m'y précipiter la tête la première... »

A ces mots, Scheherazade, voyant qu'il était jour, cessa de parler. Le lendemain, elle continua cette histoire, et dit au sultan :

LXXVIIᵉ NUIT

Sire, Sindbad, poursuivant son troisième voyage :

« Dieu, dit-il, fut touché de mon désespoir : dans le temps que j'allais me jeter dans la mer, j'aperçus un navire assez éloigné du rivage. Je criai de toute ma force pour me faire entendre, et je dépliai la toile de mon turban pour qu'on me remarquât. Cela ne fut pas inutile : tout l'équipage m'aperçut, et le capitaine m'envoya la chaloupe. Quand je fus à bord, les marchands et les matelots me demandèrent avec beaucoup d'empressement par quelle aventure je m'étais trouvé dans cette île déserte; et, après que je leur eus raconté tout ce qui m'était arrivé, les plus anciens me dirent qu'ils avaient plusieurs fois entendu parler des géants qui demeuraient dans cette île; qu'on leur avait assuré que c'étaient des anthropophages, et qu'ils mangeaient les hommes crus aussi bien que rôtis. A l'égard des serpents, ils ajoutèrent qu'il y en avait en abondance dans cette île; qu'ils se cachaient le jour, et se montraient la nuit. Après qu'ils m'eurent témoigné qu'ils avaient bien de la joie de me voir échappé de tant de périls, comme ils ne doutaient pas que je n'eusse besoin de manger, ils s'empressèrent de me régaler de ce qu'ils avaient de meilleur; et le capitaine, remarquant que mon habit était tout en lambeaux, eut la générosité de m'en faire donner un des siens.

« Nous courûmes la mer quelque temps; nous touchâmes à plusieurs îles, et nous abordâmes enfin à celle de Salahat, d'où l'on tire le sandal, qui est un bois de grand usage dans la médecine. Nous entrâmes dans le port, et nous y mouillâmes. Les marchands commencèrent à faire débarquer leurs marchandises pour les vendre ou les échanger. Pendant ce temps-là, le capitaine m'appela et me dit : « Frère, j'ai en dépôt des marchandises qui appartenaient à un marchand qui a navigué quelque temps sur mon navire. Comme ce marchand est mort, je les fais valoir, pour en rendre compte à ses héritiers lorsque j'en rencontrerai quelqu'un. » Les ballots dont il entendait parler étaient déjà sur le tillac. Il me les montra en me disant : « Voilà les marchandises en question; j'espère que vous voudrez bien vous charger d'en faire commerce, sous la condition du droit dû à la peine que vous prendrez. » J'y consentis, en le remerciant de ce qu'il me donnait occasion de ne pas demeurer oisif.

« L'écrivain du navire enregistrait tous les ballots avec les noms des marchands à qui ils appartenaient. Comme il demandait au capitaine sous quel nom il voulait qu'il enregistrât ceux dont il venait de me charger : « Écrivez, lui répondit le capitaine, sous le nom de Sindbad le marin. » Je ne pus m'entendre nommer sans émotion; et, envisageant le capitaine, je le reconnus pour celui qui, dans mon second voyage, m'avait abandonné dans l'île où je m'étais endormi au bord d'un ruisseau, et qui avait remis à la voile sans m'attendre ou me faire chercher. Je ne me l'étais pas remis d'abord à cause du changement qui s'était fait en sa personne depuis le temps que je ne l'avais vu.

« Pour lui, qui me croyait mort, il ne faut pas s'étonner s'il ne me reconnut pas. « Capitaine, lui dis-je, est-ce que le marchand à qui étaient ces ballots s'appelait Sindbad ? — Oui, me répondit-il, il se nommait de la sorte; il était de Bagdad, et il s'était embarqué sur mon vaisseau à Balsora. Un jour que nous descendîmes dans une île pour faire de l'eau et prendre quelques rafraîchissements, je ne sais par quelle méprise je remis à la voile sans prendre garde qu'il ne s'était pas rembarqué avec les autres. Nous ne nous en aperçûmes, les marchands et moi, que quatre heures après. Nous avions le vent en poupe, et si frais qu'il ne nous fut pas possible de revirer de bord pour aller le reprendre. — Vous le croyez donc mort ? repris-je. — Assurément, repartit-il. — Hé bien! capitaine, lui répliquai-je, ouvrez les yeux, et connaissez ce Sindbad que vous laissâtes dans cette île déserte! Je m'endormis au bord d'un ruisseau, et, quand je me réveillai, je ne vis plus personne de l'équipage. » A ces mots, le capitaine s'attacha à me regarder... »

Scheherazade, en cet endroit, s'apercevant qu'il était jour, fut obligée de garder le silence. Le lendemain, elle reprit ainsi le fil de sa narration :

LXXVIIIe NUIT

« Le capitaine, dit Sindbad, après m'avoir fort attentivement considéré, me reconnut enfin. « Dieu soit loué! s'écria-t-il en m'embrassant; je suis ravi que la fortune ait réparé ma faute. Voilà vos marchandises que j'ai toujours pris soin de conserver et de faire valoir dans tous les ports où j'ai abordé. Je vous les rends avec le profit que j'en ai tiré. » Je les pris, en témoignant au capitaine toute la reconnaissance que je lui devais.

« De l'île de Salahat, nous allâmes à une autre, où je me fournis de clous de girofle, de cannelle et d'autres épiceries. Quand nous nous en fûmes éloignés, nous vîmes une tortue qui avait vingt coudées en longueur et en largeur; nous remarquâmes aussi un poisson qui tenait de la vache; il avait du lait, et sa peau est d'une si grande dureté qu'on en fait ordinairement des boucliers. J'en vis un autre qui avait la figure et la couleur d'un chameau. Enfin, après une longue navigation, j'arrivai à Balsora, et de là je revins en cette ville de Badgad avec tant de richesses que j'en ignorais la quantité. J'en donnai encore aux pauvres une partie considérable, et j'ajoutai d'autres grandes terres à celles que j'avais déjà acquises. »

Sindbad acheva ainsi l'histoire de son troisième voyage. Il fit donner ensuite cent autres sequins à Hindbad, en l'invitant au repas du lendemain et au récit du quatrième voyage. Hindbad et la compagnie se retirèrent; et, le jour suivant étant revenu, Sindbad prit la parole sur la fin du dîner, et continua ses aventures.

QUATRIÈME VOYAGE DE SINDBAD

LE MARIN

« Les plaisirs, dit-il, et les divertissements que je pris après mon troisième voyage n'eurent pas des charmes assez puissants pour me déterminer à ne pas voyager davantage. Je me laissai encore entraîner à la passion de trafiquer et de voir des choses nouvelles. Je mis donc ordre à mes affaires, et, ayant fait un fonds de marchandises de débit dans les lieux où j'avais dessein d'aller, je partis. Je pris la route de la Perse, dont je traversai plusieurs provinces, et j'arrivai à un port de mer où je m'embarquai. Nous mîmes à la voile, et nous avions déjà touché à plusieurs ports de terre ferme et à quelques îles orientales lorsque, faisant un jour un grand trajet, nous fûmes surpris d'un coup de vent qui obligea le capitaine à faire amener les voiles et à donner tous les ordres nécessaires pour prévenir le danger dont nous étions menacés. Mais toutes nos précautions furent inutiles ; la manœuvre ne réussit pas bien ; les voiles furent déchirées en mille pièces, et le vaisseau, ne pouvant plus être gouverné, donna sur une sèche, et se brisa de manière qu'un grand nombre de marchands et de matelots se noyèrent, et que la charge périt... »

Scheherazade en était là quand elle vit paraître le jour. Elle s'arrêta, et Schahriar se leva. La nuit suivante, elle reprit ainsi le quatrième voyage :

LXXIXe NUIT

« J'eus le bonheur, continua Sindbad, de même que plusieurs autres marchands et matelots, de me prendre à une planche. Nous fûmes tous emportés par un courant vers une île qui était devant nous. Nous y trouvâmes des fruits et de l'eau de source qui servirent à rétablir nos forces. Nous nous y reposâmes même la nuit dans l'endroit où la mer nous avait jetés, sans avoir pris aucun parti sur ce que nous devions faire. L'abattement où nous étions de notre disgrâce nous en avait empêchés.

« Le jour suivant, d'abord que le soleil fut levé, nous nous éloignâmes du rivage ; et, nous avançant dans l'île, nous y aperçûmes des habitations, où nous nous rendîmes. À notre arrivée, des noirs vinrent à nous en très grand nombre ; ils nous environnèrent, se saisirent de nos personnes, en firent une espèce de partage, et nous conduisirent ensuite dans leurs maisons.

« Nous fûmes menés, cinq de mes camarades et moi, dans un même lieu. D'abord on nous fit asseoir, et l'on nous servit d'une certaine herbe, en nous invitant par signes à en manger. Mes camarades, sans faire réflexion que ceux qui la servaient n'en mangeaient pas, ne consultèrent que leur faim qui les pressait, et se jetèrent dessus ces mets avec avidité. Pour moi, par un pressentiment de quelque supercherie, je ne voulus pas seulement en goûter, et je m'en trouvai bien : car, peu de temps après, je m'aperçus que l'esprit avait tourné à mes compagnons, et qu'en me parlant ils ne savaient ce qu'ils disaient.

— « On nous servit ensuite du riz préparé avec de l'huile de coco, et mes camarades, qui n'avaient plus de raison, en mangèrent extraordinairement. J'en mangeai aussi, mais fort peu. Les noirs nous avaient d'abord présenté de cette herbe pour nous troubler l'esprit, et nous ôter par là le chagrin que la triste connaissance de notre sort nous devait causer ; et ils nous donnaient du riz pour nous engraisser. Comme ils étaient anthropophages, leur intention était de nous manger quand nous serions devenus gras. C'est ce qui arriva à mes camarades, qui ignoraient leur destinée parce qu'ils avaient perdu leur bon sens. Puisque j'avais conservé le mien, vous jugez bien, Seigneurs, qu'au lieu d'engraisser comme les autres je devins encore plus maigre que je n'étais. La crainte de la mort, dont j'étais incessamment frappé, tournait en poison tous les aliments que je prenais. Je tombai dans une langueur qui me fut fort salutaire : car les noirs, ayant assommé et mangé mes compagnons, en demeurèrent là ; et, me voyant sec, décharné, malade, ils remirent ma mort à un autre temps.

« Cependant j'avais beaucoup de liberté, et l'on ne prenait presque pas garde à mes actions. Cela me donna lieu de m'éloigner un jour des habitations des noirs et de me sauver. Un vieillard qui m'aperçut, et qui se douta de mon dessein, me cria de toute sa force de revenir; mais, au lieu de lui obéir, je redoublai mes pas, et je fus bientôt hors de sa vue. Il n'y avait alors que ce vieillard dans les habitations; tous les autres noirs s'étaient absentés et ne devaient revenir que sur la fin du jour, ce qu'ils avaient coutume de faire assez souvent. C'est pourquoi, étant assuré qu'ils ne seraient plus à temps de courir après moi lorsqu'ils apprendraient ma fuite, je marchai jusqu'à la nuit, que je m'arrêtai pour prendre un peu de repos et manger de quelques vivres dont j'avais fait provision. Mais je repris bientôt mon chemin, et continuai de marcher pendant sept jours, en évitant les endroits qui me paraissaient habités. Je vivais de cocos, qui me fournissaient en même temps de quoi boire et de quoi manger.

« Le huitième jour, j'arrivai près de la mer, et j'aperçus tout à coup des gens blancs comme moi, occupés à cueillir du poivre, dont il y avait là une grande abondance. Leur occupation me fut de bon augure, et je ne fis nulle difficulté de m'approcher d'eux... »

Scheherazade n'en dit pas davantage cette nuit, et, la suivante, elle poursuivit dans ces termes :

LXXXe NUIT

« Les gens qui cueillaient du poivre, continua Sindbad, vinrent au-devant de moi. Dès qu'ils me virent, ils me demandèrent en arabe qui j'étais et d'où je venais. Ravi de les entendre parler comme moi, je satisfis volontiers leur curiosité en leur racontant de quelle manière j'avais fait naufrage et étais venu dans cette île, où j'étais tombé entre les mains des noirs. « Mais ces noirs, me dirent-ils, mangent les hommes! Par quel miracle êtes-vous échappé à leur cruauté ? » Je leur fis le même récit que vous venez d'entendre, et ils en furent merveilleusement étonnés.

« Je demeurai avec eux jusqu'à ce qu'ils eussent amassé la quantité de poivre qu'ils voulurent; après quoi ils me firent embarquer sur le bâtiment qui les avait amenés, et nous nous rendîmes dans une autre île d'où ils étaient venus. Ils me présentèrent à leur roi, qui était un bon prince. Il eut la patience d'écouter le récit de mon aventure, qui le surprit. Il me fit donner ensuite des habits et commanda qu'on eût soin de moi.

« L'île où je me trouvais était fort peuplée et abondante en toutes sortes de choses, et l'on faisait un grand commerce dans la ville où le roi demeurait. Cet agréable asile commença à me consoler de mon malheur; et les bontés que ce généreux prince avait pour moi achevèrent de me rendre content. En effet, il n'y avait personne qui fût mieux que moi dans son esprit, et par conséquent il n'y avait personne dans sa cour ni dans la ville qui ne cherchât l'occasion de me faire plaisir. Ainsi je fus bientôt regardé comme un homme né dans cette île, plutôt que comme un étranger.

« Je remarquai une chose qui me parut bien extraordinaire : tout le monde, le roi même, montait à cheval sans bride et sans étriers. Cela me fit prendre la liberté de lui demander un jour pourquoi Sa Majesté ne se servait pas de ces commodités. Il me répondit que je lui parlais de choses dont on ignorait l'usage en ses États.

« J'allai aussitôt chez un ouvrier, et je lui fis dresser le bois d'une selle sur le modèle que je lui donnai. Le bois de la selle achevé, je le garnis moi-même de bourre et de cuir, et l'ornai d'une broderie d'or. Je m'adressai ensuite à un serrurier, qui me fit un mors de la forme que je lui montrai, et je lui fis faire aussi des étriers.

« Quand ces choses furent dans un état parfait, j'allai les présenter au roi, et les essayai sur un de ses chevaux. Ce prince monta dessus, et fut si satisfait de cette invention qu'il m'en témoigna sa joie par de grandes largesses. Je ne pus me défendre de faire plusieurs selles pour ses ministres et pour les principaux officiers de sa maison, qui me firent tous des présents qui m'enrichirent en peu de temps. J'en fis aussi pour les personnes les plus qualifiées de la ville; ce qui me mit dans une grande réputation, et me fit considérer de tout le monde.

« Comme je faisais ma cour au roi très exactement, il me dit un jour : « Sindbad, je t'aime, et je sais que tous mes sujets qui te connaissent te chérissent à mon exemple. J'ai une prière à te faire, et il faut que tu m'accordes ce que je vais te demander. — Sire, lui répondis-je, il n'y a rien que je ne sois prêt de faire pour marquer mon obéissance à Votre Majesté; elle a sur moi un pouvoir absolu. — Je veux te marier, répliqua le roi, afin que le mariage t'arrête en mes États et que tu ne songes plus à ta patrie. » Comme je n'osais résister à la volonté du prince, il me donna pour femme une dame de sa cour, noble, belle, sage et riche. Après les cérémonies des noces, je m'établis chez la dame, avec laquelle je vécus quelque temps dans une union parfaite. Néanmoins je n'étais pas trop content de mon état. Mon dessein était de m'échapper à la première occasion et de retourner à Bagdad, dont mon établissement, tout avantageux qu'il était, ne pouvait me faire perdre le souvenir.

« J'étais dans ces sentiments, lorsque la femme d'un de mes voisins, avec lequel j'avais contracté une amitié fort étroite, tomba malade et mourut. J'allai chez lui pour le consoler; et, le trouvant plongé dans la plus vive affliction : « Dieu vous conserve, lui dis-je en l'abordant, et vous donne une longue vie! — Hélas! me répondit-il, comment voulez-vous que j'obtienne la grâce que vous me souhaitez ? Je n'ai plus qu'une heure à vivre. — Oh! repris-je, ne vous mettez pas dans l'esprit une pensée si funeste; j'espère que cela n'arrivera pas, et que j'aurai le plaisir de vous posséder encore longtemps. — Je souhaite, répliqua-t-il, que votre vie soit de longue durée; pour ce qui est de moi, mes affaires sont faites, et je vous apprends que l'on m'enterre aujourd'hui avec ma femme. Telle est la coutume que nos ancêtres ont établie dans cette île, et qu'ils ont inviolablement gardée : le mari vivant est enterré avec la femme morte, et la femme vivante avec le mari mort. Rien ne peut me sauver; tout le monde subit cette loi. »

« Dans le temps qu'il m'entretenait de cette étrange barbarie, dont la nouvelle m'effraya cruellement, les parents, les amis et les voisins arrivèrent en corps pour assister aux funérailles. On revêtit le cadavre de la femme de ses habits les plus riches, comme au jour de ses noces, et on la para de tous ses joyaux.

« On l'enleva ensuite dans une bière découverte, et le convoi se mit en marche. Le mari était à la tête du deuil et suivait le corps de sa femme. On prit le chemin d'une haute montagne; et, lorsqu'on y fut arrivé, on leva une grosse pierre qui couvrait l'ouverture d'un puits profond, et l'on y descendit le cadavre, sans lui rien ôter de ses habillements et de ses joyaux. Après cela, le mari embrassa ses parents et ses amis, et se laissa mettre dans une bière sans résistance, avec un pot d'eau et sept petits

pains auprès de lui; puis on le descendit de la même
manière qu'on avait descendu sa femme. La montagne
s'étendait en longueur et servait de bornes à la mer, et
le puits était très profond. La cérémonie achevée, on
remit la pierre sur l'ouverture.

« Il n'est pas besoin, Messeigneurs, de vous dire que
je fus un fort triste témoin de ces funérailles. Toutes les
autres personnes qui y assistèrent n'en parurent presque
pas touchées, par l'habitude de voir souvent la même
chose. Je ne pus m'empêcher de dire au roi ce que je
pensais là-dessus. « Sire, lui dis-je, je ne saurais assez
m'étonner de l'étrange coutume qu'on a dans vos États
d'enterrer les vivants avec les morts. J'ai bien voyagé,
j'ai fréquenté des gens d'une infinité de nations, et je
n'ai jamais entendu parler d'une loi si cruelle. — Que
veux-tu, Sindbad? me répondit le roi; c'est une loi
commune, et j'y suis soumis moi-même : je serai enterré
vivant avec la reine mon épouse, si elle meurt la première. — Mais, Sire, lui dis-je, oserais-je demander à
Votre Majesté si les étrangers sont obligés d'observer
cette coutume? — Sans doute, repartit le roi en souriant
du motif de ma question, ils n'en sont pas exceptés lorsqu'ils sont mariés dans cette île. »

« Je m'en retournai tristement au logis avec cette
réponse. La crainte que ma femme ne mourût la première et qu'on ne m'enterrât tout vivant avec elle me
faisait faire des réflexions très mortifiantes. Cependant,
quel remède apporter à ce mal ? Il fallut prendre patience,
et m'en remettre à la volonté de Dieu. Néanmoins, je
tremblais à la moindre indisposition que je voyais à ma
femme; mais, hélas! j'eus bientôt la frayeur tout entière.
Elle tomba véritablement malade, et mourut en peu de
jours... »

Scheherazade, à ces mots, mit fin à son discours pour
cette nuit. Le lendemain, elle en reprit la suite de cette
manière :

LXXXIe NUIT

« Jugez de ma douleur, poursuivit Sindbad : être
enterré tout vif ne me paraissait pas une fin moins déplorable que celle d'être dévoré par des anthropophages;
il fallait pourtant en passer par là. Le roi, accompagné de
toute sa cour, voulut honorer de sa présence le convoi;

et les personnes les plus considérables de la ville me firent
aussi l'honneur d'assister à mon enterrement.

« Lorsque tout fut prêt pour la cérémonie, on posa le
corps de ma femme dans une bière avec tous ses joyaux
et ses plus magnifiques habits. On commença la marche.
Comme second acteur de cette pitoyable tragédie, je
suivais immédiatement la bière de ma femme, les yeux
baignés de larmes et déplorant mon malheureux destin. Avant que d'arriver à la montagne, je voulus faire
une tentative sur l'esprit des spectateurs. Je m'adressai au
roi premièrement, ensuite à tous ceux qui se trouvèrent
autour de moi ; et, m'inclinant devant eux jusqu'à terre
pour baiser le bord de leur habit, je les suppliais d'avoir
compassion de moi. « Considérez, disais-je, que je suis
un étranger qui ne doit pas être soumis à une loi si
rigoureuse, et que j'ai une autre femme * et des enfants
dans mon pays. » J'eus beau prononcer ces paroles d'un
air touchant, personne n'en fut attendri ; au contraire,
on se hâta de descendre le corps de ma femme dans le
puits, et l'on m'y descendit un moment après dans une
autre bière découverte, avec un vase rempli d'eau et
sept pains. Enfin, cette cérémonie si funeste pour moi
étant achevée, on remit la pierre sur l'ouverture du puits,
nonobstant l'excès de ma douleur et mes cris pitoyables.

« A mesure que j'approchais du fond, je découvrais,
à la faveur du peu de lumière qui venait d'en haut, la
disposition de ce lieu souterrain. C'était une grotte fort
vaste, et qui pouvait bien avoir cinquante coudées de profondeur. Je sentis bientôt une puanteur insupportable,
qui sortait d'une infinité de cadavres que je voyais à
droite et à gauche ; je crus même entendre quelques-uns
des derniers qu'on y avait descendus vifs pousser les
derniers soupirs. Néanmoins, lorsque je fus en bas, je
sortis promptement de la bière et m'éloignai des cadavres
en me bouchant le nez. Je me jetai par terre, où je
demeurai longtemps plongé dans les pleurs. Alors, faisant
réflexion sur mon triste sort : « Il est vrai, disais-je, que
Dieu dispose de nous selon les décrets de sa providence ;
mais, pauvre Sindbad, n'est-ce pas par ta faute que tu te
vois réduit à mourir d'une mort si étrange ? Plût à Dieu
que tu eusses péri dans quelqu'un des naufrages dont
tu es échappé ! tu n'aurais point à mourir d'un trépas si

---

* Sindbad était Mahométan et les Mahométans ont plusieurs
femmes.

lent et si terrible en toutes ses circonstances. Mais tu te l'es attiré par ta maudite avarice. Ah! malheureux! ne devais-tu pas plutôt demeurer chez toi, et jouir tranquillement du fruit de tes travaux! »

« Telles étaient les inutiles plaintes dont je faisais retentir la grotte en me frappant la tête et l'estomac de rage et de désespoir, et m'abandonnant tout entier aux pensées les plus désolantes. Néanmoins (vous le dirai-je?) au lieu d'appeler la mort à mon secours, quelque misérable que je fusse, l'amour de la vie se fit encore sentir en moi, et me porta à prolonger mes jours. J'allai à tâtons, et en me bouchant le nez, prendre le pain et l'eau qui étaient dans ma bière, et j'en mangeai.

Quoique l'obscurité qui régnait dans la grotte fût si épaisse que l'on ne distinguait pas le jour d'avec la nuit, je ne laissai pas toutefois de retrouver ma bière; et il me sembla que la grotte était plus spacieuse et plus remplie de cadavres qu'elle ne m'avait paru d'abord. Je vécus quelques jours de mon pain et de mon eau; mais enfin, n'en ayant plus, je me préparai à mourir... »

Scheherazade cessa de parler à ces derniers mots. La nuit suivante, elle reprit la parole en ces termes :

LXXXIIᵉ NUIT

« Je n'attendais plus que la mort, continua Sindbad, lorsque j'entendis lever la pierre. On descendit un cadavre et une personne vivante. Le mort était un homme. Il est naturel de prendre des résolutions extrêmes dans les dernières extrémités. Dans le temps qu'on descendait la femme, je m'approchai de l'endroit où sa bière devait être posée; et, quand je m'aperçus que l'on recouvrait l'ouverture du puits, je donnai sur la tête de la malheureuse deux ou trois grands coups d'un gros os dont je m'étais saisi. Elle en fut étourdie, ou plutôt je l'assommai, et, comme je ne faisais cette action inhumaine que pour profiter du pain et de l'eau qui étaient dans la bière, j'eus des provisions pour quelques jours. Au bout de ce temps-là, on descendit encore une femme morte et un homme vivant : je tuai l'homme de la même manière, et comme, par bonheur pour moi, il y eut alors une espèce de mortalité dans la ville, je ne manquai pas de vivres en mettant toujours en œuvre la même industrie.

« Un jour que je venais d'expédier encore une femme, j'entendis souffler et marcher. J'avançai du côté d'où partait le bruit ; j'ouïs souffler plus fort à mon approche, et il me parut entrevoir quelque chose qui prenait la fuite. Je suivis cette espèce d'ombre, qui s'arrêtait par reprises, et soufflait toujours en fuyant à mesure que j'en approchais. Je la poursuivis si longtemps, et j'allai si loin, que j'aperçus enfin une lumière qui ressemblait à une étoile. Je continuai de marcher vers cette lumière, la perdant quelquefois selon les obstacles qui me la cachaient, mais je la retrouvais toujours ; et, à la fin, je découvris qu'elle venait par une ouverture du rocher, assez large pour y passer.

« A cette découverte, je m'arrêtai quelque temps pour me remettre de l'émotion violente avec laquelle je venais de la faire ; puis, m'étant avancé jusqu'à l'ouverture, j'y passai, et me trouvai sur le bord de la mer. Imaginez-vous l'excès de ma joie. Il fut tel que j'eus de la peine à me persuader que ce n'était pas une imagination. Lorsque je fus convaincu que c'était une chose réelle, et que mes sens furent rétablis en leur assiette ordinaire, je compris que la chose que j'avais ouïe souffler et que j'avais suivie était un animal sorti de la mer, qui avait coutume d'entrer dans la grotte pour s'y repaître de corps morts.

J'examinai la montagne, et remarquai qu'elle était située entre la ville et la mer, sans communication par aucun chemin, parce qu'elle était tellement escarpée que la nature ne l'avait pas rendue praticable. Je me prosternai sur le rivage pour remercier Dieu de la grâce qu'il venait de me faire. Je rentrai ensuite dans la grotte pour aller prendre du pain, que je revins manger à la clarté du jour de meilleur appétit que je n'avais fait depuis que l'on m'avait enterré dans ce lieu ténébreux.

« J'y retournai encore et allai ramasser à tâtons dans les bières tous les diamants, les rubis, les perles, les bracelets d'or, et enfin toutes les riches étoffes que je trouvai sous ma main ; je portai tout cela sur le bord de la mer. J'en fis plusieurs ballots que je liai proprement avec des cordes qui avaient servi à descendre les bières, et dont il y avait une grande quantité. Je les laissai sur le rivage en attendant une bonne occasion, sans craindre que la pluie les gâtât, car alors ce n'en était pas la saison.

« Au bout de deux ou trois jours, j'aperçus un navire qui ne faisait que de sortir du port, et qui vint passer assez près de l'endroit où j'étais. Je fis signe de la toile de mon turban, et je criai de toute ma force pour me faire entendre. On m'entendit, et l'on détacha la chaloupe pour me venir prendre. A la demande que les matelots me firent, par quelle disgrâce je me trouvais en ce lieu, je répondis que je m'étais sauvé d'un naufrage depuis deux jours, avec les marchandises qu'ils voyaient. Heureusement pour moi, ces gens, sans examiner le lieu où j'étais et si ce que je leur disais était vraisemblable, se contentèrent de ma réponse et m'emmenèrent avec mes ballots.

« Quand nous fûmes arrivés à bord, le capitaine, satisfait en lui-même du plaisir qu'il me faisait et occupé du commandement du navire, eut aussi la bonté de se payer du prétendu naufrage que je lui dis avoir fait. Je lui présentai quelques-unes de mes pierreries, mais il ne voulut pas les accepter.

« Nous passâmes devant plusieurs îles, et, entre autres, devant l'île des Cloches, éloignée de dix journées de celle de Serendib*, par un vent ordinaire et réglé, et de six journées de l'île de Kela, où nous abordâmes. Il y a des mines de plomb, des cannes d'Inde et du camphre très excellent.

« Le roi de l'île de Kela est très riche, très puissant, et son autorité s'étend sur toute l'île des Cloches, qui a deux journées d'étendue, et dont les habitants sont encore si barbares qu'ils mangent la chair humaine. Après que nous eumes fait un grand commerce dans cette île, nous remîmes à la voile et abordâmes à plusieurs autres ports. Enfin j'arrivai heureusement à Bagdad avec des richesses infinies, dont il est inutile de vous faire le détail. Pour rendre grâces à Dieu des faveurs qu'il m'avait faites, je fis de grandes aumônes, tant pour l'entretien de plusieurs mosquées que pour la subsistance des pauvres, et me donnai tout entier à mes parents et à mes amis, en me divertissant et en faisait bonne chère avec eux. »

Sindbad finit en cet endroit le récit de son quatrième voyage, qui causa encore plus d'admiration à ses auditeurs que les trois précédents. Il fit un nouveau présent de cent sequins à Hindbad, qu'il pria, comme les autres, de revenir le jour suivant, à la même heure, pour dîner chez lui et entendre le détail de son cinquième voyage.

* Cette île nous est connue sous le nom de l'île de Ceylan.

Hindbad et les autres conviés prirent congé de lui et se retirèrent. Le lendemain, lorsqu'ils furent tous rassemblés, ils se mirent à table, et, à la fin du repas, qui ne dura pas moins que les autres, Sindbad commença de cette sorte le récit de son cinquième voyage :

CINQUIÈME VOYAGE DE SINDBAD

LE MARIN

« Les plaisirs, dit-il, eurent encore assez de charmes pour effacer de ma mémoire toutes les peines et les maux que j'avais soufferts, sans pouvoir m'ôter l'envie de faire de nouveaux voyages. C'est pourquoi j'achetai des marchandises, je les fis emballer et charger sur des voitures, et je partis avec elles pour me rendre au premier port de mer. Là, pour ne pas dépendre d'un capitaine et pour avoir un navire à mon commandement, je me donnai le loisir d'en faire construire et équiper un à mes frais. Dès qu'il fut achevé, je le fis charger ; je m'embarquai dessus, et, comme je n'avais pas de quoi faire une charge entière, je reçus plusieurs marchands de différentes nations avec leurs marchandises.

« Nous fîmes voile au premier bon vent, et prîmes le large. Après une longue navigation, le premier endroit où nous abordâmes fut une île déserte, où nous trouvâmes l'œuf d'un roc d'une grosseur pareille à celui dont vous m'avez entendu parler ; il renfermait un petit roc près d'éclore, dont le bec commençait à paraître... »

A ces mots, Scheherazade se tut, parce que le jour se faisait déjà voir dans l'appartement du sultan des Indes. La nuit suivante, elle reprit son discours.

LXXXIIIe NUIT

Sindbad le marin, dit-elle, continuant de raconter son cinquième voyage :

« Les marchands, poursuivit-il, qui s'étaient embarqués sur mon navire, et qui avaient pris terre avec moi,

cassèrent l'œuf à grands coups de hache, et firent une
ouverture par où ils tirèrent le petit roc par morceaux,
et le firent rôtir. Je les avais avertis sérieusement de ne
pas toucher à l'œuf, mais ils ne voulurent pas m'écouter.

« Ils eurent à peine achevé le régal qu'ils venaient
de se donner qu'il parut en l'air, assez loin de nous, deux
gros nuages. Le capitaine, que j'avais pris à gages pour
conduire mon vaisseau, sachant par expérience ce que
cela signifiait, s'écria que c'étaient le père et la mère du
petit roc; et il nous pressa tous de nous rembarquer au
plus vite, pour éviter le malheur qu'il prévoyait. Nous
suivîmes son conseil avec empressement, et nous remîmes
à la voile en diligence.

« Cependant les deux rocs approchèrent en poussant
des cris effroyables, qu'ils redoublèrent quand ils eurent
vu l'état où l'on avait mis l'œuf, et que leur petit n'y
était plus. Dans le dessein de se venger, ils reprirent leur
vol du côté d'où ils étaient venus, et disparurent quelque
temps, pendant que nous fîmes force de voiles pour nous
éloigner et prévenir ce qui ne laissa pas de nous arriver.

« Ils revinrent, et nous remarquâmes qu'ils tenaient
entre leurs griffes chacun un morceau de rocher d'une
grosseur énorme. Lorsqu'ils furent précisément au-dessus
de mon vaisseau, ils s'arrêtèrent, et, se soutenant en
l'air, l'un lâcha la pièce de rocher qu'il tenait; mais,
par l'adresse du timonier qui détourna le navire d'un
coup de timon, elle ne tomba pas dessus; elle tomba à
côté, dans la mer, qui s'entrouvrit d'une manière que
nous en vîmes presque le fond. L'autre oiseau, pour
notre malheur, laissa tomber sa roche si juste au milieu
du vaisseau qu'elle le rompit et le brisa en mille pièces.
Les matelots et les passagers furent tous écrasés du coup,
ou submergés. Je fus submergé moi-même; mais, en
revenant au-dessus de l'eau, j'eus le bonheur de me
prendre à une pièce du débris. Ainsi, en m'aidant tantôt
d'une main, tantôt de l'autre, sans me dessaisir de ce que
je tenais, avec le vent et le courant qui m'étaient favorables,
j'arrivai enfin à une île dont le rivage était fort escarpé.
Je surmontai néanmoins cette difficulté, et me sauvai.

« Je m'assis sur l'herbe pour me remettre un peu de
ma fatigue, après quoi je me levai et m'avançai dans
l'île pour reconnaître le terrain. Il me sembla que j'étais
dans un jardin délicieux : je voyais partout des arbres,
les uns chargés de fruits verts et les autres de mûrs,
et des ruisseaux d'une eau douce et claire qui faisaient

d'agréables détours. Je mangeai de ces fruits, que je trouvai excellents, et je bus de cette eau qui m'invitait à boire.

« La nuit venue, je me couchai sur l'herbe, dans un endroit assez commode; mais je ne dormis pas une heure entière, et mon sommeil fut souvent interrompu par la frayeur de me voir seul dans un lieu si désert. Ainsi j'employai la meilleure partie de la nuit à me chagriner et à me reprocher l'imprudence que j'avais eue de n'être pas. demeuré chez moi plutôt que d'avoir entrepris ce dernier voyage. Ces réflexions me menèrent si loin que je commençai à former un dessein contre ma propre vie; mais le jour, par sa lumière, dissipa mon désespoir. Je me levai, et marchai entre les arbres, non sans quelque appréhension.

« Lorsque je fus un peu avant dans l'île, j'aperçus un vieillard qui me parut fort cassé. Il était assis sur le bord d'un ruisseau; je m'imaginai d'abord que c'était quelqu'un qui avait fait naufrage comme moi. Je m'approchai de lui, je le saluai, et il me fit seulement une inclination de tête. Je lui demandai ce qu'il faisait là; mais, au lieu de me répondre, il me fit signe de le charger sur mes épaules et de le passer au-delà du ruisseau, en me faisant comprendre que c'était pour aller cueillir des fruits.

« Je crus qu'il avait besoin que je lui rendisse ce service; c'est pourquoi, l'ayant chargé sur mon dos, je passai le ruisseau. « Descendez », lui dis-je alors, en me baissant pour faciliter sa descente. Mais, au lieu de se laisser aller à terre (j'en ris encore toutes les fois que j'y pense), ce vieillard qui m'avait paru décrépit passa légèrement autour de mon cou ses deux jambes, dont je vis que la peau ressemblait à celle d'une vache, et se mit à califourchon sur mes épaules, en me serrant si fortement la gorge qu'il semblait vouloir m'étrangler. La frayeur me saisit en ce moment, et je tombai évanoui... »

Scheherazade fut obligée de s'arrêter à ces paroles, à cause du jour qui paraissait. Elle poursuivit ainsi cette histoire sur la fin de la nuit suivante :

LXXXIVe NUIT

« Nonobstant mon évanouissement, dit Sindbad, l'incommode vieillard demeura toujours attaché à mon col;

il écarta seulement un peu les jambes pour me donner lieu de revenir à moi. Lorsque j'eus repris mes esprits, il m'appuya fortement contre l'estomac un de ses pieds, et, de l'autre me frappant rudement le côté, il m'obligea de me relever malgré moi. Étant debout, il me fit marcher sous des arbres; il me forçait de m'arrêter pour cueillir et manger les fruits que nous rencontrions. Il ne quittait point prise pendant le jour; et, quand je voulais me reposer la nuit, il s'étendait par terre avec moi, toujours attaché à mon cou. Tous les matins, il ne manquait pas de me pousser pour m'éveiller; ensuite il me faisait lever et marcher en me pressant de ses pieds. Représentez-vous, Messeigneurs, la peine que j'avais de me voir chargé de de ce fardeau sans pouvoir m'en défaire.

« Un jour que je trouvai en mon chemin plusieurs calebasses sèches qui étaient tombées d'un arbre qui en portait, j'en pris une assez grosse, et, après l'avoir bien nettoyée, j'exprimai dedans le jus de plusieurs grappes de raisin, fruit que l'île produisait en abondance, et que nous rencontrions à chaque pas. Lorsque j'en eus rempli la calebasse, je la posai dans un endroit où j'eus l'adresse de me faire conduire par le vieillard plusieurs jours après. Là, je pris la calebasse, et, la portant à ma bouche, je bus d'un excellent vin qui me fit oublier pour quelque temps le chagrin mortel dont j'étais accablé. Cela me donna de la vigueur. J'en fus même si réjoui que je me mis à chanter et à sauter en marchant.

« Le vieillard, qui s'aperçut de l'effet que cette boisson avait produit en moi et que je le portais plus légèrement que de coutume, me fit signe de lui en donner à boire : je lui présentai la calebasse, il la prit, et, comme la liqueur lui parut agréable, il l'avala jusqu'à la dernière goutte. Il y en avait assez pour l'enivrer : aussi s'enivra-t-il, et bientôt, la fumée du vin lui montant à la tête, il commença de chanter à sa manière et de se trémousser sur mes épaules. Les secousses qu'il se donnait lui firent rendre ce qu'il avait dans l'estomac, et ses jambes se relâchèrent peu à peu; de sorte que, voyant qu'il ne me serrait plus, je le jetai par terre, où il demeura sans mouvement. Alors je pris une très grosse pierre et lui en écrasai la tête.

Je sentis une grande joie de m'être délivré pour jamais de ce maudit vieillard, et je marchai vers le bord de la mer, où je rencontrai des gens d'un navire qui venait de mouiller là pour faire de l'eau et prendre en passant quelques rafraîchissements. Ils furent extrêmement étonnés de me voir et d'entendre le détail de mon aventure. « Vous étiez tombé, me dirent-ils, entre les mains du vieillard de la mer, et vous êtes le premier qu'il n'ait pas étranglé ; il n'a jamais abandonné ceux dont il s'était rendu maître qu'après les avoir étouffés ; et il a rendu cette île fameuse par le nombre de personnes qu'il a tuées : les matelots et les marchands qui y descendaient n'osaient s'y avancer qu'en bonne compagnie. »

« Après m'avoir informé de ces choses, ils m'emmenèrent avec eux dans leur navire, dont le capitaine se fit un plaisir de me recevoir lorsqu'il apprit tout ce qui m'était arrivé. Il remit à la voile ; et, après quelques jours de navigation, nous abordâmes au port d'une grande ville dont les maisons étaient bâties de bonnes pierres.

« Un des marchands du vaisseau, qui m'avait pris en amitié, m'obligea de l'accompagner, et me conduisit dans un logement destiné pour servir de retraite aux marchands étrangers. Il me donna un grand sac ; ensuite, m'ayant recommandé à quelques gens de la ville qui avaient un sac comme moi, et les ayant priés de me mener avec eux amasser du coco : « Allez, me dit-il, suivez-les, faites comme vous les verrez faire, et ne vous écartez pas d'eux, car vous mettriez votre vie en danger. » Il me donna des vivres pour la journée, et je partis avec ces gens.

« Nous arrivâmes à une grande forêt d'arbres extrêmement hauts et fort droits, et dont le tronc était si lisse qu'il n'était pas possible de s'y prendre pour monter jusqu'aux branches où était le fruit. Tous les arbres étaient des arbres de cocos, dont nous voulions abattre le fruit et en remplir nos sacs. En entrant dans la forêt, nous vîmes un grand nombre de gros et de petits singes, qui prirent la fuite devant nous dès qu'ils nous aperçurent, et qui montèrent jusqu'au haut des arbres avec une agilité surprenante... »

Scheherazade voulait poursuivre ; mais le jour qui paraissait l'en empêcha. La nuit suivante, elle reprit son discours de cette sorte :

LXXXVe NUIT

« Les marchands avec qui j'étais, continua Sindbad, ramassèrent des pierres et les jetèrent de toute leur force au haut des arbres contre les singes. Je suivis leur exemple, et je vis que les singes, instruits de notre dessein, cueillaient les cocos avec ardeur, et nous les jetaient avec des gestes qui marquaient leur colère et leur animosité. Nous ramassions les cocos, et nous jetions de temps en temps des pierres pour irriter les singes. Par cette ruse, nous remplissions nos sacs de ce fruit, qu'il nous eût été impossible d'avoir autrement.

« Lorsque nous en eûmes plein nos sacs, nous nous en retournâmes à la ville, où le marchand qui m'avait envoyé à la forêt me donna la valeur du sac de cocos que j'avais apporté.

« Continuez, me dit-il, et allez tous les jours faire la même chose jusqu'à ce que vous ayez gagné de quoi vous reconduire chez vous. » Je le remerciai du bon conseil qu'il me donnait; et insensiblement je fis un si grand amas de cocos que j'en avais pour une somme considérable.

Le vaisseau sur lequel j'étais venu avait fait voile avec des marchands qui l'avaient chargé de cocos qu'ils avaient achetés. J'attendis l'arrivée d'un autre qui aborda bientôt au port de la ville pour faire un pareil chargement. Je fis embarquer dessus tout le coco qui m'appartenait; et, lorsqu'il fut prêt à partir, j'allai prendre congé du marchand à qui j'avais tant d'obligation. Il ne put s'embarquer avec moi parce qu'il n'avait pas encore achevé ses affaires.

« Nous mîmes à la voile, et prîmes la route de l'île où le poivre croît en plus grande abondance. De là nous gagnâmes l'île de Comari *, qui porte la meilleure espèce de bois d'aloès, et dont les habitants se sont fait une loi inviolable de ne pas boire de vin, ni de souffrir aucun lieu de débauche. J'échangeai mon coco en ces deux îles contre le poivre et du bois d'aloès, et me rendis, avec d'autres marchands, à la pêche des perles, où je pris des plongeurs à gages pour mon compte. Ils m'en pêchèrent un grand nombre de très grosses et de très parfaites. Je me remis en mer avec joie sur un vaisseau qui arriva heureusement à Balsora; de là, je revins à Bagdad, où je fis de très grosses sommes d'argent du poivre, du bois d'aloès et des perles que j'avais apportés. Je distribuai en aumônes la dixième partie de mon gain,

_____

* Cette île ou presqu'île se termine par le cap qu'on appelle aujourd'hui le cap de Comorin. On l'appelle aussi Comar, et Comor.

de même qu'au retour de mes autres voyages, et je cherchai à me délasser de mes fatigues dans toutes sortes de divertissements. »

Ayant achevé ces paroles, Sindbad fit donner cent sequins à Hindbad, qui se retira avec tous les autres convives. Le lendemain, la même compagnie se trouva chez le riche Sindbad, qui, après l'avoir régalée comme les jours précédents, demanda audience, et fit le récit de son sixième voyage de la manière que je vais vous le raconter.

SIXIÈME VOYAGE DE SINDBAD

LE MARIN

« Messeigneurs, leur dit-il, vous êtes sans doute en
peine de savoir comment, après avoir fait cinq naufrages
et avoir essuyé tant de périls, je pus me résoudre encore
à tenter la fortune et à chercher de nouvelles disgrâces.
J'en suis étonné moi-même quand j'y fais réflexion ; et il
fallait assurément que j'y fusse entraîné par mon étoile.
Quoi qu'il en soit, au bout d'une année de repos, je me
préparai à faire un sixième voyage, malgré les prières
de mes parents et de mes amis, qui firent tout ce qui leur
fut possible pour me retenir.

Au lieu de prendre ma route par le golfe Persique, je
passai encore une fois par plusieurs provinces de la
Perse et des Indes, et j'arrivai à un port de mer où je
m'embarquai sur un bon navire dont le capitaine était
résolu à faire une longue navigation. Elle fut très longue,
à la vérité, mais en même temps si malheureuse que le
capitaine et le pilote perdirent leur route, de manière
qu'ils ignoraient où nous étions. Ils la reconnurent enfin ;
mais nous n'eûmes pas sujet de nous en réjouir, tout ce
que nous étions de passagers ; et nous fûmes un jour dans
un étonnement extrême de voir le capitaine quitter son
poste en poussant des cris. Il jeta son turban par terre,
s'arracha la barbe, et se frappa la tête comme un homme
à qui le désespoir a troublé l'esprit. Nous lui deman-
dâmes pourquoi il s'affligeait ainsi : « Je vous annonce,
nous répondit-il, que nous sommes dans l'endroit de
toute la mer le plus dangereux. Un courant très rapide
emporte le navire, et nous allons tous périr dans moins
d'un quart d'heure. Priez Dieu qu'il nous délivre de ce
danger. Nous ne saurions en échapper s'il n'a pitié de
nous. » A ces mots, il ordonna de faire ranger les voiles ;
mais les cordages se rompirent dans la manœuvre, et le

navire, sans qu'il fût possible d'y remédier, fut emporté par le courant au pied d'une montagne inaccessible, où il échoua et se brisa, de manière pourtant qu'en sauvant nos personnes, nous eûmes encore le temps de débarquer nos vivres et nos plus précieuses marchandises.

« Cela étant fait, le capitaine nous dit : « Dieu vient de faire ce qui lui a plu. Nous pouvons nous creuser ici chacun notre fosse, et nous dire le dernier adieu, car nous sommes dans un lieu si funeste que personne de ceux qui y ont été jetés avant nous ne s'en est retourné chez soi. » Ce discours nous jeta tous dans une affliction mortelle, et nous nous embrassâmes les uns les autres les larmes aux yeux, en déplorant notre malheureux sort.

« La montagne au pied de laquelle nous étions faisait la côte d'une île fort longue et très vaste. Cette côte était toute couverte de débris de vaisseaux qui y avaient fait naufrage, et par une infinité d'ossements qu'on y rencontrait d'espace en espace, et qui nous faisaient horreur, nous jugeâmes qu'il s'y était perdu bien du monde. C'est aussi une chose presque incroyable, que la quantité de marchandises et de richesses qui se présentaient à nos yeux de toutes parts. Tous ces objets ne servirent qu'à augmenter la désolation où nous étions. Au lieu que partout ailleurs les rivières sortent de leur lit pour se jeter dans la mer, tout au contraire une grosse rivière d'eau douce s'éloigne de la mer, et pénètre dans la côte au travers d'une grotte obscure dont l'ouverture est extrêmement haute et large. Ce qu'il y a de plus remarquable dans ce lieu, c'est que les pierres de la montagne sont de cristal, de rubis ou d'autres pierres précieuses. On y voit aussi la source d'une espèce de poix ou de bitume qui coule dans la mer, que les poissons avalent, et rendent ensuite changé en ambre gris, que les vagues rejettent sur la grève, qui en est couverte. Il y croît aussi des arbres, dont la plupart sont de bois d'aloès, qui ne cèdent point en bonté à ceux de Comari.

« Pour achever la description de cet endroit, qu'on peut appeler un gouffre, puisque jamais rien n'en revient, il n'est pas possible que les navires puissent s'en écarter lorsqu'une fois ils s'en sont approchés à une certaine distance. S'ils y sont poussés par un vent de mer, le vent et le courant les perdent; et, s'ils s'y trouvent lorsque le vent de terre souffle, ce qui pourrait favoriser leur éloignement, la hauteur de la montagne l'arrête, et cause un calme qui laisse agir le courant qui les emporte contre la côte, où ils se brisent comme le nôtre y fut brisé. Pour surcroît de disgrâce, il n'est pas possible de gagner le sommet de la montagne et se sauver par aucun endroit.

« Nous demeurâmes sur le rivage comme des gens qui ont perdu l'esprit, et nous attendions la mort de jour en jour. D'abord nous avions partagé nos vivres également; ainsi chacun vécut plus ou moins longtemps que les autres, selon son tempérament et suivant l'usage qu'il fit de ses provisions... »

Scheherazade cessa de parler, voyant que le jour commençait à paraître. Le lendemain elle continua de cette sorte le récit du sixième voyage de Sindbad :

LXXXVIe NUIT

« Ceux qui moururent les premiers, poursuivit Sindbad, furent enterrés par les autres; pour moi, je rendis les derniers devoirs à tous mes compagnons; et il ne faut pas s'en étonner : car, outre que j'avais mieux ménagé qu'eux les provisions qui m'étaient tombées en partage, j'en avais encore en particulier d'autres dont je m'étais bien gardé de faire part à mes camarades. Néanmoins, lorsque j'enterrai le dernier, il me restait si peu de vivres que je jugeai que je ne pourrais pas aller loin; de sorte que je creusai moi-même mon tombeau, résolu de me jeter dedans, puisque personne ne vivait pour m'enterrer. Je vous avouerai qu'en m'occupant de ce travail, je ne pus m'empêcher de me représenter que j'étais la cause de ma perte, et de me repentir de m'être engagé dans ce dernier voyage. Je n'en demeurai pas même aux réflexions; je m'ensanglantai les mains à belles dents, et peu s'en fallut que je ne hâtasse ma mort.

« Mais Dieu eut encore pitié de moi, et m'inspira la pensée d'aller jusqu'à la rivière qui se perdait sous la voûte de la grotte. Là, après avoir examiné la rivière avec beaucoup d'attention, je dis en moi-même : « Cette rivière qui se cache ainsi sous la terre en doit sortir par quelque endroit; en construisant un radeau et m'abandonnant dessus au courant de l'eau, j'arriverai à une terre habitée, ou je périrai : si je péris, je n'aurai fait que changer de genre de mort; si je sors au contraire de ce lieu fatal, non seulement j'éviterai la triste destinée de mes camarades, je trouverai peut-être une nouvelle occasion de m'enrichir. Que sait-on si la fortune ne m'attend pas au sortir de cet affreux écueil pour me dédommager de mon naufrage avec usure ?

« Je n'hésitai pas de travailler au radeau après ce raisonnement ; je le fis de bonnes pièces de bois et de gros câbles, car j'en avais à choisir ; je les liai ensemble si fortement que j'en fis un petit bâtiment assez solide. Quand il fut achevé, je le chargeai de quelques ballots de rubis, d'émeraudes, d'ambre gris, de cristal de roche et d'étoffes précieuses. Ayant mis toutes ces choses en équilibre et les ayant bien attachées, je m'embarquai sur le radeau avec deux petites rames que je n'avais pas oublié de faire ; et, me laissant aller au cours de la rivière, je m'abandonnai à la volonté de Dieu.

« Sitôt que je fus sous la voûte, je ne vis plus de lumière, et le fil de l'eau m'entraîna sans que je pusse remarquer où il m'emportait. Je voguai quelques jours dans cette obscurité, sans jamais apercevoir le moindre rayon de lumière. Je trouvai une fois la voûte si basse qu'elle pensa me blesser à la tête, ce qui me rendit fort attentif à éviter un pareil danger. Pendant ce temps-là, je ne mangeais des vivres qui me restaient qu'autant qu'il en fallait naturellement pour soutenir ma vie. Mais, avec quelque frugalité que je pusse vivre, j'achevai de consumer mes provisions. Alors, sans que je pusse m'en défendre, un doux sommeil vint saisir mes sens. Je ne puis vous dire si je dormis longtemps ; mais, en me réveillant, je me vis avec surprise dans une vaste campagne, au bord d'une rivière où mon radeau était attaché et au milieu d'un grand nombre de noirs. Je me levai dès que je les aperçus et je les saluai. Ils me parlèrent, mais je n'entendais pas leur langage.

« En ce moment, je me sentis si transporté de joie que je ne savais si je devais me croire éveillé. Étant persuadé que je ne dormais pas, je m'écriai, et récitai ces vers arabes :

Invoque la Toute-Puissance, elle viendra à ton secours :
il n'est pas besoin que tu t'embarrasses d'autre chose.
Ferme l'œil, et, pendant que tu dormiras, Dieu changera
ta fortune de mal en bien.

« Un des noirs, qui entendait l'arabe, m'ayant ouï parler ainsi, s'avança et prit la parole : « Mon frère, me dit-il, ne soyez pas surpris de nous voir. Nous habitons la campagne que vous voyez, et nous sommes venus arroser aujourd'hui nos champs de l'eau de ce fleuve

qui sort de la montagne voisine, en la détournant par
de petits canaux. Nous avons remarqué que l'eau emportait quelque chose ; nous sommes vite accourus pour voir ce
que c'était, et nous avons trouvé que c'était ce radeau ;
aussitôt l'un de nous s'est jeté à la nage et l'a amené.
Nous l'avons arrêté et attaché comme vous le voyez,
et nous attendions que vous vous éveillassiez. Nous vous
supplions de nous raconter votre histoire, qui doit être
fort extraordinaire. Dites-nous comment vous vous êtes
hasardé sur cette eau, et d'où vous venez. » Je leur répondis qu'ils me donnassent premièrement à manger, et
qu'après cela je satisferais leur curiosité.

« Ils me présentèrent plusieurs sortes de mets, et,
quand j'eus contenté ma faim, je leur fis un rapport
fidèle de tout ce qui m'était arrivé ; ce qu'ils parurent
écouter avec admiration. Sitôt que j'eus fini mon discours : « Voilà, me dirent-ils par la bouche de l'interprète qui leur avait expliqué ce que je venais de dire,
voilà une histoire des plus surprenantes. Il faut que vous
veniez en informer le roi vous-même : la chose est trop
extraordinaire pour lui être rapportée par un autre que
par celui à qui elle est arrivée. » Je leur repartis que j'étais
prêt à faire ce qu'ils voudraient.

« Les noirs envoyèrent aussitôt chercher un cheval
que l'on amena peu de temps après. Ils me firent monter dessus ; et, pendant qu'une partie marcha devant
moi pour me montrer le chemin, les autres, qui étaient
les plus robustes, chargèrent sur leurs épaules le radeau
tel qu'il était avec les ballots, et commencèrent à me
suivre... »

Scheherazade, à ces paroles, fut obligée d'en demeurer là, parce que le jour parut. Sur la fin de la nuit suivante, elle reprit le fil de sa narration, et parla dans ces
termes :

LXXXVIIᵉ NUIT

« Nous marchâmes tous ensemble, poursuivit Sindbad, jusques à la ville de Serendib : car c'était dans cette
île que je me trouvais. Les noirs me présentèrent à leur
roi. Je m'approchai de son trône où il était assis, et le
saluai comme on a coutume de saluer les rois des Indes,
c'est-à-dire que je me prosternai à ses pieds et baisai la
terre. Ce prince me fit relever, et, me recevant d'un air

très obligeant, il me fit avancer et prendre place auprès de lui. Il me demanda premièrement comment je m'appelais : lui ayant répondu que je me nommais Sindbad, surnommé le Marin à cause de plusieurs voyages que j'avais faits par mer, j'ajoutai que j'étais citoyen de la ville de Bagdad. « Mais, reprit-il, comment vous trouvez-vous dans mes États, et par où y êtes-vous venu ? »

« Je ne cachai rien au roi, je lui fis le même récit que vous venez d'entendre; et il en fut si surpris et si charmé qu'il commanda qu'on écrivît mon aventure en lettres d'or pour être conservée dans les archives de son royaume. On apporta ensuite le radeau, et l'on ouvrit les ballots en sa présence. Il admira la quantité de bois d'aloès et d'ambre gris, mais surtout les rubis et les émeraudes, car il n'en avait point dans son trésor qui en approchassent.

« Remarquant qu'il considérait mes pierreries avec plaisir, et qu'il en examinait les plus singulières les unes après les autres, je me prosternai et pris la liberté de lui dire : « Sire, ma personne n'est pas seulement au service de Votre Majesté, la charge du radeau est aussi à elle, et je la supplie d'en disposer comme d'un bien qui lui appartient. » Il me dit en souriant : « Sindbad, je me garderai bien d'en avoir la moindre envie, ni de vous ôter rien de ce que Dieu vous a donné. Loin de diminuer vos richesses, je prétends les augmenter, et je ne veux point que vous sortiez de mes États sans emporter avec vous des marques de ma libéralité. » Je ne répondis à ces paroles qu'en faisant des vœux pour la prospérité du prince et qu'en louant sa bonté et sa générosité. Il chargea un de ses officiers d'avoir soin de moi, et me fit donner des gens pour me servir à ses dépens. Cet officier exécuta fidèlement les ordres de son maître, et fit transporter dans le logement où il me conduisit tous les ballots dont le radeau avait été chargé.

J'allais tous les jours, à certaines heures, faire ma cour au roi, et j'employais le reste du temps à voir la ville et ce qu'il y avait de plus digne de ma curiosité.

« L'île de Serendib* est située justement sous la ligne équinoxiale; ainsi les jours et les nuits y sont toujours de douze heures, et elle a quatre-vingts parasanges** de

---

* Selon les géographes, elle est en deçà de la ligne dans le premier climat.
** Les géographes orientaux donnent à la parasange plus d'une de nos lieues.

longueur et autant de largeur. La ville capitale est située
à l'extrémité d'une belle vallée, formée par une montagne qui est au milieu de l'île, et qui est bien la plus
haute qu'il y ait au monde. En effet, on la découvre en
mer de trois journées de navigation. On y trouve le
rubis, plusieurs sortes de minéraux; et tous les rochers
sont, pour la plupart, d'émeri, qui est une pierre métal-
lique dont on se sert pour tailler les pierreries. On y voit
toutes sortes d'arbres et de plantes rares, surtout le
cèdre et le coco. On pêche aussi les perles le long de
ses rivages et aux embouchures de ses rivières, et
quelques-unes de ses vallées fournissent le diamant. Je
fis aussi par dévotion un voyage à la montagne, à l'endroit
où Adam fut relégué après avoir été banni du paradis
terrestre, et j'eus la curiosité de monter jusqu'au sommet.

« Lorsque je fus de retour dans la ville, je suppliai le
roi de me permettre de retourner en mon pays; ce qu'il
m'accorda d'une manière très obligeante et très honorable. Il m'obligea de recevoir un riche présent, qu'il
fit tirer de son trésor, et, lorsque j'allai prendre congé de
lui, il me chargea d'un autre présent bien plus considérable, et en même temps d'une lettre pour le Commandeur des croyants, notre souverain seigneur, en me disant :
« Je vous prie de présenter de ma part ce régal et cette
lettre au calife Haroun-al-Raschid, et de l'assurer de
mon amitié. » Je pris le présent et la lettre avec respect,
en promettant à Sa Majesté d'exécuter ponctuellement
les ordres dont elle me faisait l'honneur de me charger.
Avant que je m'embarquasse, ce prince envoya quérir
le capitaine et les marchands qui devaient s'embarquer
avec moi, et leur ordonna d'avoir pour moi tous les
égards imaginables.

« La lettre du roi de Serendib était écrite sur la peau
d'un certain animal fort précieux à cause de sa rareté,
et dont la couleur tire sur le jaune. Les caractères de
cette lettre étaient d'azur, et voici ce qu'elle contenait en
langue indienne :

*Le roi des Indes, devant qui marchent mille éléphants,
qui demeure dans un palais dont le toit brille de l'éclat de
cent mille rubis, et qui possède en son trésor vingt mille couronnes enrichies de diamants, au calife Haroun-al-Raschid.*

*Quoique le présent que nous vous envoyons soit peu consi-
dérable, ne laissez pas néanmoins de le recevoir en frère et
en ami, en considération de l'amitié que nous conservons*

*pour vous dans notre cœur, et dont nous sommes bien aise
de vous donner un témoignage. Nous vous demandons la
même part dans la vôtre, attendu que nous croyons le mériter, étant d'un rang égal à celui que vous tenez. Nous vous
en conjurons en qualité de frère. Adieu.*

« Le présent consistait premièrement en un vase d'un
seul rubis, creusé et travaillé en coupe, d'un demi-pied
de hauteur et d'un doigt d'épaisseur, rempli de perles
très rondes, et toutes du poids d'une demi-drachme ;
secondement, en une peau de serpent qui avait des
écailles grandes comme une pièce ordinaire de monnaie
d'or, et dont la propriété était de préserver de maladie
ceux qui couchaient dessus ; troisièmement, en cinquante
mille drachmes de bois d'aloès le plus exquis, avec
trente grains de camphre de la grosseur d'une pistache ;
et, enfin, le tout était accompagné d'une esclave d'une
beauté ravissante, et dont les habillements étaient couverts de pierreries.

« Le navire mit à la voile ; et, après une longue et très
heureuse navigation, nous abordâmes à Balsora, d'où je
me rendis à Bagdad. La première chose que je fis après
mon arrivée fut de m'acquitter de la commission dont
j'étais chargé... »

Scheherazade n'en dit pas davantage, à cause du jour
qui se faisait voir. Le lendemain, elle reprit ainsi son
discours :

LXXXVIIIe NUIT

« Je pris la lettre du roi de Serendib, continua Sindbad, et j'allai me présenter à la porte du Commandeur
des croyants, suivi de la belle esclave et des personnes de
ma famille qui portaient les présents dont j'étais chargé.
Je dis le sujet qui m'amenait, et aussitôt l'on me conduisit
devant le trône du calife. Je lui fis la révérence en me
prosternant, et, après lui avoir fait une harangue très
concise, je lui présentai la lettre et le présent. Lorsqu'il
eut lu ce que lui mandait le roi de Serendib, il me
demanda s'il était vrai que ce prince fût aussi puissant
et aussi riche qu'il le marquait par sa lettre. Je me prosternai une seconde fois, et, après m'être relevé : « Commandeur des croyants, lui répondis-je, je puis assurer
Votre Majesté qu'il n'exagère pas ses richesses et sa

grandeur; j'en suis témoin. Rien n'est plus capable de causer de l'admiration que la magnificence de son palais. Lorsque ce prince veut paraître en public, on lui dresse un trône sur un éléphant où il s'assied, et il marche au milieu de deux files composées de ses ministres, de ses favoris et d'autres gens de sa cour. Devant lui, sur le même éléphant, un officier tient une lance d'or à la main, et derrière le trône un autre est debout, qui porte une colonne d'or au haut de laquelle est une émeraude longue d'environ un demi-pied et grosse d'un pouce. » Il est précédé d'une garde de mille hommes habillés de drap d'or et de soie et montés sur des éléphants richement caparaçonnés. Pendant que le roi est en marche, l'officier qui est devant lui sur le même éléphant crie de temps en temps à haute voix :

Voici le grand monarque, le puissant et redoutable sultan des Indes, dont le palais est couvert de cent mille rubis, et qui possède vingt mille couronnes de diamants! Voici le monarque couronné, plus grand que ne furent jamais le grand Solima* et le grand Mihrage**!

« Après qu'il a prononcé ces paroles, l'officier qui est derrière le trône crie à son tour :

Ce monarque si grand et si puissant doit mourir, doit mourir, doit mourir.

« L'officier de devant reprend et crie ensuite :

Louange à celui qui vit et ne meurt pas.

« D'ailleurs, le roi de Serendib est si juste qu'il n'y a pas de juges dans sa capitale, non plus que dans le reste de ses États : ses peuples n'en ont pas besoin. Ils savent et ils observent d'eux-mêmes exactement la justice, et ne s'écartent jamais de leur devoir. Ainsi les tribunaux et les magistrats sont inutiles chez eux. » Le calife fut fort satisfait de mon discours. « La sagesse de ce roi, dit-il, paraît en sa lettre, et, après ce que vous venez de me dire, il faut avouer que sa sagesse est digne de ses peuples, et ses peuples dignes d'elle. » A ces mots, il me congédia et me renvoya avec un riche présent... »

---

* Salomon.
** Ancien roi d'une grande île du même nom, dans les Indes, très renommé chez les Arabes par sa puissance et par sa sagesse.

Sindbad acheva de parler en cet endroit, et ses auditeurs se retirèrent; mais Hindbad reçut auparavant cent sequins. Ils revinrent encore le jour suivant chez Sindbad, qui leur raconta son septième et dernier voyage dans ces termes :

SEPTIÈME ET DERNIER VOYAGE

DE SINDBAD LE MARIN

« Au retour de mon sixième voyage, j'abandonnai absolument la pensée d'en faire jamais d'autres. Outre que j'étais dans un âge qui ne demandait plus que du repos, je m'étais bien promis de ne plus m'exposer aux périls que j'avais tant de fois courus. Ainsi je ne songeais qu'à passer doucement le reste de ma vie. Un jour que je régalais nombre d'amis, un de mes gens me vint avertir qu'un officier du calife me demandait. Je sortis de table et allai au-devant de lui. « Le calife, me dit-il, m'a chargé de venir vous dire qu'il veut vous parler. » Je suivis au palais l'officier, qui me présenta à ce prince, que je saluai en me prosternant à ses pieds. « Sindbad, me dit-il, j'ai besoin de vous : il faut que vous me rendiez un service; que vous alliez porter ma réponse et mes présents au roi de Serendib; il est juste que je lui rende la civilité qu'il m'a faite. »

« Le commandement du calife fut un coup de foudre pour moi. « Commandeur des croyants, lui dis-je, je suis prêt à exécuter tout ce que m'ordonnera Votre Majesté; mais je la supplie très humblement de songer que je suis rebuté des fatigues incroyables que j'ai souffertes. J'ai même fait vœu de ne sortir jamais de Bagdad. » De là je pris occasion de lui faire un long détail de toutes mes aventures, qu'il eut la patience d'écouter jusques à la fin. Dès que j'eus cessé de parler :

« J'avoue, dit-il, que voilà des événements bien extraordinaires; mais pourtant il ne faut pas qu'ils vous empêchent de faire pour l'amour de moi le voyage que je vous propose. Il ne s'agit que d'aller à l'île de Serendib, vous acquitter de la commission que je vous donne. Après cela, il vous sera libre de vous en revenir. Mais il faut y aller : car vous voyez bien qu'il ne serait pas de la bienséance et de ma dignité d'être redevable au roi de cette île. » Comme je vis que le calife exigeait cela de moi absolument, je lui témoignai que j'étais prêt à lui obéir. Il en eut beaucoup de joie, et me fit donner mille sequins pour les frais de mon voyage.

« Je me préparai en peu de jours à mon départ; et, sitôt qu'on m'eut livré les présents du calife avec une lettre de sa propre main, je partis et pris la route de Balsora, où je m'embarquai. Ma navigation fut très heureuse; j'arrivai à l'île de Serendib. Là, j'exposai aux ministres la commission dont j'étais chargé, et les priai de me faire donner audience incessamment. Ils n'y manquèrent pas. On me conduisit au palais avec honneur. J'y saluai le roi en me prosternant selon la coutume.

« Ce prince me reconnut d'abord, et me témoigna une joie toute particulière de me revoir. « Ah! Sindbad! me dit-il, soyez le bienvenu! Je vous jure que j'ai songé à vous très souvent depuis votre départ. Je bénis ce jour, puisque nous nous voyons encore une fois. » Je lui fis mon compliment, et, après l'avoir remercié de la bonté qu'il avait pour moi, je lui présentai la lettre et le présent du calife, qu'il reçut avec toutes les marques d'une grande satisfaction.

« Le calife lui envoyait un lit complet de drap d'or, estimé mille sequins, cinquante robes d'une très riche étoffe, cent autres de toile blanche, la plus fine du Caire, de Suez*, de Cufa** et d'Alexandrie; un autre lit cramoisi, et un autre encore d'une autre façon; un vase d'agate plus large que profond, épais d'un doigt et ouvert d'un demi-pied, dont le fond représentait en bas-relief un homme un genou en terre qui tenait un arc avec une flèche, prêt à tirer contre un lion; il lui envoyait enfin une riche table que l'on croyait, par tradition, venir du grand Salomon. La lettre du calife était conçue en ces termes :

Salut, au nom du souverain guide du droit chemin, au puissant et heureux sultan, de la part d'Abdallah Haroun-al-Raschid, que Dieu a placé dans le lieu d'honneur après ses ancêtres d'heureuse mémoire.

Nous avons reçu votre lettre avec joie, et nous vous envoyons celle-ci, émanée du conseil de notre Porte, le

---

* Port de la mer Rouge.
** Ville d'Arabie.

jardin des esprits supérieurs. Nous espérons qu'en jetant
les yeux dessus, vous connaîtrez notre bonne intention, et
que vous l'aurez pour agréable. Adieu.

« Le roi de Serendib eut un grand plaisir de voir que
le calife répondait à l'amitié qu'il lui avait témoignée.
Peu de temps après cette audience, je sollicitai celle de
mon congé, que je n'eus pas peu de peine à obtenir. Je
l'obtins enfin, et le roi, en me congédiant, me fit un
présent très considérable. Je me rembarquai aussitôt,
dans le dessein de m'en retourner à Bagdad ; mais je n'eus
pas le bonheur d'y arriver comme je l'espérais, et Dieu
en disposa autrement.

« Trois ou quatre jours après notre départ, nous fûmes
attaqués par des corsaires, qui eurent d'autant moins de
peine à s'emparer de notre vaisseau qu'on n'y était
nullement en état de se défendre. Quelques personnes
de l'équipage voulurent faire résistance, mais il leur en
coûta la vie ; pour moi et tous ceux qui eurent la prudence
de ne pas s'opposer au dessein des corsaires, nous fûmes
faits esclaves... »

Le jour qui paraissait imposa silence à Scheherazade.
Le lendemain elle reprit la suite de cette histoire.

LXXXIXᵉ NUIT

Sire, dit-elle au Sultan des Indes, Sindbad, continuant de raconter les aventures de son dernier voyage :
« Après que les corsaires, poursuivit-il, nous eurent
tous dépouillés et qu'ils nous eurent donné de méchants
habits au lieu des nôtres, ils nous emmenèrent dans une
grande île fort éloignée, où ils nous vendirent.

« Je tombai entre les mains d'un riche marchand, qui
ne m'eut pas plutôt acheté qu'il me mena chez lui, où
il me fit bien manger et habiller proprement en esclave.
Quelques jours après, comme il ne s'était pas encore
bien informé qui j'étais, il me demanda si je ne savais
pas quelque métier. Je lui répondis, sans me faire mieux
connaître, que je n'étais pas un artisan, mais un marchand de profession, et que les corsaires qui m'avaient
vendu m'avaient enlevé tout ce que j'avais. « Mais dites-
moi, reprit-il, si vous ne pourriez pas tirer de l'arc ».
Je lui repartis que c'était un des exercices de ma jeu-

nesse, et que je ne l'avais pas oublié depuis. Alors il me
donna un arc et des flèches ; et, m'ayant fait monter
derrière lui sur un éléphant, il me mena dans une forêt
éloignée de la ville de quelques heures de chemin, et
dont l'étendue était très vaste. Nous y entrâmes fort
avant, et, lorsqu'il jugea à propos de s'arrêter, il me fit
descendre. Ensuite, me montrant un grand arbre : « Montez sur cet arbre, me dit-il, et tirez sur les éléphants que
vous verrez passer : car il y en a une quantité prodigieuse
dans cette forêt. S'il en tombe quelqu'un, venez m'en
donner avis. » Après m'avoir dit cela, il me laissa des
vivres, reprit le chemin de la ville, et je demeurai sur
l'arbre à l'affût pendant toute la nuit.

« Je n'en aperçus aucun pendant tout ce temps-là ; mais
le lendemain, d'abord que le soleil fut levé, j'en vis
paraître un grand nombre. Je tirai dessus plusieurs
flèches, et enfin il en tomba un par terre. Les autres se
retirèrent aussitôt, et me laissèrent la liberté d'aller avertir mon patron de la chasse que je venais de faire. En
faveur de cette nouvelle, il me régala d'un bon repas,
loua mon adresse et me caressa fort. Puis nous allâmes
ensemble à la forêt où nous creusâmes une fosse dans
laquelle nous enterrâmes l'éléphant que j'avais tué. Mon
patron se proposait de revenir lorsque l'animal serait
pourri et d'enlever les dents pour en faire commerce.

« Je continuai cette chasse pendant deux mois, et
il ne se passait pas de jour que je ne tuasse un éléphant.
Je ne me mettais pas toujours à l'affût sur un même
arbre, je me plaçais tantôt sur l'un et tantôt sur l'autre.
Un matin que j'attendais l'arrivée des éléphants, je
m'aperçus avec un extrême étonnement qu'au lieu de
passer devant moi en traversant la forêt comme à
l'ordinaire, ils s'arrêtèrent, et vinrent à moi avec un
horrible bruit et en si grand nombre que la terre en
était couverte et tremblait sous leurs pas. Ils s'approchèrent de l'arbre où j'étais monté et l'environnèrent
tous, la trompe étendue et les yeux attachés sur moi. A
ce spectacle étonnant, je restai immobile, et saisi d'une
telle frayeur que mon arc et mes flèches me tombèrent
des mains.

« Je n'étais pas agité d'une crainte vaine. Après que les
éléphants m'eurent regardé quelque temps, un des plus
gros embrassa l'arbre par le bas avec sa trompe, et fit
un si puissant effort qu'il le déracina et le renversa par
terre. Je tombai avec l'arbre ; mais l'animal me prit avec

sa trompe, et me chargea sur son dos, où je m'assis plus mort que vif avec le carquois attaché à mes épaules. Il se mit ensuite à la tête de tous les autres qui le suivaient en troupe, et me porta jusqu'à un endroit, où m'ayant posé à terre, il se retira avec tous ceux qui l'accompagnaient. Concevez, s'il est possible, l'état où j'étais : je croyais plutôt dormir que veiller. Enfin, après avoir été quelque temps étendu sur la place, ne voyant plus d'éléphants, je me levai, et je remarquai que j'étais sur une colline assez longue et assez large, toute couverte d'ossements, et de dents d'éléphants. Je vous avoue que cet objet me fit faire une infinité de réflexions. J'admirai l'instinct de ces animaux. Je ne doutai point que ce ne fût là leur cimetière, et qu'ils ne m'y eussent apporté exprès pour me l'enseigner, afin que je cessasse de les persécuter, puisque je le faisais dans la vue seule d'avoir leurs dents. Je ne m'arrêtai pas sur la colline, je tournai mes pas vers la ville ; et, après avoir marché un jour et une nuit, j'arrivai chez mon patron. Je ne rencontrai aucun éléphant sur ma route ; ce qui me fit connaître qu'ils s'étaient éloignés plus avant dans la forêt, pour laisser la liberté d'aller sans obstacle à la colline.

« Dès que mon patron m'aperçut : « Ah ! pauvre Sindbad ! me dit-il, j'étais dans une grande peine de savoir ce que tu pouvais être devenu. J'ai été à la forêt, j'y ai trouvé un arbre nouvellement déraciné, un arc et des flèches par terre, et, après t'avoir inutilement cherché, je désespérais de te revoir jamais. Raconte-moi, je te prie, ce qui t'est arrivé. Par quel bonheur es-tu encore en vie ? » Je satisfis sa curiosité ; et, le lendemain étant allés tous deux à la colline, il reconnut avec une extrême joie la vérité de ce que je lui avais dit. Nous chargeâmes l'éléphant sur lequel nous étions venus de tout ce qu'il pouvait porter de dents, et, lorsque nous fûmes de retour : « Mon frère, me dit-il (car je ne veux plus vous traiter en esclave, après le plaisir que vous venez de me faire par une découverte qui va m'enrichir), Dieu vous comble de toutes sortes de biens et de prospérités ! Je déclare devant lui que je vous donne la liberté. Je vous avais dissimulé ce que vous allez entendre : les éléphants de notre forêt nous font périr chaque année une infinité d'esclaves que nous envoyons chercher de l'ivoire. Quelques conseils que nous leur donnions, ils perdent tôt ou tard la vie par les ruses de ces animaux. Dieu vous a délivré de leur furie, et n'a fait cette grâce qu'à vous seul. C'est une marque qu'il vous chérit, et qu'il a besoin de vous dans le monde pour le bien que vous y devez faire. Vous me procurez un avantage incroyable : nous n'avons pu avoir d'ivoire jusqu'à présent qu'en exposant la vie de nos esclaves; et voilà toute notre ville enrichie par votre moyen. Ne croyez pas que je prétende vous avoir assez récompensé par la liberté que vous venez de recevoir; je veux ajouter à ce don des biens considérables. Je pourrais engager toute la ville à faire votre fortune, mais c'est une gloire que je veux avoir moi seul. »

« A ce discours obligeant je répondis : « Patron, Dieu vous conserve! La liberté que vous m'accordez suffit pour vous acquitter envers moi; et, pour toute récompense du service que j'ai eu le bonheur de vous rendre à vous et à votre ville, je ne vous demande que la permission de retourner en mon pays. — Hé bien! répliqua-t-il, le moçon* nous amènera bientôt des navires qui viendront charger de l'ivoire. Je vous renverrai alors, et vous donnerai de quoi vous conduire chez vous. » Je le remerciai de nouveau de la liberté qu'il venait de me donner et des bonnes intentions qu'il avait pour moi. Je demeurai chez lui en attendant le moçon; et, pendant ce temps-là, nous fîmes tant de voyages à la colline que nous remplîmes ses magasins d'ivoire. Tous les marchands de la ville qui en négociaient firent la même chose : car cela ne leur fut pas longtemps caché. »

A ces paroles, Scheherazade, apercevant la pointe du jour, cessa de poursuivre son discours. Elle le reprit la nuit suivante, et dit au sultan des Indes :

XC^e NUIT

Sire, Sindbad, continuant le récit de son septième voyage :

« Les navires, dit-il, arrivèrent enfin; et mon patron, ayant choisi lui-même celui sur lequel je devais m'embarquer, le chargea d'ivoire à demi pour mon compte. Il n'oublia pas d'y faire mettre aussi des provisions en

---

* Ce mot est fort usité dans la navigation des Indes. C'est un vent régulier qui règne six mois du couchant au levant et six mois du levant au couchant.

abondance pour mon passage; et, de plus, il m'obligea d'accepter des régals de grand prix, des curiosités du pays. Après que je l'eus remercié autant qu'il me fut possible de tous les bienfaits que j'avais reçus de lui, je m'embarquai. Nous mîmes à la voile; et, comme l'aventure qui m'avait procuré la liberté était fort extraordinaire, j'en avais toujours l'esprit occupé.

« Nous nous arrêtâmes dans quelques îles pour y prendre des rafraîchissements. Notre vaisseau étant parti d'un port de terre ferme des Indes, nous y allâmes aborder; et là, pour éviter les dangers de la mer jusqu'à Balsora, je fis débarquer l'ivoire qui m'appartenait, résolu de continuer mon voyage par terre. Je tirai de mon ivoire une grosse somme d'argent; j'en achetai plusieurs choses rares pour en faire des présents, et, quand mon équipage fut prêt, je me joignis à une grosse caravane de marchands. Je demeurai longtemps en chemin, et je souffris beaucoup; mais je souffrais avec patience, en faisant réflexion que je n'avais plus à craindre ni les tempêtes, ni les corsaires, ni les serpents, ni tous les autres périls que j'avais courus.

« Toutes ces fatigues finirent enfin : j'arrivai heureusement à Bagdad. J'allai d'abord me présenter au calife, et lui rendre compte de mon ambassade. Ce prince me dit que la longueur de mon voyage lui avait causé de l'inquiétude; mais qu'il avait pourtant toujours espéré que Dieu ne m'abandonnerait point. Quand je lui appris l'aventure des éléphants, il en parut fort surpris; et il aurait refusé d'y ajouter foi si ma sincérité ne lui eût pas été connue. Il trouva cette histoire et les autres que je lui racontai si curieuses qu'il chargea un de ses secrétaires de les écrire en caractères d'or, pour être conservées dans son trésor. Je me retirai très content de l'honneur et des présents qu'il me fit; puis je me donnai tout entier à ma famille, à mes parents et à mes amis. »

Ce fut ainsi que Sindbad acheva le récit de son septième et dernier voyage; et, s'adressant ensuite à Hindbad : « Hé bien! mon ami, ajouta-t-il, avez-vous jamais ouï dire que quelqu'un ait souffert autant que moi, ou qu'aucun mortel se soit trouvé dans des embarras si pressants ? N'est-il pas juste qu'après tant de travaux je jouisse d'une vie agréable et tranquille ? » Comme il achevait ces mots, Hindbad s'approcha de lui, et dit en lui baisant la main : « Il faut avouer, Seigneur, que vous avez essuyé d'effroyables périls; mes peines ne sont pas comparables aux vôtres. Si elles m'affligent dans le temps que je les souffre, je m'en console par le petit profit que j'en tire. Vous méritez non seulement une vie tranquille, vous êtes digne encore de tous les biens que vous possédez, puisque vous en faites un si bon usage et que vous êtes si généreux. Continuez donc de vivre dans la joie jusqu'à l'heure de votre mort. »

Sindbad lui fit donner encore cent sequins, le reçut au nombre de ses amis, lui dit de quitter sa profession de porteur, et de continuer de venir manger chez lui; qu'il aurait lieu de se souvenir toute sa vie de Sindbad le Marin.

Scheherazade, voyant qu'il n'était pas encore jour, continua de parler, et commença une autre histoire.

LES TROIS POMMES

Sire, dit-elle, j'ai déjà eu l'honneur d'entretenir Votre Majesté d'une sortie que le calife Haroun-al-Raschid fit une nuit de son palais; il faut que je vous en raconte encore une autre.

Un jour ce prince avertit le grand-vizir Giafar de se trouver au palais la nuit prochaine. « Vizir, lui dit-il, je veux faire le tour de la ville et m'informer de ce qu'on y dit, et, particulièrement, si on est content de mes officiers de justice. S'il y en a dont on ait raison de se plaindre nous les déposerons pour en mettre d'autres à leur place, qui s'acquitteront mieux de leur devoir. Si au contraire il y en a dont on se loue, nous aurons pour eux les égards qu'ils méritent. » Le grand-vizir s'étant rendu au palais à l'heure marquée, le calife, lui et Mesrour, chef des eunuques, se déguisèrent pour n'être pas connus, et sortirent tous trois ensemble.

Ils passèrent par plusieurs places et par plusieurs marchés; et, en entrant dans une petite rue, ils virent au clair de la lune un bonhomme à barbe blanche, qui avait la taille haute et qui portait des filets sur sa tête. Il avait au bras un panier pliant de feuilles de palmier, et un bâton à la main. « A voir ce vieillard, dit le calife, il n'est pas riche : abordons-le, et lui demandons l'état de sa fortune. » « Bonhomme, lui dit le vizir, qui es-tu ? — Seigneur, lui répondit le vieillard, je suis pêcheur, mais le plus pauvre et le plus misérable de ma profession. Je suis sorti de chez moi tantôt sur le midi pour aller pêcher, et depuis ce temps-là jusqu'à présent je n'ai pas pris le moindre poisson. Cependant j'ai une femme et de petits enfants, et je n'ai pas de quoi les nourrir. »

Le calife, touché de compassion, dit au pêcheur : « Aurais-tu le courage de retourner sur tes pas, et de jeter tes filets encore une fois seulement ? Nous te donnerons cent sequins de ce que tu amèneras. » Le pêcheur, à cette proposition, oubliant toute la peine de la journée, prit le calife au mot, et retourna vers le Tigre avec lui, Giafar et Mesrour, en disant en lui-même : « Ces seigneurs paraissent trop honnêtes et trop raisonnables pour ne pas me récompenser de ma peine ; et, quand ils ne me donneraient que la centième partie de ce qu'ils me promettent, ce serait encore beaucoup pour moi. »

Ils arrivèrent au bord du Tigre ; le pêcheur y jeta ses filets ; puis, les ayant tirés, il amena un coffre bien fermé et fort pesant qui s'y trouva. Le calife lui fit compter aussitôt cent sequins par le grand-vizir, et le renvoya. Mesrour chargea le coffre sur ses épaules par l'ordre de son maître, qui, dans l'empressement de savoir ce qu'il y avait dedans, retourna au palais en diligence. Là, le coffre ayant été ouvert, on y trouva un grand panier pliant de feuilles de palmier, fermé et cousu par l'ouverture avec un fil de laine rouge. Pour satisfaire l'impatience du calife, on ne se donna pas la peine de le découdre ; on coupa promptement le fil avec un couteau, et l'on tira du panier un paquet enveloppé dans un méchant tapis et lié avec de la corde. La corde déliée et le paquet défait, on vit avec horreur le corps d'une jeune dame, plus blanc que de la neige et coupé par morceaux...

Scheherazade, en cet endroit, remarquant qu'il était jour, cessa de parler. Le lendemain elle reprit la parole de cette manière :

XCIe NUIT

Sire, Votre Majesté s'imaginera mieux elle-même que je ne le puis faire comprendre par mes paroles quel fut l'étonnement du calife à cet affreux spectacle. Mais de la surprise il passa en un instant à la colère ; et, lançant au vizir un regard furieux : « Ah ! malheureux ! lui dit-il, est-ce donc ainsi que tu veilles sur les actions de mes peuples ? On commet impunément sous ton ministère des assassinats dans ma capitale, et l'on jette mes sujets dans le Tigre, afin qu'ils crient vengeance contre moi au jour du jugement. Si tu ne venges promptement le meurtre de cette femme par la mort de son meurtrier, je jure par le saint nom de Dieu que je te ferai pendre,

toi et quarante de ta parenté. — Commandeur des
croyants, lui dit le grand-vizir, je supplie Votre Majesté
de m'accorder du temps pour faire des perquisitions. —
Je ne te donne que trois jours pour cela, repartit le calife,
c'est à toi d'y songer. »

Le vizir Giafar se retira chez lui dans une grande
confusion de sentiments. « Hélas! disait-il, comment,
dans une ville aussi vaste et aussi peuplée que Bagdad,
pourrai-je déterrer un meurtrier, qui sans doute a commis
ce crime sans témoin, et qui est peut-être déjà sorti
de cette ville ? Un autre que moi tirerait de prison un
misérable et le ferait mourir pour contenter le calife;
mais je ne veux pas charger ma conscience de ce forfait,
et j'aime mieux mourir que de me sauver à ce prix-là. »

Il ordonna aux officiers de police et de justice qui lui
obéissaient de faire une exacte recherche du criminel.
Ils mirent leurs gens en campagne et s'y mirent eux-
mêmes, ne se croyant guère moins intéressés que le
vizir en cette affaire. Mais tous leurs soins furent inutiles : quelque diligence qu'ils y apportèrent, ils ne purent
découvrir l'auteur de l'assassinat; et le vizir jugea bien
que sans un coup du Ciel c'était fait de sa vie.

Effectivement, le troisième jour étant venu, un huissier
arriva chez ce malheureux ministre et le somma de le
suivre. Le vizir obéit; et, le calife lui ayant demandé où
était le meurtrier : « Commandeur des croyants, lui
répondit-il les larmes aux yeux, je n'ai trouvé personne
qui ait pu m'en donner la moindre nouvelle. » Le calife
lui fit des reproches remplis d'emportement et de fureur,
et commanda qu'on le pendît devant la porte du palais,
lui et quarante des Barmécides *.

Pendant que l'on travaillait à dresser les potences et
qu'on se saisissait des quarante Barmécides dans leurs
maisons, un crieur public alla, par ordre du calife, faire
ce cri dans tous les quartiers de la ville :

*Qui veut avoir la satisfaction de voir pendre le grand-vizir
Giafar et quarante des Barmécides ses parents, qu'il vienne
à la place qui est devant le palais.*

Lorsque tout fut prêt, le juge criminel et un grand
nombre d'huissiers du palais amenèrent le grand-vizir
avec les quarante Barmécides, les firent disposer chacun

---

* Les Barmécides étaient d'une famille sortie de Perse dont était
le grand-vizir Giafar. Voyez la *Bibliothèque orientale* de M. Dher-
belot au mot Barmekian.

au pied de la potence qui lui était destinée, et on leur passa autour du cou la corde avec laquelle ils devaient être levés en l'air. Le peuple, dont toute la place était remplie, ne put voir ce triste spectacle sans douleur et sans verser des larmes : car le grand-vizir Giafar et les Barmécides étaient chéris et honorés pour leur probité, leur libéralité et leur désintéressement, non seulement à Bagdad, mais même par tout l'empire du calife.

Rien n'empêchait qu'on n'exécutât l'ordre irrévocable de ce prince trop sévère; et on allait ôter la vie aux plus honnêtes gens de la ville, lorsqu'un jeune homme très bien fait et fort proprement vêtu fendit la presse, pénétra jusqu'au grand-vizir, et, après lui avoir baisé la main : « Souverain vizir, lui dit-il, chef des émirs de cette cour, refuge des pauvres, vous n'êtes pas coupable du crime pour lequel vous êtes ici. Retirez-vous, et me laissez expier la mort de la dame qui a été jetée dans le Tigre. C'est moi qui suis son meurtrier, et je mérite d'en être puni. »

Quoique ce discours causât beaucoup de joie au vizir, il ne laissa pas d'avoir pitié du jeune homme, dont la physionomie, au lieu de paraître funeste, avait quelque chose d'engageant; et il allait lui répondre, lorsqu'un grand homme d'un âge déjà fort avancé, ayant aussi fendu la presse, arriva et dit au vizir : « Seigneur, ne croyez rien de ce que vous dit ce jeune homme; nul autre que moi n'a tué la dame qu'on a trouvée dans le coffre : c'est sur moi seul que doit tomber le châtiment. Au nom de Dieu, je vous conjure de ne pas punir l'innocent pour le coupable. — Seigneur, reprit le jeune homme en s'adressant au vizir, je vous jure que c'est moi qui ai commis cette méchante action, et que personne au monde n'en est complice. — Mon fils, interrompit le vieillard, c'est le désespoir qui vous a conduit ici, et vous voulez prévenir votre destinée; pour moi, il y a longtemps que je suis au monde, je dois en être détaché. Laissez-moi donc sacrifier ma vie pour la vôtre. Seigneur, ajouta-t-il en s'adressant au grand-vizir, je vous le répète encore, c'est moi qui suis l'assassin : faites-moi mourir, et ne différez pas. »

La contestation du vieillard et du jeune homme obligea le vizir Giafar à les mener tous deux devant le calife, avec la permission du lieutenant criminel, qui se faisait un plaisir de le favoriser. Lorsqu'il fut en présence de ce prince, il baisa la terre par sept fois, et parla de cette

manière : « Commandeur des croyants, j'amène à Votre
Majesté ce vieillard et ce jeune homme qui se disent
tous deux, séparément, meurtriers de la dame. » Alors le
calife demanda aux accusés qui des deux avait mas-
sacré la dame si cruellement, et l'avait jetée dans le
Tigre. Le jeune homme assura que c'était lui ; mais le
vieillard, de son côté, soutenant le contraire : « Allez, dit
le calife au grand-vizir, faites-les pendre tous deux. —
Mais, Sire, dit le vizir, s'il n'y en a qu'un de criminel, il
y aurait de l'injustice à faire mourir l'autre. »

A ces paroles, le jeune homme reprit : « Je jure, par
le grand Dieu qui a élevé les cieux à la hauteur où ils
sont, que c'est moi qui ai tué la dame, qui l'ai coupée
par quartiers et jetée dans le Tigre il y a quatre jours. Je
ne veux point avoir de part avec les justes au jour du
jugement si ce que je dis n'est pas véritable ; ainsi, je
suis celui qui doit être puni. » Le calife fut surpris de
ce serment et y ajouta foi, d'autant plus que le vieillard
n'y répliqua rien. C'est pourquoi, se tournant vers le
jeune homme : « Malheureux, lui dit-il, pour quel sujet
as-tu commis un crime si détestable, et quelle raison
peux-tu avoir d'être venu t'offrir toi-même à la mort ? —
Commandeur des croyants, répondit-il, si l'on mettait
par écrit tout ce qui s'est passé entre cette dame et moi,
ce serait une histoire qui pourrait être très utile aux
hommes. — Raconte-nous-la donc, répliqua le calife,
je te l'ordonne. » Le jeune homme obéit, et commença
son récit de cette sorte.

Scheherazade voulait continuer ; mais elle fut obligée
de remettre cette histoire à la nuit suivante.

XCIIᵉ NUIT

Schahriar prévint la sultane, et lui demanda ce que le
jeune homme avait raconté au calife Haroun-al-Raschid.
« Sire, répondit Scheherazade, il prit la parole et parla
dans ces termes :

HISTOIRE DE LA DAME MASSACRÉE

ET DU JEUNE HOMME SON MARI

« Commandeur des croyants, Votre Majesté saura que la dame massacrée était ma femme, fille de ce vieillard que vous voyez, qui est mon oncle paternel. Elle n'avait que douze ans quand il me la donna en mariage, et il y en a onze d'écoulés depuis ce temps-là. J'ai eu d'elle trois enfants mâles, qui sont vivants, et je dois lui rendre cette justice qu'elle ne m'a jamais donné le moindre sujet de déplaisir. Elle était sage, de bonnes mœurs, et mettait toute son attention à me plaire. De mon côté, je l'aimais parfaitement, et je prévenais tous ses désirs, bien loin de m'y opposer.

« Il y a environ deux mois qu'elle tomba malade. J'en eus tout le soin imaginable, et je n'épargnai rien pour lui procurer une prompte guérison. Au bout d'un mois, elle commença de se mieux porter, et voulut aller au bain. Avant que de sortir du logis, elle me dit : « Mon cousin, car elle m'appelait ainsi par familiarité, j'ai envie de manger des pommes ; vous me feriez un extrême plaisir si vous pouviez m'en trouver ; il y a longtemps que cette envie me tient, et je vous avoue qu'elle s'est augmentée à un point que, si elle n'est bientôt satisfaite, je crains qu'il ne m'arrive quelque disgrâce. — Très volontiers, lui répondis-je ; je vais faire tout mon possible pour vous contenter. »

« J'allai aussitôt chercher des pommes dans tous les marchés et dans toutes les boutiques ; mais je n'en pus trouver une, quoique j'offrisse d'en donner un sequin. Je revins au logis, fort fâché de la peine que j'avais prise inutilement. Pour ma femme, quand elle fut revenue du bain et qu'elle ne vit point de pommes, elle en eut un chagrin qui ne lui permit pas de dormir la nuit. Je me levai de grand matin, et allai dans tous les jardins ;

mais je ne réussis pas mieux que le jour précédent. Je rencontrai seulement un vieux jardinier qui me dit que, quelque peine que je me donnasse, je n'en trouverais point ailleurs qu'au jardin de Votre Majesté à Balsora.

« Comme j'aimais passionnément ma femme et que je ne voulais pas avoir à me reprocher d'avoir négligé de la satisfaire, je pris un habit de voyageur, et, après l'avoir instruite de mon dessein, je partis pour Balsora. Je fis une si grande diligence que je fus de retour au bout de quinze jours. Je rapportai trois pommes qui m'avaient coûté un sequin la pièce. Il n'y en avait pas davantage dans le jardin, et le jardinier n'avait pas voulu me les donner à meilleur marché. En arrivant, je les présentai à ma femme; mais il se trouva que l'envie lui en était passée. Ainsi elle se contenta de les recevoir et les posa à côté d'elle. Cependant elle était toujours malade, et je ne savais quel remède apporter à son mal.

« Peu de jours après mon voyage, étant assis dans ma boutique au lieu public où l'on vend toutes sortes d'étoffes fines, je vis entrer un grand esclave noir, de fort méchante mine, qui tenait à la main une pomme que je reconnus pour une de celles que j'avais apportée de Balsora. Je n'en pouvais douter, puisque je savais qu'il n'y en avait pas une dans Bagdad ni dans tous les jardins aux environs. J'appelai l'esclave : « Bon esclave, lui dis-je, apprends-moi, je te prie, où tu as pris cette pomme. — C'est, me répondit-il en souriant, un présent que m'a fait mon amoureuse. J'ai été la voir aujourd'hui, et je l'ai trouvée un peu malade. J'ai vu trois pommes auprès d'elle, et je lui ai demandé d'où elle les avait eues; elle m'a répondu que son bonhomme de mari avait fait un voyage de quinze jours exprès pour les lui aller chercher, et qu'il les lui avait apportées. Nous avons fait collation ensemble, et, en la quittant, j'en ai pris et emporté une que voici. »

« Ce discours me mit hors de moi-même. Je me levai de ma place, et, après avoir fermé ma boutique, je courus chez moi avec empressement et montai à la chambre de ma femme. Je regardai d'abord où étaient les pommes, et, n'en voyant que deux, je demandai où était la troisième. Alors ma femme, ayant tourné la tête du côté des pommes et n'en ayant aperçu que deux, me répondit froidement : « Mon cousin, je ne sais ce qu'elle est devenue. » A cette réponse, je ne fis pas difficulté de croire que ce que m'avait dit l'esclave ne fût véritable. En même temps je me laissai emporter à une fureur jalouse, et, tirant un couteau qui était attaché à ma ceinture, je le plongeai dans la gorge de cette misérable. Ensuite je lui coupai la tête et mis son corps par quartiers; j'en fis un paquet que je cachai dans un panier pliant; et, après avoir cousu l'ouverture du panier avec un fil de laine rouge, je l'enfermai dans un coffre que je chargeai sur mes épaules dès qu'il fut nuit, et que j'allai jeter dans le Tigre.

« Les deux plus petits de mes enfants étaient déjà couchés et endormis, et le troisième était hors de la maison; je le trouvai à mon retour assis près de la porte, et pleurant à chaudes larmes. Je lui demandai le sujet de ses pleurs. Mon père, me dit-il, j'ai pris ce matin à ma mère, sans qu'elle en ait rien vu, une des trois pommes que vous lui avez apportées. Je l'ai gardée longtemps; mais, comme je jouais tantôt dans la rue avec mes petits frères, un grand esclave qui passait me l'a arrachée de la main, et l'a emportée; j'ai couru après lui en la lui redemandant; mais j'ai eu beau lui dire qu'elle appartenait à ma mère qui était malade, que vous aviez fait un voyage de quinze jours pour l'aller chercher, tout cela a été inutile. Il n'a pas voulu me la rendre; et, comme je le suivais en criant après lui, il s'est retourné, m'a battu, et puis s'est mis à courir de toute sa force par plusieurs rues détournées, de manière que je l'ai perdu de vue. Depuis ce temps-là, j'ai été me promener hors de la ville en attendant que vous revinssiez; et je vous attendais, mon père, pour vous prier de n'en rien dire à ma mère de peur que cela ne la rende plus mal. » En achevant ces mots, il redoubla ses larmes.

« Le discours de mon fils me jeta dans une affliction inconcevable. Je reconnus alors l'énormité de mon crime, et je me repentis, mais trop tard, d'avoir ajouté foi aux impostures du malheureux esclave, qui, sur ce qu'il avait appris de mon fils, avait composé la funeste fable que j'avais prise pour une vérité. Mon oncle, qui est ici présent, arriva sur ces entrefaites : il venait pour voir sa fille; mais, au lieu de la trouver vivante, il apprit par moi-même qu'elle n'était plus : car je ne lui déguisai rien, et, sans attendre qu'il me condamnât, je me déclarai moi-même le plus criminel de tous les hommes. Néanmoins, au lieu de m'accabler de justes reproches, il joignit ses pleurs aux miens, et nous pleurâmes ensemble trois jours sans relâche, lui, la perte d'une fille qu'il avait toujours tendrement aimée, et moi, celle d'une

femme qui m'était chère, et dont je m'étais privé d'une
manière si cruelle, et pour avoir trop légèrement cru le
rapport d'un esclave menteur. Voilà, Commandeur des
croyants, l'aveu sincère que Votre Majesté a exigé de
moi. Vous savez à présent toutes les circonstances de
mon crime, et je vous supplie très humblement d'en
ordonner la punition : quelque rigoureuse qu'elle puisse
être, je n'en murmurerai point, et je la trouverai trop
légère. »
    Le calife fut dans un grand étonnement...

    Scheherazade, en prononçant ces derniers mots, s'aper-
çut qu'il était jour : elle cessa de parler. Mais, la nuit
suivante, elle reprit ainsi son discours :

XCIII^e NUIT

    Sire, dit-elle, le calife fut extrêmement étonné de ce
que le jeune homme venait de lui raconter. Mais ce
prince équitable, trouvant qu'il était plus à plaindre
qu'il n'était criminel, entra dans ses intérêts. « L'action
de ce jeune homme, dit-il, est pardonnable devant Dieu
et excusable auprès des hommes. Le méchant esclave
est la cause unique de ce meurtre : c'est lui seul qu'il
faut punir. C'est pourquoi, continua-t-il en s'adressant
au grand-vizir, je te donne trois jours pour le trouver.
Si tu ne me l'amènes dans ce terme, je te ferai mourir
à sa place. »
    Le malheureux Giafar, qui s'était cru hors de danger,
fut accablé de ce nouvel ordre du calife; mais, comme il
n'osait rien répliquer à ce prince dont il connaissait
l'humeur, il s'éloigna de sa présence et se retira chez lui
les larmes aux yeux, persuadé qu'il n'avait plus que trois
jours à vivre. Il était tellement convaincu qu'il ne trouverait point l'esclave qu'il n'en fit pas la moindre recherche. « Il n'est pas possible, disait-il, que dans une
ville telle que Bagdad, où il y a une infinité d'esclaves
noirs, je démêle celui dont il s'agit. A moins que Dieu
ne me le fasse connaître, comme il m'a déjà fait découvrir l'assassin, rien ne peut me sauver. »
    Il passa les deux premiers jours à s'affliger avec sa
famille, qui gémissait autour de lui, en se plaignant de
la rigueur du calife. Le troisième étant venu, il se disposa
à mourir avec fermeté, comme un ministre intègre, qui

n'avait rien à se reprocher. Il fit venir des cadis et des témoins qui signèrent le testament qu'il fit en leur présence. Après cela, il embrassa sa femme et ses enfants, et leur dit le dernier adieu. Toute sa famille fondait en larmes. Jamais spectacle ne fut plus touchant. Enfin un huissier du palais arriva, qui lui dit que le calife s'impatientait de n'avoir ni de ses nouvelles ni de celles de l'esclave noir qu'il lui avait commandé de chercher. « J'ai ordre, ajouta-t-il, de vous mener devant son trône. » L'affligé vizir se mit en état de suivre l'huissier. Mais, comme il allait sortir, on lui amena la plus petite de ses filles, qui pouvait avoir cinq ou six ans. Les femmes qui avaient soin d'elle la venaient présenter à son père, afin qu'il la vît pour la dernière fois.

Comme il avait pour elle une tendresse particulière, il pria l'huissier de lui permettre de s'arrêter un moment. Alors il s'approcha de sa fille, la prit entre ses bras et la baisa plusieurs fois. En la baisant, il s'aperçut qu'elle avait dans le sein quelque chose de gros et qui avait de l'odeur. « Ma chère petite, lui dit-il, qu'avez-vous dans le sein ? — Mon cher père, lui répondit-elle, c'est une pomme sur laquelle est écrit le nom du calife notre seigneur et maître. Rihan* notre esclave me l'a vendue deux sequins. »

Aux mots de pomme et d'esclave, le grand-vizir Giafar fit un cri de surprise mêlé de joie, et, mettant aussitôt la main dans le sein de sa fille, il en tira la pomme. Il fit appeler l'esclave, qui n'était pas loin, et, lorsqu'il fut devant lui : « Maraud, lui dit-il, où as-tu pris cette pomme ? — Seigneur, répondit l'esclave, je vous jure que je ne l'ai dérobée ni chez vous, ni dans le jardin du Commandeur des croyants. L'autre jour, comme je passais dans une rue auprès de trois ou quatre petits enfants qui jouaient, et dont l'un la tenait à la main, je la lui arrachai et l'emportai. L'enfant courut après moi en me disant que la pomme n'était pas à lui, mais à sa mère qui était malade; que son père, pour contenter l'envie qu'elle en avait, avait fait un long voyage d'où il en avait apporté trois; que celle-là en était une qu'il avait prise sans que sa mère en sût rien. Il eut beau me prier de la lui rendre, je n'en voulus rien faire; je l'appor-

---

* Ce mot signifie, en arabe, basilic, plante odoriférante, et les Arabes donnent ce nom à leurs esclaves, comme on donne, en France, celui de Jasmin à un laquais.

tai au logis, et la vendis deux sequins à la petite dame votre fille. Voilà tout ce que j'ai à vous dire. »

Giafar ne put assez admirer comment la friponnerie d'un esclave avait été cause de la mort d'une femme innocente, et presque de la sienne. Il mena l'esclave avec lui ; et, quand il fut devant le calife, il fit à ce prince un détail exact de tout ce que lui avait dit l'esclave, et du hasard par lequel il avait découvert son crime.

Jamais surprise n'égala celle du calife. Il ne put se contenir ni s'empêcher de faire de grands éclats de rire. A la fin, il reprit un air sérieux, et dit au vizir que, puisque son esclave avait causé un si étrange désordre, il méritait une punition exemplaire. « Je ne puis en disconvenir, Sire, répondit le vizir ; mais son crime n'est pas irrémissible. Je sais une histoire plus surprenante d'un vizir du Caire, nommé Noureddin * Ali, et de Bedreddin** Hassan de Balsora. Comme Votre Majesté prend plaisir à en entendre de semblables, je suis prêt à vous la raconter à condition que, si vous la trouvez plus étonnante que celle qui me donne occasion de vous la dire, vous ferez grâce à mon esclave. — Je le veux bien, repartit le calife ; mais vous vous engagez dans une grande entreprise, et je ne crois pas que vous puissiez sauver votre esclave : car l'histoire des pommes est fort singulière. »

Giafar, prenant alors la parole, commença son récit dans ces termes :

---

* Noureddin signifie, en arabe, la lumière de la religion.
** Bedreddin, la pleine lune de la religion.

HISTOIRE DE NOUREDDIN ALI

ET DE BEDRÉDDIN HASSAN

« Commandeur des croyants, il y avait autrefois en
Égypte un sultan grand observateur de la justice, bienfaisant, miséricordieux, libéral, et sa valeur le rendait
redoutable à ses voisins. Il aimait les pauvres; et proté-
geait les savants, qu'il élevait aux premières charges. Le
vizir de ce sultan était un homme prudent, sage, pénétrant
et consommé dans les belles-lettres et dans toutes les
sciences. Ce ministre avait deux fils très bien faits, et
qui marchaient l'un et l'autre sur ses traces : l'aîné se
nommait Schemseddin * Mohammed, et le cadet Noureddin Ali. Ce dernier principalement avait tout le mérite
qu'on peut avoir. Le vizir leur père étant mort, le sultan
les envoya quérir, et, les ayant fait revêtir tous deux
d'une robe de vizir ordinaire : « J'ai bien du regret, leur
dit-il, de la perte que vous venez de faire. Je n'en suis
pas moins touché que vous-mêmes. Je veux vous le
témoigner, et, comme je sais que vous demeurez ensemble
et que vous êtes parfaitement unis, je vous gratifie l'un
et l'autre de la même dignité. Allez, et imitez votre père. »
« Les deux nouveaux vizirs remercièrent le sultan
de sa bonté, et se retirèrent chez eux, où ils prirent soin
des funérailles de leur père. Au bout d'un mois, ils
firent leur première sortie; ils allèrent pour la première
fois au conseil du sultan, et depuis ils continuèrent d'y
assister régulièrement les jours qu'il s'assemblait. Toutes
les fois que le sultan allait à la chasse, un des deux frères
l'accompagnait, et ils avaient alternativement cet honneur. Un jour qu'ils s'entretenaient après le souper de
choses indifférentes, c'était la veille d'une chasse où
l'aîné devait suivre le sultan, ce jeune homme dit à son

* C'est-à-dire le soleil de la religion.

cadet : « Mon frère, puisque nous ne sommes point encore
mariés, ni vous ni moi, et que nous vivons dans une si
bonne union, il me vient une pensée : épousons tous deux
en un même jour deux sœurs que nous choisirons dans
quelque famille qui nous conviendra. Que dites-vous de
cette idée ? — Je dis, mon frère, répondit Noureddin Ali,
qu'elle est bien digne de l'amitié qui nous unit. On ne
peut pas mieux penser, et, pour moi, je suis prêt à faire
tout ce qu'il vous plaira. — Oh ! ce n'est pas tout encore,
reprit Schemseddin Mohammed, mon imagination va
plus loin. Supposé que nos femmes conçoivent la première nuit de nos noces et qu'ensuite elles accouchent en
un même jour, la vôtre d'un fils, et la mienne d'une
fille, nous les marierons ensemble quand ils seront en
âge. — Ah ! pour cela, s'écria Noureddin Ali, il faut avouer
que ce projet est admirable. Ce mariage couronnera notre
union, et j'y donne volontiers mon consentement. Mais,
mon frère, ajouta-t-il, s'il arrivait que nous fissions ce
mariage, prétendriez-vous que mon fils donnât une dot
à votre fille ? — Cela ne souffre pas de difficulté, repartit
l'aîné, et je suis persuadé qu'outre les conventions ordinaires du contrat de mariage, vous ne manqueriez pas
d'accorder en son nom au moins trois mille sequins,
trois bonnes terres et trois esclaves. — C'est de quoi je
ne demeure pas d'accord, dit le cadet. Ne sommes-
nous pas frères et collègues, revêtus tous deux du même
titre d'honneur ? D'ailleurs, ne savons-nous pas bien,
vous et moi, ce qui est juste ? Le mâle étant plus noble
que la femelle, ne serait-ce pas à vous à donner une
grosse dot à votre fille ? A ce que je vois, vous êtes homme
à faire vos affaires aux dépens d'autrui. »

« Quoique Noureddin Ali dît ces paroles en riant,
son frère, qui n'avait pas l'esprit bien fait, en fut offensé.
« Malheur à votre fils, dit-il avec emportement, puisque
vous l'osez préférer à ma fille ! Je m'étonne que vous
ayez été assez hardi pour le croire seulement digne d'elle.
Il faut que vous ayez perdu le jugement pour vouloir
aller de pair avec moi en disant que nous sommes collègues.
Apprenez, téméraire, qu'après votre imprudence je ne
voudrais pas marier ma fille avec votre fils, quand vous
lui donneriez plus de richesses que vous n'en avez. »
Cette plaisante querelle de deux frères sur le mariage de
leurs enfants qui n'étaient pas encore nés ne laissa pas
d'aller fort loin. Schemseddin Mohammed s'emporta
jusqu'aux menaces. « Si je ne devais pas, dit-il, accompa-

gner demain le sultan, je vous traiterais comme vous le
méritez; mais à mon retour je vous ferai connaître s'il
appartient à un cadet de parler à son aîné aussi insolemment que vous venez de faire. » A ces mots, il se retira
dans son appartement, et son frère alla se coucher dans
le sien.

« Schemseddin Mohammed se leva le lendemain de
grand matin, et se rendit au palais, d'où il sortit avec le
sultan, qui prit son chemin au-dessus du Caire, du côté
des pyramides. Pour Noureddin Ali, il avait passé la
nuit dans de grandes inquiétudes; et, après avoir bien
considéré qu'il n'était pas possible qu'il demeurât plus
longtemps avec un frère qui le traitait avec tant de hauteur, il forma une résolution. Il fit préparer une bonne
mule, se munit d'argent, de pierreries et de quelques
vivres, et, ayant dit à ses gens qu'il allait faire un voyage
de deux ou trois jours et qu'il voulait être seul, il partit.

« Quand il fut hors du Caire, il marcha par le désert
vers l'Arabie. Mais, sa mule venant à succomber sur
la route, il fut obligé de continuer son chemin à pied.
Par bonheur, un courrier qui allait à Balsora, l'ayant
rencontré, le prit en croupe derrière lui. Lorsque le
courrier fut arrivé à Balsora, Noureddin Ali mit pied à
terre et le remercia du plaisir qu'il lui avait fait. Comme
il allait par les rues cherchant où il pourrait se loger, il
vit venir un seigneur, accompagné d'une nombreuse
suite, et à qui tous les habitants faisaient de grands honneurs en s'arrêtant par respect jusqu'à ce qu'il fût
passé. Noureddin Ali s'arrêta comme les autres. C'était
le grand-vizir du sultan de Balsora qui se montrait dans
la ville pour y maintenir par sa présence le bon ordre
et la paix.

« Ce ministre, ayant jeté les yeux par hasard sur le
jeune homme, lui trouva la physionomie engageante;
il le regarda avec complaisance, et, comme il passait
près de lui et qu'il le voyait en habit de voyageur, il
s'arrêta pour lui demander qui il était et d'où il venait.
« Seigneur, lui répondit Noureddin Ali, je suis d'Égypte,
né au Caire, et j'ai quitté ma patrie par un si juste dépit
contre un de mes parents que j'ai résolu de voyager par
tout le monde et de mourir plutôt que d'y retourner. »
Le grand-vizir, qui était un vénérable vieillard, ayant
entendu ces paroles, lui dit : « Mon fils, gardez-vous bien
d'exécuter votre dessein. Il n'y a dans le monde que de
la misère, et vous ignorez les peines qu'il vous faudra

souffrir. Venez, suivez-moi plutôt, je vous ferai peut-être oublier le sujet qui vous a contraint d'abandonner votre pays. »

« Noureddin Ali suivit le grand-vizir de Balsora, qui, ayant bientôt connu ses belles qualités, le prit en affection, de manière qu'un jour, l'entretenant en particulier, il lui dit : « Mon fils, je suis, comme vous voyez, dans un âge si avancé qu'il n'y a pas d'apparence que je vive encore longtemps. Le Ciel m'a donné une fille unique, qui n'est pas moins belle que vous êtes bien fait, et qui est présentement en âge d'être mariée. Plusieurs des plus puissants seigneurs de cette cour me l'ont déjà demandée pour leurs fils ; mais je n'ai pu me résoudre à la leur accorder. Pour vous, je vous aime, et vous trouve si digne de mon alliance que, vous préférant à tous ceux qui l'ont recherchée, je suis prêt à vous accepter pour gendre. Si vous recevez avec plaisir l'offre que je vous fais, je déclarerai au sultan mon maître que je vous aurai adopté par ce mariage, et je le supplierai de m'accorder la survivance de ma dignité de grand-vizir dans le royaume de Balsora. En même temps, comme je n'ai plus besoin que de repos dans l'extrême vieillesse où je suis, je ne vous abandonnerai pas seulement la disposition de tous mes biens, mais même l'administration des affaires de l'État. »

« Le grand-vizir de Balsora n'eut pas achevé ce discours rempli de bonté et de générosité, que Noureddin Ali se jeta à ses pieds ; et, dans des termes qui marquaient la joie et la reconnaissance dont son cœur était pénétré, il témoigna qu'il était disposé à faire tout ce qu'il lui plairait. Alors le grand-vizir appela les principaux officiers de sa maison, leur ordonna de faire orner la grande salle de son hôtel et préparer un grand repas. Ensuite il envoya prier tous les seigneurs de la cour et de la ville de vouloir bien prendre la peine de se rendre chez lui. Lorsqu'ils y furent tous assemblés, comme Noureddin Ali l'avait informé de sa qualité, il dit à ces seigneurs, car il jugea à propos de parler ainsi pour satisfaire ceux dont il avait refusé l'alliance : « Je suis bien aise, Seigneurs, de vous apprendre une chose que j'ai tenue secrète jusqu'à ce jour. J'ai un frère qui est grand-vizir du sultan d'Égypte, comme j'ai l'honneur de l'être du sultan de ce royaume. Ce frère n'a qu'un fils qu'il n'a pas voulu marier à la cour d'Égypte, et il me l'a envoyé pour épouser ma fille, afin de réunir par là nos deux branches. Ce fils, que j'ai reconnu pour mon neveu à son arrivée et que je fais mon gendre, est ce jeune seigneur que vous voyez ici et que je vous présente. Je me flatte que vous voudrez bien lui faire l'honneur d'assister à ses noces, que j'ai résolu de célébrer aujourd'hui. » Nul de ces seigneurs ne pouvant trouver mauvais qu'il eût préféré son neveu à tous les grands partis qui lui avaient été proposés, ils répondirent tous qu'il avait raison de faire ce mariage; qu'ils seraient volontiers témoins de la cérémonie, et qu'ils souhaitaient que Dieu lui donnât encore de longues années pour voir les fruits de cette heureuse union. »

En cet endroit, Scheherazade, voyant paraître le jour, interrompit sa narration, qu'elle reprit ainsi la nuit suivante :

XCIVᵉ NUIT

Sire, dit-elle, le grand-vizir Giafar, continuant l'histoire qu'il racontait au calife :

« Les seigneurs, poursuivit-il, qui s'étaient assemblés chez le grand-vizir de Balsora, n'eurent pas plus tôt témoigné à ce ministre la joie qu'ils avaient du mariage de sa fille avec Noureddin Ali qu'on se mit à table. On y demeura très longtemps. Sur la fin du repas, on servit des confitures, dont chacun, selon la coutume, ayant pris ce qu'il put emporter, les cadis entrèrent avec le contrat de mariage à la main. Les principaux seigneurs le signèrent; après quoi toute la compagnie se retira.

« Lorsqu'il n'y eut plus personne que les gens de la maison, le grand-vizir chargea ceux qui avaient soin du bain qu'il avait commandé de tenir prêt d'y conduire Noureddin Ali, qui y trouva du linge qui n'avait point encore servi, d'une finesse et d'une propreté qui faisaient plaisir à voir, aussi bien que toutes les autres choses nécessaires. Quand on eut décrassé, lavé et frotté l'époux, il voulut reprendre l'habit qu'il venait de quitter; mais on lui en présenta un autre de la dernière magnificence. Dans cet état et parfumé d'odeurs des plus exquises, il alla retrouver le grand-vizir son beau-père, qui fut charmé de sa bonne mine, et qui, l'ayant fait asseoir auprès de lui : « Mon fils, lui dit-il, vous m'avez déclaré qui vous êtes, et le rang que vous teniez à la cour d'Égypte; vous m'avez dit même que vous avez eu un démêlé avec votre frère, et que c'est pour cela que vous vous êtes éloigné de votre pays, je vous prie de me faire la confidence entière et de m'apprendre le sujet de votre querelle. Vous devez présentement avoir une parfaite confiance en moi et ne me rien cacher. »

« Noureddin Ali lui raconta toutes les circonstances de son différend avec son frère. Le grand-vizir ne put entendre ce récit sans en éclater de rire. « Voilà, dit-il, la chose du monde la plus singulière! Est-il possible, mon fils, que votre querelle soit allée jusqu'au point que vous dites pour un mariage imaginaire ? Je suis fâché que vous vous soyez brouillé pour une bagatelle avec votre frère aîné. Je vois pourtant que c'est lui qui a eu tort de s'offenser de ce que vous ne lui avez dit que par plaisanterie, et je dois rendre grâces au Ciel d'un différend qui me procure un gendre tel que vous. Mais, ajouta le vieillard, la nuit est déjà avancée, et il est temps de vous retirer. Allez, ma fille, votre épouse, vous attend. Demain je vous présenterai au sultan. J'espère qu'il vous recevra d'une manière dont nous aurons lieu d'être tous deux satisfaits. » Noureddin Ali quitta son beau-père pour se rendre à l'appartement de sa femme.

« Ce qu'il y a de remarquable, continua le grand-vizir Giafar, c'est que le même jour que ces noces se faisaient à Balsora, Schemseddin Mohammed se mariait aussi au Caire; et voici le détail de son mariage.

« Après que Noureddin Ali se fut éloigné du Caire dans l'intention de n'y plus retourner, Schemseddin Mohammed, son aîné, qui était allé à la chasse avec le sultan d'Égypte, étant de retour au bout d'un mois (car le sultan s'était laissé emporter à l'ardeur de la chasse et avait été absent durant tout ce temps-là), il courut à l'appartement de Noureddin Ali; mais il fut fort étonné d'apprendre que, sous prétexte d'aller faire un voyage de deux ou trois journées, il était parti sur une mule le jour même de la chasse du sultan, et que depuis ce temps-là il n'avait point paru. Il en fut d'autant plus fâché qu'il ne douta pas que les duretés qu'il lui avait dites ne fussent la cause de son éloignement. Il dépêcha un courrier qui passa par Damas et alla jusqu'à Alep; mais Noureddin était alors à Balsora. Quand le courrier eut rapporté à son retour qu'il n'en avait appris aucune nouvelle, Schemseddin Mohammed se proposa de l'envoyer chercher ailleurs, et, en attendant, il prit la résolution de se marier. Il épousa la fille d'un des premiers et des plus puissants seigneurs du Caire, le même jour que son frère se maria avec la fille du grand-vizir de Balsora.

« Ce n'est pas tout, poursuivit Giafar, Commandeur
des croyants, voici ce qui arriva encore. Au bout de
neuf mois, la femme de Schemseddin Mohammed
accoucha d'une fille au Caire, et le même jour celle de
Noureddin Ali mit au monde à Balsora un garçon, qui
fut nommé Bedreddin* Hassan. Le grand-vizir de Balsora
donna des marques de sa joie par de grandes largesses
et par les réjouissances publiques qu'il fit faire pour la
naissance de son petit-fils. Ensuite, pour marquer à
son gendre combien il était content de lui, il alla au palais
supplier très humblement le sultan d'accorder à Noureddin Ali la survivance de sa charge, afin, dit-il, qu'avant
sa mort il eût la consolation de voir son gendre grand-
vizir à sa place.

« Le sultan, qui avait vu Noureddin Ali avec bien du
plaisir lorsqu'il lui avait été présenté après son mariage,
et qui depuis ce temps-là en avait toujours ouï parler
fort avantageusement, accorda la grâce qu'on demandait
pour lui, avec tout l'agrément qu'on pouvait souhaiter.
Il le fit revêtir en sa présence de la robe de grand-vizir.

« La joie du beau-père fut comblée le lendemain
lorsqu'il vit son gendre présider au conseil en sa place
et faire toutes les fonctions de grand-vizir. Noureddin
Ali s'en acquitta si bien qu'il semblait avoir toute sa
vie exercé cette charge. Il continua dans la suite d'assister
au conseil toutes les fois que les infirmités de la vieillesse
ne permirent pas à son beau-père de s'y trouver. Ce bon
vieillard mourut quatre ans après ce mariage, avec la
satisfaction de voir un rejeton de sa famille qui promettait de la soutenir longtemps avec éclat.

« Noureddin Ali lui rendit les derniers devoirs avec
toute l'amitié et la reconnaissance possibles; et, sitôt
que Bedreddin Hassan, son fils, eut atteint l'âge de sept
ans, il le mit entre les mains d'un excellent maître,
qui commença de l'élever d'une manière digne de sa
naissance. Il est vrai qu'il trouva dans cet enfant un
esprit vif, pénétrant, et capable de profiter de tous les
bons enseignements qu'il lui donnait... »

Scheherazade allait continuer; mais, s'apercevant qu'il
était jour, elle mit fin à son discours. Elle le reprit la
nuit suivante, et dit au sultan des Indes :

---

* Bedreddin, ce mot signifie la pleine lune de la religion.

XCV^e NUIT

Sire, le grand-vizir Giafar, poursuivant l'histoire qu'il racontait au calife :

« Deux ans après, dit-il, que Bedreddin Hassan eut été mis entre les mains de ce maître, qui lui enseigna parfaitement bien à lire, il apprit l'Alcoran par cœur. Noureddin Ali, son père, lui donna ensuite d'autres maîtres qui cultivèrent son esprit de telle sorte qu'à l'âge de douze ans il n'avait plus besoin de leur secours. Alors, comme tous les traits de son visage étaient formés, il faisait l'admiration de tous ceux qui le regardaient.

« Jusque-là, Noureddin Ali n'avait songé qu'à le faire étudier, et ne l'avait point encore montré dans le monde. Il le mena au palais pour lui procurer l'honneur de faire la révérence au sultan, qui le reçut très favorablement. Les premiers qui le virent dans les rues furent si charmés de sa beauté qu'ils en firent des exclamations de surprise et qu'ils lui donnèrent mille bénédictions.

« Comme son père se proposait de le rendre capable de remplir un jour sa place, il n'épargna rien pour cela, et il le fit entrer dans les affaires les plus difficiles afin de l'y accoutumer de bonne heure. Enfin il ne négligeait aucune chose pour l'avancement d'un fils qui lui était si cher ; et il commençait à jouir déjà du fruit de ses peines, lorsqu'il fut attaqué tout à coup d'une maladie dont la violence fut telle qu'il sentit fort bien qu'il n'était pas éloigné du dernier de ses jours. Aussi ne se flatta-t-il pas, et il se disposa d'abord à mourir en vrai musulman. Dans ce moment précieux, il n'oublia pas son cher fils Bedreddin ; il le fit appeler et lui dit : « Mon fils, vous voyez que le monde est périssable ; il n'y a que celui où je vais bientôt passer qui soit véritablement durable. Il faut que vous commenciez dès à présent à vous mettre dans les mêmes dispositions que moi : préparez-vous à faire ce passage sans regret, et sans que votre conscience puisse rien vous reprocher sur les devoirs d'un musulman, ni sur ceux d'un parfaitement honnête homme. Pour votre religion, vous en êtes suffisamment instruit, et par ce que vous en ont appris vos maîtres, et par vos lectures. A l'égard de l'honnête homme, je vais vous donner quelques instructions que vous tâcherez de mettre à profit. Comme il est nécessaire de se connaître soi-même, et que vous ne pouvez bien avoir cette connaissance que vous ne sachiez qui je suis, je vais vous l'apprendre.

« J'ai pris naissance en Égypte, poursuivit-il ; mon père, votre aïeul, était premier ministre du sultan du royaume. J'ai moi-même eu l'honneur d'être un des vizirs de ce même sultan avec mon frère, votre oncle, qui, je crois, vit encore, et qui se nomme Schemseddin Mohammed. Je fus obligé de me séparer de lui, et je vins en ce pays, où je suis parvenu au rang que j'ai tenu jusqu'à présent. Mais vous apprendrez toutes ces choses plus amplement dans un cahier que j'ai à vous donner. »

« En même temps, Noureddin Ali tira ce cahier qu'il avait écrit de sa propre main, et qu'il portait toujours sur soi, et, le donnant à Brededdin Hassan : « Prenez, lui dit-il, vous le lirez à votre loisir ; vous y trouverez, entre autres choses, le jour de mon mariage et celui de votre naissance. Ce sont des circonstances dont vous aurez peut-être besoin dans la suite, et qui doivent vous obliger à le garder avec soin. » Bedreddin Hassan, sensiblement affligé de voir son père dans l'état où il était, touché de ses discours, reçut le cahier les larmes aux yeux, en lui promettant de ne s'en dessaisir jamais.

« En ce moment, il prit à Noureddin Ali une faiblesse qui fit croire qu'il allait expirer. Mais il revint à lui, et, reprenant la parole : « Mon fils, dit-il, la première maxime que j'ai à vous enseigner, c'est *de ne vous pas donner au commerce de toutes sortes de personnes. Le moyen de vivre en sûreté, c'est de se donner entièrement à soi-même et de ne se pas communiquer facilement.*

« La seconde, *de ne faire violence à qui que ce soit : car en ce cas tout le monde se révolterait contre vous ; et vous devez regarder le monde comme un créancier à qui vous devez de la modération, de la compassion et de la tolérance.*

« La troisième, *de ne dire mot quand on vous chargera d'injures. On est hors de danger* (dit le proverbe) *lorsque l'on garde le silence. C'est particulièrement en cette occasion que vous devez le pratiquer. Vous savez aussi à ce sujet qu'un de nos poètes dit que le silence est l'ornement et la sauvegarde de la vie ; qu'il ne faut pas, en parlant, ressembler à la pluie d'orage qui gâte tout. On ne s'est jamais repenti de s'être tu, au lieu que l'on a souvent été fâché d'avoir parlé.*

« La quatrième, *de ne pas boire de vin : car c'est la source de tous les vices.*

« La cinquième, *de bien ménager vos biens : si vous ne les dissipez pas, ils vous serviront à vous préserver de la nécessité. Il ne faut pas pourtant en avoir trop, ni être avare : pour peu que vous en ayez et que vous le dépensiez à propos, vous aurez beaucoup d'amis ; mais, si au contraire vous avez de grandes richesses et que vous en fassiez un mauvais usage, tout le monde s'éloignera de vous et vous abandonnera.* »

« Enfin, Noureddin Ali continua jusqu'au dernier moment de sa vie à donner de bons conseils à son fils ; et, quand il fut mort, on lui fit des osbèques magnifiques... »

Scheherazade, à ces paroles, apercevant le jour, cessa de parler, et remit au lendemain la suite de cette histoire.

XCVIᵉ NUIT

La sultane des Indes ayant été réveillée par sa sœur Dinarzade à l'heure ordinaire, elle reprit la parole, et, l'adressant à Schahriar :

Sire, dit-elle, le calife ne s'ennuyait pas d'écouter le grand-vizir Giafar, qui poursuivit ainsi son histoire :

« On enterra donc, dit-il, Noureddin Ali avec tous les honneurs dus à sa dignité. Bedreddin Hassan de Balsora, c'est ainsi qu'on le surnomma à cause qu'il était né dans cette ville, eut une douleur inconcevable de la mort de son père. Au lieu de passer un mois, selon la coutume, il en passa deux dans les pleurs et dans la retraite, sans voir personne, et sans sortir même pour rendre ses devoirs au sultan de Balsora, lequel, irrité de cette négligence et la regardant comme une marque de mépris pour sa cour et pour sa personne, se laissa transporter de colère. Dans sa fureur, il fit appeler le nouveau grand-vizir, car il en avait fait un dès qu'il avait appris la mort de Noureddin Ali ; il lui ordonna de se transporter à la maison du défunt et de la confisquer avec toutes ses autres maisons, terre et effets, sans rien laisser à Bedreddin Hassan, dont il commanda même qu'on se saisît.

« Le nouveau grand-vizir, accompagné d'un grand nombre d'huissiers du palais, de gens de justice et d'autres officiers, ne différa pas de se mettre en chemin pour

aller exécuter sa commission. Un des esclaves de Bedreddin Hassan, qui était par hasard parmi la foule, n'eut pas
plus tôt appris le dessein du vizir qu'il prit les devants et
courut en avertir son maître. Il le trouva assis sous le
vestibule de sa maison, aussi affligé que si son père n'eût
fait que de mourir. Il se jeta à ses pieds tout hors d'haleine
et, après lui avoir baisé le bas de la robe : « Sauvez-
vous, Seigneur, lui dit-il, sauvez-vous promptement. —
Qu'y a-t-il ? lui demanda Bedreddin en levant la tête ;
quelle nouvelle m'apportes-tu ? — Seigneur, répondit-
il, il n'y a pas de temps à perdre. Le sultan est dans
une horrible colère contre vous, et l'on vient de sa part
confisquer tout ce que vous avez, et même se saisir de votre
personne. »

« Le discours de cet esclave fidèle et affectionné
mit l'esprit de Bedreddin Hassan dans une grande per-
plexité. « Mais ne puis-je, dit-il, avoir le temps de
rentrer et de prendre au moins quelque argent et des
pierreries ? — Non, Seigneur, répliqua l'esclave, le
grand-vizir sera dans un moment ici. Partez tout à l'heure,
sauvez-vous. » Bedreddin Hassan se leva vite du sofa où
il était, mit les pieds dans ses babouches, et, après s'être
couvert la tête d'un bout de sa robe pour se cacher le
visage, s'enfuit sans savoir de quel côté il devait tourner
ses pas pour s'échapper du danger qui le menaçait. La
première pensée qui lui vint fut de gagner en diligence
la plus prochaine porte de la ville. Il courut sans s'arrêter
jusqu'au cimetière public ; et, comme la nuit s'approchait,
il résolut de l'aller passer au tombeau de son père. C'était
un édifice d'assez grande apparence, en forme de dôme,
que Noureddin Ali avait fait bâtir de son vivant ; mais
il rencontra en chemin un juif fort riche qui était banquier
et marchand de profession. Il revenait d'un lieu où
quelque affaire l'avait appelé, et il s'en retournait dans
la ville. Ce juif, ayant reconnu Bedreddin, s'arrêta et
le salua fort respectueusement... »

En cet endroit, le jour venant à paraître imposa silence
à Scheherazade, qui reprit son discours la nuit suivante.

XCVIIᵉ NUIT

Sire, dit-elle, le calife écoutait avec beaucoup d'attention le grand-vizir Giafar, qui continua de cette manière :

« Le juif, poursuivit-il, qui se nommait Isaac, après avoir salué Bedreddin Hassan et lui avoir baisé la main, lui dit : « Seigneur, oserais-je prendre la liberté de vous demander où vous allez à l'heure qu'il est, seul en apparence, un peu agité ? Y a-t-il quelque chose qui vous fasse de la peine ? — Oui, répondit Bedreddin : je me suis endormi tantôt, et dans mon sommeil mon père s'est apparu à moi. Il avait le regard terrible, comme s'il eût été dans une grande colère contre moi. Je me suis réveillé en sursaut et plein d'effroi, et je suis parti aussitôt pour venir faire ma prière sur son tombeau. — Seigneur, reprit le juif, qui ne pouvait pas savoir pourquoi Bedreddin Hassan était sorti de la ville, comme le feu grand-vizir, votre père et mon seigneur, d'heureuse mémoire, avait chargé en marchandises plusieurs vaisseaux qui sont encore en mer et qui vous appartiennent, je vous supplie de m'accorder la préférence sur tout autre marchand. Je suis en état d'acheter argent comptant la charge de tous vos vaisseaux, et, pour commencer, si vous voulez bien m'abandonner celle du premier qui arrivera à bon port, je vais vous compter mille sequins. Je les ai ici dans une bourse, et je suis prêt à vous les livrer d'avance. » En disant cela, il tira une grande bourse qu'il avait sous son bras par-dessous sa robe, et la lui montra cachetée de son cachet.

« Bedreddin Hassan, dans l'état où il était, chassé de chez lui et dépouillé de tout ce qu'il avait au monde, regarda la proposition du juif comme une faveur du Ciel. Il ne manqua pas de l'accepter avec beaucoup de joie. « Seigneur, lui dit alors le juif, vous me donnez donc pour mille sequins le chargement du premier de vos vaisseaux qui arrivera dans ce port ? — Oui, je vous le vends mille sequins, répondit Bedreddin Hassan, et c'est une chose faite. » Le juif aussitôt lui mit entre les mains la bourse de mille sequins en s'offrant de les compter ; mais Bedreddin lui en épargna la peine en lui disant qu'il s'en fiait bien à lui. « Puisque cela est ainsi, reprit le juif, ayez la bonté, Seigneur, de me donner un mot d'écrit du marché que nous venons de faire. » En disant cela, il tira son écritoire qu'il avait à la ceinture, et, après en avoir pris une petite canne bien taillée pour écrire, il la lui présenta avec un morceau de papier qu'il trouva dans son porte-lettres, et, pendant qu'il tenait le cornet, Bedreddin Hassan écrivit ces mots :

Cet écrit est pour rendre témoignage que Bedreddin Hassan de Balsora a vendu au juif Isaac, pour la somme de mille sequins qu'il a reçus, le chargement du premier de ses navires qui abordera dans ce port.

BEDREDDIN HASSAN, de Balsora.

« Après avoir fait cet écrit, il le donna au juif, qui le mit dans son porte-lettres, et qui prit ensuite congé de lui. Pendant qu'Isaac poursuivait son chemin vers la ville, Bedreddin Hassan continua le sien vers le tombeau de son père Noureddin Ali. En y arrivant, il se prosterna la face contre terre, et, les yeux baignés de larmes, il se mit à déplorer sa misère. « Hélas! disait-il, infortuné Bedreddin, que vas-tu devenir ? Où iras-tu chercher un asile contre l'injuste prince qui te persécute ? N'était-ce pas assez d'être affligé de la mort d'un père si chéri ? Fallait-il que la fortune ajoutât un nouveau malheur à mes justes regrets ? » Il demeura longtemps dans cet état; mais enfin il se releva, et, ayant appuyé sa tête sur le sépulcre de son père, ses douleurs se renouvelèrent avec plus de violence qu'auparavant, et il ne cessa de soupirer et de se plaindre jusqu'à ce que, succombant au sommeil, il leva la tête de dessus le sépulcre, et s'étendit tout de son long sur le pavé, où il s'endormit.

« Il goûtait à peine la douceur du repos, lorsqu'un génie qui avait établi sa retraite dans ce cimetière pendant le jour, se disposant à courir le monde cette nuit selon sa coutume, aperçut ce jeune homme dans le tombeau de Noureddin Ali. Il y entra, et, comme Bedreddin était couché sur le dos, il fut frappé, ébloui de l'éclat de sa beauté... »

Le jour qui paraissait ne permit pas à Scheherazade de poursuivre cette histoire cette nuit; mais le lendemain à l'heure ordinaire elle la continua de cette sorte :

XCVIII^e NUIT

« Quand le génie, reprit le grand-vizir Giafar, eut attentivement considéré Bedreddin Hassan, il dit en lui-même : « A juger de cette créature par sa bonne mine, ce ne peut être qu'un ange du paradis terrestre que Dieu envoie pour mettre le monde en combustion par sa beauté. » Enfin, après l'avoir bien regardé, il s'éleva fort

haut dans l'air, où il rencontra par hasard une fée. Ils
se saluèrent l'un et l'autre; ensuite il lui dit : « Je vous
prie de descendre avec moi jusqu'au cimetière où je
demeure, et je vous ferai voir un prodige de beauté qui
n'est pas moins digne de votre admiration que de la
mienne. » La fée y consentit : ils descendirent tous deux
en un instant, et, lorsqu'ils furent dans le tombeau :
« Hé bien! dit le génie à la fée en lui montrant Bedreddin Hassan, avez-vous jamais vu un jeune homme mieux
fait et plus beau que celui-ci ? »

« La fée examina Bedreddin avec attention; puis, se
tournant vers le génie : ‹ Je vous avoue, lui répondit-elle,
qu'il est très bien fait; mais je viens de voir au Caire
tout à l'heure un objet encore plus merveilleux, dont je
vais vous entretenir si vous voulez m'écouter. — Vous
me ferez un très grand plaisir, répliqua le génie. — Il
faut donc que vous sachiez, reprit la fée (car je vais
prendre la chose de loin), que le sultan d'Égypte a un
vizir qui se nomme Schemseddin Mohammed et qui a
une fille âgée d'environ vingt ans. C'est la plus belle et
la plus parfaite personne dont on ait jamais ouï parler.
Le sultan, informé par la voix publique de la beauté de
cette jeune demoiselle, fit appeler le vizir, son père, un
de ces derniers jours, et lui dit : « J'ai appris que vous
avez une fille à marier; j'ai envie de l'épouser : ne voulez-vous pas bien me l'accorder ? » Le vizir, qui ne
s'attendait pas à cette proposition, en fut un peu troublé;
mais il n'en fut pas ébloui, et, au lieu de l'accepter avec
joie, ce que d'autres à sa place n'auraient pas manqué
de faire, il répondit au sultan : « Sire, je ne suis pas digne
de l'honneur que Votre Majesté me veut faire, et je la
supplie très humblement de ne pas trouver mauvais
que je m'oppose à son dessein. Vous savez que j'avais
un frère nommé Noureddin Ali, qui avait comme moi
l'honneur d'être un de vos vizirs. Nous eûmes ensemble
une querelle qui fut cause qu'il disparut tout à coup,
et je n'ai point eu de ses nouvelles depuis ce temps-là,
si ce n'est que j'ai appris, il y a quatre jours, qu'il est
mort à Balsora dans la dignité de grand-vizir du sultan
de ce royaume. Il a laissé un fils; et, comme nous nous
engageâmes autrefois tous deux à marier nos enfants
ensemble, supposé que nous en eussions, je suis persuadé
qu'il est mort dans l'intention de faire ce mariage. C'est
pourquoi, de mon côté, je voudrais accomplir ma promesse, et je conjure Votre Majesté de me le permettre.

Il y a dans cette cour beaucoup d'autres seigneurs qui ont des filles comme moi, et que vous pouvez honorer de votre alliance. »

« Le sultan d'Égypte fut irrité au dernier point contre Schemseddin Mohammed... »

Scheherazade se tut en cet endroit, parce qu'elle vit paraître le jour. La nuit suivante elle reprit le fil de sa narration, et dit au sultan des Indes, en faisant toujours parler le vizir Giafar au calife Haroun-al-Raschid :

XCIX^e NUIT

« Le sultan d'Égypte, choqué du refus et de la hardiesse de Schemseddin Mohammed, lui dit avec un transport de colère qu'il ne put retenir : « Est-ce donc ainsi que vous répondez à la bonté que j'ai de vouloir bien m'abaisser jusqu'à faire alliance avec vous ? Je saurai me venger de la préférence que vous osez donner sur moi à un autre ; et je jure que votre fille n'aura pas d'autre mari que le plus vil et le plus mal fait de tous mes esclaves. » En achevant ces mots, il renvoya brusquement le vizir, qui se retira chez lui plein de confusion et cruellement mortifié. Aujourd'hui le sultan a fait venir un de ses palefreniers qui est bossu par-devant et par-derrière, et laid à faire peur ; et, après avoir ordonné à Schemseddin Mohammed de consentir au mariage de sa fille avec cet affreux esclave, il a fait dresser et signer le contrat par des témoins en sa présence. Les préparatifs de ces bizarres noces sont achevés ; et, à l'heure que je vous parle, tous les esclaves des seigneurs de la cour d'Égypte sont à la porte d'un bain, chacun avec un flambeau à la main. Ils attendent que le palefrenier bossu qui y est, et qui s'y lave, en sorte, pour le mener chez son épouse, qui, de son côté, est déjà coiffée et habillée. Dans le moment que je suis partie du Caire, les dames assemblées se disposaient à la conduire, avec tous ses ornements nuptiaux, dans la salle où elle doit recevoir le bossu et où elle l'attend présentement. Je l'ai vue, et je vous assure qu'on ne peut la regarder sans admiration. »

« Quand la fée eut cessé de parler, le génie lui dit : « Quoi que vous puissiez dire, je ne puis me persuader que la beauté de cette fille surpasse celle de ce jeune homme. — Je ne veux pas disputer contre vous, répliqua

la fée, je confesse qu'il mériterait d'épouser la charmante personne qu'on destine au bossu; et il me semble
que nous ferions une action digne de nous si, nous opposant à l'injustice du sultan d'Égypte, nous pouvions
substituer ce jeune homme à la place de l'esclave. —
Vous avez raison, repartit le génie; vous ne sauriez croire
combien je vous sais bon gré de la pensée qui vous est
venue. Trompons, j'y consens, la vengeance du sultan
d'Égypte; consolons un père affligé, et rendons sa
fille aussi heureuse qu'elle se croit misérable. Je n'oublierai rien pour faire réussir ce projet, et je suis persuadé
que vous ne vous y épargnerez pas; je me charge de le
porter au Caire sans qu'il se réveille, et je vous laisse le
soin de le porter ailleurs quand nous aurons exécuté
notre entreprise. »

« Après que la fée et le génie eurent concerté ensemble
tout ce qu'ils voulaient faire, le génie enleva doucement
Bedreddin, et, le transportant par l'air d'une vitesse
inconcevable, il alla le poser à la porte d'un logement
public et voisin du bain d'où le bossu était près de sortir, avec la suite des esclaves qui l'attendaient.

« Bedreddin Hassan, s'étant réveillé en ce moment, fut
fort surpris de se voir au milieu d'une ville qui lui était
inconnue. Il voulut crier pour demander où il était; mais
le génie lui donna un petit coup sur l'épaule, et l'avertit
de ne dire mot. Ensuite, lui mettant un flambeau à la
main : « Allez, lui dit-il; mêlez-vous parmi ces gens que
vous voyez à la porte de ce bain, et marchez avec eux
jusqu'à ce que vous entriez dans une salle où l'on va
célébrer des noces. Le nouveau marié est un bossu que
vous reconnaîtrez aisément. Mettez-vous à sa droite en
entrant, et, dès à présent, ouvrez la bourse de sequins
que vous avez dans votre sein, pour les distribuer aux
joueurs d'instruments, aux danseurs et aux danseuses
dans la marche. Lorsque vous serez dans la salle, ne
manquez pas d'en donner aussi aux femmes esclaves que
vous verrez autour de la mariée, quand elles s'appro-
cheront de vous. Mais, toutes les fois que vous mettrez
la main dans la bourse, retirez-la pleine de sequins, et
gardez-vous de les épargner. Faites exactement tout ce
que je vous dis avec une grande présence d'esprit; ne
vous étonnez de rien; ne craignez personne, et vous
reposez du reste sur une puissance supérieure qui en
dispose à son gré. »

« Le jeune Bedreddin, bien instruit de tout ce qu'il avait à faire, s'avança vers la porte du bain. La première chose qu'il fit fut d'allumer son flambeau à celui d'un esclave; puis, se mêlant parmi les autres, comme s'il eût appartenu à quelque seigneur du Caire, il se mit en marche avec eux, et accompagna le bossu, qui sortit du bain et monta sur un cheval de l'écurie du sultan... »

Le jour qui parut imposa silence à Sheherazade, qui remit la suite de cette histoire au lendemain.

C^e NUIT

Sire, dit-elle, le vizir Giafar, continuant de parler au calife :

« Bedreddin Hassan, poursuivit-il, se trouvant près des joueurs d'instruments, des danseurs et des danseuses, qui marchaient immédiatement devant le bossu, tirait de temps en temps de sa bourse des poignées de sequins qu'il leur distribuait. Comme il faisait ses largesses avec une grâce sans pareille et un air très obligeant, tous ceux qui les recevaient jetaient les yeux sur lui; et, dès qu'ils l'avaient envisagé, ils le trouvaient si bien fait et si beau qu'ils ne pouvaient plus en détourner leurs regards.

« On arriva enfin à la porte du vizir Schemseddin Mohammed, oncle de Bedreddin Hassan, qui était bien éloigné de s'imaginer que son neveu fût si près de lui. Des huissiers, pour empêcher la confusion, arrêtèrent tous les esclaves qui portaient des flambeaux, et ne voulurent pas les laisser entrer. Ils repoussèrent même Bedreddin Hassan; mais les joueurs d'instruments, pour qui la porte était ouverte, s'arrêtèrent en protestant qu'ils n'entreraient pas si on ne le laissait entrer avec eux. « Il n'est pas du nombre des esclaves, disaient-ils; il n'y a qu'à le regarder pour en être persuadé. C'est sans doute un jeune étranger qui veut voir par curiosité les cérémonies que l'on observe aux noces en cette ville. » En disant cela, ils le mirent au milieu d'eux, et le firent entrer malgré les huissiers. Ils lui ôtèrent son flambeau qu'ils donnèrent au premier qui se présenta; et, après l'avoir introduit dans la salle, ils le placèrent à la droite du bossu, qui s'assit sur un trône magnifiquement orné près de la fille du vizir.

« On la voyait parée de tous ses atours; mais il paraissait sur son visage une langueur, ou plutôt une tristesse

mortelle, dont il n'était pas difficile de deviner la cause
en voyant à côté d'elle un mari si difforme et si peu digne
de son amour. Le trône de ces époux si mal assortis était
au milieu d'un sofa. Les femmes des émirs, des vizirs,
des officiers de la chambre du sultan, et plusieurs autres
dames de la cour et de la ville, étaient assises de chaque
côté un peu plus bas, chacune selon son rang, et toutes
habillées d'une manière si avantageuse et si riche que
c'était un spectacle très agréable à voir. Elles tenaient
de grandes bougies allumées.

« Lorsqu'elles virent entrer Bedreddin Hassan, elles
jetèrent les yeux sur lui ; et, admirant sa taille, son air
et la beauté de son visage, elles ne pouvaient se lasser
de le regarder. Quand il fut assis, il n'y en eut pas une
qui ne quittât sa place pour s'approcher de lui et le
considérer de plus près ; et il n'y en eut guère qui, en
se retirant pour aller reprendre leurs places, ne se sen-
tissent agitées d'un tendre mouvement.

« La différence qu'il y avait entre Bedreddin Hassan
et le palefrenier bossu, dont la figure faisait horreur,
excita des murmures dans l'assemblée. « C'est à ce
beau jeune homme, s'écrièrent les dames, qu'il faut
donner notre épousée, et non pas à ce vilain bossu. »
Elles n'en demeurèrent pas là ; elles osèrent faire des
imprécations contre le sultan, qui, abusant de son pouvoir
absolu, unissait la laideur avec la beauté. Elles chargèrent
aussi d'injures le bossu, et lui firent perdre contenance,
au grand plaisir des spectateurs dont les huées inter-
rompirent pour quelque temps la symphonie qui se
faisait entendre dans la salle. À la fin, les joueurs d'instruments recommencèrent leurs concerts, et les femmes
qui avaient habillé la mariée s'approchèrent d'elle... »

En prononçant ces dernières paroles, Sheherazade
remarqua qu'il était jour. Elle garda aussitôt le silence ;
et la nuit suivante elle reprit ainsi son discours :

*La cent et unième et la cent deuxième Nuit sont employées
dans l'original à la description de sept robes et de sept parures
différentes, dont la fille du vizir Schemseddin Mohammed
changea au son des instruments. Comme cette description
ne m'a point paru agréable, et que d'ailleurs elle est accompagnée de vers qui ont, à la vérité, leur beauté en arabe,
mais que les Français ne pourraient goûter, je n'ai pas
jugé à propos de traduire ces deux Nuits.*

CIII^e NUIT

Sire, dit Scheherazade au sultan des Indes, Votre Majesté n'a pas oublié que c'est le grand-vizir Giafar qui parle au calife Haroun-al-Raschid.

« A chaque fois, poursuivit-il, que la nouvelle mariée changeait d'habits, elle se levait de sa place, et, suivie de ses femmes, passait devant le bossu sans daigner le regarder, et allait se présenter devant Bedreddin Hassan, pour se montrer à lui dans ses nouveaux atours. Alors, Bedreddin Hassan, suivant l'instruction qu'il avait reçue du génie, ne manquait pas de mettre la main dans sa bourse, et d'en tirer des poignées de sequins qu'il distribuait aux femmes qui accompagnaient la mariée. Il n'oubliait pas les joueurs et les danseurs, il leur en jetait aussi. C'était un plaisir de voir comme ils se poussaient les uns les autres pour en ramasser; ils lui en témoignèrent de la reconnaissance, et lui marquaient par signes qu'ils voulaient que la jeune épouse fût pour lui, et non pas pour le bossu. Les femmes qui étaient autour d'elle lui disaient la même chose, et ne se souciaient guère d'être entendues du bossu, à qui elles faisaient mille niches; ce qui divertissait fort tous les spectateurs.

« Lorsque la cérémonie de changer d'habits tant de fois fut achevée, les joueurs d'instruments cessèrent de jouer, et se retirèrent en faisant signe à Bedreddin Hassan de demeurer. Les dames firent la même chose en se retirant après eux avec tous ceux qui n'étaient pas de la maison. La mariée entra dans un cabinet, où ses femmes la suivirent pour la déshabiller, et il ne resta plus dans la salle que le palefrenier bossu, Bedreddin Hassan, et quelques domestiques. Le bossu, qui en voulait furieusement à Bedreddin qui lui faisait ombrage, le regarda de travers, et lui dit : « Et toi, qu'attends-tu ? Pourquoi ne te retires-tu pas comme les autres ? Marche. » Comme Bedreddin n'avait aucun prétexte pour demeurer là, il sortit assez embarrassé de sa personne; mais il n'était pas hors du vestibule que le génie et la fée se présentèrent à lui et l'arrêtèrent : « Où allez-vous ? lui dit le génie. Demeurez : le bossu n'est plus dans la salle, il en est sorti pour quelque besoin; vous n'avez qu'à y rentrer et à vous introduire dans la chambre de la mariée. Lorsque

vous serez seul avec elle, dites-lui hardiment que vous
êtes son mari ; que l'intention du sultan a été de se divertir du bossu, et que, pour apaiser ce mari prétendu, vous
lui avez fait apprêter un bon plat de crème dans son écurie.
Dites-lui là-dessus tout ce qui vous viendra dans l'esprit
pour la persuader. Étant fait comme vous êtes, cela ne
sera pas difficile, et elle sera ravie d'avoir été trompée
si agréablement. Cependant nous allons donner ordre
que le bossu ne rentre et ne vous empêche de passer la
nuit avec votre épouse : car c'est la vôtre, et non pas la
sienne. »

« Pendant que le génie encourageait ainsi Bedreddin
et l'instruisait de ce qu'il devait faire, le bossu était véritablement sorti de la salle. Le génie s'introduisit où il
était, prit la figure d'un gros chat noir, et se mit à miauler
d'une manière épouvantable. Le bossu cria après le chat,
et frappa des mains pour le faire fuir ; mais le chat, au
lieu de se retirer, se raidit sur ses pattes, fit briller des
yeux enflammés, et regarda fièrement le bossu en miaulant
plus fort qu'auparavant, et en grandissant de manière
qu'il parut bientôt gros comme un ânon. Le bossu, à
cet objet, voulut crier au secours ; mais la frayeur l'avait
tellement saisi qu'il demeura la bouche ouverte sans
pouvoir proférer une parole. Pour ne lui pas donner de
relâche, le génie se changea à l'instant en un puissant
buffle, et, sous cette forme, lui cria d'une voix qui
redoubla sa peur : *Vilain bossu !* A ces mots, l'effrayé
palefrenier se laissa tomber sur le pavé, et, se couvrant
la tête de sa robe pour ne pas voir cette bête effroyable,
il lui répondit en tremblant : « Prince souverain des
buffles, que demandez-vous de moi ? — Malheur à toi !
lui repartit le génie : tu as la témérité d'oser te marier
avec ma maîtresse ! — Eh ! Seigneur ! dit le bossu, je
vous supplie de me pardonner : si je suis criminel, ce
n'est que par ignorance ; je ne savais pas que cette dame
eût un buffle pour amant. Commandez-moi ce qui vous
plaira, je vous jure que je suis prêt à vous obéir. — Par
la mort, répliqua le génie, si tu sors d'ici, ou que tu ne
gardes pas le silence jusqu'à ce que le soleil se lève ; si
tu dis le moindre mot, je t'écraserai la tête. Alors, je te
permets de sortir de cette maison ; mais je t'ordonne de
te retirer bien vite sans regarder derrière toi ; et, si tu
as l'audace d'y revenir, il t'en coûtera la vie. » En achevant ces paroles, le génie se transforma en homme, prit
le bossu par les pieds, et, après l'avoir levé la tête en

bas contre le mur : « Si tu branles, ajouta-t-il, avant que
le soleil soit levé, comme je te l'ai déjà dit, je te prendrai
par les pieds et je te casserai la tête en mille pièces
contre cette muraille. »

« Pour revenir à Bedreddin Hassan, encouragé par
le génie et par la présence de la fée, il était rentré dans
la salle, et s'était coulé dans la chambre nuptiale, où il
s'assit en attendant le succès de son aventure. Au bout
de quelque temps la mariée arriva, conduite par une
bonne vieille, qui s'arrêta à la porte, exhortant le mari
à bien faire son devoir, sans regarder si c'était le bossu
ou un autre; après quoi elle la ferma et se retira.

« La jeune épouse fut extrêmement surprise de voir,
au lieu du bossu, Bedreddin Hassan, qui se présenta à
elle de la meilleure grâce du monde. « Hé quoi! mon cher
ami, lui dit-elle, vous êtes ici à l'heure qu'il est ? il faut
donc que vous soyez camarade de mon mari. — Non,
Madame, répondit Bedreddin, je suis d'une autre condition que ce vilain bossu. — Mais, reprit-elle, vous ne
prenez pas garde que vous parlez mal de mon époux.
— Lui, votre époux, Madame! repartit-il. Pouvez-vous
conserver si longtemps cette pensée ? Sortez de votre
erreur : tant de beautés ne seront pas sacrifiées au plus
méprisable de tous les hommes. C'est moi, Madame, qui
suis l'heureux mortel à qui elles sont réservées. Le sultan
a voulu se divertir en faisant cette supercherie au vizir
votre père, et il m'a choisi pour votre véritable époux.
Vous avez pu remarquer combien les dames, les joueurs
d'instruments, les danseurs, vos femmes et tous les gens
de votre maison, se sont réjouis de cette comédie. Nous
avons renvoyé le malheureux bossu, qui mange à l'heure
qu'il est un plat de crème dans son écurie, et vous pouvez
compter que jamais il ne paraîtra devant vos beaux yeux. »

« A ce discours, la fille du vizir, qui était entrée plus
morte que vive dans la chambre nuptiale, changea de
visage, prit un air gai, qui la rendit si belle que Bedreddin
en fut charmé. « Je ne m'attendais pas, lui dit-elle, à
une surprise si agréable, et je m'étais déjà condamnée à
être malheureuse tout le reste de ma vie. Mais mon
bonheur est d'autant plus grand que je vais posséder en
vous un homme digne de ma tendresse. » En disant cela,
elle acheva de se déshabiller et se mit au lit. De son côté,
Bedreddin Hassan, ravi de se voir possesseur de tant
de charmes, se déshabilla promptement. Il mit son
habit sur un siège et sur la bourse que le juif lui avait

donnée, laquelle était encore pleine, malgré tout ce qu'il en avait tiré. Il ôta aussi son turban pour en prendre un de nuit qu'on avait préparé pour le bossu, et il alla se coucher en chemise et en caleçon *. Le caleçon était de satin bleu, et attaché avec un cordon tissu d'or. »

L'aurore, qui se faisait voir, obligea Scheherazade à s'arrêter. La nuit suivante, ayant été réveillée à l'heure ordinaire, elle reprit le fil de cette histoire, et la continua dans ces termes :

CIVe NUIT

« Lorsque les deux amants se furent endormis, poursuivit le grand-vizir Giafar, le génie, qui avait rejoint la fée, lui dit qu'il était temps d'achever ce qu'ils avaient si bien commencé et conduit jusqu'alors. « Ne nous laissons pas surprendre, ajouta-t-il, par le jour qui paraîtra bientôt; allez et enlevez le jeune homme sans l'éveiller. »

« La fée se rendit dans la chambre des amants, qui dormaient profondément, enleva Bedreddin Hassan dans l'état où il était, c'est-à-dire en chemise et en caleçon; et, volant avec le génie, d'une vitesse merveilleuse, jusqu'à la porte de Damas en Syrie, ils y arrivèrent précisément dans le temps que les ministres des mosquées préposés pour cette fonction appelaient le peuple à haute voix à la prière de la pointe du jour. La fée posa doucement à terre Bedreddin, et, le laissant près de la porte, s'éloigna avec le génie.

« On ouvrit la porte de la ville, et les gens qui s'étaient déjà assemblés en grand nombre pour sortir furent extrêmement surpris de voir Bedreddin Hassan étendu par terre, en chemise et en caleçon. L'un disait : « Il a tellement été pressé de sortir de chez sa maîtresse qu'il n'a pas eu le temps de s'habiller. — Voyez un peu, disait l'autre, à quels accidents on est exposé : il aura passé une bonne partie de la nuit à boire avec ses amis; il se sera enivré, sera sorti ensuite pour quelque nécessité, et, au lieu de rentrer, il sera venu jusqu'ici sans savoir ce qu'il faisait, et le sommeil l'y aura surpris. » D'autres en parlaient autrement, et personne ne pouvait deviner

* Tous les Orientaux couchent en caleçon et cette circonstance est nécessaire pour la suite.

par quelle aventure il se trouvait là. Un petit vent qui commençait alors à souffler leva sa chemise, et laissa voir sa poitrine qui était plus blanche que la neige. Ils furent tous tellement étonnés de cette blancheur qu'ils firent un cri d'admiration qui réveilla le jeune homme. Sa surprise ne fut pas moins grande que la leur de se voir à la porte d'une ville où il n'était jamais venu, et environné d'une foule de gens qui le considéraient avec attention. « Messieurs, leur dit-il, apprenez-moi de grâce où je suis et ce que vous souhaitez de moi. » L'un d'entre eux prit la parole et lui répondit : « Jeune homme, on vient d'ouvrir la porte de cette ville, et, en sortant, nous vous avons trouvé couché ici dans l'état où vous voilà. Nous nous sommes arrêtés à vous regarder. Est-ce que vous avez passé ici la nuit ? Et savez-vous bien que vous êtes à une des portes de Damas ? — A une des portes de Damas ! répliqua Bedreddin. Vous vous moquez de moi : en me couchant cette nuit, j'étais au Caire. » A ces mots, quelques-uns, touchés de compassion, dirent que c'était dommage qu'un jeune homme si bien fait eût perdu l'esprit, et ils passèrent leur chemin.

« Mon fils, lui dit un bon vieillard, vous n'y pensez pas : puisque vous êtes ce matin à Damas, comment pouviez-vous être hier au soir au Caire ? Cela ne peut pas être. — Cela est pourtant très vrai, repartit Bedreddin ; et je vous jure même que je passai toute la journée d'hier à Balsora. » A peine eut-il achevé ces paroles que tout le monde fit un grand éclat de rire et se mit à crier : « C'est un fou, c'est un fou ! » Quelques-uns néanmoins le plaignaient à cause de sa jeunesse, et un homme de la compagnie lui dit : « Mon fils, il faut que vous ayez perdu la raison ; vous ne songez pas à ce que vous dites : est-il possible qu'un homme soit ce jour à Balsora, la nuit au Caire, et le matin à Damas ? Vous n'êtes pas sans doute bien éveillé ; rappelez vos esprits. — Ce que je dis, reprit Bedreddin Hassan, est si véritable qu'hier au soir j'ai été marié dans la ville du Caire. » Tous ceux qui avaient ri auparavant redoublèrent leurs ris à ce discours. « Prenez-y bien garde, lui dit la même personne qui venait de lui parler, il faut que vous ayez rêvé tout cela, et que cette illusion vous soit restée dans l'esprit. — Je sais bien ce que je dis, répondit le jeune homme. Dites-moi vous-même comment il est possible que je sois allé en songe au Caire, où je suis persuadé que j'ai été effectivement, où l'on a par sept fois amené devant moi mon épouse parée d'un nouvel habillement chaque fois, et où enfin j'ai vu un affreux bossu qu'on prétendait lui donner. Apprenez-moi encore ce que sont devenus ma robe, mon turban et la bourse de sequins que j'avais au Caire.

« Quoiqu'il assurât que toutes ces choses étaient réelles, les personnes qui l'écoutaient n'en firent que rire; ce qui le troubla de sorte qu'il ne savait plus lui-même ce qu'il devait penser de tout ce qui lui était arrivé... »

Le jour qui commençait à éclairer l'appartement de Schahriar imposa silence à Scheherazade, qui continua son récit le lendemain :

CVᵉ NUIT

« Sire, dit-elle, après que Bedreddin Hassan se fut opiniâtré à soutenir que tout ce qu'il avait dit était véritable, il se leva pour entrer dans la ville, et tout le monde le suivit en criant : « C'est un fou! c'est un fou! » A ces cris, les uns mirent la tête aux fenêtres, les autres se présentèrent à leurs portes; et d'autres, se joignant à ceux qui environnaient Bedreddin, criaient comme eux : « C'est un fou! » sans savoir de quoi il s'agissait. Dans l'embarras où était ce jeune homme, il arriva devant la maison d'un pâtissier qui ouvrait sa boutique, et il entra dedans pour se dérober aux huées du peuple qui le suivait.

« Ce pâtissier avait été autrefois chef d'une troupe d'Arabes vagabonds qui détroussaient les caravanes; et, quoiqu'il fût venu s'établir à Damas, où il ne donnait aucun sujet de plainte contre lui, il ne laissait pas d'être craint de tous ceux qui le connaissaient. C'est pourquoi, dès le premier regard qu'il jeta sur la populace qui suivait Bedreddin, il la dissipa. Le pâtissier, voyant qu'il n'y avait plus personne, fit plusieurs questions au jeune homme; il lui demanda qui il était, et ce qui l'avait amené à Damas. Bedreddin Hassan ne lui cacha ni sa naissance ni la mort du grand-vizir son père; il lui conta ensuite de quelle manière il était sorti de Balsora, et comment, après s'être endormi la nuit précédente sur le tombeau de son père, il s'était trouvé à son réveil au Caire, où il avait épousé une dame. Enfin, il lui marqua la surprise où il était de se voir à Damas sans pouvoir comprendre toutes ces merveilles.

« Votre histoire est des plus surprenantes, lui dit le pâtissier ; mais, si vous voulez suivre mon conseil, vous ne ferez confidence à personne de toutes les choses que vous venez de me dire, et vous attendrez patiemment que le Ciel daigne finir les disgrâces dont il permet que vous soyez affligé. Vous n'avez qu'à demeurer avec moi jusqu'à ce temps-là ; et, comme je n'ai pas d'enfants, je suis prêt à vous reconnaître pour mon fils, si vous y consentez. Après que je vous aurai adopté, vous irez librement par la ville, et vous ne serez plus exposé aux insultes de la populace. »

« Quoique cette adoption ne fît pas honneur au fils d'un grand-vizir, Bedreddin ne laissa pas d'accepter la proposition du pâtissier, jugeant bien que c'était le meilleur parti qu'il devait prendre dans la situation où était sa fortune. Le pâtissier le fit habiller, prit des témoins, et alla déclarer devant un cadi qu'il le reconnaissait pour son fils ; après quoi Bedreddin demeura chez lui sous le simple nom de Hassan, et apprit la pâtisserie.

« Pendant que cela se passait à Damas, la fille de Schemseddin Mohammed se réveilla, et, ne trouvant pas Bedreddin auprès d'elle, crut qu'il s'était levé sans vouloir interrompre son repos, et qu'il reviendrait bientôt. Elle attendait son retour, lorsque le vizir Schemseddin Mohammed, son père, vivement touché de l'affront qu'il croyait avoir reçu du sultan d'Égypte, vint frapper à la porte de son appartement, résolu de pleurer avec elle sa triste destinée. Il l'appela par son nom ; et elle n'eut pas plus tôt entendu sa voix qu'elle se leva pour lui aller ouvrir la porte. Elle lui baisa la main, et le reçut d'un air si satisfait que le vizir, qui s'attendait à la trouver baignée de pleurs et aussi affligée que lui, en fut extrêmement surpris. « Malheureuse ! lui dit-il en colère, est-ce ainsi que tu parais devant moi ? Après l'affreux sacrifice que tu viens de consommer, peux-tu m'offrir un visage si content ?... »

Scheherazade cessa de parler en cet endroit, parce que le jour parut. La nuit suivante, elle reprit son discours, et dit au sultan des Indes :

CVI^e NUIT

Sire, le grand-vizir Giafar, continuant de raconter l'histoire de Bedreddin Hassan :

« Quand la nouvelle mariée, poursuivit-il, vit que son père lui reprochait la joie qu'elle faisait paraître, elle lui dit : « Seigneur, ne me faites point, de grâce, un reproche si injuste : ce n'est pas le bossu que je déteste plus que la mort, ce n'est pas ce monstre que j'ai épousé. Tout le monde lui a fait tant de confusion qu'il a été contraint de s'aller cacher et de faire place à un jeune homme charmant, qui est mon véritable mari. — Quelle fable me contez-vous ? interrompit brusquement Schemseddin Mohammed. Quoi ! le bossu n'a pas couché cette nuit avec vous ? — Non, Seigneur, répondit-elle, je n'ai point couché avec d'autre personne qu'avec le jeune homme dont je vous parle, qui a de grands yeux et de grands sourcils noirs. » A ces paroles, le vizir perdit patience, et se mit dans une furieuse colère contre sa fille. « Ah ! méchante ! lui dit-il, voulez-vous me faire perdre l'esprit par le discours que vous me tenez ? — C'est vous, mon père, repartit-elle, qui me faites perdre l'esprit à moi-même par votre incrédulité. — Il n'est donc pas vrai, répliqua le vizir, que le bossu... — Hé ! laissons là le bossu, interrompit-elle avec précipitation. Maudit soit le bossu ! Entendrai-je toujours parler du bossu ? Je vous le répète encore, mon père, ajouta-t-elle, je n'ai point passé la nuit avec lui, mais avec le cher époux que je vous dis, et qui ne doit pas être loin d'ici. »

« Schemseddin Mohammed sortit pour l'aller chercher; mais, au lieu de le trouver, il fut dans une surprise extrême de rencontrer le bossu qui avait la tête en bas, les pieds en haut, dans la même situation où l'avait mis le génie. « Que veut dire cela ? lui dit-il; qui vous a mis en cet état ? » Le bossu, reconnaissant le vizir, lui répondit : « Ah ! ah ! c'est donc vous qui vouliez me donner en mariage la maîtresse d'un buffle, l'amoureuse d'un vilain génie ? Je ne serai pas votre dupe, et vous ne m'y attraperez pas. »

Scheherazade en était là lorsqu'elle aperçut la première lumière du jour. Quoiqu'il n'y eût pas longtemps qu'elle parlât, elle n'en dit pas davantage cette nuit. Le lendemain, elle reprit ainsi la suite de sa narration, et dit au sultan des Indes :

CVII^e NUIT

Sire, le grand-vizir Giafar, poursuivant son histoire : « Schemseddin Mohammed, continua-t-il, crut que le bossu extravaguait quand il l'entendit parler de cette sorte, et il lui dit : « Ôtez-vous de là, mettez-vous sur vos pieds. — Je m'en garderai bien, repartit le bossu, à moins que le soleil ne soit levé. Sachez qu'étant venu ici hier au soir, il parut tout à coup devant moi un chat noir, qui devint insensiblement gros comme un buffle ; je n'ai pas oublié ce qu'il me dit. C'est pourquoi allez à vos affaires et me laissez ici. » Le vizir, au lieu de se retirer, prit le bossu par les pieds et l'obligea à se relever. Cela étant fait, le bossu sortit en courant de toute sa force, sans regarder derrière lui ; il se rendit au palais, se fit présenter au sultan d'Égypte, et le divertit fort en lui racontant le traitement que lui avait fait le génie.

« Schemseddin Mohammed retourna dans la chambre de sa fille, plus étonné et plus incertain qu'auparavant de ce qu'il voulait savoir. « Hé bien, fille abusée, lui dit-il, ne pouvez-vous m'éclaircir davantage sur une aventure qui me rend interdit et confus ? — Seigneur, lui répondit-elle, je ne puis vous apprendre autre chose que ce que j'ai déjà eu l'honneur de vous dire. Mais voici, ajouta-t-elle, l'habillement de mon époux qu'il a laissé sur cette chaise ; il vous donnera peut-être l'éclaircissement que vous cherchez. » En disant ces paroles, elle présenta le turban de Bedreddin au vizir, qui le prit, et qui, après l'avoir bien examiné de tous côtés : « Je le prendrais, dit-il, pour un turban de vizir s'il n'était à la mode de Mossoul *. » Mais, s'apercevant qu'il y avait quelque chose de cousu entre l'étoffe et la doublure, il demanda des ciseaux ; ayant décousu, il trouva un papier plié. C'était le cahier que Noureddin Ali avait donné en mourant à Bedreddin, son fils, qui l'avait caché en cet endroit pour le mieux conserver. Schemseddin Mohammed, ayant ouvert le cahier, reconnut le caractère de son frère Noureddin Ali, et lut ce titre : *Pour mon fils Bedreddin Hassan*. Avant qu'il pût faire ses réflexions, sa fille lui mit entre les mains la bourse qu'elle avait trouvée sous l'habit. Il l'ouvrit aussi, et elle était remplie de sequins, comme je l'ai déjà dit : car, malgré les largesses que Bedreddin Hassan avait faites, elle était toujours demeurée pleine par les soins du génie et de la fée. Il lut ces mots sur l'étiquette de la bourse : *Mille sequins appartenant au juif Isaac* ; et ceux-ci au-dessous, que le juif avait

---

* La ville de Mossoul est dans la Mésopotamie, bâtie vis-à-vis de l'ancienne Ninive.

écrits avant que de se séparer de Bedreddin Hassan :
*Livré à Bedreddin Hassan pour le chargement qu'il m'a
vendu du premier des vaisseaux qui ont ci-devant appartenu
à Noureddin Ali, son père, d'heureuse mémoire, lorsqu'il aura
abordé en ce port.* Il n'eut pas achevé cette lecture qu'il
fit un grand cri et s'évanouit... »

Scheherazade voulait continuer; mais le jour parut,
et le sultan des Indes se leva, résolu d'entendre la suite
de cette histoire.

CVIII^e NUIT

Le lendemain, Scheherazade, ayant repris la parole,
dit à Schahriar :
« Sire, le vizir Schemseddin Mohammed, étant revenu
de son évanouissement par le secours de sa fille et des
femmes qu'elle avait appelées : « Ma fille, dit-il, ne vous
étonnez pas de l'accident qui vient de m'arriver : la
cause en est telle qu'à peine y pourrez-vous ajouter foi.
Cet époux qui a passé la nuit avec vous est votre cousin,
le fils de Noureddin Ali. Les mille sequins qui sont
dans cette bourse me font souvenir de la querelle que
j'eus avec ce cher frère; c'est sans doute le présent de
noces qu'il vous fait. Dieu soit loué de toutes choses,
et particulièrement de cette aventure merveilleuse qui
montre si bien sa puissance. » Il regarda ensuite l'écriture
de son frère, et la baisa plusieurs fois en versant une
grande abondance de larmes. « Que ne puis-je, disait-il,
aussi bien que je vois ces traits qui me causent tant de
joie, voir ici Noureddin lui-même, et me réconcilier
avec lui! »
« Il lut le cahier d'un bout à l'autre : il y trouva les
dates de l'arrivée de son frère à Balsora, de son mariage,
de la naissance de Bedreddin Hassan; et, lorsque, après
avoir confronté ces dates avec çelles de son mariage et
de la naissance de sa fille au Caire, il eut admiré le
rapport qu'il y avait entre elles, et fait enfin réflexion
que son neveu était son gendre, il se livra tout entier
à la joie. Il prit le cahier et l'étiquette de la bourse, les
alla montrer au sultan, qui lui pardonna le passé, et qui
fut tellement charmé du récit de cette histoire qu'il la
fit mettre par écrit avec toutes ses cironstances, pour la
faire passer à la postérité.
« Cependant le vizir Schemseddin Mohammed ne

pouvait comprendre pourquoi son neveu avait disparu ;
il espérait néanmoins le voir arriver à tous moments,
et il l'attendait avec la dernière impatience pour l'embrasser. Après l'avoir inutilement attendu pendant sept jours,
il le fit chercher par tout le Caire ; mais il n'en apprit
aucune nouvelle, quelques perquisitions qu'il en pût
faire. Cela lui causa beaucoup d'inquiétude. « Voilà,
disait-il, une aventure fort singulière : jamais personne
n'en a éprouvé une pareille. »

« Dans l'incertitude de ce qui pouvait arriver dans la
suite, il crut devoir mettre lui-même par écrit l'état où
était alors sa maison ; de quelle manière les noces s'étaient
passées ; comment la salle et la chambre de sa fille étaient
meublées. Il fit aussi un paquet du turban, de la bourse
et du reste de l'habillement de Bedreddin, et l'enferma
sous la clef... »

La sultane Scheherazade fut obligée d'en demeurer là,
parce qu'elle vit que le jour paraissait. Sur la fin de la
nuit suivante, elle poursuivit cette histoire dans ces
termes :

CIX^e NUIT

Sire, le grand-vizir Giafar, continuant de parler au
calife :

« Au bout de quelques jours, dit-il, la fille du vizir
Schemseddin Mohammed s'aperçut qu'elle était grosse ;
et, en effet, elle accoucha d'un fils dans le terme de neuf
mois. On donna une nourrice à l'enfant, avec d'autres
femmes et des esclaves pour le servir, et son aïeul le
nomma Agib *.

« Lorsque ce jeune Agib eut atteint l'âge de sept ans,
le vizir Schemseddin Mohammed, au lieu de lui faire
apprendre à lire au logis, l'envoya à l'école chez un
maître qui avait une grande réputation, et deux esclaves
avaient soin de le conduire et de le ramener tous les
jours. Agib jouait avec ses camarades. Comme ils étaient
tous d'une condition au-dessous de la sienne, ils avaient
beaucoup de déférence pour lui ; et en cela ils se réglaient
sur le maître d'école, qui lui passait bien des choses qu'il
ne leur pardonnait pas à eux. La complaisance aveugle
qu'on avait pour Agib le perdit : il devint fier, insolent ;

---

* Ce mot signifie, en arabe, merveilleux.

il voulait que ses compagnons souffrissent tout de lui
sans vouloir rien souffrir d'eux. Il dominait partout et,
si quelqu'un avait la hardiesse de s'opposer à ses volontés,
il lui disait mille injures, et allait souvent jusqu'aux
coups. Enfin il se rendit insupportable à tous les écoliers,
qui se plaignirent de lui au maître d'école. Il les exhorta
d'abord à prendre patience; mais, quand il vit qu'ils
ne faisaient qu'irriter par là l'insolence d'Agib, et fatigué
lui-même des peines qu'il lui faisait : « Mes enfants,
dit-il à ses écoliers, je vois bien qu'Agib est un petit
insolent; je veux vous enseigner un moyen de le mortifier
de manière qu'il ne vous tourmentera plus; je crois
même qu'il ne reviendra plus à l'école. Demain, lorsqu'il
sera venu et que vous voudrez jouer ensemble, rangez-
vous autour de lui, et que quelqu'un dise tout haut :

« Nous voulons jouer, mais c'est à condition que tous
ceux qui joueront diront leur nom, celui de leur mère
et de leur père. Nous regarderons comme des bâtards
ceux qui refuseront de le faire, et nous ne souffrirons pas
qu'ils jouent avec nous. »

« Le maître d'école leur fit comprendre l'embarras où
ils jetteraient Agib par ce moyen, et ils se retirèrent chez
eux avec bien de la joie.

« Le lendemain, dès qu'ils furent tous assemblés, ils
ne manquèrent pas de faire ce que leur maître leur avait
enseigné; ils environnèrent Agib, et l'un d'entre eux,
prenant la parole : « Jouons, dit-il, à un jeu; mais à
condition que celui qui ne pourra pas dire son nom, le
nom de sa mère et de son père, n'y jouera pas. » Ils
répondirent tous, et Agib lui-même, qu'ils y consentaient.
Alors celui qui avait parlé les interrogea l'un après l'autre,
et ils satisfirent tous à la condition, excepté Agib, qui
répondit : « Je me nomme Agib, ma mère s'appelle
Dame de beauté, et mon père Schemseddin Mohammed,
vizir du sultan. »

A ces mots, tous les enfants s'écrièrent : « Agib, que
dites-vous ? Ce n'est point là le nom de votre père;
c'est celui de votre grand-père. — Que Dieu vous confonde! répliqua-t-il en colère. Quoi! vous osez dire que
le vizir Schemseddin Mohammed n'est pas mon père! »
Les écoliers lui repartirent avec de grands éclats de rire :
« Non, non, il n'est que votre aïeul, et vous ne jouerez
pas avec nous; nous nous garderons bien même de nous
approcher de vous. » En disant cela, ils s'éloignèrent de
lui en le raillant, et ils continuèrent de rire entre eux.

Agib fut mortifié de leurs railleries, et se mit à pleurer.

« Le maître d'école, qui était aux écoutes et qui avait tout entendu, entra sur ces entrefaites, et, s'adressant à Agib : « Agib, lui dit-il, ne savez-vous pas encore que le vizir Schemseddin Mohammed n'est pas votre père ? il est votre aïeul, père de votre mère Dame de beauté. Nous ignorons, comme vous, le nom de votre père; nous savons seulement que le sultan avait voulu marier votre mère avec un de ses palefreniers qui était bossu, mais qu'un génie coucha avec elle. Cela est fâcheux pour vous, et doit vous apprendre à traiter vos camarades avec moins de fierté que vous n'avez fait jusqu'à présent... »

Scheherazade, en cet endroit, remarquant qu'il était jour, mit fin à son discours. Elle en reprit le fil la nuit suivante, et dit au sultan des Indes :

CX^e NUIT

« Sire, le petit Agib, piqué des plaisanteries de ses compagnons, sortit brusquement de l'école et retourna au logis en pleurant. Il alla d'abord à l'appartement de sa mère Dame de beauté, laquelle, alarmée de le voir si affligé, lui en demanda le sujet avec empressement. Il ne put répondre que par des paroles entrecoupées de sanglots, tant il était pressé de sa douleur; et ce ne fut qu'à plusieurs reprises qu'il put raconter la cause mortifiante de son affliction. Quand il eut achevé : « Au nom de Dieu, ma mère, ajouta-t-il, dites-moi, s'il vous plaît, qui est mon père ? — Mon fils, répondit-elle, votre père est le vizir Schemseddin Mohammed, qui vous embrasse tous les jours. — Vous ne me dites pas la vérité, reprit-il; ce n'est pas mon père, c'est le vôtre. Mais moi, de quel père suis-je fils ? » A cette demande, Dame de beauté, rappelant dans sa mémoire la nuit de ses noces suivie d'un si long veuvage, commença de répandre des larmes, en regrettant amèrement la perte d'un époux aussi aimable que Bedreddin.

« Dans le temps que Dame de beauté pleurait d'un côté et Agib de l'autre, le vizir Schemseddin Mohammed entra, et voulut savoir la cause de leur affliction. Dame de beauté lui apprit et lui raconta la mortification qu'Agib avait reçue à l'école. Ce récit toucha vivement le vizir,

qui joignit ses pleurs à leurs larmes, et qui, jugeant par
là que tout le monde tenait des discours contre l'honneur
de sa fille, en fut au désespoir. Frappé de cette cruelle
pensée, il alla au palais du sultan, et, après s'être prosterné à ses pieds, il le supplia très humblement de lui
accorder la permission de faire un voyage dans les provinces du Levant, et particulièrement à Balsora, pour
aller chercher son neveu Bedreddin Hassan, disant qu'il
ne pouvait souffrir qu'on pensât dans la ville qu'un
génie eût couché avec sa fille Dame de beauté. Le sultan
entra dans les peines du vizir, approuva sa résolution,
et lui permit de l'exécuter; il lui fit même expédier une
patente par laquelle il priait dans les termes les plus
obligeants les princes et les seigneurs des lieux où pourrait être Bedreddin de consentir que le vizir l'emmenât
avec lui.

« Schemseddin Mohammed ne trouva pas de paroles
assez fortes pour remercier dignement le sultan de la
bonté qu'il avait pour lui. Il se contenta de se prosterner
devant ce prince une seconde fois; mais les larmes qui
coulaient de ses yeux marquèrent assez sa reconnaissance.
Enfin il prit congé du sultan, après lui avoir souhaité
toutes sortes de prospérités. Lorsqu'il fut de retour au
logis, il ne songea qu'à disposer toutes choses pour son
départ. Les préparatifs en furent faits avec tant de diligence qu'au bout de quatre jours il partit, accompagné
de sa fille, Dame de beauté, et d'Agib, son petit-fils... »

Scheherazade, s'apercevant que le jour commençait
à paraître, cessa de parler en cet endroit. Le sultan des
Indes se leva fort satisfait du récit de la sultane, et résolut
d'entendre la suite de cette histoire. Scheherazade
contenta sa curiosité la nuit suivante, et reprit la parole
dans ces termes :

CXIe NUIT

Sire, le grand-vizir Giafar, adressant toujours la parole
au calife Haroun-al-Raschid :
« Schemseddin Mohammed, dit-il, prit la route de
Damas avec sa fille, Dame de beauté, et Agib, son petit-
fils. Ils marchèrent dix-neuf jours de suite sans s'arrêter
en nul endroit; mais, le vingtième, étant arrivés dans une
fort belle prairie peu éloignée des portes de Damas, ils

y mirent pied à terre, et firent dresser leurs tentes sur le bord d'une rivière qui passe au travers de la ville et rend ses environs très agréables.

« Le vizir Schemseddin Mohammed déclara qu'il voulait séjourner deux jours dans ce beau lieu, et que le troisième il continuerait son voyage. Cependant il permit aux gens de sa suite d'aller à Damas. Ils profitèrent presque tous de cette permission, les uns poussés par la curiosité de voir une ville dont ils avaient ouï parler si avantageusement, les autres pour y vendre des marchandises d'Égypte qu'ils avaient apportées, ou pour y acheter des étoffes et des raretés du pays. Dame de beauté, souhaitant que son fils Agib eût aussi la satisfaction de se promener dans cette célèbre ville, ordonna à l'eunuque noir qui servait de gouverneur à cet enfant de l'y conduire, et de bien prendre garde qu'il ne lui arrivât quelque accident.

« Agib, magnifiquement habillé, se mit en chemin avec l'eunuque, qui avait à la main une grosse canne. Ils ne furent pas plus tôt entrés dans la ville qu'Agib, qui était beau comme le jour, attira sur lui les yeux de tout le monde. Les uns sortaient de leurs maisons pour le voir de plus près, les autres mettaient la tête aux fenêtres ; et ceux qui passaient dans les rues ne se contentaient pas de s'arrêter pour le regarder, ils l'accompagnaient pour avoir le plaisir de le considérer plus longtemps. Enfin, il n'y avait personne qui ne l'admirât et qui ne donnât mille bénédictions au père et à la mère qui avaient mis au monde un si bel enfant. L'eunuque et lui arrivèrent par hasard devant la boutique où était Bedreddin Hassan ; et là ils se virent entourés d'une si grande foule de peuple qu'ils furent obligés de s'arrêter.

« Le pâtissier qui avait adopté Bedreddin Hassan était mort depuis quelques années, et lui avait laissé, comme à son héritier, sa boutique avec tous ses autres biens. Bedreddin était donc alors maître de la boutique, et il exerçait la profession de pâtissier si habilement qu'il était en grande réputation dans Damas. Voyant que tant de monde assemblé devant sa porte regardait avec beaucoup d'attention Agib et l'eunuque noir, il se mit à les regarder aussi... »

Scheherazade, à ces mots, voyant paraître le jour, se tut, et Schahriar se leva fort impatient de savoir ce qui se passerait entre Agib et Bedreddin. La sultane satisfit

son impatience sur la fin de la nuit suivante, et reprit
ainsi la parole :

CXII^e NUIT

« Bedreddin Hassan, poursuivit le vizir Giafar, ayant
jeté les yeux particulièrement sur Agib, se sentit aussitôt
tout ému sans savoir pourquoi. Il n'était pas frappé,
comme le peuple, de l'éclatante beauté de ce jeune garçon ;
son trouble et son émotion avaient une autre cause qui
lui était inconnue : c'était la force du sang qui agissait
dans ce tendre père, lequel, interrompant ses occupations, s'approcha d'Agib et lui dit d'un air engageant :
« Mon petit seigneur, qui m'avez gagné l'âme, faites-moi
la grâce d'entrer dans ma boutique et de manger quelque
chose de ma façon, afin que pendant ce temps-là j'aie
le plaisir de vous admirer à mon aise. » Il prononça ces
paroles avec tant de tendresse que les larmes lui en
vinrent aux yeux. Le petit Agib en fut touché, et, se
tournant vers l'eunuque : « Ce bonhomme, lui dit-il,
a une physionomie qui me plaît, et il me parle d'une
manière si affectueuse que je ne puis me défendre de
faire ce qu'il souhaite. Entrons chez lui, et mangeons
de sa pâtisserie. — Ah ! vraiment, lui dit l'esclave, il
ferait beau voir qu'un fils de vizir comme vous entrât
dans la boutique d'un patissier pour y manger ; ne croyez
pas que je le souffre. — Hélas ! mon petit seigneur, s'écria
alors Bedreddin Hassan, on est bien cruel de confier
votre personne à un homme qui vous traite avec tant de
dureté. » Puis, s'adressant à l'eunuque : « Mon bon ami,
ajouta-t-il, n'empêchez pas ce jeune seigneur de m'accorder la grâce que je lui demande ; ne me donnez pas cette
mortification. Faites-moi plutôt l'honneur d'entrer avec
lui chez moi, et par là vous ferez connaître que, si vous
êtes brun au-dehors comme la châtaigne, vous êtes blanc
aussi au-dedans comme elle. Savez-vous bien, poursuivit-
il, que je sais le secret de vous rendre blanc, de noir
que vous êtes ? » L'eunuque se mit à rire à ce discours,
et demanda à Bedreddin ce que c'était que ce secret.
« Je vais vous l'apprendre », répondit-il. Aussitôt il lui
récita des vers à la louange des eunuques noirs, disant
que c'était par leur ministère que l'honneur des sultans,
des princes et de tous les grands, était en sûreté. L'eunuque fut charmé de ces vers, et, cessant de résister

aux prières de Bedreddin, laissa entrer Agib en sa boutique, et y entra aussi lui-même.

« Bedreddin Hassan sentit une extrême joie d'avoir obtenu ce qu'il avait désiré avec tant d'ardeur; et, se remettant au travail qu'il avait interrompu : « Je faisais, dit-il, des tartes à la crème; il faut, s'il vous plaît, que vous en mangiez; je suis persuadé que vous les trouverez excellentes : car ma mère, qui les fait admirablement bien, m'a appris à les faire, et l'on vient en prendre chez moi de tous les endroits de cette ville. » En achevant ces mots, il tira du four une tarte à la crème; et, après avoir mis dessus des grains de grenade et du sucre, il la servit devant Agib, qui la trouva délicieuse. L'eunuque, à qui Bedreddin en présenta aussi, en porta le même jugement.

« Pendant qu'ils mangeaient tous deux, Bedreddin Hassan examinait Agib avec une grande attention; et, se représentant, en le regardant, qu'il avait peut-être un semblable fils de la charmante épouse dont il avait été si tôt et si cruellement séparé, cette pensée fit couler de ses yeux quelques larmes. Il se préparait à faire des questions au petit Agib sur le sujet de son voyage à Damas; mais cet enfant n'eut pas le temps de satisfaire sa curiosité, parce que l'eunuque, qui le pressait de s'en retourner sous les tentes de son aïeul, l'emmena dès qu'il eut mangé. Bedreddin Hassan ne se contenta pas de les suivre de l'œil, il ferma sa boutique promptement, et marcha sur leurs pas... »

Scheherazade, en cet endroit, remarquant qu'il était jour, cessa de poursuivre cette histoire. Schahriar se leva, résolu de l'entendre tout entière et de laisser vivre la sultane jusqu'à ce temps-là.

CXIIIᵉ NUIT

Le lendemain avant le jour, Dinarzade réveilla sa sœur, qui reprit ainsi son discours :

« Bedreddin Hassan, continua le vizir Giafar, courut donc après Agib et l'eunuque, et les joignit avant qu'ils fussent arrivés à la porte de la ville. L'eunuque, s'étant aperçu qu'il les suivait, en fut extrêmement surpris. « Importun que vous êtes, lui dit-il en colère, que deman-

dez-vous ? — Mon bon ami, lui répondit Bedreddin, ne
vous fâchez pas ; j'ai hors de la ville une petite affaire
dont je me suis souvenu, et à laquelle il faut que j'aille
donner ordre. » Cette réponse n'apaisa point l'eunuque,
qui, se tournant vers Agib, lui dit : « Voilà ce que vous
m'avez attiré. Je l'avais bien prévu que je me repentirais
de ma complaisance : vous avez voulu entrer dans la
boutique de cet homme ; je ne suis pas sage de vous l'avoir
permis. — Peut-être, dit Agib, a-t-il effectivement affaire
hors de la ville, et les chemins sont libres pour tout le
monde. » En disant cela, ils continuèrent de marcher l'un
et l'autre sans regarder derrière eux, jusqu'à ce qu'étant
arrivés près des tentes du vizir, ils se retournèrent pour
voir si Bedreddin les suivait toujours. Alors Agib,
remarquant qu'il était à deux pas de lui, rougit et pâlit
successivement, selon les divers mouvements qui l'agi-
taient. Il craignait que le vizir, son aïeul, ne vînt à savoir
qu'il était entré dans la boutique d'un pâtissier et qu'il
y avait mangé. Dans cette crainte, ramassant une assez
grosse pierre qui se trouva à ses pieds, il la lui jeta, le
frappa au milieu du front, et lui couvrit le visage de
sang ; après quoi, se mettant à courir de toute sa force,
il se sauva sous les tentes avec l'eunuque, qui dit à Bedreddin Hassan qu'il ne devait pas se plaindre de ce malheur
qu'il avait mérité et qu'il s'était attiré lui-même.

« Bedreddin reprit le chemin de la ville en étanchant
le sang de sa plaie avec son tablier qu'il n'avait pas ôté.
« J'ai tort, disait-il en lui même, d'avoir abandonné ma
maison pour faire tant de peine à cet enfant : car il ne
m'a traité de cette manière que parce qu'il a cru sans
doute que je méditais quelque dessein funeste contre
lui. » Étant arrivé chez lui, il se fit panser, et se consola
de cet accident en faisant réflexion qu'il y avait sur la
terre une infinité de gens encore plus malheureux que
lui... »

Le jour qui paraissait imposa silence à la sultane des
Indes. Schahriar se leva en plaignant Bedreddin, et
fort impatient de savoir la suite de cette histoire.

CXIV^e NUIT

Sur la fin de la nuit suivante, Scheherazade, adressant
la parole au sultan des Indes : « Sire, dit-elle, le grand-

vizir Giafar poursuivit ainsi l'histoire de Bedreddin Hassan :

« Bedreddin, dit-il, continua d'exercer sa profession de pâtissier à Damas, et son oncle Schemseddin Mohammed en partit trois jours après son arrivée. Il prit la route d'Émèse, d'où il se rendit à Hamach, et de là à Alep, où il s'arrêta deux jours. D'Alep il alla passer l'Euphrate, entra dans la Mésopotamie, et, après avoir traversé Mardin, Mossoul, Sengira, Diarbekir et plusieurs autres villes, arriva enfin à Balsora, où d'abord il fit demander audience au sultan, qui ne fut pas plus tôt informé du rang de Schemseddin Mohammed qu'il la lui donna. Il le reçut même très favorablement et lui demanda le sujet de son voyage à Balsora. « Sire, répondit le vizir Schemseddin Mohammed, je suis venu pour apprendre des nouvelles du fils de Noureddin Ali, mon frère, qui a eu l'honneur de servir Votre Majesté. — Il y a longtemps que Noureddin Ali est mort, reprit le sultan. A l'égard de son fils, tout ce qu'on vous en pourra dire, c'est qu'environ deux mois après la mort de son père il disparut tout à coup, et que personne ne l'a vu depuis ce temps-là, quelque soin que j'aie pris de le faire chercher. Mais sa mère, qui est fille d'un de mes vizirs, vit encore. » Schemseddin Mohammed lui demanda la permission de la voir et de l'emmener en Égypte. Le sultan y ayant consenti, il ne voulut pas différer au lendemain à se donner cette satisfaction; il se fit enseigner où demeurait cette dame, et se rendit chez elle à l'heure même, accompagné de sa fille et de son petit-fils.

« La veuve de Noureddin Ali demeurait toujours dans l'hôtel où avait demeuré son mari jusqu'à sa mort. C'était une très belle maison, superbement bâtie et ornée de colonnes de marbre; mais Schemseddin Mohammed ne s'arrêta pas à l'admirer. En arrivant, il baisa la porte et un marbre sur lequel était écrit en lettres d'or le nom de son frère. Il demanda à parler à sa belle-sœur, dont les domestiques lui dirent qu'elle était dans un petit édifice en forme de dôme, qu'ils lui montrèrent au milieu d'une cour très spacieuse. En effet, cette tendre mère avait coutume d'aller passer la meilleure partie du jour et de la nuit dans cet édifice qu'elle avait fait bâtir pour représenter le tombeau de Bedreddin Hassan, qu'elle croyait mort, après l'avoir si longtemps attendu en vain. Elle y était alors occupée à pleurer ce cher fils, et Schem-

seddin Mohammed la trouva ensevelie dans une affliction mortelle.

« Il lui fit son compliment, et, après l'avoir suppliée
de suspendre ses larmes et ses gémissements, il lui
apprit qu'il avait l'honneur d'être son beau-frère, et lui
dit la raison qui l'avait obligé de partir du Caire et de
venir à Balsora. »

En achevant ces mots, Scheherazade, voyant paraître
le jour, cessa de poursuivre son récit; mais elle en reprit
le fil de cette sorte sur la fin de la nuit suivante :

CXVe NUIT

« Schemseddin Mohammed, continua le vizir Giafar, après avoir instruit sa belle-sœur de tout ce qui
s'était passé au Caire la nuit des noces de sa fille, après
lui avoir conté la surprise que lui avait causée la découverte du cahier cousu dans le turban de Bedreddin, lui
présenta Agib et Dame de beauté.

« Quand la veuve de Noureddin Ali, qui était demeurée
assise comme une femme qui ne prenait plus de part
aux choses du monde, eut compris, par le discours qu'elle
venait d'entendre, que le cher fils qu'elle regrettait tant
pouvait vivre encore, elle se leva, embrassa très étroitement Dame de beauté et son petit Agib, en qui reconnaissant les traits de Bedreddin, elle versa des larmes
d'une nature bien différente de celles qu'elle répandait
depuis si longtemps. Elle ne pouvait se lasser de baiser
ce jeune homme, qui, de son côté, recevait ses embrassements avec toutes les démonstrations de joie dont il
était capable. « Madame, dit Schemseddin Mohammed, il
est temps de finir vos regrets et d'essuyer vos larmes :
il faut vous disposer à venir en Égypte avec nous. Le
sultan de Balsora me permet de vous emmener, et je ne
doute pas que vous n'y consentiez. J'espère que nous
rencontrerons enfin votre fils mon neveu; et, si cela
arrive, son histoire, la vôtre, celle de ma fille et la mienne
mériteront d'être écrites pour être transmises à la postérité. »

« La veuve de Noureddin Ali écouta cette proposition avec plaisir, et fit travailler dès ce moment aux
préparatifs de son départ. Pendant ce temps-là, Schemseddin Mohammed demanda une seconde audience; et,

ayant pris congé du sultan, qui le renvoya comblé d'honneurs, avec un présent considérable pour lui et un autre plus riche pour le sultan d'Égypte, il partit de Balsora et reprit le chemin de Damas.

« Lorsqu'il fut près de cette ville, il fit dresser ses tentes hors de la porte par où il devait entrer, et dit qu'il y séjournerait trois jours, pour faire reposer son équipage et pour acheter ce qu'il trouverait de plus curieux et de plus digne d'être présenté au sultan d'Égypte.

« Pendant qu'il était occupé à choisir lui-même les plus belles étoffes que les principaux marchands avaient apportées sous ses tentes, Agib pria l'eunuque noir, son conducteur, de le mener promener dans la ville, disant qu'il souhaitait de voir les choses qu'il n'avait pas eu le temps de voir en passant, et qu'il serait bien aise aussi d'apprendre des nouvelles du pâtissier à qui il avait donné un coup de pierre. L'eunuque y consentit, marcha vers la ville avec lui, après en avoir obtenu la permission de sa mère Dame de beauté.

« Ils entrèrent dans Damas par la porte du Paradis, qui était la plus proche des tentes du vizir Schemseddin Mohammed. Ils parcoururent les grandes places, les lieux publics et couverts où se vendaient les marchandises les plus riches, et virent l'ancienne mosquée des Ommiades *, dans le temps qu'on s'y assemblait pour faire la prière ** d'entre le midi et le coucher du soleil. Ils passèrent ensuite devant la boutique de Bedreddin Hassan, qu'ils trouvèrent encore occupé à faire des tartes à la crème. « Je vous salue, lui dit Agib ; regardez-moi : vous souvenez-vous de m'avoir vu ? » A ces mots, Bedreddin jeta les yeux sur lui, et, le reconnaissant (ô surprenant effet de l'amour paternel !), il sentit la même émotion que la première fois : il se troubla ; et, au lieu de lui répondre, il demeura longtemps sans pouvoir proférer une seule parole. Néanmoins, ayant rappelé ses esprits : « Mon petit seigneur, lui dit-il, faites-moi la grâce d'entrer encore une fois chez moi avec votre gouverneur ; venez goûter d'une tarte à la crème. Je vous supplie de me pardonner la peine que je vous fis en vous suivant hors de la ville : je ne me possédais pas, je

---

* C'est-à-dire des califes qui régnèrent après les quatre premiers successeurs de Mahomet et qui furent ainsi nommés d'un de leurs ancêtres, qui s'appelait Ommiah.
** Cette prière se fait en tout temps deux heures et demie devant le coucher du soleil.

ne savais ce que je faisais; vous m'entraîniez après vous sans que je pusse résister à une si douce violence... »

Scheherazade cessa de parler en cet endroit, parce qu'elle vit paraître le jour. Le lendemain, elle reprit de cette manière la suite de son discours :

CXVIᵉ NUIT

« Commandeur des croyants, poursuivit le vizir Giafar, Agib, étonné d'entendre ce que lui disait Bedreddin, répondit : « Il y a de l'excès dans l'amitié que vous me témoignez, et je ne veux point entrer chez vous que vous ne vous soyez engagé par serment à ne me pas suivre quand j'en serai sorti. Si vous me le promettez et que vous soyez homme de parole, je vous reviendrai voir encore demain, pendant que le vizir mon aïeul achètera de quoi faire présent au sultan d'Égypte. — Mon petit seigneur, reprit Bedreddin Hassan, je ferai tout ce que vous m'ordonnerez. » A ces mots, Agib et l'eunuque entrèrent dans la boutique.

« Bedreddin leur servit aussitôt une tarte à la crème, qui n'était pas moins délicate ni moins excellente que celle qu'il leur avait présentée la première fois. « Venez, lui dit Agib, asseyez-vous auprès de moi et mangez avec nous. » Bedreddin, s'étant assis, voulut embrasser Agib pour lui marquer la joie qu'il avait de se voir à ses côtés; mais Agib le repoussa en lui disant : « Tenez-vous en repos, votre amitié est trop vive. Contentez-vous de me regarder et de m'entretenir. » Bedreddin obéit, et se mit à chanter une chanson dont il composa sur-le-champ les paroles à la louange d'Agib. Il ne mangea point, et ne fit autre chose que servir ses hôtes. Lorsqu'ils eurent achevé de manger, il leur présenta à laver * et une serviette très blanche pour s'essuyer les mains. Il prit ensuite un vase de sorbet, et leur en prépara plein une grande porcelaine où il mit de la neige ** fort propre. Puis, présentant la porcelaine au petit Agib : « Pre-

---

* Comme les Mahométans se lavent les mains cinq fois le jour lorsqu'ils vont faire leurs prières, ils ne croient pas avoir besoin de se laver avant que de manger; mais ils se lavent après, parce qu'ils mangent sans fourchette.
** C'est ainsi que l'on rafraîchit la boisson promptement dans tout le Levant où l'on a l'usage de la neige.

nez, lui dit-il, c'est un sorbet de rose, le plus délicieux qu'on puisse trouver dans toute cette ville; jamais vous n'en avez goûté de meilleur. » Agib en ayant bu avec plaisir, Bedreddin Hassan reprit la porcelaine et la présenta aussi à l'eunuque, qui but à longs traits toute la liqueur jusqu'à la dernière goutte.

« Enfin Agib et son gouverneur, rassasiés, remercièrent le pâtissier de la bonne chère qu'il leur avait faite, et se retirèrent en diligence, parce qu'il était déjà un peu tard. Ils arrivèrent sous les tentes de Schemseddin Mohammed, et allèrent d'abord à celle des dames. La grand-mère d'Agib fut ravie de le revoir; et, comme elle avait toujours son fils Bedreddin dans l'esprit, elle ne put retenir ses larmes en embrassant Agib. « Ah! mon fils, lui dit-elle, ma joie serait parfaite, si j'avais le plaisir d'embrasser votre père Bedreddin Hassan comme je vous embrasse. » Elle se mettait alors à table pour souper; elle le fit asseoir auprès d'elle, lui fit plusieurs questions sur sa promenade, et, en lui disant qu'il ne devait pas manquer d'appétit, elle lui servit un morceau d'une tarte à la crème qu'elle avait elle-même faite, et qui était excellente : car on a déjà dit qu'elle les savait mieux faire que les meilleurs pâtissiers. Elle en présenta aussi à l'eunuque; mais ils avaient tellement mangé l'un et l'autre chez Bedreddin qu'ils n'en pouvaient pas seulement goûter... »

Le jour qui paraissait empêcha Scheherazade d'en dire davantage cette nuit; mais, sur la fin de la suivante, elle continua son récit dans ces termes :

CXVIIᵉ NUIT

« Agib eut à peine touché au morceau de tarte à la crème qu'on lui avait servi que, feignant de ne le pas trouver à son goût, il le laissa tout entier; et Schaban * (c'est le nom de l'eunuque) fit la même chose. La veuve de Noureddin Ali s'aperçut avec chagrin du peu de cas que son petit-fils faisait de sa tarte. « Hé quoi! mon fils, lui dit-elle, est-il possible que vous méprisiez ainsi l'ouvrage de mes propres mains ? Apprenez que per-

* Les Mahométans donnent ordinairement ce nom aux eunuques noirs.

sonne au monde n'est capable de faire de si bonnes tartes à la crème, excepté votre père Bedreddin Hassan, à qui j'ai enseigné le grand art d'en faire de pareilles. — Ah! ma bonne grand-mère, s'écria Agib, permettez-moi de vous dire que, si vous n'en savez pas faire de meilleures, il y a un pâtissier dans cette ville qui vous surpasse dans ce grand art : nous venons d'en manger chez lui une qui vaut beaucoup mieux que celle-ci. »

« A ces paroles, la grand-mère, regardant l'eunuque de travers : « Comment! Schaban, lui dit-elle avec colère, vous a-t-on commis la garde de mon petit-fils pour le mener manger chez des pâtissiers comme un gueux ? — Madame, répondit l'eunuque, il est bien vrai que nous nous sommes entretenus quelque temps avec un pâtissier, mais nous n'avons pas mangé chez lui. — Pardonnez-moi, interrompit Agib, nous sommes entrés dans sa boutique, et nous y avons mangé d'une tarte à la crème. » La dame, plus irritée qu'auparavant contre l'eunuque, se leva de table assez brusquement, courut à la tente de Schemseddin Mohammed, qu'elle informa du délit de l'eunuque dans des termes plus propres à animer le vizir contre le délinquant qu'à lui faire excuser sa faute.

« Schemseddin Mohammed, qui était naturellement emporté, ne perdit pas une si petite occasion de se mettre en colère. Il se rendit à l'instant sous la tente de sa belle-sœur, et dit à l'eunuque : « Quoi! malheureux, tu as la hardiesse d'abuser de la confiance que j'ai en toi! » Schaban, quoique suffisamment convaincu par le témoignage d'Agib, prit le parti de nier encore le fait. Mais l'enfant, soutenant toujours le contraire : « Mon grand-père, dit-il à Schemseddin Mohammed, je vous assure que nous avons si bien mangé l'un et l'autre que nous n'avons pas besoin de souper : le pâtissier nous a même régalés d'une grande porcelaine de sorbet. — Hé bien! méchant esclave, s'écria le vizir en se tournant vers l'eunuque, après cela, ne veux-tu pas convenir que vous êtes entrés tous deux chez un pâtissier, et que vous y avez mangé ? » Schaban eut encore l'effronterie de jurer que cela n'était pas vrai. « Tu es un menteur, lui dit alors le vizir; je crois plutôt mon petit-fils que toi. Néanmoins, si tu peux manger toute cette tarte à la crème qui est sur cette table, je serai persuadé que tu dis la vérité. »

« Schaban, quoiqu'il en eût jusqu'à la gorge, se soumit à cette épreuve, et prit un morceau de tarte à la crème; mais il fut obligé de le retirer de sa bouche, car le cœur lui souleva. Il ne laissa pas pourtant de mentir encore, en disant qu'il avait tant mangé le jour précédent que l'appétit ne lui était pas encore revenu. Le vizir, irrité de tous les mensonges de l'eunuque et convaincu qu'il était coupable, le fit coucher par terre et commanda qu'on lui donnât la bastonnade. Le malheureux poussa de grands cris en souffrant ce châtiment, et confessa la vérité. « Il est vrai, s'écria-t-il, que nous avons mangé une tarte à la crème chez un pâtissier, et elle était cent fois meilleure que celle qui est sur cette table. »

« La veuve de Noureddin Ali crut que c'était par dépit contre elle et pour la mortifier que Schaban louait la tarte du pâtissier. C'est pourquoi, s'adressant à lui : « Je ne puis croire, dit-elle, que les tartes à la crème de ce pâtissier soient plus excellentes que les miennes. Je veux m'en éclaircir; tu sais où il demeure; va chez lui et m'apporte une tarte à la crème tout à l'heure. » En parlant ainsi, elle fit donner de l'argent à l'eunuque pour acheter la tarte, et il partit. Étant arrivé à la boutique de Bedreddin : « Bon pâtissier, lui dit-il, tenez, voilà de l'argent, donnez-moi une tarte à la crème; une de nos dames souhaite d'en goûter. » Il y en avait alors de toutes chaudes; Bedreddin choisit la meilleure, et, la donnant à l'eunuque : « Prenez celle-ci, dit-il, je vous la garantis excellente, et je puis vous assurer que personne au monde n'est capable d'en faire de semblables, si ce n'est ma mère, qui vit peut-être encore. »

« Schaban revint en diligence sous les tentes avec sa tarte à la crème. Il la présenta à la veuve de Noureddin, qui la prit avec empressement. Elle en rompit un morceau pour le manger; mais elle ne l'eut pas plus tôt porté à sa bouche qu'elle fit un grand cri et qu'elle tomba évanouie. Schemseddin Mohammed, qui était présent, fut extrêmement étonné de cet accident; il jeta de l'eau lui-même au visage de sa belle-sœur, et s'empressa fort à la secourir. Dès qu'elle fut revenue de sa faiblesse : « O Dieu! s'écria-t-elle, il faut que ce soit mon fils, mon cher fils Bedreddin, qui ait fait cette tarte... »

La clarté du jour, en cet endroit, vint imposer silence à Scheherazade. Le sultan des Indes se leva pour faire sa prière et aller tenir son conseil; et, la nuit suivante, la sultane poursuivit ainsi l'histoire de Bedreddin Hassan :

Quand le vizir Schemseddin Mohammed eut entendu
dire à sa belle-sœur qu'il fallait que ce fût Bedreddin
Hassan qui eût fait la tarte à la crème que l'eunuque
venait d'apporter, il sentit une joie inconcevable; mais,
venant à faire réflexion que cette joie était sans fondement,·et que selon toutes les apparences la conjecture de
la veuve de Noureddin devait être fausse, il lui dit : « Mais,
Madame, pourquoi avez-vous cette opinion ? Ne se peut-
il pas trouver un pâtissier au monde qui sache aussi bien
faire des tartes à la crème que votre fils ? — Je conviens,
répondit-elle, qu'il y a peut-être des pâtissiers capables
d'en faire d'aussi bonnes; mais, comme je les fais d'une
manière toute singulière, et que nul autre que mon fils
n'a ce secret, il faut absolument que ce soit lui qui ait
fait celle-ci. Réjouissons-nous, mon frère, ajouta-t-elle
avec transport, nous avons enfin trouvé ce que nous
cherchons et désirons depuis si longtemps. — Madame,
répliqua le vizir, modérez, je vous prie, votre impatience, nous saurons bientôt ce que nous en devons
penser. Il n'y a qu'à faire venir ici le pâtissier : si c'est
Bedreddin Hassan, vous le reconnaîtrez bien, ma fille et
vous. Mais il faut que vous vous cachiez toutes deux,
et que vous le voyiez sans qu'il vous voie : car je ne veux
pas que notre reconnaissance se fasse à Damas; j'ai
dessein de la prolonger jusqu'à ce que nous soyons de
retour au Caire, où je me propose de vous donner un
divertissement très agréable. »

« En achevant ces paroles, il laissa les dames sous leur
tente, et se rendit sous la sienne. Là il fit venir cinquante
de ses gens et leur dit : « Prenez chacun un bâton, et
suivez Schaban qui va vous conduire chez un pâtissier
de cette ville. Lorsque vous y serez arrivés, rompez,
brisez tout ce que vous trouverez dans sa boutique. S'il
vous demande pourquoi vous faites ce désordre, deman-
dez-lui seulement si ce n'est pas lui qui a fait la tarte à
la crème qu'on a été prendre chez lui. S'il vous répond
que oui, saisissez-vous de sa personne, liez-le bien, et
me l'amenez; mais gardez-vous de le frapper, ni de lui
faire le moindre mal. Allez, et ne perdez pas de temps. »

« Le vizir fut promptement obéi : ses gens, armés de
bâtons et conduits par l'eunuque noir, se rendirent en

diligence chez Bedreddin Hassan, où ils mirent en pièces les plats, les chaudrons, les casseroles, les tables et tous les autres meubles et ustensiles qu'ils trouvèrent, et inondèrent sa boutique de sorbet, de crème et de confitures. A ce spectacle, Bedreddin Hassan, fort étonné, leur dit d'un ton de voix pitoyable : « Hé! bonnes gens, pourquoi me traitez-vous de la sorte ? De quoi s'agit-il ? Qu'ai-je fait ? — N'est-ce pas vous, dirent-ils, qui avez fait la tarte à la crème que vous avez vendue à l'eunuque que vous voyez ? — Oui, c'est moi-même, répondit-il; qu'y trouve-t-on à dire ? Je défie qui que ce soit d'en faire une meilleure. » Au lieu de lui repartir, ils continuèrent de briser tout, et le four même ne fut pas épargné.

« Cependant les voisins, étant accourus au bruit et fort surpris de voir cinquante hommes armés commettre un pareil désordre, demandaient le sujet d'une si grande violence; et Bedreddin encore une fois dit à ceux qui la lui faisaient : « Apprenez-moi, de grâce, quel crime je puis avoir commis, pour rompre et briser ainsi tout ce qu'il y a chez moi ? — N'est-ce pas vous, répondirent-ils, qui avez fait la tarte à la crème que vous avez vendue à cet eunuque ? — Oui, oui, c'est moi, repartit-il; je soutiens qu'elle est bonne, et je ne mérite pas le traitement injuste que vous me faites. » Ils se saisirent de sa personne sans l'écouter, et, après lui avoir arraché la toile de son turban, ils s'en servirent pour lui lier les mains derrière le dos; puis, le tirant par force de sa boutique, ils commencèrent à l'emmener.

« La populace qui s'était assemblée là, touchée de compassion pour Bedreddin, prit son parti, et voulut s'opposer au dessein des gens de Schemseddin Mohammed; mais il survint en ce moment des officiers du gouverneur de la ville, qui écartèrent le peuple et favorisèrent l'enlèvement de Bedreddin, parce que Schemseddin Mohammed était allé chez le gouverneur de Damas pour l'informer de l'ordre qu'il avait donné et pour lui demander main-forte; et ce gouverneur, qui commandait sur toute la Syrie au nom du sultan d'Égypte, n'avait eu garde de rien refuser au vizir de son maître. On entraînait donc Bedreddin malgré ses cris et ses larmes... »

Scheherazade n'en put dire davantage à cause du jour qu'elle vit paraître; mais le lendemain elle reprit sa narration, et dit au sultan des Indes :

CXIXᵉ NUIT

Sire, le vizir Giafar, continuant de parler au calife :
« Bedreddin Hassan, dit-il, avait beau demander en
chemin aux personnes qui l'emmenaient ce que l'on
avait trouvé dans sa tarte à la crème, on ne lui répondait
rien. Enfin il arriva sous les tentes, où on le fit attendre
jusqu'à ce que Schemseddin Mohammed fût revenu
de chez le gouverneur de Damas.

« Le vizir, étant de retour, demanda des nouvelles du
pâtissier ; on le lui amena. « Seigneur, lui dit Bedreddin
les larmes aux yeux, faites-moi la grâce de me dire en
quoi je vous ai offensé. — Ah ! malheureux ! répondit le
vizir, n'est-ce pas toi qui as fait la tarte à la crème que tu
m'as envoyée ? — J'avoue que c'est moi, repartit Bedreddin. Quel crime ai-je commis en cela ? — Je te châtierai
comme tu le mérites, répliqua Schemseddin Mohammed,
et il ·t'en coûtera la vie pour avoir fait une si méchante
tarte. — Hé ! bon Dieu ! s'écria Bedreddin, qu'est-ce que
j'entends ? Est-ce un crime digne de mort d'avoir fait
une méchante tarte à la crème ? — Oui, dit le vizir, et
tu ne dois pas attendre de moi un autre traitement. »

« Pendant qu'ils s'entretenaient ainsi tous deux, les
dames, qui s'étaient cachées, observaient avec attention
Bedreddin, qu'elles n'eurent pas de peine à reconnaître
malgré le long temps qu'elles ne l'avaient vu. La joie
qu'elles en eurent fut telle qu'elles en tombèrent éva-
nouies. Quand elles furent revenues de leur évanouissement, elles voulaient s'aller jeter au cou de Bedreddin ;
mais la parole qu'elles avaient donnée au vizir de ne se
point montrer l'emporta sur les plus tendres mouvements
de l'amour et de la nature.

« Comme Schemseddin Mohammed avait résolu de
partir cette même nuit, il fit plier les tentes et préparer
les voitures pour se mettre en marche, et, à l'égard de
Bedreddin, il ordonna qu'on le mît dans une caisse bien
fermée et qu'on le chargeât sur un chameau. D'abord
que tout fut prêt pour le départ, le vizir et les gens de
sa suite se mirent en chemin. Ils marchèrent le reste de
la nuit et le jour suivant sans se reposer. Ils ne s'arrêtèrent qu'à l'entrée de la nuit. Alors on tira Bedreddin
Hassan de la caisse pour lui faire prendre de la nourriture ;
mais on eut soin de le tenir éloigné de sa mère et de sa

femme; et, pendant vingt jours que dura le voyage, on le traita de la même manière.

« En arrivant au Caire, on campa aux environs de la ville par ordre du vizir Schemseddin Mohammed, qui se fit amener Bedreddin, devant lequel il dit à un charpentier qu'il avait fait venir : « Va chercher du bois et dresse promptement un poteau. — Hé! Seigneur! dit Bedreddin, que prétendez-vous faire de ce poteau? — T'y attacher, repartit le vizir, et te faire ensuite promener par tous les quartiers de la ville, afin qu'on voie en ta personne un indigne pâtissier qui fait des tartes à la crème sans y mettre de poivre. » A ces mots, Bedreddin Hassan s'écria, d'une manière si plaisante que Schemseddin Mohammed eut bien de la peine à garder son sérieux : « Grand Dieu! c'est donc pour n'avoir pas mis de poivre dans une tarte à la crème qu'on veut me faire souffrir une mort aussi cruelle qu'ignominieuse! »

En achevant ces mots, Scheherazade, remarquant qu'il était jour, se tut, et Schahriar se leva en riant de tout son cœur de la frayeur de Bedreddin, et fort curieux d'entendre la suite de cette histoire, que la sultane reprit de cette sorte le lendemain avant le jour :

CXX^e NUIT

Sire, le calife Haroun-al-Raschid, malgré sa gravité, ne put s'empêcher de rire quand le vizir Giafar lui dit que Schemseddin Mohammed menaçait de faire mourir Bedreddin pour n'avoir pas mis de poivre dans la tarte à la crème qu'il avait vendue à Schaban.

« Hé quoi! disait Bedreddin, faut-il qu'on ait tout rompu et brisé dans ma maison, qu'on m'ait emprisonné dans une caisse, et qu'enfin on s'apprête à m'attacher à un poteau; et tout cela parce que je ne mets pas de poivre dans une tarte à la crème! Hé! grand Dieu! qui a jamais ouï parler d'une pareille chose ? Sont-ce là des actions de Musulmans, de personnes qui font profession de probité, de justice, et qui pratiquent toutes sortes de bonnes œuvres ? » En disant cela, il fondait en larmes; puis, recommençant ses plaintes : « Non, reprenait-il, jamais personne n'a été traité si injustement ni si rigoureusement. Est-il possible qu'on soit capable d'ôter la vie à un homme pour n'avoir pas mis de poivre dans une

tarte à la crème ? Que maudites soient toutes les tartes
à la crème, aussi bien que l'heure où je suis né! Plût à
Dieu que je fusse mort en ce moment! »

« Le désolé Bedreddin ne cessa de se lamenter; et,
lorsqu'on apporta le poteau et les clous pour l'y clouer,
il poussa de grands cris à ce spectacle terrible : « O Ciel!
dit-il, pouvez-vous souffrir que je meure d'un trépas
infâme et douloureux ? Et cela, pour quel crime! Ce
n'est point pour avoir volé, ni pour avoir tué, ni pour
avoir renié ma religion : c'est pour n'avoir pas mis de
poivre dans une tarte à la crème! »

« Comme la nuit était alors déjà assez avancée, le
vizir Schemseddin Mohammed fit remettre Bedreddin
dans sa caisse, et lui dit : « Demeure là jusqu'à demain;
le jour ne se passera pas que je ne te fasse mourir. » On
emporta la caisse, et l'on en chargea le chameau qui
l'avait apportée depuis Damas. On rechargea en même
temps tous les autres chameaux; et le vizir, étant monté à
cheval, fit marcher devant lui le chameau qui portait son
neveu, et entra dans la ville, suivi de tout son équipage.
Après avoir passé plusieurs rues où personne ne parut,
parce que tout le monde s'était retiré, il se rendit à son
hôtel, où il fit décharger la caisse, avec défense de l'ouvrir que lorsqu'il l'ordonnerait.

« Tandis qu'on déchargeait les autres chameaux, il prit
en particulier la mère de Bedreddin Hassan et sa fille,
et, s'adressant à la dernière : « Dieu soit loué, lui dit-il,
ma fille, de ce qu'il nous a fait si heureusement rencontrer votre cousin et votre mari! Vous vous souvenez bien
apparemment de l'état où était votre chambre la première
nuit de vos noces : allez, faites-y mettre toutes choses
comme elles étaient alors. Si pourtant vous ne vous en
souveniez pas, je pourrais y suppléer par l'écrit que j'en
ai fait faire. De mon côté, je vais donner ordre au reste. »

« Dame de beauté alla exécuter avec joie ce que venait
de lui ordonner son père, qui commença aussi à disposer
toutes choses dans la salle, de la même manière qu'elles
étaient lorsque Bedreddin Hassan s'y était trouvé avec le
palefrenier bossu du sultan d'Égypte. A mesure qu'il
lisait l'écrit, ses domestiques mettaient chaque meuble à sa
place. Le trône ne fut pas oublié, non plus que les bougies allumées. Quand tout fut préparé dans la salle, le
vizir entra dans la chambre de sa fille, où il posa l'habillement de Bedreddin avec la bourse de sequins. Cela étant
fait, il dit à Dame de beauté : « Déshabillez-vous, ma

fille, et vous couchez. Dès que Bedreddin sera entré dans cette chambre, plaignez-vous de ce qu'il a été dehors trop longtemps, et dites-lui que vous avez été bien étonnée en vous réveillant de ne le pas trouver auprès de vous. Pressez-le de se remettre au lit, et demain matin vous nous divertirez, madame, votre belle-mère et moi, en nous rendant compte de ce qui se sera passé entre vous et lui cette nuit. » A ces mots, il sortit de l'appartement de sa fille, et lui laissa la liberté de se coucher... »

Scheherazade voulait poursuivre son récit, mais le jour qui commençait à paraître l'en empêcha.

CXXI^e NUIT

Sur la fin de la nuit suivante, le sultan des Indes, qui avait une extrême impatience d'apprendre comment se dénouerait l'histoire de Bedreddin, réveilla lui-même Scheherazade, et l'avertit de la continuer ; ce qu'elle fit dans ces termes :

« Schemseddin Mohammed, dit le vizir Giafar au calife, fit sortir de la salle tous les domestiques qui y étaient et leur ordonna de s'éloigner, à la réserve de deux ou trois qu'il fit demeurer. Il les chargea d'aller tirer Bedreddin hors de la caisse, de le mettre en chemise et en caleçon, de le conduire en cet état dans la salle, de l'y laisser tout seul, et d'en fermer la porte.

« Bedreddin Hassan, quoique accablé de douleur, s'était endormi pendant tout ce temps-là, si bien que les domestiques du vizir l'eurent plus tôt tiré de la caisse, mis en chemise et en caleçon, qu'il ne fut réveillé ; et ils le transportèrent dans la salle si brusquement qu'ils ne lui donnèrent pas le loisir de se reconnaître. Quand il se vit seul dans la salle, il promena sa vue de toutes parts ; et, les choses qu'il voyait rappelant dans sa mémoire le souvenir de ses noces, il s'aperçut avec étonnement que c'était la même salle où il avait vu le palefrenier bossu. Sa surprise augmenta encore lorsque, s'étant approché doucement de la porte d'une chambre qu'il trouva ouverte. il vit dedans son habillement au même endroit où il se souvenait de l'avoir mis la nuit de ses noces. « Bon Dieu ! dit-il en se frottant les yeux, suis-je endormi, suis-je éveillé ? »

« Dame de beauté, qui l'observait, après s'être divertie
de son étonnement, ouvrit tout à coup les rideaux de son
lit, et, avançant la tête : « Mon cher seigneur, lui dit-elle
d'un ton assez tendre, que faites-vous à la porte ? Venez
vous recoucher. Vous avez demeuré dehors bien longtemps. J'ai été fort surprise en me réveillant de ne vous
pas trouver à mes côtés. » Bedreddin Hassan changea
de visage lorsqu'il reconnut que la dame qui lui parlait
était cette charmante personne avec laquelle il se souvenait d'avoir couché. Il entra dans la chambre ; mais, au
lieu d'aller au lit, comme il était plein des idées de tout
ce qui lui était arrivé depuis dix ans, et qu'il ne pouvait
se persuader que tous ces événements se fussent passés
en une seule nuit, il s'approcha de la chaise où étaient ses
habits et la bourse de sequins ; et, après les avoir examinés
avec beaucoup d'attention : « Par le grand Dieu vivant,
s'écria-t-il, voilà des choses que je ne puis comprendre ! »
La dame, qui prenait plaisir à voir son embarras, lui dit :
« Encore une fois, Seigneur, venez vous remettre au lit.
A quoi vous amusez-vous ? » A ces paroles, il s'avança
vers Dame de beauté : « Je vous supplie, Madame,
lui dit-il, de m'apprendre s'il y a longtemps que je suis
auprès de vous. — La question me surprend, répondit-
elle : est-ce que vous ne vous êtes pas levé d'auprès de
moi tout à l'heure ? Il faut que vous ayez l'esprit bien
préoccupé. — Madame, reprit Bedreddin, je ne l'ai
assurément pas fort tranquille ; je me souviens, il est vrai,
d'avoir été près de vous ; mais je me souviens aussi
d'avoir depuis demeuré dix ans à Damas. Si j'ai en effet
couché cette nuit avec vous, je ne puis pas en avoir été
éloigné si longtemps. Ces deux choses sont opposées.
Dites-moi, de grâce, ce que j'en dois penser ; si mon
mariage avec vous est une illusion, ou si c'est un songe
que mon absence ? — Oui, Seigneur, repartit Dame de
beauté, vous avez rêvé, sans doute, que vous avez été à
Damas. — Il n'y a donc rien de si plaisant, s'écria Bedreddin en faisant un éclat de rire. Je suis assuré, Madame,
que ce songe va vous paraître très réjouissant. Imaginez-
vous, s'il vous plaît, que je me suis trouvé à la porte de
Damas en chemise et en caleçon, comme je suis en ce
moment ; que je suis entré dans la ville aux huées d'une
populace qui me suivait en m'insultant ; que je me suis
sauvé chez un pâtissier, qui m'a adopté, m'a appris son
métier, et m'a laissé tous ses biens en mourant ; qu'après
sa mort, j'ai tenu sa boutique. Enfin, Madame, il m'est

arrivé une infinité d'autres aventures qui seraient trop longues à raconter ; et tout ce que je puis vous dire, c'est que je n'ai pas mal fait de me réveiller : sans cela on m'allait clouer à un poteau. — Et pour quel sujet, dit Dame de beauté en faisant l'étonnée, voulait-on vous traiter si cruellement ? Il fallait donc que vous eussiez commis un crime énorme ? — Point du tout, répondit Bedreddin, c'était pour la chose du monde la plus bizarre et la plus ridicule. Tout mon crime était d'avoir vendu une tarte à la crème où je n'avais pas mis de poivre. — Ah ! pour cela, dit Dame de beauté en riant de toute sa force, il faut avouer qu'on vous faisait une horrible injustice. — Oh ! Madame, répliqua-t-il, ce n'est pas tout encore : pour cette maudite tarte à la crème où l'on me reprochait de n'avoir pas mis de poivre, on avait tout rompu et tout brisé dans ma boutique ; on m'avait lié avec des cordes, et enfermé dans une caisse où j'étais si étroitement qu'il me semble que je m'en sens encore. Enfin, on avait fait venir un chrapentier, et on lui avait commandé de dresser un poteau pour me pendre. Mais Dieu soit béni de ce que tout cela n'est qu'un ouvrage du sommeil ! »

Scheherazade, en cet endroit, apercevant le jour, cessa de parler. Schahriar ne put s'empêcher de rire de ce que Bedreddin Hassan avait pris une chose réelle pour un songe. « Il faut convenir, dit-il, que cela est très plaisant, et je suis persuadé que le lendemain le vizir Schemseddin Mohammed et sa belle-sœur s'en divertirent extrêmement. — Sire, répondit la sultane, c'est ce que j'aurai l'honneur de vous raconter la nuit prochaine, si Votre Majesté veut bien me laisser vivre jusqu'à ce temps-là. » Le sultan des Indes se leva sans rien répliquer à ces paroles ; mais il était fort éloigné d'avoir une autre pensée.

CXXIIᵉ NUIT

Scheherazade, réveillée avant le jour, reprit ainsi la parole :

« Sire, Bedreddin ne passa pas tranquillement la nuit ; il se réveillait de temps en temps, et se demandait à lui-même s'il rêvait ou s'il était éveillé. Il se défiait de son bonheur ; et, cherchant à s'en assurer, il ouvrait les rideaux, et parcourait des yeux toute la chambre. « Je ne me trompe pas, disait-il : voilà la même chambre où je suis entré à la place du bossu; et je suis couché avec la belle dame qui lui était destinée. » Le jour qui paraissait n'avait pas encore dissipé son inquiétude, lorsque le vizir Schemseddin Mohammed, son oncle, frappa à la porte, et entra presque en même temps pour lui donner le bonjour.

« Bedreddin Hassan fut dans une surprise extrême de voir paraître subitement un homme qu'il connaissait si bien, mais qui n'avait plus l'air de ce juge terrible qui avait prononcé l'arrêt de sa mort. « Ah! c'est donc vous, s'écria-t-il, qui m'avez traité si indignement et condamné à une mort qui me fait encore horreur, pour une tarte à la crème où je n'avais pas mis de poivre! » Le vizir se prit à rire, et, pour le tirer de peine, lui conta comment, par le ministère d'un génie (car le récit du bossu lui avait fait soupçonner l'aventure), il s'était trouvé chez lui et avait épousé sa fille à la place du palefrenier du sultan. Il lui apprit ensuite que c'était par le cahier écrit de la main de Noureddin Ali qu'il avait découvert qu'il était son neveu; et enfin il lui dit qu'en conséquence de cette découverte, il était parti du Caire, et était allé jusqu'à Balsora pour le chercher et apprendre de ses nouvelles. « Mon cher neveu, ajouta-t-il en l'embrassant avec beaucoup de tendresse, je vous demande pardon de tout ce que je vous ai fait souffrir depuis que je vous ai reconnu. J'ai voulu vous ramener chez moi avant que de vous apprendre votre bonheur, que vous devez trouver d'autant plus charmant qu'il vous a coûté plus de peine. Consolez-vous de toutes vos afflictions par la joie de vous voir rendu aux personnes qui vous doivent être les plus chères. Pendant que vous vous habillerez, je vais avertir madame votre mère, qui est dans une grande impatience de vous embrasser, et je vous amènerai votre fils que vous avez vu à Damas, et pour qui vous vous êtes senti tant d'inclination sans le connaître. »

« Il n'y a pas de paroles assez énergiques pour bien exprimer quelle fut la joie de Bedreddin lorsqu'il vit sa mère et son fils Agib. Ces trois personnes ne cessaient de s'embrasser et de faire paraître tous les transports que le sang et la plus vive tendresse peuvent inspirer. La mère dit les choses du monde les plus touchantes à Bedreddin; elle lui parla de la douleur que lui avait causée une si longue absence, et des pleurs qu'elle avait versés. Le petit Agib, au lieu de fuir comme à Damas les embrassements de son père, ne se lassait point de les recevoir; et Bedreddin Hassan, partagé entre deux objets si dignes de son amour, ne croyait pas leur pouvoir donner assez de marques de son affection.

« Pendant que ces choses se passaient chez Schemseddin Mohammed, ce vizir était allé au palais rendre compte au sultan de l'heureux succès de son voyage. Le sultan fut si charmé du récit de cette merveilleuse histoire qu'il la fit écrire pour être conservée soigneusement dans les archives du royaume. Aussitôt que Schemseddin Mohammed fut de retour au logis, comme il avait fait préparer un superbe festin, il se mit à table avec sa famille; et toute sa maison passa la journée dans de grandes réjouissances. »

Le vizir Giafar, ayant ainsi achevé l'histoire de Bedreddin Hassan, dit au calife Haroun-al-Raschid : « Commandeur des croyants, voilà ce que j'avais à raconter à Votre Majesté. » Le calife trouva cette histoire si surprenante qu'il accorda sans hésiter la grâce de l'esclave Rihan; et, pour consoler le jeune homme de la douleur qu'il avait de s'être privé lui-même malheureusement d'une femme qu'il aimait beaucoup, ce prince le maria avec une de ses esclaves, le combla de biens, et le chérit jusqu'à sa mort.

« Mais, Sire, ajouta Scheherazade, remarquant que le jour commençait à paraître, quelque agréable que soit l'histoire que je viens de raconter, j'en sais une autre qui l'est encore davantage. Si Votre Majesté souhaite de l'entendre la nuit prochaine, je suis assurée qu'elle en demeurera d'accord. » Schahriar se leva sans rien dire, et fort incertain de ce qu'il avait à faire. « La bonne sultane, dit-il en lui-même, raconte de fort longues histoires; et, quand une fois elle en a commencé une, il n'y a pas moyen de refuser de l'entendre tout entière. Je ne sais si je ne devrais pas la faire mourir aujourd'hui; mais non, ne précipitons rien : l'histoire dont elle me fait fête est peut-être encore plus divertissante que toutes celles qu'elle m'a racontées jusqu'ici; il ne faut pas que je me prive du plaisir de l'entendre; après qu'elle m'en aura fait le récit, j'ordonnerai sa mort. »

CXXIII^e NUIT

Dinarzade ne manqua pas de réveiller avant le jour la
sultane des Indes, laquelle, après avoir demandé à
Schahriar la permission de commencer l'histoire qu'elle
avait promis de raconter, prit ainsi la parole :

HISTOIRE DU PETIT BOSSU

Il y avait autrefois à Casgar, aux extrémités de la Grande-Tartarie, un tailleur qui avait une très belle femme qu'il aimait beaucoup, et dont il était aimé de même. Un jour qu'il travaillait, un petit bossu vint s'asseoir à l'entrée de sa boutique, et se mit à chanter en jouant du tambour de basque. Le tailleur prit plaisir à l'entendre, et résolut de l'emmener dans sa maison pour réjouir sa femme.

« Avec ses chansons plaisantes, disait-il, il nous divertira tous deux ce soir. » Il lui en fit la proposition, et, le bossu l'ayant acceptée, il ferma sa boutique et le mena chez lui.

Dès qu'ils y furent arrivés, la femme du tailleur, qui avait déjà mis le couvert, parce qu'il était temps de souper, servit un bon plat de poisson qu'elle avait préparé. Ils se mirent tous trois à table; mais, en mangeant, le bossu avala par malheur une grosse arête ou un os, dont il mourut en peu de moments, sans que le tailleur et sa femme y pussent remédier. Ils furent l'un et l'autre d'autant plus effrayés de cet accident qu'il était arrivé chez eux, et qu'ils avaient sujet de craindre que, si la justice venait à le savoir, on ne les punît comme des assassins. Le mari néanmoins trouva un expédient pour se défaire du corps mort : il fit réflexion qu'il demeurait dans le voisinage un médecin juif; et là-dessus, ayant formé un projet, pour commencer à l'exécuter, sa femme et lui prirent le bossu, l'un par les pieds, l'autre par la tête, et le portèrent jusqu'au logis du médecin. Ils frappèrent à sa porte, où aboutissait un escalier très raide par où l'on montait à sa chambre. Une servante descend aussitôt, même sans lumière, ouvre, et demande ce qu'ils souhaitent. « Remontez, s'il vous plaît, répondit le tailleur, et dites à votre maître que nous lui amenons un homme bien malade pour qu'il lui ordonne quelque remède. Tenez, ajouta-t-il en lui mettant en main une pièce d'argent, donnez-lui cela par avance, afin qu'il soit persuadé que nous n'avons pas dessein de lui faire perdre sa peine. » Pendant que la servante remonta pour faire part au médecin juif d'une si bonne nouvelle, le tailleur et sa femme portèrent promptement le corps du bossu au haut de l'escalier, le laissèrent là, et retournèrent chez eux en diligence.

Cependant, la servante ayant dit au médecin qu'un homme et une femme l'attendaient à la porte et le priaient de descendre pour voir un malade qu'ils avaient amené, et lui ayant remis entre les mains l'argent qu'elle avait reçu, il se laissa transporter de joie : se voyant payé d'avance, il crut que c'était une bonne pratique qu'on lui amenait et qu'il ne fallait pas négliger. « Prends vite de la lumière, dit-il à sa servante, et suis-moi. » En disant cela, il s'avança vers l'escalier avec tant de précipitation qu'il n'attendit point qu'on l'éclairât ; et, venant à rencontrer le bossu, il lui donna du pied dans les côtes si rudement qu'il le fit rouler jusqu'au bas de l'escalier ; peu s'en fallut qu'il ne tombât et ne roulât avec lui. « Apporte donc vite de la lumière », cria-t-il à sa servante. Enfin elle arriva ; il descendit avec elle, et, trouvant que ce qui avait roulé était un homme mort, il fut tellement effrayé de ce spectacle qu'il invoqua Moïse, Aaron, Josué, Esdras et tous les autres prophètes de sa loi. « Malheureux que je suis ! disait-il, pourquoi ai-je voulu descendre sans lumière ? J'ai achevé de tuer ce malade qu'on m'avait amené. Je suis cause de sa mort, et, si le bon âne d'Esdras * ne vient à mon secours, je suis perdu. Hélas ! on va bientôt me tirer de chez moi comme un meurtrier. »

Malgré le trouble qui l'agitait, il ne laissa pas d'avoir la précaution de fermer sa porte, de peur que par hasard quelqu'un, venant à passer par la rue, ne s'aperçût du malheur dont il se croyait la cause. Il prit ensuite le cadavre, le porta dans la chambre de sa femme, qui faillit s'évanouir quand elle le vit entrer avec cette fatale charge. « Ah ! c'est fait de nous, s'écria-t-elle, si nous ne

---

* L'auteur arabe se divertit ici aux dépens des Juifs : cet âne est celui, qui selon les Mahométans, servit de monture à Esdras quand il vint de la captivité de Babylone à Jérusalem.

trouvons moyen de mettre cette nuit hors de chez nous ce corps mort ! Nous perdrons indubitablement la vie si nous le gardons jusqu'au jour. Quel malheur ! Comment avez-vous donc fait pour tuer cet homme ? — Il ne s'agit point de cela, repartit le juif, il s'agit de trouver un remède à un mal si pressant... »

« Mais, Sire, dit Scheherazade en s'interrompant en cet endroit, je ne fais pas réflexion qu'il est jour. » A ces mots, elle se tut, et la nuit suivante elle poursuivit de cette sorte l'histoire du petit bossu :

CXXIV^e NUIT

Le médecin et sa femme délibérèrent ensemble sur le moyen de se délivrer du corps mort pendant la nuit. Le médecin eut beau rêver, il ne trouva nul stratagème pour sortir d'embarras ; mais sa femme, plus fertile en inventions, dit : « Il me vient une pensée : portons ce cadavre sur la terrasse de notre logis, et le jetons par la cheminée dans la maison du musulman notre voisin. »

Ce musulman était un des pourvoyeurs du sultan : il était chargé du soin de fournir l'huile, le beurre et toutes sortes de graisses. Il avait chez lui son magasin, où les rats et les souris faisaient un grand dégât.

Le médecin juif ayant approuvé l'expédient proposé, sa femme et lui prirent le bossu, le portèrent sur le toit de leur maison, et, après lui avoir passé des cordes sous les aisselles, ils le descendirent par la cheminée dans la chambre du pourvoyeur, si doucement qu'il demeura planté sur ses pieds contre le mur comme s'il eût été vivant. Lorsqu'ils le sentirent en bas, ils retirèrent les cordes et le laissèrent dans l'attitude que je viens de dire. Ils étaient à peine descendus et rentrés dans leur chambre, quand le pourvoyeur entra dans la sienne. Il revenait d'un festin de noces auquel il avait été invité ce soir-là, et il avait une lanterne à la main. Il fut assez surpris de voir, à la faveur de sa lumière, un homme debout dans sa cheminée ; mais, comme il était naturellement courageux et qu'il s'imagina que c'était un voleur, il se saisit d'un gros bâton, avec quoi courant droit au bossu : « Ah ! ah ! lui dit-il, je m'imaginais que c'étaient les rats et les souris qui mangeaient mon beurre et mes graisses, et c'est toi qui descends par la cheminée pour me voler !

Je ne crois pas qu'il te reprenne jamais envie d'y revenir. »
En achevant ces mots, il frappe le bossu et lui donne
plusieurs coups de bâton. Le cadavre tombe le nez contre
terre; le pourvoyeur redouble ses coups; mais, remarquant enfin que le corps qu'il frappe est sans mouvement,
il s'arrête pour le considérer. Alors, voyant que c'était un
cadavre, la crainte commença de succéder à la colère.
« Qu'ai-je fait, misérable! dit-il. Je viens d'assommer un
homme! Ah! j'ai porté trop loin ma vengeance. Grand
Dieu! si vous n'avez pitié de moi, c'est fait de ma vie.
Maudites soient mille fois les graisses et les huiles qui
sont cause que j'ai commis une action si criminelle. » Il
demeura pâle et défait; il croyait déjà voir les ministres
de la justice qui le traînaient au supplice, et il ne savait
quelle résolution il devait prendre...

L'aurore qui paraissait obligea Scheherazade à mettre
fin à son discours; mais elle en reprit le fil sur la fin de la
nuit suivante, et dit au sultan des Indes :

CXXVᵉ NUIT

Sire, le pourvoyeur du sultan de Casgar, en frappant le
bossu, n'avait pas pris garde à sa bosse : lorsqu'il s'en
aperçut, il fit des imprécations contre lui. « Maudit
bossu, s'écria-t-il, chien de bossu, plût à Dieu que tu
m'eusses volé toutes mes graisses, et que je ne t'eusse
point trouvé ici : je ne serais pas dans l'embarras où je
suis pour l'amour de toi et de ta vilaine bosse! Étoiles
qui brillez aux cieux, ajouta-t-il, n'ayez de la lumière
que pour moi dans un danger si évident. » En disant ces
paroles, il chargea le bossu sur ses épaules, sortit de sa
chambre, alla jusqu'au bout de la rue, où l'ayant posé
debout et appuyé contre une boutique, il reprit le
chemin de sa maison sans regarder derrière lui.
Quelques moments avant le jour, un marchand chrétien qui était fort riche et qui fournissait au palais du
sultan la plupart des choses dont on y avait besoin, après
avoir passé la nuit en débauche, s'avisa de sortir de chez
lui pour aller au bain. Quoiqu'il fût ivre, il ne laissa pas
de remarquer que la nuit était fort avancée, et qu'on
allait bientôt appeler à la prière de la pointe du jour.
C'est pourquoi, précipitant ses pas, il se hâtait d'arriver
au bain, de peur que quelque musulman, en allant à la

mosquée, ne le rencontrât et ne le menât en prison
comme un ivrogne. Néanmoins, quand il fut au bout de
la rue, il s'arrêta pour quelque besoin contre la boutique
où le pourvoyeur du sultan avait mis le corps du bossu,
lequel, venant à être ébranlé, tomba sur le dos du marchand, qui, dans la pensée que c'était un voleur qui
l'attaquait, le renversa par terre d'un coup de poing
qu'il lui déchargea sur la tête; il lui en donna beaucoup
d'autres ensuite, et se mit à crier au voleur.

Le garde du quartier vint à ses cris; et, voyant que
c'était un chrétien qui maltraitait un musulman (car le
bossu était de notre religion) : « Quel sujet avez-vous,
lui dit-il, de maltraiter ainsi un musulman ? — Il a
voulu me voler, répondit le marchand, et il s'est jeté sur
moi pour me prendre à la gorge. — Vous vous êtes assez
vengé, répliqua le garde en le tirant par le bras, ôtez-
vous de là. » En même temps il tendit la main au bossu pour
l'aider à se relever; mais, remarquant qu'il était mort :
« Oh! oh! poursuivit-il, c'est donc ainsi qu'un chrétien
a la hardiesse d'assassiner un musulman! » En achevant
ces mots, il arrêta le chrétien et le mena chez le lieutenant de police, où on le mit en prison jusqu'à ce que le
juge fût levé et en état d'interroger l'accusé. Cependant
le marchand chrétien revint de son ivresse, et plus il
faisait de réflexions sur son aventure, moins il pouvait
comprendre comment de simples coups de poing avaient
été capables d'ôter la vie à un homme.

Le lieutenant de police, sur le rapport du garde, et
ayant vu le cadavre qu'on avait apporté chez lui, interrogea le marchand chrétien, qui ne put nier un crime qu'il
n'avait pas commis. Comme le bossu appartenait au sultan, car c'était un de ses bouffons, le lieutenant de police
ne voulut pas faire mourir le chrétien sans avoir auparavant appris la volonté du prince. Il alla au palais pour
cet effet rendre compte de ce qui se passait au sultan, qui
lui dit : « Je n'ai point de grâce à accorder à un chrétien
qui tue un musulman : allez, faites votre charge. » A
ces paroles, le juge de police fit dresser une potence,
envoya des crieurs par la ville pour publier qu'on allait
pendre un chrétien qui avait tué un musulman.

Enfin on tira le marchand de prison, on l'amena au
pied de la potence; et le bourreau, après lui avoir attaché
la corde au cou, allait l'élever en l'air, lorsque le pourvoyeur du sultan, fendant la presse, s'avança en criant au
bourreau : « Attendez, attendez; ne vous pressez pas :

ce n'est pas lui qui a commis le meurtre, c'est moi. »
Le lieutenant de police, qui assistait à l'exécution, se mit
à interroger le pourvoyeur, qui lui raconta de point en
point de quelle manière il avait tué le bossu, et il acheva
en disant qu'il avait porté son corps à l'endroit où le
marchand chrétien l'avait trouvé. « Vous alliez, ajouta-
t-il, faire mourir un innocent, puisqu'il ne peut pas avoir
tué un homme qui n'était plus en vie. C'est bien assez
pour moi d'avoir assassiné un musulman, sans charger
encore ma conscience de la mort d'un chrétien qui n'est
pas criminel... »

Le jour qui commençait à paraître empêcha Scheherazade de poursuivre son discours; mais elle en reprit
la suite sur la fin de la nuit suivante :

CXXVIᵉ NUIT

Sire, dit-elle, le pourvoyeur du sultan de Casgar s'étant
accusé lui-même publiquement d'être l'auteur de la
mort du bossu, le lieutenant de police ne put se dispenser
de rendre justice au marchand. « Laisse, dit-il au bourreau, laisse aller le chrétien, et pends cet homme à sa
place, puisqu'il est évident, par sa propre confession,
qu'il est le coupable. » Le bourreau lâcha le marchand,
mit aussitôt la corde au cou du pourvoyeur; et, dans le
temps qu'il allait l'expédier, il entendit la voix du médecin
juif qui le priait instamment de suspendre l'exécution,
et qui se faisait faire place pour se rendre au pied de
la potence.
Quand il fut devant le juge de police : « Seigneur, lui
dit-il, ce musulman que vous voulez faire pendre n'a
pas mérité la mort; c'est moi seul qui suis criminel.
Hier, pendant la nuit, un homme et une femme que je
ne connais pas vinrent frapper à ma porte avec un malade
qu'ils m'amenaient. Ma servante alla ouvrir sans lumière,
reçut d'eux une pièce d'argent pour me venir dire de
leur part de prendre la peine de descendre pour voir
le malade. Pendant qu'elle me parlait, ils apportèrent le
malade au haut de l'escalier, et puis disparurent. Je
descendis sans attendre que ma servante eût allumé une
chandelle; et dans l'obscurité, venant à donner du pied
contre le malade, je le fis rouler jusqu'au bas de l'escalier.
Enfin je vis qu'il était mort, et que c'était le musulman

bossu dont on veut aujourd'hui venger le trépas. Nous prîmes le cadavre, ma femme et moi, nous le portâmes sur notre toit, d'où nous le passâmes sur celui du pourvoyeur, notre voisin, que vous alliez faire mourir injustement, et nous le descendîmes dans sa chambre par sa cheminée. Le pourvoyeur, l'ayant trouvé chez lui, l'a traité comme un voleur, l'a frappé et a cru l'avoir tué; mais cela n'est pas, comme vous le voyez par ma déposition. Je suis donc le seul auteur du meurtre; et, quoique je le sois contre mon intention, j'ai résolu d'expier mon crime, pour n'avoir pas à me reprocher la mort de deux musulmans en souffrant que vous ôtiez la vie au pourvoyeur du sultan, dont je viens vous révéler l'innocence. Renvoyez-le donc, s'il vous plaît, et me mettez à sa place, puisque personne que moi n'est cause de la mort du bossu... »

La sultane Scheherazade fut obligée d'interrompre son récit en cet endroit, parce qu'elle remarqua qu'il était jour. Schahriar se leva, et le lendemain, ayant témoigné qu'il souhaitait d'apprendre la suite de l'histoire du bossu, Scheherazade satisfit ainsi sa curiosité :

CXXVII^e NUIT

Sire, dit-elle, dès que le juge de police fut persuadé que le médecin juif était le meurtrier, il ordonna au bourreau de se saisir de sa personne et de mettre en liberté le pourvoyeur du sultan. Le médecin avait déjà la corde au cou, et allait cesser de vivre, quand on entendit la voix du tailleur, qui priait le bourreau de ne pas passer plus avant, et qui faisait ranger le peuple pour s'avancer vers le lieutenant de police, devant lequel étant arrivé : « Seigneur, lui dit-il, peu s'en est fallu que vous n'ayez fait perdre la vie à trois personnes innocentes; mais, si vous voulez bien avoir la patience de m'entendre, vous allez connaître le véritable assassin du bossu. Si sa mort doit être expiée par une autre, c'est par la mienne. Hier, vers la fin du jour, comme je travaillais dans ma boutique et que j'étais en humeur de me réjouir, le bossu, à demi ivre, arriva et s'assit. Il chanta quelque temps, et je lui proposai de venir passer la soirée chez moi. Il y consentit, et je l'emmenai. Nous nous mîmes à table, je lui servis un morceau de poisson; en le mangeant, une arête ou un os s'arrêta dans son gosier, et, quelque chose que nous pûmes faire, ma femme et moi, pour le soulager, il mourut en peu de temps. Nous fûmes fort affligés de sa mort; et, de peur d'en être repris, nous portâmes le cadavre à la porte du médecin juif. Je frappai, et je dis à la servante qui vint ouvrir de remonter promptement, et de prier son maître, de notre part, de descendre pour voir un malade que nous lui amenions; et, afin qu'il ne refusât pas de venir, je la chargeai de lui remettre en main propre une pièce d'argent que je lui donnai. Dès qu'elle fut remontée, je portai le bossu au haut de l'escalier sur la première marche, et nous sortîmes aussitôt, ma femme et moi, pour nous retirer chez nous. Le médecin, en voulant descendre, fit rouler le bossu; ce qui lui a fait croire qu'il était cause de sa mort. Puisque cela est ainsi, ajouta-t-il, laissez aller le médecin, et me faites mourir. »

Le lieutenant de police et tous les spectateurs ne pouvaient assez admirer les étranges événements dont la mort du bossu avait été suivie. « Lâche donc le médecin juif, dit le juge au bourreau, et pends le tailleur, puisqu'il confesse son crime. Il faut avouer que cette histoire est bien extraordinaire, et qu'elle mérite d'être écrite en lettres d'or. » Le bourreau, ayant mis en liberté le médecin, passa une corde au cou du tailleur...

« Mais, Sire, dit Scheherazade en s'interrompant en cet endroit, je vois qu'il est déjà jour; il faut, s'il vous plaît, remettre la suite de cette histoire à demain. » Le sultan des Indes y consentit, et se leva pour aller à ses fonctions ordinaires.

CXXVIII^e NUIT

La sultane, ayant été réveillée par sa sœur, reprit ainsi la parole :

Sire, pendant que le bourreau se préparait à pendre le tailleur, le sultan de Casgar, qui ne pouvait se passer longtemps du bossu, son bouffon, ayant demandé à le voir, un de ses officiers lui dit : « Sire, le bossu dont Votre Majesté est en peine, après s'être enivré hier, s'échappa du palais, contre sa coutume, pour aller courir par la ville, et il s'est trouvé mort ce matin. On a conduit devant le juge de police un homme accusé de l'avoir tué, et aussitôt le juge a fait dresser une potence. Comme on allait pendre l'accusé, un homme est arrivé, et après celui-là un autre, qui s'accusent eux-mêmes et se déchargent l'un l'autre. Il y a longtemps que cela dure, et le lieutenant de police est actuellement occupé à interroger un troisième homme qui se dit le véritable assassin. »

A ce discours, le sultan de Casgar envoya un huissier au lieu du supplice : « Allez, lui dit-il, en toute diligence dire au juge de police qu'il m'amène incessamment les accusés, et qu'on m'apporte aussi le corps du pauvre bossu que je veux voir encore une fois. » L'huissier partit, et, arrivant dans le temps que le bourreau commençait à tirer la corde pour pendre le tailleur, il cria de toute sa force que l'on eût à suspendre l'exécution. Le bourreau, ayant reconnu l'huissier, n'osa passer outre et lâcha le tailleur. Après cela, l'huissier, ayant joint le lieutenant de police, lui déclara la volonté du sultan. Le juge obéit, prit le chemin du palais avec le tailleur, le médecin juif, le pourvoyeur et le marchand chrétien, et fit porter par quatre de ses gens le corps du bossu.

Lorsqu'ils furent tous devant le sultan, le juge de police se prosterna aux pieds de ce prince, et, quand il fut relevé, lui raconta fidèlement tout ce qu'il savait de l'histoire du bossu. Le sultan la trouva si singulière qu'il ordonna à son historiographe particulier de l'écrire avec toutes ses circonstances; puis, s'adressant à toutes les personnes qui étaient présentes : « Avez-vous jamais, leur dit-il, rien entendu de plus surprenant que ce qui vient d'arriver à l'occasion du bossu, mon bouffon ? » Le marchand chrétien, après s'être prosterné jusqu'à toucher la terre de son front, prit alors la parole : « Puissant monarque, dit-il, je sais une histoire plus étonnante que celle dont on vient de vous faire le récit; je vais vous la raconter, si Votre Majesté veut m'en donner la permission. Les circonstances en sont telles qu'il n'y a personne qui puisse les entendre sans en être touché. » Le sultan lui permit de la dire, ce qu'il fit en ces termes :

HISTOIRE

« Sire, avant que je m'engage dans le récit que Votre Majesté consent que je lui fasse, je lui ferai remarquer, s'il lui plaît, que je n'ai pas l'honneur d'être né dans un endroit qui relève de son empire. Je suis étranger, natif du Caire en Égypte, Copte de nation et chrétien de religion. Mon père était courtier, et il avait amassé des biens assez considérables qu'il me laissa en mourant. Je suivis son exemple, et embrassai sa profession. Comme j'étais un jour au Caire dans le logement public des marchands de toutes sortes de grains, un jeune marchand très bien fait et proprement vêtu, monté sur un âne, vint m'aborder. Il me salua, et, ouvrant un mouchoir où il y avait une montre de sésame : « Combien vaut, me dit-il, la grande mesure de sésame de la qualité de celui que vous voyez ? »

Scheherazade, apercevant le jour, se tut en cet endroit ; mais elle reprit son discours la nuit suivante, et dit au sultan des Indes :

CXXIX^e NUIT

Sire, le marchand chrétien, continuant de raconter au sultan de Casgar l'histoire qu'il venait de commencer :
« J'examinai, dit-il, le sésame que le jeune marchand me montrait, et je lui répondis qu'il valait, au prix courant, cent dragmes d'argent la grande mesure. « Voyez, me dit-il, les marchands qui en voudront pour ce prix-là, et venez jusqu'à la porte de la Victoire, où vous verrez un khan séparé de toute autre habitation : je vous attendrai là. » En disant ces paroles, il partit et me laissa la montre de sésame, que je fis voir à plusieurs

marchands de la place, qui me dirent tous qu'ils en prendraient tant que je leur en voudrais donner, à cent dix dragmes d'argent la mesure, et, à ce compte, je trouvais à gagner avec eux dix dragmes par mesure. Flatté de ce profit, je me rendis à la porte de la Victoire, où le jeune marchand m'attendait. Il me mena dans son magasin, qui était plein de sésame. Il y en avait cent cinquante grandes mesures, que je fis mesurer et charger sur des ânes, et je les vendis cinq mille dragmes d'argent. « De cette somme, me dit le jeune homme, il y a cinq cents dragmes pour votre droit, à dix par mesure, je vous les accorde ; et, pour ce qui est du reste qui m'appartient, comme je n'en ai pas besoin présentement, retirez-le de vos marchands, et me le gardez jusqu'à ce que j'aille vous le demander. » Je lui répondis qu'il serait prêt toutes les fois qu'il voudrait le venir prendre ou me l'envoyer demander. Je lui baisai la main en le quittant, et me retirai fort satisfait de sa générosité.

« Je fus un mois sans le revoir ; au bout de ce temps-là, je le vis paraître. « Où sont, me dit-il, les quatre mille cinq cents dragmes que vous me devez ? — Elles sont toutes prêtes, lui répondis-je, et je vais vous les compter tout à l'heure. » Comme il était monté sur son âne, je le priai de mettre pied à terre et de me faire l'honneur de manger un morceau avec moi avant que de les recevoir. « Non, me dit-il, je ne puis descendre à présent ; j'ai une affaire pressante qui m'appelle ici près ; mais je vais revenir, et, en repassant, je prendrai mon argent, que je vous prie de tenir prêt. » Il disparut en achevant ces paroles. Je l'attendis, mais ce fut inutilement, et il ne revint qu'un mois encore après. « Voilà, dis-je en moi-même, un jeune marchand qui a bien de la confiance en moi, de me laisser entre les mains, sans me connaître, une somme de quatre mille cinq cents dragmes d'argent! Un autre que lui n'en userait pas ainsi, et craindrait que je ne la lui emportasse. » Il revint à la fin du troisième mois : il était encore monté sur son âne, mais plus magnifiquement habillé que les autres fois... »

Scheherazade, voyant que le jour commençait à paraître, n'en dit pas davantage cette nuit. Sur la fin de la suivante, elle poursuivit de cette manière, en faisant toujours parler le marchand chrétien au sultan de Casgar :

CXXX^e NUIT

« D'abord que j'aperçus le jeune marchand, j'allai au-devant de lui, je le conjurai de descendre, et lui demandai s'il ne voulait donc pas que je lui comptasse l'argent que j'avais à lui. « Cela ne presse pas, me répondit-il d'un air gai et content. Je sais qu'il est en bonnes mains ; je viendrai le prendre quand j'aurai dépensé tout ce que j'ai, et qu'il ne me restera plus autre chose. Adieu, ajouta-t-il ; attendez-moi à la fin de la semaine. » A ces mots, il donna un coup de fouet à son âne, et je l'eus bientôt perdu de vue. « Bon, dis-je en moi-même, il me dit de l'attendre à la fin de la semaine, et, selon son discours, je ne le reverrai peut-être de longtemps. Je vais cependant faire valoir son argent ; ce sera un revenant bon pour moi. »

« Je ne me trompai pas dans ma conjecture : l'année se passa avant que j'entendisse parler du jeune homme. Au bout de l'an, il parut aussi richement vêtu que la dernière fois, mais il me semblait avoir quelque chose dans l'esprit. Je le suppliai de me faire l'honneur d'entrer chez moi : « Je le veux bien pour cette fois, me répondit-il ; mais à condition que vous ne ferez pas de dépense extraordinaire pour moi. — Je ne ferai que ce qu'il vous plaira, repris-je ; descendez donc, de grâce. » Il mit pied à terre et entra chez moi. Je donnai des ordres pour le régal que je voulais lui faire ; et, en attendant qu'on servît, nous commençâmes à nous entretenir. Quand le repas fut prêt, nous nous assîmes à table. Dès le premier morceau, je remarquai qu'il le prit de la main gauche, et je fus fort étonné de voir qu'il ne se servait nullement de la droite. Je ne savais ce que j'en devais penser. « Depuis que je connais ce marchand, disais-je en moi-même, il m'a toujours paru très poli ; serait-il possible qu'il en usât ainsi par mépris pour moi ? Par quelle raison ne se sert-il pas de sa main droite ? »

Le jour qui éclairait l'appartement du sultan des Indes ne permit pas à Scheherazade de continuer cette histoire ; mais elle en reprit la suite le lendemain, et dit à Schahriar :

CXXXI^e NUIT

Sire, le marchand chrétien était fort en peine de savoir pourquoi son hôte ne mangeait que de la main gauche.

« Après le repas, dit-il, lorsque mes gens eurent desservi et se furent retirés, nous nous assîmes tous deux sur un sofa. Je présentai au jeune homme d'une tablette excellente pour la bonne bouche, et il la prit encore de la main gauche. « Seigneur, lui dis-je alors, je vous supplie de me pardonner la liberté que je prends de vous demander d'où vient que vous ne vous servez pas de votre main droite ; vous y avez mal apparemment. » Il fit un grand soupir au lieu de me répondre ; et, tirant son bras droit qu'il avait tenu caché jusqu'alors sous sa robe, il me montra qu'il avait la main coupée, de quoi je fus extrêmement étonné. « Vous avez été choqué, sans doute, me dit-il, de me voir manger de la main gauche ; mais jugez si j'ai pu faire autrement. — Peut-on vous demander, repris-je, par quel malheur vous avez perdu votre main droite ? » Il versa des larmes à cette demande, et, après les avoir essuyées, il me conta son histoire comme je vais vous la raconter :

« Vous saurez, me dit-il, que je suis natif de Bagdad, fils d'un père riche et des plus distingués de la ville par sa qualité et par son rang. A peine étais-je entré dans le monde que, fréquentant des personnes qui avaient voyagé et qui disaient des merveilles de l'Égypte, et particulièrement du grand Caire, je fus frappé de leurs discours, et j'eus envie d'y faire un voyage ; mais mon père vivait encore, et il ne m'en aurait pas donné la permission. Il mourut enfin, et, sa mort me laissant maître de mes actions, je résolus d'aller au Caire. J'employai une très grosse somme d'argent en plusieurs sortes d'étoffes fines de Bagdad et de Mossoul, et me mis en chemin.

« En arrivant au Caire, j'allai descendre au khan qu'on appelle le khan de Mesrour ; j'y pris un logement avec un magasin, dans lequel je fis mettre les ballots que j'avais apportés avec moi sur des chameaux. Cela fait, j'entrai dans ma chambre pour me reposer et me remettre de la fatigue du chemin, pendant que mes gens, à qui j'avais donné de l'argent, allèrent acheter des vivres et firent la cuisine. Après le repas, j'allai voir le château, quelques mosquées, les places publiques et d'autres endroits qui méritaient d'être vus.

« Le lendemain, je m'habillai proprement, et, après avoir fait tirer de quelques-uns de mes ballots de très belles et très riches étoffes, dans l'intention de les porter à un bezestein *, pour voir ce qu'on en offrirait, j'en chargeai quelques-uns de mes esclaves, et me rendis au bezestein des Circassiens. J'y fus bientôt environné d'une foule de courtiers et de crieurs qui avaient été avertis de mon arrivée. Je partageai des essais d'étoffes entre plusieurs crieurs qui les allèrent crier et faire voir dans tout le bezestein ; mais nul des marchands n'en offrit que beaucoup moins que ce qu'elles me coûtaient d'achat et de frais de voiture. Cela me fâcha ; et, comme j'en marquais mon ressentiment aux crieurs : « Si vous voulez nous en croire, me dirent-ils, nous vous enseignerons un moyen de ne rien perdre sur vos étoffes... »

En cet endroit, Scheherazade s'arrêta, parce qu'elle vit paraître le jour. La nuit suivante, elle reprit son discours de cette manière :

CXXXII^e NUIT

Le marchand chrétien parlant toujours au sultan de Casgar :

« Les courtiers et les crieurs, me dit le jeune homme, m'ayant promis de m'enseigner le moyen de ne pas perdre sur mes marchandises, je leur demandai ce qu'il fallait faire pour cela. « Les distribuer à plusieurs marchands, repartirent-ils ; ils les vendront en détail, et, deux fois la semaine, le lundi et le jeudi, vous irez recevoir l'argent qu'ils en auront fait. Par là vous gagnerez au lieu de perdre, et les marchands gagneront aussi quelque chose. Cependant vous aurez la liberté de vous divertir et de vous promener dans la ville et sur le Nil. »

« Je suivis leur conseil : je les menai avec moi à mon magasin, d'où je tirai toutes mes marchandises, et, retournant au bezestein, je les distribuai à différents marchands qu'ils m'avaient indiqués comme les plus solvables, et qui me donnèrent un reçu en bonne forme, signé par des témoins, sous la condition que je ne leur demanderais rien le premier mois.

___

* Lieu public où se vendent des étoffes de soie et autres marchandises précieuses.

« Mes affaires ainsi disposées, je n'eus plus l'esprit occupé d'autres choses que de plaisirs. Je contractai amitié avec diverses personnes à peu près de mon âge, qui avaient soin de me bien faire passer mon temps. Le premier mois s'étant écoulé, je commençai à voir mes marchands deux fois la semaine, accompagné d'un officier public, pour examiner leurs livres de vente, et d'un changeur, pour régler la bonté et la valeur des espèces qu'ils me comptaient. Ainsi, les jours de recette, quand je me retirais au khan de Mesrour où j'étais logé, j'emportais une bonne somme d'argent. Cela n'empêchait pas que les autres jours de la semaine je n'allasse passer la matinée tantôt chez un marchand, et tantôt chez un autre; je me divertissais à m'entretenir avec eux et à voir ce qui se passait dans le bezestein.

« Un lundi que j'étais assis dans la boutique d'un de ces marchands, qui se nommait Bedreddin, une dame de condition, comme il était aisé de le connaître à son air, à son habillement, et par une esclave fort proprement mise qui la suivait, entra dans la même boutique et s'assit près de moi. Cet extérieur, joint à une grâce naturelle qui paraissait en tout ce qu'elle faisait, me prévint en sa faveur, et me donna une grande envie de la mieux connaître que je ne faisais. Je ne sais si elle ne s'aperçut pas que je prenais plaisir à la regarder, et si mon attention ne lui plaisait point; mais elle haussa le crépon qui lui descendait sur le visage par-dessus la mousseline qui le cachait, et me laissa voir de grands yeux noirs dont je fus charmé. Enfin elle acheva de me rendre très amoureux d'elle par le son agréable de sa voix et par ses manières honnêtes et gracieuses, lorsqu'en saluant le marchand, elle lui demanda des nouvelles de sa santé depuis le temps qu'elle ne l'avait vu.

« Après s'être entretenue quelque temps avec lui de choses indifférentes, elle lui dit qu'elle cherchait une certaine étoffe à fond d'or; qu'elle venait à sa boutique comme à celle qui était la mieux assortie de tout le bezestein; et que, s'il en avait, il lui ferait un grand plaisir de lui en montrer. Bedreddin lui en montra plusieurs pièces, à l'une desquelles s'étant arrêtée et lui en ayant demandé le prix, il la lui laissa à onze cents dragmes d'argent. « Je consens de vous en donner cette somme, lui dit-elle; je n'ai pas d'argent sur moi, mais j'espère que vous voudrez bien me faire crédit jusqu'à demain, et me permettre d'emporter l'étoffe : je ne manquerai pas de

vous envoyer demain les onze cents dragmes dont nous
convenons pour elle. — Madame, lui répondit Bedreddin, je vous ferais crédit avec plaisir, et vous laisserais
emporter l'étoffe si elle m'appartenait; mais elle appartient à cet honnête jeune homme que vous voyez, et c'est
aujourd'hui un jour que je dois lui compter de l'argent.
— Hé! d'où vient, reprit la dame fort étonnée, que vous
en usez de cette sorte avec moi? N'ai-je pas coutume de
venir à votre boutique? Et, toutes les fois que j'ai
acheté des étoffes et que vous avez bien voulu que je les
aie emportées sans les payer sur-le-champ, ai-je jamais
manqué de vous envoyer de l'argent dès le lendemain? »
Le marchand en demeura d'accord. « Il est vrai, Madame,
repartit-il; mais j'ai besoin d'argent aujourd'hui. — Hé
bien, voilà votre étoffe, dit-elle en la lui jetant. Que Dieu
vous confonde, vous et tout ce qu'il y a de marchands!
Vous êtes tous faits les uns comme les autres : vous n'avez
aucun égard pour personne. » En achevant ces paroles,
elle se leva brusquement, et sortit fort irritée contre
Bedreddin... »

Là, Scheherazade, voyant que le jour paraissait, cessa
de parler. La nuit suivante elle continua de cette manière :

CXXXIII^e NUIT

Le marchand chrétien, poursuivant son histoire :
« Quand je vis, me dit le jeune homme, que la dame se
retirait, je sentis bien que mon cœur s'intéressait pour
elle; je la rappelai : « Madame, lui dis-je, faites-moi la
grâce de revenir; peut-être trouverai-je le moyen de vous
contenter l'un et l'autre. » Elle revint en me disant que
c'était pour l'amour de moi. « Seigneur Bedreddin,
dis-je alors au marchand, combien dites-vous que vous
voulez vendre cette étoffe qui m'appartient? — Onze
cents dragmes d'argent, répondit-il; je ne puis la donner
à moins. — Livrez-la donc à cette dame, repris-je, et
qu'elle l'emporte. Je vous donne cent dragmes de profit,
et je vais vous faire un billet de la somme à prendre sur
les autres marchandises que vous avez à moi. » Effectivement, je fis le billet, le signai, et le mis entre les mains de
Bedreddin. Ensuite, présentant l'étoffe à la dame :
« Vous pouvez l'emporter, Madame, lui dis-je, et, quant à
l'argent, vous me l'enverrez demain ou un autre jour,

ou bien je vous fais présent de l'étoffe, si vous voulez. — Ce n'est pas comme je l'entends, reprit-elle. Vous en usez avec moi d'une manière si honnête et si obligeante que je serais indigne de paraître devant les hommes si je ne vous en témoignais pas de la reconnaissance. Que Dieu, pour vous en récompenser, augmente vos biens, vous fasse vivre longtemps après moi, vous ouvre la porte des cieux à votre mort, et que toute la ville publie votre générosité! »

« Ces paroles me donnèrent de la hardiesse. « Madame, lui dis-je, laissez-moi voir votre visage pour prix de vous avoir fait plaisir : ce sera me payer avec usure. » A ces mots, elle se tourna de mon côté, ôta la mousseline qui lui couvrait le visage, et offrit à mes yeux une beauté surprenante. J'en fus tellement frappé que je ne pus lui rien dire pour lui exprimer ce que j'en pensais. Je ne me serais jamais lassé de la regarder; mais elle se recouvrit promptement le visage, de peur qu'on ne l'aperçût; et, après avoir abaissé le crépon, elle prit la pièce d'étoffe et s'éloigna de la boutique, où elle me laissa dans un état bien différent de celui où j'étais en y arrivant. Je demeurai longtemps dans un trouble et dans un désordre étranges. Avant que de quitter le marchand, je lui demandai s'il connaissait la dame. « Oui, me répondit-il; elle est fille d'un émir qui lui a laissé en mourant des biens immenses. »

« Quand je fus de retour au khan de Mesrour, mes gens me servirent à souper; mais il me fut impossible de manger. Je ne pus même fermer l'œil de toute la nuit, qui me parut la plus longue de ma vie. Dès qu'il fut jour, je me levai dans l'espérance de revoir l'objet qui troublait mon repos; et, dans le dessein de lui plaire, je m'habillai plus proprement encore que le jour précédent. Je retournai à la boutique de Bedreddin... »

« Mais, Sire, dit Scheherazade, le jour, que je vois paraître, m'empêche de continuer mon récit. » Après avoir dit ces paroles, elle se tut; et, la nuit suivante, elle reprit sa narration dans ces termes :

CXXXIVe NUIT

Sire, le jeune homme de Bagdad, racontant ses aventures au marchand chrétien :

« Il n'y avait pas longtemps, dit-il, que j'étais arrivé à la boutique de Bedreddin, lorsque je vis venir la dame

suivie de son esclave, et plus magnifiquement vêtue que
le jour d'auparavant. Elle ne regarda pas le marchand, et,
s'adressant à moi seul : « Seigneur, me dit-elle, vous
voyez que je suis exacte à tenir la parole que je vous
donnai hier. Je viens exprès pour vous apporter la
somme dont vous voulûtes bien répondre pour moi sans
me connaître, par une générosité que je n'oublierai
jamais. — Madame, lui répondis-je, il n'était pas besoin
de vous presser si fort : j'étais sans inquiétude sur mon
argent, et je suis fâché de la peine que vous avez prise. —
Il n'était pas juste, reprit-elle, que j'abusasse de votre
honnêteté. » En disant cela, elle me mit l'argent entre les
mains, et s'assit près de moi.

« Alors, profitant de l'occasion que j'avais de l'entretenir, je lui parlai de l'amour que je sentais pour elle ;
mais elle se leva et me quitta brusquement, comme si
elle eût été fort offensée de la déclaration que je venais de
lui faire. Je la suivis des yeux tant que je la pus voir ;
et, dès que je ne la vis plus, je pris congé du marchand
et sortis du bezestein sans savoir où j'allais. Je rêvais à
cette aventure, lorsque je sentis qu'on me tirait par-derrière. Je me tournai aussitôt pour voir ce que ce pouvait
être, et je reconnus avec plaisir l'esclave de la dame dont
j'avais l'esprit occupé. « Ma maîtresse, me dit-elle, qui
est cette jeune personne à qui vous venez de parler dans
la boutique d'un marchand, voudrait bien vous dire un
mot : prenez, s'il vous plaît, la peine de me suivre. » Je la
suivis, et trouvai en effet sa maîtresse qui m'attendait dans
la boutique d'un changeur où elle était assise.

« Elle me fit asseoir auprès d'elle, et, prenant la parole :
« Mon cher seigneur, me dit-elle, ne soyez pas surpris
que je vous aie quitté un peu brusquement : je n'ai pas
jugé à propos, devant ce marchand, de répondre favorablement à l'aveu que vous m'avez fait des sentiments
que je vous ai inspirés. Mais, bien loin de m'en offenser,
je confesse que je prenais plaisir à vous entendre, et je
m'estime infiniment heureuse d'avoir pour amant un
homme de votre mérite. Je ne sais quelle impression ma
vue a pu faire d'abord sur vous ; mais, pour moi, je puis
vous assurer qu'en vous voyant je me suis senti de l'inclination pour vous. Depuis hier je n'ai fait que penser
aux choses que vous me dîtes, et mon empressement à
vous venir chercher si matin doit bien vous prouver que
vous ne me déplaisez pas. — Madame, repris-je, transporté d'amour et de joie, je ne pouvais rien entendre de

plus agréable que ce que vous avez la bonté de me dire. On ne saurait aimer avec plus de passion que je vous aime depuis l'heureux moment que vous parûtes à mes yeux : ils furent éblouis de tant de charmes, et mon cœur se rendit sans résistance. — Ne perdons pas le temps en discours inutiles, interrompit-elle : je ne doute pas de votre sincérité, et vous serez bientôt persuadé de la mienne. Voulez-vous me faire l'honneur de venir chez moi, ou si vous souhaitez que j'aille chez vous ? — Madame, lui répondis-je, je suis un étranger logé dans un khan, qui n'est pas un lieu propre à recevoir une dame de votre rang et de votre mérite. »

Scheherazade allait poursuivre, mais elle fut obligée d'interrompre son discours, parce que le jour paraissait. Le lendemain, elle continua de cette sorte, en faisant toujours parler le jeune homme de Bagdad :

CXXXVᵉ NUIT

« Il est plus à propos, Madame, poursuivit-il, que vous ayez la bonté de m'enseigner votre demeure : j'aurai l'honneur de vous aller voir chez vous. » La dame y consentit. « Il est, dit-elle, vendredi après-demain ; venez ce jour-là, après la prière du midi. Je demeure dans la rue de la Dévotion. Vous n'avez qu'à demander la maison d'Abou Schamma, surnommé Bercour, autrefois chef des émirs ; vous me trouverez là. » A ces mots, nous nous séparâmes, et je passai le lendemain dans une grande impatience.

« Le vendredi, je me levai de bon matin, je pris le plus bel habit que j'eusse, avec une bourse où je mis cinquante pièces d'or ; et, monté sur un âne que j'avais retenu dès le jour précédent, je partis accompagné de l'homme qui me l'avait loué. Quand nous fûmes arrivés dans la rue de la Dévotion, je dis au maître de l'âne de demander où était la maison que je cherchais ; on la lui enseigna, et il m'y mena. Je descendis à la porte, je le payai bien et le renvoyai, en lui recommandant de bien remarquer la maison où il me laissait, et de ne pas manquer de m'y venir prendre le lendemain matin, pour me ramener au khan de Mesrour.

« Je frappai à la porte, et aussitôt deux petites esclaves blanches comme la neige et très proprement habillées vinrent ouvrir. « Entrez, s'il vous plaît, me dirent-elles, notre maîtresse vous attend impatiemment. Il y a deux jours qu'elle ne cesse de parler de vous. » J'entrai dans la cour, et vis un grand pavillon élevé sur sept marches et entouré d'une grille qui le séparait d'un jardin d'une beauté admirable. Outre les arbres qui ne servaient qu'à l'embellir et qu'à former de l'ombre, il y en avait une infinité d'autres chargés de toutes sortes de fruits. Je fus charmé du ramage d'un grand nombre d'oiseaux, qui mêlaient leurs chants au murmure d'un jet d'eau d'une hauteur prodigieuse, qu'on voyait au milieu d'un parterre émaillé de fleurs. D'ailleurs, ce jet d'eau était très agréable à voir : quatre gros dragons dorés paraissaient aux angles du bassin qui était en carré, et ces dragons jetaient de l'eau en abondance, mais de l'eau plus claire que le cristal de roche. Ce lieu plein de délices me donna une haute idée de la conquête que j'avais faite. Les deux petites esclaves me firent entrer dans un salon magnifiquement meublé, et, pendant que l'une courut avertir sa maîtresse de mon arrivée, l'autre demeura avec moi et me fit remarquer toutes les beautés du·salon... »

En achevant ces derniers mots, Scheherazade cessa de parler à cause qu'elle vit paraître le jour. Schahriar se leva, fort curieux d'apprendre ce que ferait le jeune homme de Bagdad dans le salon de la dame du Caire. La sultane contenta le lendemain la curiosité de ce prince en reprenant ainsi cette histoire :

CXXXVIᵉ NUIT

Sire, le marchand chrétien, continuant de parler au sultan de Casgar, poursuivit de cette manière :
« Je n'attendis pas longtemps dans le salon, me dit le jeune homme; la dame que j'aimais y arriva bientôt, fort parée de perles et de diamants, mais plus brillante encore par l'éclat de ses yeux que par celui de ses pierreries. Sa taille, qui n'était plus cachée par son habillement de ville, me parut la plus fine et la plus avantageuse du monde. Je ne vous parlerai point de la joie que nous eûmes à nous revoir : car c'est une chose que je ne pourrais que faiblement exprimer. Je vous dirai seulement qu'après les premiers compliments, nous nous assîmes

tous deux sur un sofa, où nous nous entretînmes avec toute la satisfaction imaginable. On nous servit ensuite les mets les plus délicats et les plus exquis. Nous nous mîmes à table, et, après le repas, nous recommençâmes à nous entretenir jusqu'à la nuit. Alors on nous apporta d'excelllent vin et des fruits propres à exciter à boire, et nous bûmes au son des instruments que les esclaves accompagnèrent de leurs voix. La dame du logis chanta elle-même, et acheva, par ses chansons, de m'attendrir et de me rendre le plus passionné de tous les amants. Enfin je passai la nuit à goûter toutes sortes de plaisirs.

« Le lendemain matin, après avoir mis adroitement sous le chevet du lit la bourse et les cinquante pièces d'or que j'avais apportées, je dis adieu à la dame, qui me demanda quand je la reverrais. « Madame, lui répondis-je, je vous promets de revenir ce soir. » Elle parut ravie de ma réponse, me conduisit jusqu'à la porte, et, en nous séparant, elle me conjura de tenir ma promesse.

« Le même homme qui m'avait amené m'attendait avec son âne. Je montai dessus, et revins au khan de Mesrour. En renvoyant l'homme, je lui dis que je ne le payais pas, afin qu'il me vînt reprendre l'après-dîner à l'heure que je lui marquai.

« D'abord que je fus de retour dans mon logement, mon premier soin fut de faire acheter un bon agneau et plusieurs sortes de gâteaux que j'envoyai à la dame par un porteur. Je m'occupai ensuite d'affaires sérieuses, jusqu'à ce que le maître de l'âne fût arrivé. Alors je partis avec lui, et me rendis chez la dame, qui me reçut avec autant de joie que le jour précédent, et me fit un régal aussi magnifique que le premier.

« En la quittant le lendemain, je lui laissai encore une bourse de cinquante pièces d'or, et je revins au khan de Mesrour... »

A ces mots, Scheherazade, ayant aperçu le jour, en avertit le sultan des Indes, qui se leva sans lui rien dire. Sur la fin de la nuit suivante, elle reprit ainsi la suite de l'histoire commencée :

CXXXVII^e NUIT

Le marchand chrétien, parlant toujours au sultan de Casgar :

« Le jeune homme de Bagdad, dit-il, poursuivit son histoire dans ces termes : « Je continuai de voir la dame tous les jours, et de lui laisser chaque fois une bourse de cinquante pièces d'or ; et cela dura jusqu'à ce que les marchands à qui j'avais donné mes marchandises à vendre, et que je voyais régulièrement deux fois la semaine, ne me durent plus rien. Enfin, je me trouvai sans argent et sans espérance d'en avoir.

« Dans cet état affreux, et prêt à m'abandonner à mon désespoir, je sortis du khan sans savoir ce que je faisais, et m'en allai du côté du château, où il y avait un grand nombre de peuple assemblé pour voir un spectacle que donnait le sultan d'Égypte. Lorsque je fus arrivé dans le lieu où était tout ce monde, je me mêlai parmi la foule, et me trouvai par hasard près d'un cavalier bien monté et fort proprement habillé, qui avait à l'arçon de sa selle un sac à demi ouvert, d'où sortait un cordon de soie verte. En mettant la main sur le sac, je jugeai que le cordon devait être celui d'une bourse qui était dedans. Pendant que je faisais ce jugement, il passa de l'autre côté du cavalier un porteur chargé de bois, et il passa si près que le cavalier fut obligé de se tourner vers lui pour empêcher que le bois ne touchât et ne déchirât son habit. En ce moment, le démon me tenta : je pris le cordon d'une main, et, m'aidant de l'autre à élargir le sac, je tirai la bourse sans que personne s'en aperçût. Elle était pesante, et je ne doutai point qu'il n'y eût dedans de l'or ou de l'argent.

« Quand le porteur fut passé, le cavalier, qui avait apparemment quelque soupçon de ce que j'avais fait pendant qu'il avait eu la tête tournée, mit aussitôt la main dans son sac, et, n'y trouvant pas sa bourse, me donna un si grand coup de sa hache d'armes qu'il me renversa par terre. Tous ceux qui furent témoins de cette violence en furent touchés, et quelques-uns mirent la main sur la bride du cheval pour arrêter le cavalier et lui demander pour quel sujet il m'avait frappé, s'il lui était permis de maltraiter ainsi un musulman. « De quoi vous mêlez-vous ? leur répondit-il d'un ton brusque. Je ne l'ai pas fait sans raison : c'est un voleur. » A ces paroles, il me releva ; et à mon air, chacun, prenant mon parti, s'écria qu'il était un menteur, qu'il n'était pas croyable qu'un jeune homme tel que moi eût commis la méchante action qu'il m'imputait. Enfin ils soutenaient que j'étais innocent ; et, tandis qu'ils retenaient son cheval pour favoriser mon évasion, par malheur pour moi, le lieutenant de police, suivi de ses gens, passa par là ; voyant tant de monde assemblé autour du cavalier et de moi, il s'approcha et demanda ce qui était arrivé. Il n'y eut personne qui n'accusât le cavalier de m'avoir maltraité injustement, sous prétexte de l'avoir volé.

« Le lieutenant de police ne s'arrêta pas à tout ce qu'on lui disait ; il demanda au cavalier s'il ne soupçonnait pas quelque autre que moi de l'avoir volé. Le cavalier répondit que non, et lui dit les raisons qu'il avait de croire qu'il ne se trompait pas dans ses soupçons. Le lieutenant de police, après l'avoir écouté, ordonna à ses gens de m'arrêter et de me fouiller, ce qu'ils se mirent en devoir d'exécuter aussitôt ; et l'un d'entre eux, m'ayant ôté la bourse, la montra publiquement. Je ne pus soutenir cette honte, j'en tombai évanoui. Le lieutenant de police se fit apporter la bourse... »

« Mais, Sire, voilà le jour, dit Scheherazade en se reprenant. Si Votre Majesté veut bien encore me laisser vivre jusqu'à demain, elle entendra la suite de cette histoire. » Schahriar, qui n'avait pas un autre dessein, se leva sans lui répondre et alla remplir ses devoirs.

CXXXVIIIᵉ NUIT

Sur la fin de la nuit suivante, la sultane adressa ainsi la parole à Schahriar :

Sire, le jeune homme de Bagdad, poursuivant son histoire :

« Lorsque le lieutenant de police, dit-il, eut la bourse entre les mains, il demanda au cavalier si elle était à lui, et combien il y avait mis d'argent. Le cavalier la reconnut pour celle qui lui avait été prise, et assura qu'il y avait dedans vingt sequins. Le juge l'ouvrit, et, après y avoir effectivement trouvé vingt sequins, il la lui rendit. Aussitôt il me fit venir devant lui : « Jeune homme, me dit-il, avouez-moi la vérité : est-ce vous qui avez pris la bourse de ce cavalier ? N'attendez pas que j'emploie les tourments pour vous le faire confesser. » Alors, baissant les yeux, je dis en moi-même : « Si je nie le fait, la bourse dont on m'a trouvé saisi me fera passer pour un menteur. » Ainsi, pour éviter un double châtiment, je levai la tête, et confessai que c'était moi. Je n'eus pas

plus tôt fait cet aveu que le lieutenant de police, après
avoir pris des témoins, commanda qu'on me coupât la
main, et la sentence fut exécutée sur-le-champ, ce qui
excita la pitié de tous les spectateurs ; je remarquai même
sur le visage du cavalier qu'il n'en était pas moins touché
que les autres. Le lieutenant de police voulait encore me
faire couper un pied ; mais je suppliai le cavalier de demander ma grâce ; il la demanda et l'obtint.

« Lorsque le juge eut passé son chemin, le cavalier
s'approcha de moi. « Je vois bien, me dit-il en me présentant la bourse, que c'est la nécessité qui vous a fait
faire une action si honteuse et si indigne d'un jeune
homme aussi bien fait que vous ; mais tenez, voilà cette
bourse fatale, je vous la donne, et je suis très fâché du
malheur qui vous est arrivé. » En achevant ces paroles,
il me quitta ; et, comme j'étais très faible à cause du sang
que j'avais perdu, quelques honnêtes gens du quartier
eurent la charité de me faire entrer chez eux et de me
faire boire un verre de vin. Ils pansèrent aussi mon bras,
et mirent ma main dans un linge, que j'emportai avec
moi attachée à ma ceinture.

« Quand je serais retourné au khan de Mesrour dans
ce triste état, je n'y aurais pas trouvé le secours dont
j'avais besoin. C'était aussi hasarder beaucoup que d'aller
me présenter à la jeune dame. « Elle ne voudra peut-être
plus me voir, disais-je, lorsqu'elle aura appris mon infamie. » Je ne laissai pas néanmoins de prendre ce parti ;
et, afin que le monde qui me suivait se lassât de m'accompagner, je marchai par plusieurs rues détournées, et me
rendis enfin chez la dame, où j'arrivai si faible et si fatigué
que je me jetai sur le sofa, le bras droit sous ma robe :
car je me gardai bien de le faire voir.

« Cependant la dame, avertie de mon arrivée et du
mal que je souffrais, vint avec empressement ; et, me
voyant pâle et défait : « Ma chère âme, me dit-elle,
qu'avez-vous donc ? » Je dissimulai. « Madame, lui
répondis-je, c'est un grand mal de tête qui me tour-
mente. » Elle en parut très affligée. « Asseyez-vous,
reprit-elle (car je m'étais levé pour la recevoir) ; dites-
moi comment cela vous est venu. Vous vous portiez si
bien la dernière fois que j'eus le plaisir de vous voir !
Il y a quelque autre chose que vous me cachez : apprenez-moi ce que c'est. » Comme je gardais le silence, et
qu'au lieu de répondre, les larmes coulaient de mes
yeux : « Je ne comprends pas, dit-elle, ce qui peut vous

affliger; vous en aurais-je donné quelque sujet sans y penser ? Et venez-vous ici exprès pour m'annoncer que vous ne m'aimez plus ? — Ce n'est point cela, Madame, lui repartis-je en soupirant, et un soupçon si injuste augmente encore mon mal. »

« Je ne pouvais me résoudre à lui en déclarer la véritable cause. La nuit étant venue, on servit le souper; elle me pria de manger; mais, ne pouvant me servir que de la main gauche, je la suppliai de m'en dispenser, m'excusant sur ce que je n'avais nul appétit. « Vous en aurez, me dit-elle, quand vous m'aurez découvert ce que vous me cachez avec tant d'opiniâtreté. Votre dégoût, sans doute, ne vient que de la peine que vous avez à vous y déterminer. — Hélas! Madame, repris-je, il faudra bien enfin que je m'y détermine. » Je n'eus pas prononcé ces paroles qu'elle me versa à boire; et, me présentant la tasse : « Prenez, dit-elle, et buvez; cela vous donnera du courage. » J'avançai donc la main gauche, et pris la tasse... »

A ces mots, Scheherazade, apercevant le jour, cessa de parler; mais la nuit suivante elle poursuivit son discours de cette manière :

CXXXIX^e NUIT

« Lorsque j'eus la tasse à la main, dit le jeune homme, je redoublai mes pleurs et poussai de nouveaux soupirs. « Qu'avez-vous donc à soupirer et à pleurer si amèrement, me dit alors la dame, et pourquoi prenez-vous la tasse de la main gauche plutôt que de la droite ? — Ah! Madame, lui répondis-je, excusez-moi, je vous en conjure : c'est que j'ai une tumeur à la main droite. — Montrez-moi cette tumeur, répliqua-t-elle, je la veux percer. » Je m'en excusai en disant qu'elle n'était pas encore en état de l'être, et je vidai toute la tasse, qui était très grande. Les vapeurs du vin, ma lassitude et l'abattement où j'étais, m'eurent bientôt assoupi, et je dormis d'un profond sommeil qui dura jusqu'au lendemain.

« Pendant ce temps-là, la dame, voulant savoir quel mal j'avais à la main droite, leva ma robe qui la cachait, et vit avec tout l'étonnement que vous pouvez penser qu'elle était coupée et que je l'avais apportée dans un

linge. Elle comprit d'abord sans peine pourquoi j'avais
tant résisté aux pressantes instances qu'elle m'avait
faites, et elle passa la nuit à s'affliger de ma disgrâce, ne
doutant pas qu'elle ne me fût arrivée pour l'amour d'elle.

« A mon réveil, je remarquai fort bien sur son visage
qu'elle était saisie d'une vive douleur. Néanmoins, pour
ne me pas chagriner, elle ne me parla de rien. Elle me
fit servir un consommé de volaille qu'on m'avait préparé
par son ordre, me fit manger et boire, pour me donner,
disait-elle, les forces dont j'avais besoin. Après cela, je
voulus prendre congé d'elle; mais, me retenant par ma
robe : « Je ne souffrirai pas, dit-elle, que vous sortiez
d'ici. Quoique vous ne m'en disiez rien, je suis persuadée
que je suis la cause du malheur que vous vous êtes
attiré. La douleur que j'en ai ne me laissera pas vivre
longtemps; mais, avant que je meure, il faut que j'exé-
cute un dessein que je médite en votre faveur. » En
disant cela, elle fit appeler un officier de justice et des
témoins, et me fit dresser une donation de tous ses biens.
Après qu'elle eut renvoyé tous ses gens satisfaits de
leurs peines, elle ouvrit un grand coffre où étaient toutes
les bourses dont je lui avais fait présent depuis le commencement de nos amours. « Elles sont toutes entières,
me dit-elle, je n'ai pas touché à une seule : tenez, voilà
la clef du coffre; vous en êtes le maître. » Je la remerciai
de sa générosité et de sa bonté. « Je compte pour rien,
reprit-elle, ce que je viens de faire pour vous, et je ne
serai pas contente que je ne meure encore, pour vous
témoigner combien je vous aime. » Je la conjurai par
tout ce que l'amour a de plus puissant d'abandonner une
résolution si funeste; mais je ne pus l'en détourner; et le
chagrin de me voir manchot lui causa une maladie de
cinq ou six semaines, dont elle mourut.

« Après avoir regretté sa mort autant que je le devais,
je me mis en possession de tous ses biens qu'elle m'avait
fait connaître; et le sésame que vous avez pris la peine
de vendre pour moi en faisait une partie... »

Scheherazade voulait continuer sa narration; mais le
jour qui paraissait l'en empêcha. La nuit suivante, elle
reprit ainsi le fil de son dicours :

CXL^e NUIT

Le jeune homme de Bagdad acheva de raconter son histoire de cette sorte au marchand chrétien :

« Ce que vous venez d'entendre, poursuivit-il, doit m'excuser auprès de vous d'avoir mangé de la main gauche ; je vous suis fort obligé de la peine que vous vous êtes donnée pour moi. Je ne puis assez reconnaître votre fidélité ; et, comme j'ai, Dieu merci, assez de bien, quoique j'en aie dépensé beaucoup, je vous prie de vouloir accepter le présent que je vous fais de la somme que vous me devez. Outre cela, j'ai une proposition à vous faire. Ne pouvant plus demeurer davantage au Caire, après l'affaire que je viens de vous conter, je suis résolu d'en partir pour n'y revenir jamais. Si vous voulez me tenir compagnie, nous négocierons ensemble, et nous partagerons également le gain que nous ferons. »

« Quand le jeune homme de Bagdad eut achevé son histoire, dit le marchand chrétien, je le remerciai le mieux qu'il me fut possible du présent qu'il me faisait ; et, quant à sa proposition de voyager avec lui, je lui dis que je l'acceptais très volontiers, en l'assurant que ses intérêts me seraient toujours aussi chers que les miens.

« Nous prîmes jour pour notre départ, et, lorsqu'il fut arrivé, nous nous mîmes en chemin. Nous avons passé par la Syrie et par la Mésopotamie, traversé toute la Perse, où, après nous être arrêtés dans plusieurs villes, nous sommes enfin venus, Sire, jusqu'à votre capitale. Au bout de quelque temps, le jeune homme m'ayant témoigné qu'il avait dessein de repasser dans la Perse et de s'y établir, nous fîmes nos comptes, et nous nous séparâmes très satisfaits l'un de l'autre. Il partit ; et moi, Sire, je suis resté dans cette ville, où j'ai l'honneur d'être au service de Votre Majesté. Voilà l'histoire que j'avais à vous conter : ne la trouvez-vous pas plus surprenante que celle du bossu ? »

Le sultan de Casgar se mit en colère contre le marchand chrétien : « Tu es bien hardi, lui dit-il, d'oser me faire le récit d'une histoire si peu digne de mon attention, et de la comparer à celle du bossu. Peux-tu te flatter de me persuader que les fades aventures d'un jeune débauché sont plus admirables que celles de mon bouffon ? Je vais vous faire pendre tous quatre pour venger sa mort. »

A ces paroles, le pourvoyeur effrayé se jeta aux pieds du sultan : « Sire, dit-il, je supplie Votre Majesté de suspendre sa juste colère, de m'écouter et de nous faire grâce à tous quatre, si l'histoire que je vais conter à Votre Majesté est plus belle que celle du bossu. — Je t'accorde ce que tu me demandes, répondit le sultan : parle. » Le pourvoyeur prit alors la parole et dit :

HISTOIRE

« Sire, une personne de considération m'invita hier aux noces d'une de ses filles. Je ne manquai pas de me rendre chez lui sur le soir à l'heure marquée, et je me trouvai dans une assemblée de docteurs, d'officiers de justice et d'autres personnes les plus distinguées de cette ville. Après les cérémonies, on servit un festin magnifique ; on se mit à table, et chacun mangea de ce qu'il trouva le plus à son goût. Il y avait, entre autres choses, une entrée accommodée avec de l'ail, qui était excellente, et dont tout le monde voulait avoir ; et, comme nous remarquâmes qu'un des convives ne s'empressait pas d'en manger, quoiqu'elle fût devant lui, nous l'invitâmes à mettre la main au plat et à nous imiter. Il nous conjura de ne le point presser là-dessus : « Je me garderai bien, nous dit-il, de toucher à un ragoût où il y aura de l'ail : je n'ai point oublié ce qu'il m'en coûte pour en avoir goûté autrefois. » Nous le priâmes de nous raconter ce qui lui avait causé une si grande aversion pour l'ail. Mais, sans lui donner le temps de nous répondre : « Est-ce ainsi, lui dit le maître de la maison, que vous faites honneur à ma table ? Ce ragoût est délicieux, ne prétendez pas vous exempter d'en manger : il faut que vous me fassiez cette grâce comme les autres. — Seigneur, lui repartit le convive, qui était un marchand de Bagdad, ne croyez pas que j'en use ainsi par une fausse délicatesse ; je veux bien vous obéir si vous le voulez absolument ; mais ce sera à condition qu'après en avoir mangé, je me laverai, s'il vous plaît, les mains quarante fois avec de l'alcali*, quarante autres fois avec de la cendre de la même plante, et autant de fois avec du savon.

* C'est de la soude en français.

Vous ne trouverez pas mauvais que j'en use ainsi, pour ne pas contrevenir au serment que j'ai fait de ne manger jamais de ragoût à l'ail qu'à cette condition. »

En achevant ces paroles, Scheherazade, voyant paraître le jour, se tut; et Schahriar se leva fort curieux de savoir pourquoi ce marchand avait juré de se laver six vingts fois après avoir mangé d'un ragoût à l'ail. La sultane contenta sa curiosité de cette sorte sur la fin de la nuit suivante :

CXLI^e NUIT

Le pourvoyeur, parlant au sultan de Casgar : « Le maître du logis, poursuivit-il, ne voulant pas dispenser le marchand de manger du ragoût à l'ail, commanda à ses gens de tenir prêts un bassin et de l'eau avec de l'alcali, de la cendre de la même plante, et du savon, afin que le marchand se lavât autant de fois qu'il lui plairait. Après avoir donné cet ordre, il s'adressa au marchand : « Faites donc comme nous, lui dit-il, et mangez. L'alcali, la cendre de la même plante et le savon ne vous manqueront pas. »

« Le marchand, comme en colère de la violence qu'on lui faisait, avança la main, prit un morceau qu'il porta en tremblant à sa bouche, et le mangea avec une répugnance dont nous fûmes tous fort étonnés. Mais, ce qui nous surprit davantage, nous remarquâmes qu'il n'avait que quatre doigts et point de pouce; et personne jusque-là ne s'en était encore aperçu, quoiqu'il eût déjà mangé d'autres mets. Le maître de la maison prit aussitôt la parole : « Vous n'avez point de pouce, lui dit-il; par quel accident l'avez-vous perdu ? Il faut que ce soit à quelque occasion dont vous ferez plaisir à la compagnie de l'entretenir. — Seigneur, répondit-il, ce n'est pas seulement à la main droite que je n'ai point de pouce, je n'en ai pas aussi à la gauche. » En même temps il avança la main gauche, et nous fit voir que ce qu'il nous disait était véritable. « Ce n'est pas tout encore, ajouta-t-il : le pouce me manque de même à l'un et l'autre pied, et vous pouvez m'en croire. Je suis estropié de cette manière par une aventure inouïe que je ne refuse pas de vous raconter, si vous voulez bien avoir la patience de l'entendre : elle ne vous causera pas moins d'étonnement qu'elle vous fera de pitié. Mais permettez-moi de me laver les mains auparavant. » A ces mots, il se leva de table ; et, après s'être lavé les mains six vingts fois, il revint prendre sa place, et nous fit le récit de son histoire dans ces termes :

« Vous saurez, Messeigneurs, que, sous le règne du calife Haroun-al-Raschid, mon père vivait à Bagdad, où je suis né, et passait pour un des plus riches marchands de la ville. Mais, comme c'était un homme attaché à ses plaisirs, qui aimait la débauche et négligeait le soin de ses affaires, au lieu de recueillir de grands biens à sa mort, j'eus besoin de toute l'économie imaginable pour acquitter les dettes qu'il avait laissées. Je vins pourtant à bout de les payer toutes, et, par mes soins, ma petite fortune commença à prendre une face assez riante.

« Un matin que j'ouvrais ma boutique, une dame montée sur une mule, accompagnée d'un eunuque et suivie de deux esclaves, passa près de ma porte et s'arrêta. Elle mit pied à terre à l'aide de l'eunuque, qui lui prêta la main, et qui lui dit : « Madame, je vous l'avais bien dit que vous veniez de trop bonne heure : vous voyez qu'il n'y a encore personne au bezestein, et, si vous aviez voulu me croire, vous vous seriez épargné la peine que vous aurez d'attendre. » Elle regarda de toutes parts, et, voyant en effet qu'il n'y avait pas d'autres boutiques ouvertes que la mienne, elle s'en approcha en me saluant, et me pria de lui permettre qu'elle s'y reposât en attendant que les autres marchands arrivassent. Je répondis à son compliment comme je devais... »

Scheherazade n'en serait pas demeurée en cet endroit si le jour qu'elle vit paraître ne lui eût imposé silence. Le sultan des Indes, qui souhaitait d'entendre la suite de cette histoire, attendit avec impatience la nuit suivante.

CXLII^e NUIT

La sultane, ayant été réveillée par sa sœur Dinarzade, adressa la parole au sultan :

« Sire, dit-elle, le marchand continua de cette sorte le récit qu'il avait commencé :

« La dame s'assit dans ma boutique, et, remarquant qu'il n'y avait personne que l'eunuque et moi dans tout le bezestein, elle se découvrit le visage pour prendre l'air. Je n'ai jamais rien vu de si beau : la voir et l'aimer passionnément, ce fut la même chose pour moi; j'eus toujours les yeux attachés sur elle. Il me parut que mon attention ne lui était pas désagréable, car elle me donna tout le temps de la regarder à mon aise; et elle ne se couvrit le visage que lorsque la crainte d'être aperçue l'y obligea.

« Après qu'elle se fut remise dans le même état qu'auparavant, elle me dit qu'elle cherchait plusieurs sortes d'étoffes des plus belles et des plus riches qu'elle me nomma, et elle me demanda si j'en avais. « Hélas ! Madame, lui répondis-je, je suis un jeune marchand qui ne fais que commencer à m'établir : je ne suis pas encore assez riche pour faire un si grand négoce, et c'est une mortification pour moi de n'avoir rien à vous présenter de ce qui vous a fait venir au bezestein; mais, pour vous épargner la peine d'aller de boutique en boutique, d'abord que les marchands seront venus, j'irai, si vous le trouvez bon, prendre chez eux tout ce que vous souhaitez; ils m'en diront le prix au juste; et, sans aller plus loin, vous ferez ici vos emplettes. » Elle y consentit, et j'eus avec elle un entretien qui dura d'autant plus longtemps que je lui faisais accroire que les marchands qui avaient les étoffes qu'elle demandait n'étaient pas encore arrivés.

« Je ne fus pas moins charmé de son esprit que je l'avais été de la beauté de son visage; mais il fallut enfin me priver du plaisir de sa conversation; je courus chercher les étoffes qu'elle désirait; et, quand elle eut choisi celles qui lui plurent, nous en arrêtâmes le prix à cinq mille dragmes d'argent monnayé. J'en fis un paquet, que je donnai à l'eunuque, qui le mit sous son bras. Elle se leva ensuite, et partit après avoir pris congé de moi; je la conduisis des yeux jusqu'à la porte du bezestein, et je ne cessai de la regarder qu'elle ne fût remontée sur sa mule.

« La dame n'eut pas plutôt disparu que je m'aperçus que l'amour m'avait fait faire une grande faute. Il m'avait tellement troublé l'esprit que je n'avais pas pris garde qu'elle s'en allait sans payer, et que je ne lui avais pas seulement demandé qui elle était, ni où elle demeurait. Je fis réflexion pourtant que j'étais redevable d'une somme considérable à plusieurs marchands, qui n'auraient peut-être pas la patience d'attendre. J'allai m'excuser auprès d'eux le mieux qu'il me fut possible, en leur disant que je connaissais la dame. Enfin je revins chez

moi aussi amoureux qu'embarrassé d'une si grosse
dette... »

Scheherazade, en cet endroit, vit paraître le jour et
cessa de parler. La nuit suivante, elle continua de cette
manière :

CXLIII^e NUIT

« J'avais prié mes créanciers, poursuivit le marchand,
de vouloir bien attendre huit jours pour recevoir leur
payement : la huitaine échue, ils ne manquèrent pas de
me presser de les satisfaire. Je les suppliai de m'accorder le même délai : ils y consentirent; mais, dès le lendemain, je vis arriver la dame montée sur sa mule, avec
la même suite et à la même heure que la première fois.
Elle vint droit à ma boutique. « Je vous ai fait un peu
attendre, me dit-elle; mais enfin je vous apporte l'argent
des étoffes que je pris l'autre jour; portez-le chez un
changeur : qu'il voie s'il est de bon aloi et si le compte y
est. » L'eunuque, qui avait l'argent, vint avec moi chez
le changeur, et la somme se trouva juste et toute de bon
argent. Je revins, et j'eus encore le bonheur d'entretenir
la dame jusqu'à ce que toutes les boutiques du bezestein
furent ouvertes. Quoique nous ne parlassions que de
choses très communes, elle leur donnait néanmoins un
tour qui les faisait paraître nouvelles, et qui me fit voir
que je ne m'étais pas trompé quand, dès la première
conversation, j'avais jugé qu'elle avait beaucoup d'esprit.
   « Lorsque les marchands furent arrivés, et qu'ils
eurent ouvert leurs boutiques, je portai ce que je devais
à ceux chez qui j'avais pris des étoffes à crédit, et je n'eus
pas de peine à obtenir d'eux qu'ils m'en confiassent
d'autres que la dame m'avait demandées. J'en levai pour
mille pièces d'or, et la dame emporta encore la marchandise sans la payer, sans me rien dire, ni sans se faire
connaître. Ce qui m'étonnait, c'est qu'elle ne hasardait
rien, et que je demeurais sans caution et sans certitude
d'être dédommagé en cas que je ne la revisse plus. « Elle
me paye une somme assez considérable, disais-je en
moi-même; mais elle me laisse redevable d'une autre
qui l'est encore davantage. Serait-ce une trompeuse, et
serait-il possible qu'elle m'eût leurré d'abord pour me
mieux ruiner ? Les marchands ne la connaissent pas,
et c'est à moi qu'ils s'adresseront. » Mon amour ne fut

pas assez puissant pour m'empêcher de faire là-dessus
des réflexions chagrinantes. Mes alarmes augmentèrent
même de jour en jour pendant un mois entier, qui s'écoula
sans que je reçusse aucune nouvelle de la dame. Enfin,
les marchands s'impatientaient, et, pour les satisfaire,
j'étais prêt à vendre tout ce que j'avais, lorsque je la
vis revenir un matin dans le même équipage que les
autres fois.

« Prenez votre trébuchet, me dit-elle, pour peser l'or
que je vous apporte. » Ces paroles achevèrent de dissiper ma frayeur, et redoublèrent mon amour. Avant que
de compter les pièces d'or, elle me fit plusieurs questions ;
entre autres, elle me demanda si j'étais marié. Je lui
répondis que non et que je ne l'avais jamais été. Alors,
en donnant l'or à l'eunuque, elle lui dit : « Prêtez-nous
votre entremise pour terminer notre affaire. » L'eunuque
se mit à rire, et, m'ayant tiré à l'écart, me fit peser l'or.
Pendant que je le pesais, l'eunuque me dit à l'oreille :
« A vous voir, je connais parfaitement que vous aimez
ma maîtresse, et je suis surpris que vous n'ayez pas la
hardiesse de lui découvrir votre amour ; elle vous aime
encore plus que vous ne l'aimez. Ne croyez pas qu'elle
ait besoin de vos étoffes ; elle ne vient ici uniquement que
parce que vous lui avez inspiré une passion violente :
c'est à cause de cela qu'elle vous a demandé si vous étiez
marié. Vous n'avez qu'à parler, il ne tiendra qu'à vous
de l'épouser, si vous voulez. — Il est vrai, lui répondis-
je, que j'ai senti naître de l'amour pour elle dès le premier moment que je l'ai vue ; mais je n'osais aspirer au
bonheur de lui plaire. Je suis tout à elle, et je ne manquerai pas de reconnaître le bon office que vous me rendez. »

Enfin, j'achevai de peser les pièces d'or ; et, pendant
que je les remettais dans le sac, l'eunuque se tourna
du côté de la dame, et lui dit que j'étais très content :
c'était le mot dont ils étaient convenus entre eux. Aussitôt la dame, qui était assise, se leva, et partit en me disant
qu'elle m'enverrait l'eunuque, et que je n'aurais qu'à
faire ce qu'il me dirait de sa part.

« Je portai à chaque marchand l'argent qui lui était
dû, et j'attendis impatiemment l'eunuque durant quelques jours. Il arriva enfin. »

« Mais, Sire, dit Scheherazade au sultan des Indes,
voilà le jour qui paraît. » A ces mots, elle garda le silence.
Le lendemain, elle reprit ainsi la suite de son discours :

CXLIV^e NUIT

« Je fis bien des amitiés à l'eunuque, dit le marchand de Bagdad, et je lui demandai des nouvelles de la santé de sa maîtresse. « Vous êtes, me répondit-il, l'amant du monde le plus heureux; elle est malade d'amour. On ne peut avoir plus d'envie de vous voir qu'elle en a, et, si elle disposait de ses actions, elle viendrait vous chercher, et passerait volontiers avec vous tous les moments de sa vie. — A son air noble et à ses manières honnêtes, lui dis-je, j'ai jugé que c'était quelque dame de considération. — Vous ne vous êtes pas trompé dans ce jugement, répliqua l'eunuque : elle est favorite de Zobéide, épouse du calife, laquelle l'aime d'autant plus chèrement qu'elle l'a élevée dès son enfance, et qu'elle se repose sur elle de toutes les emplettes qu'elle a à faire. Dans le dessein qu'elle a de se marier, elle a déclaré à l'épouse du Commandeur des croyants qu'elle avait jeté les yeux sur vous, et lui a demandé son consentement. Zobéide lui a dit qu'elle y consentait; mais qu'elle voulait vous voir auparavant, afin de juger si elle avait fait un bon choix, et qu'en ce cas-là elle ferait les frais des noces. C'est pourquoi vous voyez que votre bonheur est certain. Si vous avez plu à la favorite, vous ne plairez pas moins à la maîtresse, qui ne cherche qu'à lui faire plaisir et qui ne voudrait pas contraindre son inclination. Il ne s'agit donc plus que de venir au palais, et c'est pour cela que vous me voyez ici : c'est à vous de prendre votre résolution. — Elle est toute prise, lui répartis-je, et je suis prêt à vous suivre partout où vous voudrez me conduire. — Voilà qui est bien, reprit l'eunuque; mais vous savez que les hommes n'entrent pas dans les appartements des dames du palais, et qu'on ne peut vous y introduire qu'en prenant des mesures qui demandent un grand secret; la favorite en a pris de justes. De votre côté, faites tout ce qui dépendra de vous; mais surtout soyez discret, car il y va de votre vie. »

« Je l'assurai que je ferais exactement tout ce qui me serait ordonné. « Il faut donc, me dit-il, que ce soir, à l'entrée de la nuit, vous vous rendiez à la mosquée que Zobéide, épouse du calife, a fait bâtir sur le bord du Tigre, et que là vous attendiez qu'on vous vienne chercher. » Je consentis à tout ce qu'il voulut. J'attendis la fin du jour avec impatience ; et, quand elle fut venue, je partis. J'assistai à la prière d'une heure et demie après le soleil couché, dans la mosquée, où je demeurai le dernier.

« Je vis bientôt aborder un bateau dont tous les rameurs étaient eunuques ; ils débarquèrent et apportèrent dans la mosquée plusieurs grands coffres, après quoi ils se retirèrent ; il n'en resta qu'un seul, que je reconnus pour celui qui avait toujours accompagné la dame, et qui m'avait parlé le matin. Je vis entrer aussi la dame ; j'allai au-devant d'elle, en lui témoignant que j'étais prêt à exécuter ses ordres. « Nous n'avons pas de temps à perdre », me dit-elle. En disant cela, elle ouvrit un des coffres et m'ordonna de me mettre dedans : « C'est une chose, ajouta-t-elle, nécessaire pour votre sûreté et pour la mienne. Ne craignez rien, et laissez-moi disposer du reste. » J'en avais trop fait pour reculer ; je fis ce qu'elle désirait, et aussitôt elle referma le coffre à la clef. Ensuite l'eunuque qui était dans sa confidence appela les autres eunuques qui avaient apporté les coffres, et les fit tous reporter dans le bateau ; puis, la dame et son eunuque s'étant rembarqués, on commença de ramer pour me mener à l'appartement de Zobéide.

« Pendant ce temps-là, je faisais de sérieuses réflexions ; et, considérant le danger où j'étais, je me repentis de m'y être exposé. Je fis des vœux et des prières qui n'étaient guère de saison.

« Le bateau aborda devant la porte du palais du calife ; on déchargea les coffres, qui furent portés à l'appartement de l'officier des eunuques qui garde la clef de celui des dames et n'y laisse rien entrer sans l'avoir bien visité auparavant. Cet officier était couché ; il fallut l'éveiller et le faire lever. »

« Mais, Sire, dit Scheherazade en cet endroit, je vois le jour qui commence à paraître. » Schahriar se leva pour aller tenir son conseil, et dans la résolution d'entendre le lendemain la suite d'une histoire qu'il avait écoutée jusque-là avec plaisir.

CXLVᵉ NUIT

Quelques moments avant le jour, la sultane des Indes, s'étant réveillée, poursuivit de cette manière l'histoire du marchand de Bagdad :

« L'officier des eunuques, continua-t-il, fâché de ce qu'on avait interrompu son sommeil, querella fort la favorite de ce qu'elle revenait si tard. « Vous n'en serez pas quitte à si bon marché que vous vous l'imaginez, lui dit-il : pas un de ces coffres ne passera que je ne l'aie fait ouvrir et que je ne l'aie exactement visité. » En même temps, il commanda aux eunuques de les apporter devant lui l'un après l'autre et de les ouvrir. Ils commencèrent par celui où j'étais enfermé ; ils le prirent et le portèrent. Alors je fus saisi d'une frayeur que je ne puis exprimer : je me crus au dernier moment de ma vie.

« La favorite, qui avait la clef, protesta qu'elle ne la donnerait pas et ne souffrirait jamais qu'on ouvrît ce coffre-là. « Vous savez bien, dit-elle, que je ne fais rien venir qui ne soit pour le service de Zobéide, votre maîtresse et la mienne. Ce coffre, particulièrement, est rempli de marchandises précieuses, que des marchands nouvellement arrivés m'ont confiées. Il y a de plus un nombre de bouteilles d'eau de la fontaine de Zemzem *, envoyées de la Mecque : si quelqu'une venait à se casser, les marchandises en seraient gâtées, et vous en répondriez ; la femme du Commandeur des croyants saurait bien se venger de votre insolence. » Enfin, elle parla avec tant de fermeté que l'officier n'eut pas la hardiesse de s'opiniâtrer à vouloir faire la visite ni du coffre où j'étais, ni des autres. « Passez donc, dit-il en colère ; marchez. » On ouvrit l'appartement des dames, et l'on y porta tous les coffres.

« A peine y furent-ils que j'entendis crier tout à coup : « Voilà le calife, voilà le calife. » Ces paroles augmentèrent ma frayeur à un point que je ne sais comment je n'en mourus pas sur-le-champ : c'était effectivement le calife. « Qu'apportez-vous donc dans ces coffres ? dit-il à la favorite. — Commandeur des croyants, répondit-elle, ce sont des étoffes nouvellement arrivées que l'épouse de Votre Majesté a souhaité qu'on lui montrât. — Ouvrez, ouvrez, reprit le calife ; je les veux voir aussi. » Elle voulut s'en excuser, en lui représentant que ces étoffes n'étaient propres que pour des dames, et que ce serait ôter à son épouse le plaisir qu'elle se faisait de les voir la première. « Ouvrez, vous dis-je, répliqua-t-il, je vous l'ordonne. »

* Cette fontaine est à la Mecque ; et, selon les Mahométans, c'est la source que Dieu fit paraître en faveur d'Agar, après qu'Abraham eut été obligé de la chasser. On boit de son eau par dévotion et l'on en envoie en présent aux princes et aux princesses.

Elle lui remontra encore que Sa Majesté, en l'obligeant à manquer à sa maîtresse, l'exposait à sa colère. « Non, non, repartit-il, je vous promets qu'elle ne vous en fera aucun reproche. Ouvrez seulement, et ne me faites pas attendre plus longtemps. »

« Il fallut obéir; et je sentis alors de si vives alarmes que j'en frémis encore toutes les fois que j'y pense. Le calife s'assit, et la favorite fit porter devant lui tous les coffres l'un après l'autre, et les ouvrit. Pour tirer les choses en longueur, elle lui faisait remarquer toutes les beautés de chaque étoffe en particulier. Elle voulait mettre sa patience à bout; mais elle n'y réussit pas. Comme elle n'était pas moins intéressée que moi à ne pas ouvrir le coffre où j'étais, elle ne s'empressait point à le faire apporter, et il ne restait plus que celui-là à visiter. « Achevons, dit le calife; voyons encore ce qu'il y a dans ce coffre. » Je ne puis dire si j'étais vif ou mort en ce moment; mais je ne croyais pas échapper d'un si grand danger... »

Scheherazade, à ces derniers mots, vit paraître le jour; elle interrompit sa narration, mais elle la continua de cette sorte sur la fin de la nuit suivante :

CXLVIe NUIT

« Lorsque la favorite de Zobéide, poursuivit le marchand de Bagdad, vit que le calife voulait absolument qu'elle ouvrît le coffre où j'étais : « Pour celui-ci, dit-elle, Votre Majesté me fera, s'il lui plaît, la grâce de me dispenser de lui faire voir ce qu'il y a dedans : il y a des choses que je ne lui puis montrer qu'en présence de son épouse. — Voilà qui est bien, dit le calife, je suis content, faites emporter vos coffres. » Elle les fit enlever aussitôt et porter dans sa chambre, où je commençai à respirer.

« Dès que les eunuques qui les avaient apportés se furent retirés, elle ouvrit promptement celui où j'étais prisonnier. « Sortez, me dit-elle, en me montrant la porte d'un escalier qui conduisait à une chambre au-dessus : montez, et allez m'attendre. » Elle n'eut pas fermé la porte sur moi que le calife entra et s'assit sur le coffre d'où je venais de sortir. Le motif de cette visite était un mouvement de curiosité qui ne me regardait pas. Ce prince voulait faire des questions sur ce qu'elle avait vu ou entendu dans la ville. Ils s'entretinrent tous deux assez longtemps ; après quoi il la quitta enfin, et se retira dans son appartement.

« Lorsqu'elle se vit libre, elle me vint trouver dans la chambre où j'étais monté, et me fit bien des excuses de toutes les alarmes qu'elle m'avait causées. « Ma peine, me dit-elle, n'a pas été moins grande que la vôtre ; vous n'en devez pas douter, puisque j'ai souffert pour l'amour de vous et pour moi qui courais le même péril. Une autre à ma place n'aurait peut-être pas eu le courage de se tirer si bien d'une occasion si délicate. Il ne fallait pas moins de hardiesse ni de présence d'esprit ; ou plutôt il fallait avoir tout l'amour que j'ai pour vous pour sortir de cet embarras ; mais rassurez-vous, il n'y a plus rien à craindre. » Après nous être entretenus quelque temps avec beaucoup de tendresse : « Il est temps, me dit-elle, de vous reposer : couchez-vous. Je ne manquerai pas de vous présenter demain à Zobéide, ma maîtresse, à quelque heure du jour ; et c'est une chose facile, car le calife ne la voit que la nuit. » Rassuré par ce discours, je dormis assez tranquillement ; ou, si mon sommeil fut quelquefois interrompu par des inquiétudes, ce furent des inquiétudes agréables, causées par l'espérance de posséder une dame qui avait tant d'esprit et de beauté.

« Le lendemain, la favorite de Zobéide, avant que de me faire paraître devant sa maîtresse, m'instruisit de la manière dont je devais soutenir sa présence, me dit à peu près les questions que cette princesse me ferait, et me dicta les réponses que j'y devais faire. Après cela, elle me conduisit dans une salle où tout était d'une richesse, d'une propreté et d'une magnificence surprenantes. Je n'y étais pas entré que vingt dames esclaves, d'un âge déjà avancé, toutes vêtues d'habits riches et uniformes, sortirent du cabinet de Zobéide et vinrent se ranger devant un trône en deux files égales, avec une grande modestie. Elles furent suivies de vingt autres dames toutes jeunes et habillées de la même sorte que les premières, avec cette différence pourtant que leurs habits avaient quelque chose de plus galant. Zobéide parut au milieu de celles-ci avec un air majestueux, et si chargée de pierreries et de toutes sortes de joyaux qu'à peine pouvait-elle marcher. Elle alla s'asseoir sur le trône. J'oubliais de vous dire que sa dame favorite l'accompagnait, et qu'elle demeura debout à sa droite, pendant que les dames esclaves, un peu plus éloignées, étaient en foule des deux côtés du trône.

« D'abord que la femme du calife fut assise, les esclaves qui étaient entrées les premières me firent signe d'approcher. Je m'avançai au milieu des deux rangs qu'elles formaient, et me prosternai la tête contre le tapis qui était sous les pieds de la princesse. Elle m'ordonna de me relever, et me fit l'honneur de s'informer de mon nom, de ma famille et de l'état de ma fortune, à quoi je satisfis assez à son gré. Je m'en aperçus non seulement à son air, elle me le fit même connaître par les choses qu'elle eut la bonté de me dire. « J'ai bien de la joie, me dit-elle, que ma fille (c'est ainsi qu'elle appelait sa dame favorite), car je la regarde comme telle, après le soin que j'ai pris de son éducation, ait fait un choix dont je suis contente ; je l'approuve et consens que vous vous mariiez tous deux. J'ordonnerai moi-même les apprêts de vos noces, mais auparavant, j'ai besoin de ma fille pour dix jours ; pendant ce temps-là, je parlerai au calife et obtiendrai son consentement, et vous, demeurerez ici : on aura soin de vous... »

En achevant ces paroles, Scheherazade aperçut le jour et cessa de parler. Le lendemain, elle reprit la parole de cette manière :

CXLVIIe NUIT

« Je demeurai donc dix jours dans l'appartement des dames du calife, continua le marchand de Bagdad. Durant tout ce temps-là, je fus privé du plaisir de voir la dame favorite ; mais on me traita si bien par son ordre que j'eus sujet d'ailleurs d'être très satisfait.

« Zobéide entretint le calife de la résolution qu'elle avait prise de marier sa favorite ; et ce prince, en lui laissant la liberté de faire là-dessus ce qui lui plairait, accorda une somme considérable à la favorite pour contribuer de sa part à son établissement. Les dix jours écoulés, Zobéide fit dresser le contrat de mariage, qui lui fut apporté en bonne forme. Les préparatifs des noces se firent ; on appela les musiciens, les danseurs et les danseuses, et il y eut pendant neuf jours de grandes réjouissances dans le palais. Le dixième jour étant destiné pour la dernière cérémonie du mariage, la dame favorite fut conduite au bain d'un côté, et moi d'un autre; et sur le soir, m'étant mis à table, on me servit toutes sortes de mets et de ragoûts, entre autres un ragoût à l'ail, comme celui dont on vient de me forcer de manger. Je le trouvai si bon que je ne touchai presque point aux autres mets. Mais, pour mon malheur, m'étant levé de table, je me contentai de m'essuyer les mains au lieu de les bien laver; et c'était une négligence qui ne m'était jamais arrivée jusqu'alors.

« Comme il était nuit, on suppléa à la clarté du jour par une grande illumination dans l'appartement des dames. Les instruments se firent entendre, on dansa, on fit mille jeux : tout le palais retentissait de cris de joie. On nous introduisit, ma femme et moi, dans une grande salle où l'on nous fit asseoir sur deux trônes. Les femmes qui la servaient lui firent changer plusieurs fois d'habits, et lui peignirent le visage de différentes manières, selon la coutume pratiquée au jour des noces; et, chaque fois qu'on lui changeait d'habillement, on me la faisait voir.

« Enfin toutes ces cérémonies finirent, et l'on nous conduisit dans la chambre nuptiale. D'abord qu'on nous y eut laissés seuls, je m'approchai de mon épouse pour l'embrasser; mais, au lieu de répondre à mes transports, elle me repoussa fortement, et se mit à faire des cris épouvantables qui attirèrent bientôt dans la chambre toutes les dames de l'appartement, qui voulurent savoir le sujet de ses cris. Pour moi, saisi d'un long étonnement, j'étais demeuré immobile, sans avoir eu seulement la force de lui en demander la cause. « Notre chère sœur, lui dirent-elles, que vous est-il donc arrivé depuis le peu de temps que nous vous avons quittée ? Apprenez-le-nous, afin que nous vous secourions. — Otez, s'écria-t-elle, ôtez-moi de devant les yeux ce vilain homme que voilà. — Hé! Madame, lui dis-je, en quoi puis-je avoir eu le malheur de mériter votre colère ? — Vous êtes un vilain, me répondit-elle en furie; vous avez mangé de l'ail, et vous ne vous êtes pas lavé les mains! Croyez-vous que je veuille souffrir qu'un homme si malpropre s'approche de moi pour m'empester ? Couchez-le par terre, ajouta-t-elle en s'adressant aux dames, et qu'on m'apporte un nerf de bœuf. » Elles me renversèrent aussitôt, et, tandis que les unes me tenaient par les bras et les autres par les pieds, ma femme, qui avait été servie en diligence, me frappa impitoyablement jusqu'à ce que les forces lui manquèrent. Alors elle dit aux dames : « Prenez-le :

qu'on l'envoie au lieutenant de police, et qu'on lui fasse couper la main dont il a mangé du ragoût à l'ail. » A ces paroles, je m'écriai : « Grand Dieu ! je suis rompu et brisé de coups, et, pour surcroît d'affliction, on me condamne encore à avoir la main coupée ! Et pourquoi ? pour avoir mangé d'un ragoût à l'ail et avoir oublié de me laver les mains ! Quelle colère pour un si petit sujet ! Peste soit du ragoût à l'ail ! Maudits soient le cuisinier qui l'a apprêté et celui qui l'a servi ! »

La sultane Scheherazade, remarquant qu'il était jour, s'arrêta en cet endroit. Schahriar se leva en riant de toute sa force de la colère de la dame favorite, et fort curieux d'apprendre le dénouement de cette histoire.

CXLVIIIe NUIT

Le lendemain, Scheherazade, réveillée avant le jour, reprit ainsi le fil de son discours de la nuit précédente :

« Toutes les dames, dit le marchand de Bagdad, qui m'avaient vu recevoir mille coups de nerf de bœuf, eurent pitié de moi lorsqu'elles entendirent parler de me faire couper la main. « Notre chère sœur et notre bonne dame, dirent-elles à la favorite, vous poussez trop loin votre ressentiment. C'est un homme, à la vérité, qui ne sait pas vivre, qui ignore votre rang et les égards que vous méritez ; mais nous vous supplions de ne pas prendre garde à la faute qu'il a commise, et de la lui pardonner. — Je ne suis pas satisfaite, reprit-elle, je veux qu'il apprenne à vivre, et qu'il porte des marques si sensibles de sa malpropreté qu'il ne s'avisera de sa vie de manger d'un ragoût à l'ail sans se souvenir ensuite de se laver les mains. » Elles ne se rebutèrent pas de son refus ; elles se jetèrent à ses pieds, et, lui baisant la main : « Notre bonne dame, lui dirent-elles, au nom de Dieu, modérez votre colère, et accordez-nous la grâce que nous vous demandons. » Elle ne leur répondit rien, mais elle se leva ; et, après m'avoir dit mille injures, elle sortit de la chambre. Toutes les dames la suivirent, et me laissèrent seul dans une affliction inconcevable.

« Je demeurai dix jours sans voir personne qu'une vieille esclave qui venait m'apporter à manger. Je lui demandai des nouvelles de la dame favorite. « Elle est malade, me dit la vieille esclave, de l'odeur empoisonnée que vous lui avez fait respirer. Pourquoi aussi n'avez-vous pas eu soin de vous laver les mains après avoir mangé de ce maudit ragoût à l'ail ? — Est-il possible, dis-je alors en moi-même, que la délicatesse de ces dames soit si grande, et qu'elles soient si vindicatives pour une faute si légère! » J'aimais cependant ma femme, malgré sa cruauté, et je ne laissai pas de la plaindre.

« Un jour l'esclave me dit : « Votre épouse est guérie, elle est allée au bain, et elle m'a dit qu'elle vous viendrait voir demain. Ainsi, ayez encore patience, et tâchez de vous accommoder à son humeur. C'est d'ailleurs une personne très sage, très raisonnable, et très chérie de toutes les dames qui sont auprès de Zobéide, notre respectable maîtresse. »

« Véritablement ma femme vint le lendemain et me dit d'abord : « Il faut que je sois bien bonne de venir vous revoir après l'offense que vous m'avez faite. Mais je ne puis me résoudre à me réconcilier avec vous que je ne vous aie puni comme vous le méritez, pour ne vous être pas lavé les mains après avoir mangé d'un ragoût à l'ail. » En achevant ces mots, elle appela des dames qui me couchèrent par terre par son ordre, et, après qu'elles m'eurent lié, elle prit un rasoir, et eut la barbarie de me couper elle-même les quatre pouces. Une des dames appliqua d'une certaine racine pour arrêter le sang; mais cela n'empêcha pas que je ne m'évanouisse par la quantité que j'en avais perdue et par le mal que j'avais souffert.

« Je revins de mon évanouissement, et l'on me donna du vin à boire pour me faire reprendre des forces. « Ah! Madame, dis-je alors à mon épouse, si jamais il m'arrive de manger d'un ragoût à l'ail, je vous jure qu'au lieu d'une fois je me laverai les mains six vingts fois avec de l'alcali, de la cendre de la même plante et du savon. — Hé bien, dit ma femme, à cette condition, je veux bien oublier le passé, et vivre avec vous comme avec mon mari. »

« Voilà, Messeigneurs, ajouta le marchand de Bagdad en s'adressant à la compagnie, la raison pourquoi vous avez vu que j'ai refusé de manger du ragoût à l'ail qui était devant moi... »

Le jour qui commençait à paraître ne permit pas à Scheherazade d'en dire davantage cette nuit; mais le lendemain elle reprit la parole dans ces termes :

CXLIX^e NUIT

Sire, le marchand de Bagdad acheva de raconter ainsi son histoire :

« Les dames n'appliquèrent pas seulement sur mes plaies de la racine que j'ai dite pour étancher le sang, elles y mirent aussi du baume de la Mecque, qu'on ne pouvait pas soupçonner d'être falsifié, puisqu'elles l'avaient pris dans l'apothicairerie du calife. Par la vertu de ce baume admirable, je fus parfaitement guéri en peu de jours, et nous demeurâmes ensemble, ma femme et moi, dans la même union que si je n'eusse jamais mangé de ragoût à l'àil. Mais, comme j'avais toujours joui de ma liberté, je m'ennuyais fort d'être enfermé dans le palais du calife ; néanmoins je n'en voulais rien témoigner à mon épouse, de peur de lui déplaire. Elle s'en aperçut ; elle ne demandait pas mieux elle-même que d'en sortir. La reconnaissance seule la retenait auprès de Zobéide. Mais elle avait de l'esprit, et elle représenta si bien à sa maîtresse la contrainte où j'étais de ne pas vivre dans la ville avec les gens de ma condition comme j'avais toujours fait, que cette bonne princesse aima mieux se priver du plaisir d'avoir auprès d'elle sa favorite que de ne pas lui accorder ce que nous souhaitions tous deux également.

« C'est pourquoi, un mois après notre mariage, je vis paraître mon épouse avec plusieurs eunuques qui portaient chacun un sac d'argent. Quand ils se furent retirés : « Vous ne m'avez rien marqué, dit-elle, de l'ennui que vous cause le séjour de la cour ; mais je m'en suis fort bien aperçue, et j'ai heureusement trouvé moyen de vous rendre content. Zobéide, ma maîtresse, nous permet de nous retirer du palais, et voilà cinquante mille sequins dont elle nous fait présent pour nous mettre en état de vivre commodément dans la ville. Prenez-en dix mille, et allez nous acheter une maison. »

« J'en eus bientôt trouvé une pour cette somme, et, l'ayant fait meubler magnifiquement, nous y allâmes loger. Nous prîmes un grand nombre d'esclaves de l'un et de l'autre sexe, et nous nous donnâmes un fort bel équipage. Enfin, nous commençâmes à mener une vie fort agréable ; mais elle ne fut pas de longue durée. Au bout d'un an, ma femme tomba malade, et mourut en peu de jours.

« J'aurais pu me remarier et continuer de vivre honorablement à Bagdad; mais l'envie de voir le monde m'inspira un autre dessein. Je vendis ma maison, et après avoir acheté plusieurs sortes de marchandises, je me joignis à une caravane, et passai en Perse. De là, je pris la route de Samarcande, d'où je suis venu m'établir en cette ville. »

« Voilà, Sire, dit le pourvoyeur qui parlait au sultan de Casgar, l'histoire que raconta hier ce marchand de Bagdad à la compagnie où je me trouvai. — Cette histoire, dit le sultan, a quelque chose d'extraordinaire; mais elle n'est pas comparable à celle du petit bossu. » Alors le médecin juif, s'étant avancé, se prosterna devant le trône de ce prince, et lui dit en se relevant : « Sire, si Votre Majesté veut avoir aussi la bonté de m'écouter, je me flatte qu'elle sera satisfaite de l'histoire que j'ai à lui conter. — Hé bien, parle, lui dit le sultan; mais, si elle n'est pas plus surprenante que celle du bossu, n'espère pas que je te donne la vie... »

La sultane Scheherazade s'arrêta en cet endroit, parce qu'il était jour. La nuit suivante elle reprit ainsi son discours :

CL^e NUIT

Sire, dit-elle, le médecin juif, voyant le sultan de Casgar disposé à l'entendre, prit ainsi la parole :

HISTOIRE

QUE RACONTA LE MÉDECIN JUIF

« Sire, pendant que j'étudiais en médecine à Damas et que je commençais à y exercer ce bel art avec quelque réputation, un esclave me vint quérir pour aller voir un malade chez le gouverneur de la ville. Je m'y rendis, et l'on m'introduisit dans une chambre où je trouvai un jeune homme très bien fait, fort abattu du mal qu'il souffrait. Je le saluai en m'asseyant près de lui ; il ne répondit point à mon compliment, mais il me fit signe des yeux pour me marquer qu'il m'entendait et qu'il me remerciait. « Seigneur, lui dis-je, je vous prie de me donner la main, que je vous tâte le pouls. » Au lieu de me tendre la main droite, il me présenta la gauche, de quoi je fus extrêmement surpris. « Voilà, dis-je en moi-même, une grande ignorance, de ne savoir pas que l'on présente la main droite à un médecin, et non pas la gauche. » Je ne laissai pas de lui tâter le pouls, et, après avoir écrit une ordonnance, je me retirai.

« Je continuai mes visites pendant neuf jours ; et, toutes les fois que je lui voulus tâter le pouls, il me tendit la main gauche. Le dixième jour, il me parut se bien porter, et je lui dis qu'il n'avait plus besoin que d'aller au bain. Le gouverneur de Damas, qui était présent, pour me marquer combien il était content de moi, me fit revêtir en sa présence d'une robe très riche, en me disant qu'il me faisait médecin de l'hôpital de la ville et médecin ordinaire de sa maison, où je pouvais aller librement manger à sa table quand il me plairait.

« Le jeune homme me fit aussi de grandes amitiés, et me pria de l'accompagner au bain. Nous y entrâmes ; et, quand ses gens l'eurent déshabillé, je vis que la main droite lui manquait. Je remarquai même qu'il n'y avait pas longtemps qu'on la lui avait coupée : c'était aussi la cause de sa maladie que l'on m'avait cachée; et, tandis qu'on y appliquait des médicaments propres à le guérir promptement, on m'avait appelé pour empêcher que la fièvre qui l'avait pris n'eût de mauvaises suites. Je fus assez surpris et fort affligé de le voir en cet état; il le remarqua bien sur mon visage. « Médecin, me dit-il, ne vous étonnez pas de me voir la main coupée; je vous en dirai quelque jour le sujet, et vous entendrez une histoire des plus surprenantes. »

« Après que nous fumes sortis du bain, nous nous mîmes à table, nous nous entretînmes ensuite, et il me demanda s'il pouvait, sans altérer sa santé, s'aller promener hors de la ville, au jardin du gouverneur. Je lui répondis que non seulement il le pouvait, mais qu'il lui était même très salutaire de prendre l'air. « Si cela est, répliqua-t-il, et que vous vouliez bien me tenir compagnie, je vous conterai là mon histoire. » Je repartis que j'étais tout à lui le reste de la journée. Aussitôt, il commanda à ses gens d'apporter de quoi faire la collation; puis nous partîmes et nous nous rendîmes au jardin du gouverneur. Nous y fîmes deux ou trois tours de promenade; et, après nous être assis sur un tapis que ses gens étendirent sous un arbre qui faisait un bel ombrage, le jeune homme me fit de cette sorte le récit de son histoire :

« Je suis né à Mossoul, et ma famille est une des plus considérables de la ville. Mon père était l'aîné de dix enfants que mon aïeul laissa, en mourant, tous en vie et mariés. Mais, de ce grand nombre de frères, mon père fut le seul qui eut des enfants, encore n'eut-il que moi. Il prit un très grand soin de mon éducation, et me fit apprendre tout ce qu'un enfant de ma condition ne devait pas ignorer... »

« Mais, Sire, dit Scheherazade en se reprenant en cet endroit, l'aurore qui paraît m'impose silence. » A ces mots elle se tut, et le sultan se leva.

CLIᵉ NUIT

Le lendemain, Scheherazade, reprenant la suite de son discours de la nuit précédente :

Le médecin juif, dit-elle, continuant de parler au sultan de Casgar :

« Le jeune homme de Mossoul, ajouta-t-il, poursuivit ainsi son histoire :

« J'étais déjà grand, et je commençais à fréquenter le monde, lorsqu'un vendredi je me trouvai à la prière de midi avec mon père et mes oncles, dans la grande mosquée de Mossoul. Après la prière, tout le monde se retira, hors mon père et mes oncles, qui s'assirent sur le tapis qui régnait par toute la mosquée. Je m'assis aussi avec eux; et, s'entretenant de plusieurs choses, la conversation tomba insensiblement sur les voyages. Ils vantèrent les beautés et les singularités de quelques royaumes et de leurs villes principales; mais un de mes oncles dit que, si l'on en voulait croire le rapport uniforme d'une infinité de voyageurs, il n'y avait pas au monde un plus beau pays que l'Égypte et le Nil; et ce qu'il en raconta m'en donna une si grande idée que dès ce moment je conçus le désir d'y voyager. Ce que mes autres oncles purent dire pour donner la préférence à Bagdad et au Tigre, en appelant Bagdad le véritable séjour de la religion musulmane et la métropole de toutes les villes de la terre, ne fit pas la même impression sur moi. Mon père appuya le sentiment de celui de ses frères qui avait parlé en faveur de l'Égypte, ce qui me causa beaucoup de joie. « Quoi qu'on en veuille dire, s'écria-t-il, qui n'a pas vu l'Égypte n'a pas vu ce qu'il y a de plus singulier au monde. La terre y est toute d'or, c'est-à-dire si fertile qu'elle enrichit ses habitants. Toutes les femmes y charment, ou par leur beauté, ou par leurs manières agréables. Si vous me parlez du Nil, y a-t-il un fleuve plus admirable? Quelle eau fut jamais plus légère et plus délicieuse? Le limon même qu'il entraîne avec lui dans son débordement n'engraisse-t-il pas les campagnes, qui produisent sans travail mille fois plus que les autres terres avec toute la peine que l'on prend à les cultiver? Écoutez ce qu'un poète, obligé d'abandonner l'Égypte, disait aux Égyptiens :

Votre Nil vous comble tous les jours de biens ; c'est pour vous uniquement qu'il vient de si loin. Hélas ! en m'éloignant de vous, mes larmes vont couler aussi abondamment que ses eaux. Vous allez continuer de jouir de ses douceurs, tandis que je suis condamné à m'en priver malgré moi.

« Si vous regardez, ajouta mon père, du côté de l'île que forment les deux branches du Nil les plus grandes, quelle variété de verdure, quel émail de toutes sortes de fleurs, quelle quantité prodigieuse de villes, de bourgades, de canaux et de mille autres objets agréables! Si vous tournez les yeux de l'autre côté en remontant vers l'Éthiopie, combien d'autres sujets d'admiration! Je ne puis mieux comparer la verdure de tant de campagnes arrosées par les différents canaux du Nil qu'à des émeraudes brillantes enchâssées dans de l'argent. N'est-ce pas la ville de l'univers la plus vaste, la plus peuplée et la plus riche, que le grand Caire? Que d'édifices magnifiques, tant publics que particuliers! Si vous allez jusqu'aux pyramides, vous serez saisis d'étonnement; vous demeurerez immobiles à l'aspect de ces masses de pierres d'une grosseur énorme qui s'élèvent jusqu'aux cieux! Vous serez obligés d'avouer qu'il faut que les Pharaons, qui ont employé à les construire tant de richesses et tant d'hommes, aient surpassé tous les monarques qui sont venus après eux, non seulement en Égypte, mais sur la terre même, en magnificence et en invention, pour avoir laissé des monuments si dignes de leur mémoire. Ces monuments, si anciens que les savants ne sauraient convenir entre eux du temps qu'on les a élevés, subsistent encore aujourd'hui, et dureront autant que les siècles. Je passe sous silence les villes maritimes du royaume d'Égypte, comme Damiette, Rosette, Alexandrie, où je ne sais combien de nations vont chercher mille sortes de grains et de toiles, et mille autres choses pour la commodité et les délices des hommes. Je vous en parle avec connaissance : j'y ai passé quelques années de ma jeunesse, que je compterai tant que je vivrai pour les plus agréables de ma vie. »

Scheherazade parlait ainsi lorsque la lumière du jour qui commençait à naître vint frapper ses yeux : elle demeura aussitôt dans le silence; mais, sur la fin de la nuit suivante, elle reprit le fil de son discours de cette sorte :

CLII^e NUIT

« Mes oncles n'eurent rien à répliquer à mon père, poursuivit le jeune homme de Mossoul, et demeurèrent d'accord de tout ce qu'il venait de dire du Nil, du Caire et de tout le royaume d'Égypte. Pour moi, j'en eus l'imagination si remplie que je n'en dormis pas la nuit. Peu de temps après, mes oncles firent bien connaître eux-mêmes combien ils avaient été frappés du discours de mon père. Ils lui proposèrent de faire tous ensemble le voyage d'Égypte : il accepta la proposition; et, comme ils étaient de riches marchands, ils résolurent de porter avec eux des marchandises qu'ils y pussent débiter. J'appris qu'ils faisaient les préparatifs de leur départ : j'allai trouver mon père ; je le suppliai, les larmes aux yeux, de me permettre de l'accompagner et de m'accorder un fonds de marchandises pour en faire le débit moi-même. « Vous êtes encore trop jeune, me dit-il, pour entreprendre le voyage d'Égypte : la fatigue en est trop grande ; et, de plus, je suis persuadé que vous vous y perdriez. » Ces paroles ne m'ôtèrent pas l'envie de voyager ; j'employai le crédit de mes oncles auprès de mon père, dont ils obtinrent enfin que j'irais seulement jusqu'à Damas, où ils me laisseraient pendant qu'ils continueraient leur voyage jusqu'en Égypte. « La ville de Damas, dit mon père, a aussi ses beautés, et il faut qu'il se contente de la permission que je lui donne d'aller jusque-là. » Quelque désir que j'eusse de voir l'Égypte, après ce que je lui en avais ouï dire, il était mon père, je me soumis à sa volonté.

« Je partis donc de Mossoul avec mes oncles et lui. Nous traversâmes la Mésopotamie ; nous passâmes l'Euphrate ; nous arrivâmes à Alep, où nous séjournâmes peu de jours ; et, de là, nous nous rendîmes à Damas, dont l'abord me surprit très agréablement. Nous logeâmes tous dans un même khan. Je vis une ville grande, peuplée, remplie de beau monde et très bien fortifiée. Nous employâmes quelques jours à nous promener dans tous ces jardins délicieux qui sont aux environs, comme nous le pouvons voir d'ici ; et nous convînmes que l'on avait raison de dire que Damas était au milieu d'un paradis. Mes oncles enfin songèrent à continuer leur route ; ils prirent soin auparavant de vendre mes marchandises ; ce qu'ils firent si avantageusement pour moi que j'y gagnai cinq cents pour cent. Cette vente produisit une somme considérable, dont je fus ravi de me voir possesseur.

« Mon père et mes oncles me laissèrent donc à Damas, et poursuivirent leur voyage. Après leur départ, j'eus une grande attention à ne pas dépenser mon argent inutilement. Je louai néanmoins une maison magnifique : elle était toute de marbre, ornée de peintures à feuillages d'or et d'azur ; elle avait un jardin où l'on voyait de très beaux jets d'eau. Je la meublai, non pas à la vérité aussi richement que la magnificence du lieu le demandait, mais du moins assez proprement pour un jeune homme de ma condition. Elle avait autrefois appartenu à un des principaux seigneurs de la ville, nommé Modoun Abdal-raham, et elle appartenait alors à un riche marchand joaillier, à qui je n'en payais que deux scherifs * par mois. J'avais un assez grand nombre de domestiques; je vivais honorablement, je donnais quelquefois à manger aux gens avec qui j'avais fait connaissance, et quelquefois j'allais manger chez eux : c'est ainsi que je passais le temps à Damas en attendant le retour de mon père. Aucune passion ne troublait mon repos, et le commerce des honnêtes gens faisait mon unique occupation.

« Un jour que j'étais assis à la porte de ma maison et que je prenais le frais, une dame fort proprement habillée, et qui paraissait fort bien faite, vint à moi et me demanda si je ne vendais pas des étoffes. En disant cela, elle entra dans le logis... »

En cet endroit, Scheherazade, voyant qu'il était jour, se tut, et la nuit suivante elle reprit la parole dans ces termes :

CLIIIᵉ NUIT

« Quand je vis, dit le jeune homme de Mossoul, que la dame était entrée dans ma maison, je me levai, je fermai la porte, et je la fis entrer dans une salle où je la priai de s'asseoir. « Madame, lui dis-je, j'ai eu des étoffes qui étaient dignes de vous être montrées; mais je n'en ai plus présentement, et j'en suis très fâché. » Elle ôta le voile qui lui couvrait le visage, et fit briller à mes yeux une beauté dont la vue me fit sentir des mouvements que je n'avais point encore sentis. « Je n'ai pas besoin d'étoffes, me répondit-elle, je viens seulement pour vous voir et passer la soirée avec vous, si vous l'avez pour agréable : je ne vous demande qu'une légère collation. »

« Ravi d'une si bonne fortune, je donnai ordre à mes gens de nous apporter plusieurs sortes de fruits et des bouteilles de vin. Nous fûmes servis promptement, nous mangeâmes, nous bûmes, nous nous réjouîmes jusqu'à minuit; enfin, je n'avais point encore passé de nuit aussi agréablement que je passai celle-là. Le lendemain matin, je voulus mettre dix scherifs dans la main de la dame; mais elle la retira brusquement. « Je ne suis pas venue vous voir, dit-elle, dans un esprit d'intérêt, et vous me faites

* Un scherif est la même chose qu'un sequin. Ce mot est dans nos anciens auteurs.

une injure. Bien loin de recevoir de l'argent de vous, je
veux que vous en receviez de moi, autrement je ne vous
reverrai plus. » En même temps elle tira dix scherifs de
sa bourse, et me força de les prendre. « Attendez-moi
dans trois jours, me dit-elle, après le coucher du soleil. »
A ces mots, elle prit congé de moi; et je sentis qu'en
partant elle emportait mon cœur avec elle.

« Au bout des trois jours, elle ne manqua pas de revenir
à l'heure marquée, et je ne manquai pas de la recevoir
avec toute la joie d'un homme qui l'attendait impatiemment. Nous passâmes la soirée et la nuit comme la première fois; et le lendemain, en me quittant, elle promit de
me revenir voir encore dans trois jours; mais elle ne voulut point partir que je n'eusse reçu dix nouveaux scherifs.

« Étant revenue pour la troisième fois, et lorsque le vin
nous eut échauffés tous deux, elle me dit : « Mon cher
cœur, que pensez-vous de moi ? Ne suis-je pas belle et
amusante ? — Madame, lui répondis-je, cette question,
ce me semble, est assez inutile : toutes les marques
d'amour que je vous donne doivent vous persuader que
je vous aime. Je suis charmé de vous voir et de vous posséder! Vous êtes ma reine, ma sultane! Vous faites tout le
bonheur de ma vie! — Ah! je suis assurée, me dit-elle,
que vous cesseriez de tenir ce langage si vous aviez vu
une dame de mes amies qui est plus jeune et plus belle
que moi! Elle a l'humeur si enjouée qu'elle ferait rire les
gens les plus mélancoliques. Il faut que je vous l'amène
ici. Je lui ai parlé de vous; et, sur ce que je lui en ai dit,
elle meurt d'envie de vous voir. Elle m'a priée de lui
procurer ce plaisir; mais je n'ai pas osé la satisfaire sans
vous avoir parlé auparavant. — Madame, repris-je,
vous ferez ce qu'il vous plaira; mais, quelque chose que
vous puissiez me dire de votre amie, je défie tous ses
attraits de vous ravir mon cœur, qui est si fortement
attaché à vous que rien n'est capable de l'en détacher. —
Prenez-y bien garde, répliqua-t-elle; je vous avertis
que je vais mettre votre amour à une étrange épreuve... »

« Nous en demeurâmes là, et le lendemain en me quittant, au lieu de dix scherifs, elle m'en donna quinze
que je fus obligé d'accepter. « Souvenez-vous, me dit-
elle, que vous aurez dans deux jours une nouvelle hôtesse,
songez à la bien recevoir; nous viendrons à l'heure accoutumée, après le coucher du soleil. » Je fis orner la salle,
et préparer une belle collation pour le jour qu'elles
devaient venir... »

Scheherazade s'interrompit en cet endroit, parce qu'elle remarqua qu'il était jour. La nuit suivante, elle reprit la parole dans ces termes :

CLIV^e NUIT

Sire, le jeune homme de Mossoul continua de raconter son histoire au médecin juif.

« J'attendis, dit-il, les deux dames avec impatience, et elles arrivèrent enfin à l'entrée de la nuit. Elles se dévoilèrent l'une et l'autre ; et, si j'avais été surpris de la beauté de la première, j'eus sujet de l'être bien davantage lorsque je vis son amie. Elle avait des traits réguliers, un visage parfait, un teint vif, et des yeux si brillants que j'en pouvais à peine soutenir l'éclat. Je la remerciai de l'honneur qu'elle me faisait, et la suppliai de m'excuser si je ne la recevais pas comme elle le méritait. « Laissons là les compliments, me dit-elle ; ce serait à moi à vous en faire sur ce que vous avez permis que mon amie m'amenât ici ; mais, puisque vous voulez bien me souffrir, quittons les cérémonies, et ne songeons qu'à nous réjouir. »

« Comme j'avais donné ordre qu'on nous servît la collation d'abord que les dames seraient arrivées, nous nous mîmes bientôt à table. J'étais vis-à-vis de la nouvelle venue, qui ne cessait de me regarder en souriant. Je ne pus résister à ses regards vainqueurs, et elle se rendit maîtresse de mon cœur sans que je pusse m'en défendre. Mais elle prit aussi de l'amour en m'en inspirant, et, loin de se contraindre, elle me dit des choses assez vives.

« L'autre dame, qui nous observait, n'en fit d'abord que rire. « Je vous l'avais bien dit, s'écria-t-elle en m'adressant la parole, que vous trouveriez mon amie charmante, et je m'aperçois que vous avez déjà violé le serment que vous m'avez fait de m'être fidèle. — Madame, lui répondis-je en riant aussi comme elle, vous auriez sujet de vous plaindre de moi si je manquais de civilité pour une dame que vous m'avez amenée et que vous chérissez ; vous pourriez me reprocher l'une et l'autre que je ne saurais pas faire les honneurs de ma maison.

« Nous continuâmes de boire ; mais, à mesure que le vin nous échauffait, la nouvelle dame et moi nous nous agacions avec si peu de retenue que son amie en conçut une jalousie violente, dont elle nous donna bientôt une marque bien funeste. Elle se leva, et sortit en nous disant qu'elle allait revenir ; mais, peu de moments après, la dame qui était restée avec moi changea de visage ; il lui prit de grandes convulsions, et enfin elle rendit l'âme entre mes bras, tandis que j'appelais du monde pour m'aider à la secourir. Je sors aussitôt, je demande l'autre dame ; mes gens me dirent qu'elle avait ouvert la porte de la rue, et qu'elle s'en était allée. Je soupçonnai alors, et rien n'était plus véritable, que c'était elle qui avait causé la mort de son amie. Effectivement, elle avait eu l'adresse et la malice de mettre d'un poison très violent dans la dernière tasse qu'elle lui avait présentée elle-même.

« Je fus vivement affligé de cet accident. « Que ferai-je ? dis-je alors en moi-même. Que vais-je devenir ? » Comme je crus qu'il n'y avait pas de temps à perdre, je fis lever par mes gens, à la clarté de la lune et sans bruit, une des grandes pièces de marbre dont la cour de ma maison était pavée, et fis creuser en diligence une fosse où ils enterrèrent le corps de la jeune dame. Après qu'on eut remis la pièce de marbre, je pris un habit de voyage avec tout ce que j'avais d'argent, et je fermai tout, jusqu'à la porte de ma maison, que je scellai et cachetai de mon sceau. J'allai trouver le marchand joaillier qui en était le propriétaire ; je lui payai ce que je lui devais de loyer, avec une année d'avance, et, lui donnant la clef, je le priai de me la garder. « Une affaire pressante, lui dis-je, m'oblige à m'absenter pour quelque temps ; il faut que j'aille trouver mes oncles au Caire. » Enfin, je pris congé de lui ; et, dans le moment, je montai à cheval, et partis avec mes gens qui m'attendaient... »

Le jour qui commençait à paraître imposa silence à Scheherazade en cet endroit. La nuit suivante elle reprit son discours de cette sorte :

CLVᵉ NUIT

« Mon voyage fut heureux, poursuivit le jeune homme de Mossoul ; j'arrivai au Caire sans avoir fait aucune mauvaise rencontre. J'y trouvai mes oncles, qui furent fort étonnés de me voir. Je leur dis pour excuse que je m'étais ennuyé de les attendre, et que, ne recevant d'eux aucunes nouvelles, mon inquiétude m'avait fait entreprendre ce voyage. Ils me reçurent fort bien, et promirent de faire en sorte que mon père ne me sût pas mauvais gré d'avoir quitté Damas sans sa permission. Je logeai avec eux dans le même khan, et vis tout ce qu'il y avait de beau à voir au Caire.

« Comme ils avaient achevé de vendre leurs marchandises, ils parlaient de s'en retourner à Mossoul, et ils commençaient déjà à faire les préparatifs de leur départ; mais, n'ayant pas vu tout ce que j'avais envie de voir en Égypte, je quittai mes oncles et allai me loger dans un quartier fort éloigné de leur khan, et je ne parus point qu'ils ne fussent partis. Ils me cherchèrent longtemps par toute la ville; mais, ne me trouvant point, ils jugèrent que le remords d'être venu en Égypte contre la volonté de mon père m'avait obligé de retourner à Damas sans leur en rien dire, et ils partirent dans l'espérance de m'y rencontrer et de me prendre en passant.

« Je restai donc au Caire après leur départ, et j'y demeurai trois ans pour satisfaire pleinement la curiosité que j'avais de voir toutes les merveilles de l'Égypte. Pendant ce temps-là, j'eus soin d'envoyer de l'argent au marchand joaillier, en lui mandant de me conserver sa maison : car j'avais dessein de retourner à Damas, et de m'y arrêter encore quelques années. Il ne m'arriva point d'aventure au Caire qui mérite de vous être racontée; mais vous allez sans doute être fort surpris de celle que j'éprouvai quand je fus de retour à Damas.

« En arrivant en cette ville, j'allai descendre chez le marchand joaillier, qui me reçut avec joie, et qui voulut m'accompagner lui-même jusque dans ma maison, pour me faire voir que personne n'y était entré pendant mon absence. En effet, le sceau était encore en son entier sur la serrure. J'entrai, et trouvai toutes choses dans le même état où je les avais laissées.

« En nettoyant et en balayant la salle où j'avais mangé avec les dames, un de mes gens trouva un collier d'or en forme de chaîne, où il y avait d'espace en espace dix perles très grosses et très parfaites; il me l'apporta, et je le reconnus pour celui que j'avais vu au col de la jeune dame qui avait été empoisonnée. Je compris qu'il s'était détaché, et qu'il était tombé sans que je m'en fusse aperçu. Je ne pus le regarder sans verser des larmes, en me souvenant d'une personne si aimable, et que j'avais vue mourir d'une manière si funeste. Je l'enveloppai et le mis précieusement dans mon sein.

« Je passai quelques jours à me remettre de la fatigue de mon voyage ; après quoi, je commençai à voir les gens avec qui j'avais fait autrefois connaissance. Je m'abandonnai à toutes sortes de plaisirs, et insensiblement je dépensai tout mon argent. Dans cette situation, au lieu de vendre mes meubles, je résolus de me défaire du collier ; mais je me connaissais si peu en perles que je m'y pris fort mal, comme vous l'allez entendre.

« Je me rendis au bezestein, où, tirant à part un crieur et lui montrant le collier, je lui dis que je le voulais vendre et que je le priais de le faire voir aux principaux joailliers. Le crieur fut surpris de voir ce bijou. « Ah ! la belle chose ! s'écria-t-il après l'avoir regardé longtemps avec admiration. Jamais nos marchands n'ont rien vu de si riche ! Je vais leur faire un grand plaisir, et vous ne devez pas douter qu'ils ne le mettent à un haut prix à l'envi l'un de l'autre. » Il me mena à une boutique, et il se trouva que c'était celle du propriétaire de ma maison. « Attendez-moi ici, me dit le crieur, je reviendrai bientôt vous apporter la réponse. »

« Tandis qu'avec beaucoup de secret il alla de marchand en marchand montrer le collier, je m'assis près du joaillier qui fut bien aise de me voir, et nous commençâmes à nous entretenir de choses indifférentes. Le crieur revint, et, me prenant en particulier, au lieu de me dire qu'on estimait le collier pour le moins deux mille scherifs, il m'assura qu'on n'en voulait donner que cinquante. « C'est qu'on m'a dit, ajouta-t-il, que les perles étaient fausses : voyez si vous voulez le donner à ce prix-là. » Comme je le crus sur sa parole et que j'avais besoin d'argent : « Allez, lui dis-je ; je m'en rapporte à ce que vous me dites, et à ceux qui s'y connaissent mieux que moi : livrez-le, et m'en apportez l'argent tout à l'heure. »

« Le crieur m'était venu offrir cinquante scherifs de la part du plus riche joaillier du bezestein, qui n'avait fait cette offre que pour me sonder et savoir si je connaissais bien la valeur de ce que je mettais en vente. Ainsi, il n'eut pas plus tôt appris ma réponse qu'il mena le crieur avec lui chez le lieutenant de police, à qui montrant le collier : « Seigneur, dit-il, voilà un collier qu'on m'a volé ; et le voleur, déguisé en marchand, a eu la hardiesse de venir l'exposer en vente, et il est actuellement dans le bezestein. Il se contente, poursuivit-il, de cinquante scherifs pour un joyau qui en vaut deux mille : rien ne saurait mieux prouver que c'est un voleur. »

« Le lieutenant de police m'envoya arrêter sur-le-champ ; et, lorsque je fus devant lui, il me demanda si le collier qu'il tenait à la main n'était pas celui que je venais de mettre en vente au bezestein. Je lui répondis que oui. « Est-il vrai, reprit-il, que vous le voulez livrer pour cinquante scherifs ? » J'en demeurai d'accord. « Hé bien, dit-il alors d'un ton moqueur, qu'on lui donne la bastonnade : il nous dira bientôt, avec son bel habit de marchand, qu'il n'est qu'un franc voleur ; qu'on le batte jusqu'à ce qu'il l'avoue. » La violence des coups de bâton me fit faire un mensonge : je confessai, contre la vérité, que j'avais volé le collier ; et aussitôt le lieutenant de police me fit couper la main.

« Cela causa un grand bruit dans le bezestein, et je fus à peine de retour chez moi que je vis arriver le propriétaire de la maison. « Mon fils, me dit-il, vous paraissez un jeune homme si sage et si bien élevé, comment est-il possible que vous ayez commis une action aussi indigne que celle dont je viens d'entendre parler ? Vous m'avez instruit vous-même de votre bien, et je ne doute pas qu'il ne soit tel que vous me l'avez dit. Que ne m'avez-vous demandé de l'argent ? je vous en aurais prêté ; mais, après ce qui vient d'arriver, je ne puis souffrir que vous logiez plus longtemps dans ma maison : prenez votre parti ; allez chercher un autre logement. » Je fus extrêmement mortifié de ces paroles ; je priai le joaillier, les larmes aux yeux, de me permettre de rester encore trois jours dans sa maison ; ce qu'il m'accorda.

« Hélas ! m'écriai-je, quel malheur et quel affront ! Oserai-je retourner à Mossoul ? Tout ce que je pourrai dire à mon père sera-t-il capable de lui persuader que je suis innocent ? »

Scheherazade s'arrêta en cet endroit, parce qu'elle vit paraître le jour. Le lendemain elle continua cette histoire dans ces termes :

CLVI^e NUIT

« Trois jours après que ce malheur me fut arrivé, dit le jeune homme de Mossoul, je vis avec étonnement entrer chez moi une troupe de gens du lieutenant de police avec le propriétaire de ma maison et le marchand

qui m'avait accusé faussement de lui avoir volé le collier
de perles. Je leur demandai ce qui les amenait; mais, au
lieu de me répondre, ils me lièrent et garrottèrent en
m'accablant d'injures et en me disant que le collier appartenait au gouverneur de Damas, qui l'avait perdu depuis
plus de trois ans, et qu'en même temps une de ses filles
avait disparu. Jugez de l'état où je me trouvai en apprenant cette nouvelle! Je pris néanmoins ma résolution.
« Je dirai la vérité au gouverneur, disais-je en moi-même;
ce sera à lui de me pardonner ou de me faire mourir. »

« Lorsqu'on m'eut conduit devant lui, je remarquai
qu'il me regarda d'un œil de compassion, et j'en tirai un
bon augure. Il me fit délier; et puis s'adressant au marchand joaillier, mon accusateur, et au propriétaire de
ma maison : « Est-ce là, leur dit-il, l'homme qui a exposé
en vente le collier de perles ? » Ils ne lui eurent pas plus
tôt répondu que oui qu'il dit : « Je suis assuré qu'il n'a
pas volé le collier, et je suis fort étonné qu'on lui ait fait
une si grande injustice. » Rassuré par ces paroles :
« Seigneur, m'écriai-je, je vous jure que je suis en effet
très innocent. Je suis persuadé même que le collier n'a
jamais appartenu à mon accusateur, que je n'ai jamais vu,
et dont l'horrible perfidie est cause qu'on m'a traité si
indignement. Il est vrai que j'ai confessé que j'avais fait
le vol; mais j'ai fait cet aveu contre ma conscience,
pressé par les tourments, et pour une raison que je suis
prêt à vous dire, si vous avez la bonté de vouloir m'écouter. — J'en sais déjà assez, répliqua le gouverneur, pour
vous rendre tout à l'heure une partie de la justice qui
vous est due. Qu'on ôte d'ici, continua-t-il, le faux accusateur, et qu'il souffre le même supplice qu'il a fait souffrir à ce jeune homme dont l'innocence m'est connue. »

« On exécuta sur-le-champ l'ordre du gouverneur. Le
marchand joaillier fut emmené et puni comme il le
méritait. Après cela, le gouverneur, ayant fait sortir
tout le monde, me dit : « Mon fils, racontez-moi sans
crainte de quelle manière ce collier est tombé entre vos
mains, et ne me déguisez rien. » Alors, je lui découvris
tout ce qui s'était passé, et lui avouai que j'avais mieux
aimé passer pour un voleur que de révéler cette tragique
aventure. « Grand Dieu! s'écria le gouverneur dès que
j'eus achevé de parler, vos jugements sont incompré-
hensibles, et nous devons nous y soumettre sans murmure. Je reçois avec une soumission entière le coup dont
il vous a plu de me frapper. » Ensuite, m'adressant la

parole : « Mon fils, me dit-il, après avoir écouté la cause de votre disgrâce, dont je suis très affligé, je veux vous faire aussi le récit de la mienne. Apprenez que je suis père de ces deux dames dont vous venez de m'entretenir... »

En achevant ces derniers mots, Scheherazade vit paraître le jour ; elle interrompit sa narration, et, sur la fin de la nuit suivante, elle la continua de cette manière :

CLVII^e NUIT

Sire, dit-elle, voici le discours que le gouverneur de Damas tint au jeune homme de Mossoul :

« Mon fils, dit-il, sachez donc que la première dame qui a eu l'effronterie de vous aller chercher jusque chez vous était l'aînée de toutes mes filles. Je l'avais mariée au Caire à un de ses cousins, au fils de mon frère. Son mari mourut ; elle revint chez moi corrompue par mille méchancetés qu'elle avait apprises en Égypte. Avant son arrivée, sa cadette, qui est morte d'une manière si déplorable entre vos bras, était fort sage et ne m'avait jamais donné aucun sujet de me plaindre de ses mœurs. Son aînée fit avec elle une liaison étroite et la rendit insensiblement aussi méchante qu'elle. Le jour qui suivit la mort de sa cadette, comme je ne la vis pas en me mettant à table, j'en demandai des nouvelles à son aînée qui était revenue au logis ; mais, au lieu de me répondre, elle se mit à pleurer si amèrement que j'en conçus un présage funeste. Je la pressai de m'instruire de ce que je voulais savoir. « Mon père, me répondit-elle en sanglotant, je ne puis vous dire autre chose, sinon que ma sœur prit hier son plus bel habit, son beau collier de perles, sortit, et n'a point paru depuis. » Je fis chercher ma fille par toute la ville, mais je ne pus rien apprendre de son malheureux destin. Cependant l'aînée, qui se repentait sans doute de sa fureur jalouse, ne cessa de s'affliger et de pleurer la mort de sa sœur ; elle se priva même de toute nourriture, et mit fin par là à ses déplorables jours. Voilà, continua le gouverneur, quelle est la condition des hommes ; tels sont les malheurs auxquels ils sont exposés ! Mais, mon fils, ajouta-t-il, comme nous sommes tous deux également infortunés, unissons nos déplaisirs, ne nous abandonnons point l'un l'autre. Je vous donne en mariage une troisième fille que j'ai : elle est plus jeune que ses sœurs, et ne leur ressemble nullement par sa conduite. Elle a même plus de beauté qu'elles n'en ont eu, et je puis vous assurer qu'elle est d'une humeur propre à vous rendre heureux. Vous n'aurez pas d'autre maison que la mienne, et, après ma mort, vous serez, vous et elle, mes seuls héritiers.

— Seigneur, lui dis-je, je suis confus de toutes vos bontés, et je ne pourrai jamais vous en marquer assez de reconnaissance. — Brisons là, interrompit-il, ne consumons pas le temps en vains discours. » En disant cela, il fit appeler des témoins et dresser un contrat de mariage; ensuite j'épousai sa fille sans cérémonie.

« Il ne se contenta pas d'avoir fait punir le marchand joaillier qui m'avait faussement accusé, il fit confisquer à mon profit tous ses biens, qui sont très considérables. Enfin, depuis que vous venez chez le gouverneur, vous avez pu voir en quelle considération je suis auprès de lui. Je vous dirai de plus qu'un homme envoyé par mes oncles en Égypte exprès pour m'y chercher, ayant en passant découvert que j'étais en cette ville, me rendit hier une lettre de leur part. Ils me mandent la mort de mon père, et m'invitent à aller recueillir sa succession à Mossoul; mais, comme l'alliance et l'amitié du gouverneur m'attachent à lui et ne me permettent pas de m'en éloigner, j'ai renvoyé l'exprès avec une procuration pour me faire tenir tout ce qui m'appartient. Après ce que vous venez d'entendre, j'espère que vous me pardonnerez l'incivilité que je vous ai faite, durant le cours de ma maladie, en vous présentant la main gauche au lieu de la droite. »

« Voilà, dit le médecin juif au sultan de Casgar, ce que me raconta le jeune homme de Mossoul. Je demeurai à Damas tant que le gouverneur vécut; après sa mort, comme j'étais à la fleur de mon âge, j'eus la curiosité de voyager. Je parcourus toute la Perse, et allai dans les Indes; et enfin je suis venu m'établir dans votre capitale, où j'excerce avec honneur la profession de médecin. »

Le sultan de Casgar trouva cette dernière histoire assez agréable. « J'avoue, dit-il au juif, que ce que tu viens de raconter est extraordinaire; mais, franchement, l'histoire du bossu l'est encore davantage et bien plus réjouissante : ainsi, n'espère pas que je te donne la vie non plus qu'aux autres; je vais vous faire pendre tous quatre.

— Attendez, de grâce, Sire, s'écria le tailleur en s'avançant et se prosternant aux pieds du sultan : puisque Votre Majesté aime les histoires plaisantes, celle que j'ai à lui conter ne lui déplaira pas. — Je veux bien l'écouter aussi, lui dit le sultan ; mais ne te flatte pas que je te laisse vivre, à moins que tu ne me dises quelque aventure plus divertissante que celle du bossu. » Alors le tailleur, comme s'il eût été sûr de son fait, prit la parole avec confiance, et commença son récit dans ces termes :

HISTOIRE QUE RACONTA LE TAILLEUR

Sire, un bourgeois de cette ville me fit l'honneur, il y a deux jours, de m'inviter à un festin qu'il donnait hier matin à ses amis : je me rendis chez lui de très bonne heure, et j'y trouvai environ vingt personnes.

« Nous n'attendions plus que le maître de la maison, qui était sorti pour quelque affaire, lorsque nous le vîmes arriver accompagné d'un jeune étranger très proprement habillé, fort bien fait, mais boiteux. Nous nous levâmes tous, et, pour faire honneur au maître du logis, nous priâmes le jeune homme de s'asseoir avec nous sur le sofa. Il était prêt à le faire, lorsque, apercevant un barbier qui était de notre compagnie, il se retira brusquement en arrière et voulut sortir. Le maître de la maison, surpris de son action, l'arrêta. « Où allez-vous ? lui dit-il. Je vous amène avec moi pour me faire l'honneur d'être d'un festin que je donne à mes amis, et à peine êtes-vous entré que vous voulez sortir. — Seigneur, répondit le jeune homme, au nom de Dieu, je vous supplie de ne me pas retenir, et de permettre que je m'en aille. Je ne puis voir sans horreur cet abominable barbier que voilà : quoiqu'il soit né dans un pays où tout le monde est blanc, il ne laisse pas de ressembler à un Éthiopien; mais il a l'âme encore plus noire et plus horrible que le visage... »

Le jour, qui parut en cet endroit, empêcha Scheherazade d'en dire davantage cette nuit; mais la nuit suivante elle reprit ainsi sa narration :

CLVIII^e NUIT

« Nous demeurâmes tous fort surpris de ce discours, continua le tailleur, et nous commençâmes à concevoir une très mauvaise opinion du barbier, sans savoir si le jeune étranger avait raison de parler de lui dans ces termes. Nous protestâmes même que nous ne souffririons point à notre table un homme dont on nous faisait un si horrible portrait. Le maître de la maison pria l'étranger de nous apprendre le sujet qu'il avait de haïr le barbier.

« Messeigneurs, nous dit alors le jeune homme, vous saurez que ce maudit barbier est cause que je suis boiteux et qu'il m'est arrivé la plus cruelle affaire qu'on puisse imaginer; c'est pourquoi j'ai fait serment d'abandonner tous les lieux où il serait, et de ne pas demeurer même dans une ville où il demeurerait; c'est pour cela que je suis sorti de Bagdad, où je le laissai, et que j'ai fait un si long voyage pour venir m'établir en cette ville, au milieu de la Grande-Tartarie, comme en un endroit où je me flattais de ne le voir jamais. Cependant, contre mon attente, je le trouve ici : cela m'oblige, Messeigneurs, à me priver malgré moi de l'honneur de me divertir avec vous. Je veux m'éloigner de votre ville dès aujourd'hui et m'aller cacher, si je puis, dans des lieux où il ne vienne pas s'offrir à ma vue. »

« En achevant ces paroles, il voulut nous quitter; mais le maître du logis le retint encore, le supplia de demeurer avec moi, et de nous raconter la cause de l'aversion qu'il avait pour le barbier, qui, pendant tout ce temps-là, avait les yeux baissés et gardait le silence. Nous joignîmes nos prières à celles du maître de la maison, et enfin le jeune homme, cédant à nos instances, s'assit sur le sofa, et nous raconta ainsi son histoire, après avoir tourné le dos au barbier, de peur de le voir :

« Mon père tenait dans la ville de Bagdad un rang à pouvoir aspirer aux premières charges; mais il préféra toujours une vie tranquille à tous les honneurs qu'il pouvait mériter. Il n'eut que moi d'enfant; et, quand il mourut, j'avais déjà l'esprit formé et j'étais en âge de disposer des grands biens qu'il m'avait laissés. Je ne les dissipai point follement, j'en fis un usage qui m'attira l'estime de tout le monde.

« Je n'avais point eu encore de passion, et, loin d'être sensible à l'amour, j'avouerai, peut-être à ma honte, que j'évitais avec soin le commerce des femmes. Un jour que j'étais dans une rue, je vis venir devant moi une grande troupe de dames; pour ne les pas rencontrer, j'entrai dans une petite rue devant laquelle je me trouvais, et je m'assis sur un banc près d'une porte. J'étais vis-à-vis d'une fenêtre où il y avait un vase de très belles fleurs, et j'avais les yeux attachés dessus, lorsque la fenêtre s'ouvrit : je vis paraître une jeune dame dont la beauté m'éblouit. Elle jeta d'abord les yeux sur moi, et, en arrosant le vase de fleurs d'une main plus blanche que l'albâtre, elle me regarda avec un souris qui m'inspira autant d'amour pour elle que j'avais eu d'aversion jusque-là pour toutes les femmes. Après avoir arrosé ses fleurs et m'avoir lancé un regard plein de charmes qui acheva de me percer le cœur, elle referma sa fenêtre, et me laissa dans un trouble et dans un désordre inconcevables.

« J'y serais demeuré bien longtemps, si le bruit que j'entendis dans la rue ne m'eût pas fait rentrer en moi-même. Je tournai la tête en me levant, et vis que c'était le premier cadi de la ville, monté sur une mule et accompagné de cinq ou six de ses gens : il mit pied à terre à la porte de la maison dont la jeune dame avait ouvert une fenêtre; il y entra, ce qui me fit juger qu'il était son père.

« Je revins chez moi dans un état bien différent de celui où j'étais lorsque j'en étais sorti : agité d'une passion d'autant plus violente que je n'en avais jamais senti l'atteinte, je me mis au lit avec une grosse fièvre qui répandit une grande affliction dans mon domestique. Mes parents, qui m'aimaient, alarmés d'une maladie si prompte, accoururent en diligence et m'importunèrent fort pour en apprendre la cause, que je me gardais bien de leur dire. Mon silence leur causa une inquiétude que les médecins ne purent dissiper, parce qu'ils ne connaissaient rien à mon mal, qui ne fit qu'augmenter par leurs remèdes, au lieu de diminuer.

« Mes parents commençaient à désespérer de ma vie, lorsqu'une vieille dame de leur connaissance, informée de ma maladie, arriva. Elle me considéra avec beaucoup d'attention, et, après m'avoir bien examiné, elle connut, je ne sais par quel hasard, le sujet de ma maladie. Elle les prit en particulier, les pria de la laisser seule avec moi et de faire retirer tous mes gens.

« Tout le monde étant sorti de la chambre, elle s'assit au chevet de mon lit : « Mon fils, me dit-elle, vous vous êtes obstiné jusqu'à présent à cacher la cause de votre mal; mais je n'ai pas besoin que vous me la déclariez : j'ai assez d'expérience pour pénétrer ce secret, et vous ne me désavouerez pas quand je vous aurai dit que c'est l'amour qui vous rend malade. Je puis vous procurer votre guérison, pourvu que vous me fassiez connaître qui est l'heureuse dame qui a su toucher un cœur aussi insensible que le vôtre : car vous avez la réputation de n'aimer pas les dames, et je n'ai pas été la dernière à m'en apercevoir; mais, enfin, ce que j'avais prévu est arrivé, et je suis ravie de trouver l'occasion d'employer mes talents à vous tirer de peine... »

« Mais Sire, dit la sultane Scheherazade en cet endroit, je vois qu'il est jour. » Schahriar se leva aussitôt, fort impatient d'entendre la suite d'une histoire dont il avait écouté le commencement avec plaisir.

CLIX^e NUIT

Sire, dit le lendemain Scheherazade, le jeune homme boiteux, poursuivant son histoire :

« La vieille dame, dit-il, m'ayant tenu ce discours, s'arrêta pour entendre ma réponse; mais, quoiqu'il eût fait sur moi beaucoup d'impression, je n'osais découvrir le fond de mon cœur. Je me tournai seulement du côté de la dame et poussai un profond soupir, sans lui rien dire. « Est-ce la honte, reprit-elle, qui vous empêche de parler, ou si c'est manque de confiance en moi ? Dou-tez-vous de l'effet de ma promesse ? Je pourrais vous citer une infinité de jeunes gens de votre connaissance qui ont été dans la même peine que vous et que j'ai soulagés. »

« Enfin, la bonne dame me dit tant d'autres choses encore que je rompis le silence : je lui déclarai mon mal; je lui appris l'endroit où j'avais vu l'objet qui le causait, et lui expliquai toutes les circonstances de mon aven-ture. « Si vous réussissez, lui dis-je, et que vous me pro-curiez le bonheur de voir cette beauté charmante et de l'entretenir de la passion dont je brûle pour elle, vous pouvez compter sur ma reconnaissance. — Mon fils, me répondit la vieille dame, je connais la personne dont vous me parlez; elle est, comme vous l'avez fort bien jugé, fille du premier cadi de cette ville. Je ne suis point étonnée que vous l'aimiez : c'est la plus belle et la plus aimable dame de Bagdad; mais, ce qui me chagrine, elle est très fière et d'un très difficile accès. Vous savez combien nos gens de justice sont exacts à faire observer les dures lois qui retiennent les femmes dans une contrainte si gênante; ils le sont encore davantage à les observer eux-mêmes dans leurs familles, et le cadi que vous avez vu est à lui seul plus rigide en cela que tous les autres ensemble. Comme ils ne font que prêcher à leurs filles que c'est un grand crime de se montrer aux hommes, elles en sont si fortement prévenues pour la plupart qu'elles n'ont des yeux dans les rues que pour se conduire, lorsque la nécessité les oblige à sortir. Je ne dis pas absolument que la fille du premier cadi soit de cette humeur; mais cela n'empêche pas que je ne craigne de trouver d'aussi grands obstacles à vaincre de son côté que de celui de son père. Plût à Dieu que vous aimassiez quelque autre dame! je n'aurais pas tant de difficultés à surmonter que j'en prévois. J'y emploierai néanmoins tout mon savoir-faire; mais il faudra du temps pour y réussir. Cependant ne laissez pas de prendre courage, et ayez de la confiance en moi. »

« La vieille me quitta; et, comme je me représentai vivement tous les obstacles dont elle venait de me parler, la crainte que j'eus qu'elle ne réussît pas dans son entreprise augmenta mon mal. Elle revint le lendemain, et je lus sur son visage qu'elle n'avait rien de favorable à m'annoncer. En effet, elle me dit : « Mon fils, je ne m'étais pas trompée; j'ai à surmonter autre chose que la vigilance d'un père : vous aimez un objet insensible qui se plaît à faire brûler d'amour pour elle tous ceux qui s'en laissent charmer, et elle ne veut pas leur donner le moindre soulagement. Elle m'a écoutée avec plaisir tant que je ne lui ai parlé que du mal qu'elle vous fait souffrir; mais, d'abord que j'ai seulement ouvert la bouche pour l'engager à vous permettre de la voir et de l'entretenir, elle m'a dit en me jetant un regard terrible : « Vous êtes bien hardie de me faire cette proposition; je vous défends de me revoir jamais, si vous voulez me tenir de pareils discours. »

« Que cela ne vous afflige pas, poursuivit la vieille; je ne suis pas aisée à rebuter, et, pourvu que la patience ne vous manque pas, j'espère que je viendrai à bout de mon dessein.

« Pour abréger ma narration, dit le jeune homme, je vous dirai que cette bonne messagère fit encore inutilement plusieurs tentatives en ma faveur auprès de la fière ennemie de mon repos. Le chagrin que j'en eus irrita mon mal à un point que les médecins m'abandonnèrent absolument. J'étais donc regardé comme un homme qui n'attendait que la mort, lorsque la vieille me vint donner la vie.

« Afin que personne ne l'entendît, elle me dit à l'oreille : « Songez au présent que vous avez à me faire pour la bonne nouvelle que je vous apporte. » Ces paroles produisirent un effet merveilleux : je me levai sur mon séant, et lui répondis avec transport : « Le présent ne vous manquera pas. Qu'avez vous à me dire ? — Mon cher seigneur, reprit-elle, vous n'en mourrez pas, et j'aurai bientôt le plaisir de vous voir en parfaite santé, et fort content de moi. Hier lundi j'allai chez la dame que vous aimez, et je la trouvai en bonne humeur; je pris d'abord un visage triste, je poussai de profonds soupirs en abondance et laissai couler quelques larmes. « Ma bonne mère, me dit-elle, qu'avez-vous ? Pourquoi paraissez-vous si affligée ? — Hélas ! ma chère et honorable dame, lui répondis-je, je viens de chez le jeune seigneur de qui je vous parlais l'autre jour; c'en est fait, il va perdre la vie pour l'amour de vous : c'est un grand dommage, je vous assure, et il y a bien de la cruauté de votre part. — Je ne sais, répliqua-t-elle, pourquoi vous voulez que je sois cause de sa mort. Comment puis-je y avoir contribué ? — Comment ? lui repartis-je. Hé ! ne vous disais-je pas l'autre jour qu'il était assis devant votre fenêtre lorsque vous l'ouvrîtes pour arroser votre vase de fleurs ? Il vit ce prodige de beauté, ces charmes que votre miroir vous représente tous les jours; depuis ce moment il languit, et son mal s'est tellement augmenté qu'il est enfin réduit au pitoyable état que j'ai l'honneur de vous dire... »

Scheherazade cessa de parler en cet endroit parce qu'elle vit paraître le jour. La nuit suivante, elle poursuivit dans ces termes l'histoire du jeune boiteux de Bagdad :

CLX^e NUIT

Sire, la vieille dame, continuant de rapporter au

jeune homme malade d'amour l'entretien qu'elle avait eu avec la fille du cadi :

« Vous vous souvenez bien, Madame, ajoutai-je, avec quelle rigueur vous me traitâtes dernièrement, lorsque je voulus vous parler de sa maladie et vous proposer un moyen de le délivrer du danger où il était : je retournai chez lui après vous avoir quittée; et il ne connut pas plus tôt, en me voyant, que je ne lui apportais pas une réponse favorable, que son mal redoubla. Depuis ce temps-là, Madame, il est prêt à perdre la vie, et je ne sais si vous pourriez la lui sauver quand vous auriez pitié de lui. »

« Voilà ce que je lui dis, ajouta la vieille. La crainte de votre mort l'ébranla, et je vis son visage changer de couleur. « Ce que vous me racontez, dit-elle, est-il bien vrai ? et n'est-il effectivement malade que pour l'amour de moi ? — Ah! Madame, repartis-je, cela n'est que trop véritable. Plût à Dieu que cela fût faux! — Et croyez-vous, reprit-elle, que l'espérance de me voir et de me parler pût contribuer à le tirer du péril où il est ? — Peut-être bien, lui dis-je, et, si vous me l'ordonnez, j'essayerai ce remède. — Hé bien, répliqua-t-elle en soupirant, faites-lui donc espérer qu'il me verra; mais il ne faut pas qu'il s'attende à d'autres faveurs, à moins qu'il n'aspire à m'épouser, et que mon père ne consente à notre mariage. — Madame, m'écriai-je, vous avez bien de la bonté : je vais trouver ce jeune homme, et lui annoncer qu'il aura le plaisir de vous entretenir. — Je ne vois pas un temps plus commode à lui faire cette grâce, dit-elle, que vendredi prochain, pendant que l'on fera la prière du midi. Qu'il observe quand mon père sera sorti pour y aller, et qu'il vienne aussitôt se présenter devant la maison, s'il se porte assez bien pour cela. Je le verrai arriver par ma fenêtre, et je descendrai pour lui ouvrir. Nous nous entretiendrons durant le temps de la prière, et il se retirera avant le retour de mon père. »

« Nous sommes au mardi, continua la vieille : vous pouvez jusqu'à vendredi reprendre vos forces et vous disposer à cette entrevue. » A mesure que la bonne dame parlait je sentais diminuer mon mal, ou plutôt je me trouvai guéri à la fin de son discours.

« Prenez, lui dis-je en lui donnant ma bourse qui était toute pleine : c'est à vous seule que je dois ma guérison; je tiens cet argent mieux employé que celui que j'ai donné aux médecins qui n'ont fait que me tourmenter pendant ma maladie.

« La dame m'ayant quitté, je me sentis assez de force pour me lever. Les parents, ravis de me voir en si bon état, me firent des compliments et se retirèrent chez eux.

« Le vendredi matin, la vieille arriva dans le temps que je commençais à m'habiller et que je choisissais l'habit le plus propre de ma garde-robe. « Je ne vous demande pas, me dit-elle, comment vous vous portez : l'occupation où je vous vois me fait assez connaître ce que je dois penser là-dessus; mais ne vous baignerez-vous pas avant que d'aller chez le premier cadi ? — Cela consumerait trop de temps, lui répondis-je; je me contenterai de faire venir un barbier et de me faire raser la tête et la barbe. » Aussitôt j'ordonnai à un de mes esclaves d'en chercher un qui fût habile dans sa profession et fort expéditif.

« L'esclave m'amena ce malheureux barbier que vous voyez, qui me dit après m'avoir salué : « Seigneur, il paraît à votre visage que vous ne vous portez pas bien. » Je lui répondis que je sortais d'une maladie. « Je souhaite, reprit-il, que Dieu vous délivre de toutes sortes de maux et que sa grâce vous accompagne toujours. — J'espère, lui répliquai-je, qu'il exaucera ce souhait, dont je vous suis fort obligé. — Puisque vous sortez d'une maladie, dit-il, je prie Dieu qu'il vous conserve la santé. Dites-moi présentement de quoi il s'agit : j'ai apporté mes rasoirs et mes lancettes; souhaitez-vous que je vous rase, ou que je vous tire du sang ? — Je viens de vous dire, repris-je, que je sors de maladie; et vous devez bien juger que je ne vous ai fait venir que pour me raser; dépêchez-vous, et ne perdons pas le temps à discourir, car je suis pressé, et l'on m'attend à midi précisément... »

Scheherarade se tut en achevant ces paroles à cause du jour qui paraissait. Le lendemain elle reprit son discours de cette sorte :

CLXIe NUIT

« Le barbier, dit le jeune boiteux de Bagdad, employa beaucoup de temps à déplier sa trousse et à préparer ses rasoirs : au lieu de mettre de l'eau dans son bassin, il tira de sa trousse un astrolabe fort propre, sortit de

ma chambre, et alla au milieu de la cour d'un pas grave
prendre la hauteur du soleil. Il revint avec la même
gravité, et, en rentrant : « Vous serez bien aise, Seigneur,
me dit-il, d'apprendre que nous sommes aujourd'hui
au vendredi dix-huitième de la lune de safar, de l'an
653*, depuis la retraite de notre grand prophète de la
Mecque à Médine, et de l'an 7320 ** de l'époque du
grand Iskender aux deux cornes, et que la conjonction
de Mars et de Mercure signifie que vous ne pouvez pas
choisir un meilleur temps qu'aujourd'hui, à l'heure qu'il
est, pour vous faire raser. Mais, d'un autre côté, cette
même conjonction est d'un mauvais présage pour vous :
elle m'apprend que vous courez en ce jour un grand
danger, non pas véritablement de perdre la vie, mais
d'une incommodité qui vous durera le reste de vos jours.
Vous devez m'être obligé de l'avis que je vous donne
de prendre garde à ce malheur; je serais fâché qu'il vous
arrivât. »

« Jugez, Messeigneurs, du dépit que j'eus d'être tombé
entre les mains d'un barbier si babillard et si extravagant!
Quel fâcheux contretemps pour un amant qui se préparait
à un rendez-vous! J'en fus choqué. « Je me mets peu
en peine, lui dis-je en colère, de vos avis et de vos pré-
dictions. Je ne vous ai point appelé pour vous consulter
sur l'astrologie; vous êtes venu ici pour me raser : ainsi,
rasez-moi, ou vous retirez, que je fasse venir un autre
barbier.

« — Seigneur, me répondit-il avec un flegme à me
faire perdre patience, quel sujet avez-vous de vous mettre
en colère ? Savez-vous bien que tous les barbiers ne me
ressemblent pas, et que vous n'en trouveriez pas un
pareil quand vous le feriez faire exprès ? Vous n'avez
demandé qu'un barbier, et vous avez en ma personne le
meilleur barbier de Bagdad, un médecin expérimenté,
un chimiste très profond, un astrologue qui ne se trompe
point, un grammairien achevé, un parfait rhétoricien,
un logicien subtil, un mathématicien accompli dans la

* Cette année 653 est une de l'hégire, époque commune à tous les
Mahométans, et elle répond à l'an 1255, depuis la naissance de J.-C.
On peut conjecturer de là que ces contes ont été composés en arabe
vers ce temps-là.
** Pour ce qui est de l'an 7320, l'auteur s'est trompé dans cette
supputation. L'an 653 de l'hégire et 1255 de J.-C. ne tombe qu'en
l'an 1557 de l'Aere ou époque des Séleucides, qui est la même que
celle d'Alexandre le Grand, qui est ici appelé Iskender aux deux
cornes, selon l'expression des Arabes.

géométrie, dans l'arithmétique, dans l'astronomie et dans tous les raffinements de l'algèbre; un historien qui sait l'histoire de tous les royaumes de l'univers. Outre cela, je possède toutes les parties de la philosophie; j'ai dans ma mémoire toutes nos lois et toutes nos traditions. Je suis poète, architecte : mais que ne suis-je pas ? Il n'y a rien de caché pour moi dans la nature. Feu monsieur votre père, à qui je rends un tribut de mes larmes toutes les fois que je pense à lui, était bien persuadé de mon mérite : il me chérissait, me caressait, et ne cessait de me citer, dans toutes les compagnies où il se trouvait, comme le premier homme du monde. Je veux, par reconnaissance et par amitié pour lui, m'attacher à vous, vous prendre sous ma protection, et vous garantir de tous les malheurs dont les astres pourront vous menacer. »

« A ce discours, malgré ma colère, je ne pus m'empêcher de rire. « Aurez-vous donc bientôt achevé, babillard importun, m'écriai-je, et voulez-vous commencer à me raser ? »

En cet endroit, Scheherazade cessa de poursuivre l'histoire du boiteux de Bagdad, parce qu'elle aperçut le jour; mais la nuit suivante elle en reprit ainsi la suite :

CLXIIᵉ NUIT

Le jeune boiteux, continuant son histoire :

« Seigneur, me répliqua le barbier, vous me faites une injure en m'appelant babillard : tout le monde au contraire me donne l'honorable titre de silencieux. J'avais six frères, que vous auriez pu, avec raison, appeler babillards, et, afin que vous les connaissiez, l'aîné se nommait Bacbouc, le second Bakbarah, le troisième Bakbac, le quatrième Alcouz, le cinquième Alnaschar, et le sixième Schacabac. C'étaient des discoureurs importuns; mais moi, qui suis leur cadet, je suis grave et concis dans mes discours. »

« De grâce, Messeigneurs, mettez-vous à ma place : quel parti pouvais-je prendre en me voyant si cruellement assassiné ? « Donnez-lui trois pièces d'or, dis-je à celui de mes esclaves qui faisait la dépense de ma maison, qu'il s'en aille et me laisse en repos : je ne veux plus me faire raser aujourd'hui. — Seigneur, me dit alors le barbier, qu'entendez-vous, s'il vous plaît, par ce discours ?

Ce n'est pas moi qui suis venu vous chercher; c'est vous qui m'avez fait venir, et, cela étant ainsi, je jure foi de musulman que je ne sortirai point de chez vous que je ne vous aie rasé. Si vous ne connaissez pas ce que je vaux, ce n'est pas ma faute. Feu monsieur votre père me rendait plus de justice : toutes les fois qu'il m'envoyait quérir pour lui tirer du sang, il me faisait asseoir auprès de lui; et alors c'était un charme d'entendre les belles choses dont je l'entretenais. Je le tenais dans une admiration continuelle; je l'enlevais, et, quand j'avais achevé : « Ah! s'écriait-il, vous êtes une source inépuisable de science! Personne n'approche de la profondeur de votre savoir! — Mon cher seigneur, lui répondais-je, vous me faites plus d'honneur que je ne mérite. Si je dis quelque chose de beau, j'en suis redevable à l'audience favorable que vous avez la bonté de me donner : ce sont vos libéralités qui m'inspirent toutes ces pensées sublimes qui ont le bonheur de vous plaire. » Un jour qu'il était charmé d'un discours admirable que je venais de lui faire : « Qu'on lui donne, dit-il, cent pièces d'or, et qu'on le revête d'une de mes plus riches robes. » Je reçus ce présent sur-le-champ : aussitôt je tirai son horoscope, et je le trouvai le plus heureux du monde. Je poussai même encore plus loin la reconnaissance, car je lui tirai du sang avec les ventouses. »

« Il n'en demeura pas là; il enfila un autre discours qui dura une grosse demi-heure. Fatigué de l'entendre, et chagrin de voir que le temps s'écoulait sans que j'en fusse plus avancé, je ne savais plus que lui dire. « Non, m'écriai-je, il n'est pas possible qu'il y ait au monde un autre homme qui se fasse comme vous un plaisir de faire enrager les gens... »

La clarté du jour qui se faisait voir dans l'appartement de Schahriar obligea Scheherazade à s'arrêter en cet endroit. Le lendemain elle continua son récit de cette manière :

CLXIIIᵉ NUIT

« Je crus, dit le jeune boiteux de Bagdad, que je réussirais mieux en prenant le barbier par la douceur. « Au nom de Dieu, lui dis-je, laissez là tous vos beaux discours et m'expédiez promptement : une affaire de la dernière importance m'appelle hors de chez moi, comme je vous l'ai déjà dit. » A ces mots, il se mit à rire. « Ce serait une chose bien louable, dit-il, si notre esprit demeurait toujours dans la même situation, si nous étions toujours sages et prudents : je veux croire néanmoins que, si vous vous êtes mis en colère contre moi, c'est votre maladie qui a causé ce changement dans votre humeur ; c'est pourquoi vous avez besoin de quelques instructions, et vous ne pouvez mieux faire que de suivre l'exemple de votre père et de votre aïeul : ils venaient me consulter dans toutes leurs affaires ; et je puis dire, sans vanité, qu'ils se louaient fort de mes conseils. Voyez-vous, Seigneur, on ne réussit presque jamais dans ce qu'on entreprend, si l'on n'a recours aux avis des personnes éclairées. On ne devient point habile homme, dit le proverbe, qu'on ne prenne conseil d'un habile homme. Je vous suis tout acquis, et vous n'avez qu'à me commander. — Je ne puis donc gagner sur vous, interrompis-je, que vous abandonniez tous ces longs discours qui n'aboutissent à rien qu'à me rompre la tête et qu'à empêcher de me trouver où j'ai affaire ? Rasez-moi donc, ou retirez-vous. » En disant cela, je me levai de dépit en frappant du pied contre terre.

« Quand il vit que j'étais fâché tout de bon : « Seigneur, me dit-il, ne vous fâchez pas ; nous allons commencer. Effectivement, il me lava la tête et se mit à me raser ; mais il ne m'eut pas donné quatre coups de rasoir qu'il s'arrêta pour me dire : « Seigneur, vous êtes prompt ; vous devriez vous abstenir de ces emportements qui ne viennent que du démon. Je mérite d'ailleurs que vous ayez de la considération pour moi, à cause de mon âge, de ma science et des mes vertus éclatantes...

« — Continuez de me raser, lui dis-je en l'interrompant encore, et ne parlez plus. — C'est-à-dire, reprit-il, que vous avez quelque affaire qui vous presse ; je vais parier que je ne me trompe pas. — Hé ! il y a deux heures, lui repartis-je, que je vous le dis ; vous devriez déjà m'avoir rasé. — Modérez votre ardeur, répliqua-t-il ; vous n'avez peut-être pas bien pensé à ce que vous allez faire : quand on fait les choses avec précipitation, on s'en repent presque toujours. Je voudrais que vous me dissiez quelle est cette affaire qui vous presse si fort, je vous en dirais mon sentiment. Vous avez du temps de reste, puisque l'on ne vous attend qu'à midi et qu'il ne sera midi que dans trois heures. — Je ne m'arrête point à cela, lui dis-je : les gens d'honneur et de parole pré-

viennent le temps qu'on leur a donné ; mais je ne m'aperçois pas qu'en m'amusant à raisonner avec vous je tombe
dans les défauts des barbiers babillards : achevez vite
de me raser. »

« Plus je témoignais d'empressement, et moins il en
avait à m'obéir. Il quitta son rasoir pour prendre son
astrolabe ; puis, laissant son astrolabe, il reprit son
rasoir... »

Scheherazade, voyant paraître le jour, garda le silence.
La nuit suivante, elle poursuivit ainsi l'histoire commencée :

CLXIV^e NUIT

« Le barbier, continua le jeune boiteux, quitta encore
son rasoir, prit une seconde fois son astrolabe, et me
laissa à demi rasé pour aller voir quelle heure il était
précisément. Il revint. « Seigneur, me dit-il, je savais
bien que je ne me trompais pas ; il y a encore trois heures
jusqu'à midi, j'en suis assuré, ou toutes les règles de
l'astronomie sont fausses. — Juste Ciel ! m'écriai-je, ma
patience est à bout ; je n'y puis plus tenir. Maudit barbier, barbier de malheur, peu s'en faut que je ne me
jette sur toi et que je ne t'étrangle ! — Doucement, Monsieur, me dit-il d'un air froid, sans s'émouvoir de mon
emportement, vous ne craignez pas de retomber malade ?
Ne vous emportez pas, vous allez être servi dans un
moment. » En disant ces paroles, il remit son astrolabe
dans sa trousse, reprit son rasoir, qu'il repassa sur le cuir
qu'il avait attaché à sa ceinture, et recommença de me
raser ; mais, en me rasant, il ne put s'empêcher de parler. « Si vous vouliez, Seigneur, me dit-il, m'apprendre
quelle est cette affaire que vous avez à midi, je vous donnerais quelque conseil dont vous pourriez vous trouver
bien. » Pour le contenter, je lui dis que des amis m'attendaient à midi pour me régaler et se réjouir avec moi du
retour de ma santé.

« Quand le barbier entendit parler de régal : « Dieu
vous bénisse en ce jour comme en tous les autres ! s'écria-
t-il. Vous me faites souvenir que j'invitai hier quatre ou
cinq amis à venir manger aujourd'hui chez moi ; je
l'avais oublié, et je n'ai encore fait aucun préparatif. —
Que cela ne vous embarrasse pas, lui dis-je : quoique
j'aille manger dehors, mon garde-manger ne laisse pas

d'être toujours bien garni ; je vous fais présent de tout ce qui s'y trouvera ; je vous ferai même donner du vin tant que vous en voudrez, car j'en ai d'excellent dans ma cave ; mais il faut que vous acheviez promptement de me raser ; et souvenez-vous qu'au lieu que mon père vous faisait des présents pour vous entendre parler, je vous en fais, moi, pour vous faire taire. »

« Il ne se contenta pas de la parole que je lui donnais. « Dieu vous récompense, s'écria-t-il, de la grâce que vous me faites ; mais montrez-moi tout à l'heure ces provisions, afin que je vois s'il y aura de quoi bien régaler mes amis : je veux qu'ils soient contents de la bonne chère que je leur ferai. — J'ai, lui dis-je, un agneau, six chapons, une douzaine de poulets, de quoi faire quatre entrées. » Je donnai ordre à un esclave d'apporter tout cela sur-le-champ avec quatre grandes cruches de vin. « Voilà qui est bien, reprit le barbier ; mais il faudrait des fruits et de quoi assaisonner la viande. » Je lui fis encore donner ce qu'il demandait. Il cessa de me raser pour examiner chaque chose l'une après l'autre ; et, comme cet examen dura près d'une demi-heure, je pestais, j'enrageais ; mais j'avais beau pester et enrager, le bourreau ne s'en pressait pas davantage. Il reprit pourtant le rasoir, et me rasa quelques moments ; puis, s'arrêtant tout à coup : « Je n'aurais jamais cru, Seigneur, me dit-il, que vous fussiez libéral ; je commence à connaître que feu monsieur votre père revit en vous. Certes je ne méritais pas les grâces dont vous me comblez, et je vous assure que j'en conserverai une éternelle reconnaissance. Car, Seigneur, afin que vous le sachiez, je n'ai rien que ce qui me vient de la générosité des honnêtes gens comme vous : en quoi je ressemble à Zantout, qui frotte le monde au bain ; à Sali, qui vend des pois chiches grillés par les rues ; à Salouz, qui vend des fèves ; à Akerscha, qui vend des herbes ; à Abou-Mekarès, qui arrose les rues pour abattre la poussière ; et à Cassem, de la garde du calife : tous ces gens-là n'engendrent point de mélancolie ; ils ne sont ni fâcheux ni querelleurs ; plus contents de leur sort que le calife au milieu de toute sa cour, ils sont toujours gais, prêts à chanter et à danser, et ils ont chacun leur chanson et leur danse particulière, dont ils divertissent toute la ville de Bagdad ; mais ce que j'estime le plus en eux, c'est qu'il ne sont pas grands parleurs, non plus que votre esclave qui a l'honneur de vous parler. Tenez, Seigneur, voici la chanson et la danse de Zantout qui frotte le monde au bain ; regardez-moi, et voyez si je sais bien l'imiter... »

Scheherazade n'en dit pas davantage, parce qu'elle remarqua qu'il était jour. Le lendemain elle poursuivit sa narration dans ces termes :

CLXVe NUIT

« Le barbier chanta la chanson et dansa la danse de Zantout, continua le jeune boiteux ; et, quoi que je pusse dire pour l'obliger à finir ses bouffonneries, il ne cessa pas qu'il n'eût contrefait de même tous ceux qu'il avait nommés. Après cela, s'adressant à moi : « Seigneur, me dit-il, je vais faire venir chez moi tous ces honnêtes gens ; si vous m'en croyez, vous serez des nôtres, et vous laisserez là vos amis, qui sont peut-être de grands parleurs, qui ne feront que vous étourdir par leurs ennuyeux discours et vous feront retomber dans une maladie pire que celle dont vous sortez ; au lieu que chez moi vous n'aurez que du plaisir. »

« Malgré ma colère, je ne pus m'empêcher de rire de ses folies. « Je voudrais, lui dis-je, n'avoir pas affaire, j'accepterais la proposition que vous me faites ; j'irais de bon cœur me réjouir avec vous ; mais je vous prie de m'en dispenser, je suis trop engagé aujourd'hui : je serai plus libre un autre jour, et nous ferons cette partie. Achevez de me raser et hâtez-vous de vous en retourner ; vos amis sont déjà peut-être dans votre maison. — Seigneur, reprit-il, ne me refusez pas la grâce que je vous demande. Venez vous réjouir avec la bonne compagnie que je dois avoir. Si vous vous étiez trouvé une fois avec ces gens-là, vous en seriez si content que vous renonceriez pour eux à vos amis. — Ne parlons plus de cela, lui répondis-je ; je ne puis être de votre festin. »

« Je ne gagnai rien par la douceur. « Puisque vous ne voulez pas venir chez moi, répliqua le barbier, il faut donc que vous trouviez bon que j'aille avec vous. Je vais porter chez moi ce que vous m'avez donné ; mes amis mangeront, si bon leur semble, je reviendrai aussitôt. Je ne veux pas commettre l'incivilité de vous laisser aller seul, vous méritez bien que j'aie pour vous cette complaisance. — Ciel ! m'écriai-je alors, je ne pourrai donc pas me délivrer aujourd'hui d'un homme si fâcheux !

Au nom du grand Dieu vivant, lui dis-je, finissez vos discours importuns ! Allez trouver vos amis : buvez, mangez, réjouissez-vous, et laissez-moi la liberté d'aller avec les miens. Je veux partir seul, je n'ai pas besoin que personne m'accompagne. Aussi bien, il faut que je vous l'avoue, le lieu où je vais n'est pas un lieu où vous puissiez être reçu ; on n'y veut que moi. — Vous vous moquez, Seigneur, repartit-il : si vos amis vous ont convié à un festin, quelle raison peut vous empêcher de me permettre de vous accompagner ? Vous leur ferez plaisir, j'en suis sûr, de leur mener un homme qui a comme moi le mot pour rire et qui sait divertir agréablement une compagnie. Quoi que vous me puissiez dire, la chose est résolue, je vous accompagnerai malgré vous. »

« Ces paroles, Messeigneurs, me jetèrent dans un grand embarras. « Comment me déferai-je de ce maudit barbier ? disais-je en moi-même. Si je m'obstine à le contredire, nous ne finirons point notre contestation. » D'ailleurs, j'entendais qu'on appelait déjà pour la première fois à la prière de midi et qu'il était temps de partir : ainsi je pris le parti de ne dire mot et de faire semblant de consentir qu'il vînt avec moi. Alors il acheva de me raser ; et, cela étant fait, je lui dis : « Prenez quelques-uns de mes gens pour emporter avec vous ces provisions, et revenez, je vous attends ; je ne partirai pas sans vous. »

« Il sortit enfin, et j'achevai promptement de m'habiller. J'entendis appeler à la prière pour la dernière fois : je me hâtai de me mettre en chemin ; mais le malicieux barbier, qui avait jugé de mon intention, s'était contenté d'aller avec mes gens jusqu'à la vue de sa maison et de les voir entrer chez lui. Il s'était caché à un coin de rue pour m'observer et me suivre. En effet, quand je fus arrivé à la porte du cadi, je me retournai et l'aperçus à l'entrée de la rue : j'en eus un chagrin mortel.

« La porte du cadi était à demi ouverte, et, en entrant, je vis la vieille dame qui m'attendait et qui, après avoir fermé la porte, me conduisit à la chambre de la jeune dame dont j'étais amoureux ; mais à peine commençais-je à l'entretenir que nous entendîmes du bruit dans la rue. La jeune dame mit la tête à la fenêtre et vit, au travers de la jalousie, que c'était le cadi son père qui revenait déjà de la prière. Je regardai aussi en même temps, et j'aperçus le barbier assis vis-à-vis, au même endroit d'où j'avais vu la jeune dame.

« J'eus alors deux sujets de crainte, l'arrivée du cadi et la présence du barbier. La jeune dame me rassura sur le premier, en me disant que son père ne montait à sa chambre que très rarement, et que, comme elle avait prévu que ce contretemps pourrait arriver, elle avait songé au moyen de me faire sortir sûrement ; mais l'indiscrétion du malheureux barbier me causait une grande inquiétude, et vous allez voir que cette inquiétude n'était pas sans fondement.

« Dès que le cadi fut rentré chez lui, il donna lui-même la bastonnade à un esclave qui l'avait méritée. L'esclave poussait de grands cris qu'on entendait de la rue. Le barbier crut que c'était moi qui criais et qu'on maltraitait. Prévenu de cette pensée, il fait des cris épouvantables, déchire ses habits, jette de la poussière sur sa tête, appelle au secours tout le voisinage, qui vient à lui aussitôt. On lui demande ce qu'il a, et quel secours on peut lui donner. « Hélas ! s'écrie-t-il, on assassine mon maître, mon cher patron ! » Et, sans rien dire davantage, il court jusque chez moi, en criant toujours de même, et revient suivi . de tous mes domestiques armés de bâtons. Ils frappent avec une fureur qui n'est pas concevable à la porte du cadi, qui envoya un esclave pour voir ce que c'était ; mais l'esclave, tout effrayé, retourne vers son maître : « Seigneur, dit-il, plus de dix mille hommes veulent entrer chez vous par la force, et commencent à enfoncer la porte. »

Le cadi courut aussitôt lui-même, ouvrit la porte, et demanda ce qu'on lui voulait. Sa présence vénérable ne put inspirer du respect à mes gens, qui lui dirent insolemment : « Maudit cadi, chien de cadi, quel sujet avez-vous d'assassiner notre maître ? Que vous a-t-il fait ? — Bonnes gens, leur répondit le cadi, pourquoi aurais-je assassiné votre maître, que je ne connais pas et qui ne m'a point offensé ? Voilà ma maison ouverte : entrez, voyez, cherchez. — Vous lui avez donné la bastonnade, dit le barbier ; j'ai entendu ses cris il n'y a qu'un moment. — Mais encore, répliqua le cadi, quelle offense m'a pu faire votre maître pour m'avoir obligé à le maltraiter comme vous le dites ? Est-ce qu'il est dans ma maison ? Et, s'il y est, comment y est-il entré, ou qui peut l'y avoir introduit ? — Vous ne m'en ferez point accroire avec votre grande barbe, méchant cadi, repartit le barbier ; je sais bien ce que je dis. Votre fille aime notre maître, et lui a donné rendez-vous dans votre maison pendant la

prière de midi ; vous en avez sans doute été averti ; vous
êtes revenu chez vous, vous l'y avez surpris et lui avez
fait donner la bastonnade par vos esclaves ; mais vous
n'aurez pas fait cette méchante action impunément : le
calife en sera informé, et en fera bonne et briève justice.
Laissez-le sortir et nous le rendez tout à l'heure, sinon
nous allons entrer et vous l'arracher à votre honte. — Il
n'est pas besoin de tant parler, reprit le cadi, ni de faire
un si grand éclat : si ce que vous dites est vrai, vous
n'avez qu'à entrer et qu'à le chercher, je vous en donne
la permission. » Le cadi n'eut pas achevé ces mots que le
barbier et mes gens se jetèrent dans la maison comme des
furieux et se mirent à me chercher partout... »

Scheherazade, en cet endroit, ayant aperçu le jour,
cessa de parler. Schahriar se leva en riant du zèle indiscret du barbier, et fort curieux de savoir ce qui s'était
passé dans la maison du cadi, et par quel accident le
jeune homme pouvait être devenu boiteux. La sultane
satisfit sa curiosité le lendemain, et reprit la parole dans
ces termes :

CLXVIᵉ NUIT

Le tailleur continua de raconter au sultan de Casgar
l'histoire qu'il avait commencée.
« Sire, dit-il, le jeune boiteux poursuivit ainsi : « Comme
j'avais entendu tout ce que le barbier avait dit au cadi,
je cherchai un endroit pour me cacher. Je n'en trouvai
point d'autre qu'un grand coffre vide, où je me jetai et
que je fermai sur moi. Le barbier, après avoir fureté
partout, ne manqua pas de venir dans la chambre où
j'étais. Il s'approcha du coffre, l'ouvrit, et, dès qu'il m'eut
aperçu, le prit, le chargea sur sa tête et l'emporta ; il
descendit d'un escalier assez haut dans une cour qu'il
traversa promptement, et enfin il gagna la porte de la
rue. Pendant qu'il me portait, le coffre vint à s'ouvrir
par malheur ; et alors, ne pouvant souffrir la honte
d'être exposé aux regards et aux huées de la populace
qui nous suivait, je me lançai dans la rue avec tant de
précipitation que je me blessai à la jambe, de manière
que je suis demeuré boiteux depuis ce temps-là. Je ne
sentis pas d'abord tout mon mal, et ne laissai pas de me
relever pour me dérober à la risée du peuple par une
prompte fuite. Je lui jetai même des poignées d'or et

d'argent dont ma bourse était pleine, et, tandis qu'il s'occupait à les ramasser, je m'échappai en enfilant des rues détournées. Mais le maudit barbier, profitant de la ruse dont je m'étais servi pour me débarrasser de la foule, me suivit sans me perdre de vue, en me criant de toute sa force : « Arrêtez, Seigneur ; pourquoi courez-vous si vite ? Si vous saviez combien j'ai été affligé du mauvais traitement que le cadi vous a fait, à vous qui êtes si généreux et à qui nous avons tant d'obligations, mes amis et moi ! Ne vous l'avais-je pas bien dit, que vous exposiez votre vie par votre obstination à ne vouloir pas que je vous accompagnasse ? Voilà ce qui vous est arrivé par votre faute, et, si de mon côté je ne m'étais pas obstiné à vous suivre pour voir où vous alliez, que seriez-vous devenu ? Où allez-vous donc, Seigneur ? Attendez-moi. »

« C'est ainsi que le malheureux barbier parlait tout haut dans la rue. Il ne se contentait pas d'avoir causé un si grand scandale dans le quartier du cadi, il voulait encore que toute la ville en eût connaissance. Dans la rage où j'étais, j'avais envie de l'attendre pour l'étrangler ; mais je n'aurais fait par là que rendre ma confusion plus éclatante. Je pris un autre parti : comme je m'aperçus que sa voix me livrait en spectacle à une infinité de gens qui paraissaient aux portes ou aux fenêtres, ou qui s'arrêtaient dans les rues pour me regarder, j'entrai dans un khan dont le concierge m'était connu. Je le trouvai à la porte, où le bruit l'avait attiré. « Au nom de Dieu, lui dis-je, faites-moi la grâce d'empêcher que ce curieux n'entre ici après moi. » Il me le promit, et me tint parole ; mais ce ne fut pas sans peine, car l'obstiné barbier voulait entrer malgré lui et ne se retira qu'après lui avoir dit mille injures, et, jusqu'à ce qu'il fût rentré dans sa maison, il ne cessa d'exagérer à tous ceux qu'il rencontrait le grand service qu'il prétendait m'avoir rendu.

« Voilà comme je me délivrai d'un homme si fatigant. Après cela, le concierge me pria de lui apprendre mon aventure. Je la lui racontai. Ensuite je le priai à mon tour de me prêter un appartement jusqu'à ce que je fusse guéri. « Seigneur, me dit-il, ne seriez-vous pas plus commodément chez vous ? — Je ne veux point y retourner, lui répondis-je : ce détestable barbier ne manquerait pas de m'y venir trouver ; j'en serais tous les jours obsédé, et je mourrais à la fin de chagrin de l'avoir incessamment devant les yeux. D'ailleurs, après ce qui m'est arrivé aujourd'hui, je ne puis me résoudre à demeurer davantage en cette ville. Je prétends aller où ma mauvaise fortune me voudra conduire. » Effectivement, dès que je fus guéri, je pris tout l'argent dont je crus avoir besoin pour voyager, et le reste de mon bien, j'en fis une donation à mes parents.

« Je partis donc de Bagdad, Messeigneurs, et je suis venu jusqu'ici. J'avais lieu d'espérer que je ne rencontrerais point ce pernicieux barbier dans un pays si éloigné du mien; et cependant je le trouve parmi vous. Ne soyez donc pas surpris de l'empressement que j'ai à me retirer. Vous jugez bien de la peine que me doit faire la vue d'un homme qui est cause que je suis boiteux et réduit à la triste nécessité de vivre éloigné de mes parents, de mes amis et de ma patrie. »

« En achevant ces paroles, le jeune boiteux se leva et sortit. Le maître de la maison le conduisit jusqu'à la porte, en lui témoignant le déplaisir qu'il avait de lui avoir donné, quoique innocemment, un si grand sujet de mortification.

« Quand le jeune homme fut parti, continua le tailleur, nous demeurâmes tous fort étonnés de son histoire. Nous jetâmes les yeux sur le barbier, et dîmes qu'il avait tort, si ce que nous venions d'entendre était véritable. « Messieurs, nous répondit-il en levant la tête, qu'il avait toujours tenue baissée jusqu'alors, le silence que j'ai gardé pendant que ce jeune homme vous a entretenus vous doit être un témoignage qu'il ne vous a rien avancé dont je ne demeure d'accord. Mais, quoi qu'il vous ait pu dire, je soutiens que j'ai dû faire ce que j'ai fait, je vous en rends juges vous-mêmes. Ne s'était-il pas jeté dans le péril, et, sans mon secours, en serait-il sorti si heureusement ? Il est trop heureux d'en être quitte pour une jambe incommodée. Ne me suis-je pas exposé à un plus grand danger pour le tirer d'une maison où je m'imaginais qu'on le maltraitait ? A-t-il raison de se plaindre de moi et de me dire des injures si atroces ? Voilà ce que l'on gagne à servir des gens ingrats. Il m'accuse d'être un babillard; c'est une pure calomnie : de sept frères que nous étions, je suis celui qui parle le moins et qui ai le plus d'esprit en partage. Pour vous en faire convenir, Messeigneurs, je n'ai qu'à vous conter mon histoire et la leur. Honorez-moi, je vous prie, de votre attention. »

TABLE DES MATIÈRES

PUBLICATIONS NOUVELLES

ANSELME DE CANTORBERY
Proslogion (717).

ARISTOTE
De l'âme (711).

ASTURIAS
Une certaine mulâtresse (676).

BALZAC
Un début dans la vie (613). Le Colonel Chabert (734). La Recherche de l'absolu (755). Le Cousin Pons (779). La Rabouilleuse (821). César Birotteau (854).

BARBEY D'AUREVILLY
Un prêtre marié (740).

BICHAT
Recherches physiologiques sur la vie et la mort (808).

CALDERON
La Vie est un songe (693).

CHRÉTIEN DE TROYES
Le Chevalier au lion (569). Lancelot ou le chevalier à la charrette (556).

CONDORCET
Cinq mémoires sur l'instruction publique (783).

CONFUCIUS
Entretiens (799).

CONRAD
Typhon (796).

CREBILLON
La Nuit et le moment (736). Le Sopha (846).

DA PONTE
Don Juan (939). Les Noces de Figaro (941). Cosi fan tutte (942).

DANTE
L'Enfer (725). Le Purgatoire (724). Le Paradis (726).

DARWIN
L'Origine des espèces (685).

DOSTOÏEVSKI
L'Eternel Mari (610). Notes d'un souterrain (683). Le Joueur (866).

DUMAS
Les Bords du Rhin (592). La Reine Margot (798). La Dame de Monsoreau (850 et 851).

ESOPE
Fables (721).

FITZGERALD
Absolution. Premier mai. Retour à Babylone (695).

GENEVOIX
Rémi des Rauches (745).

GRADUS PHILOSOPHIQUE (773).

HAWTHORNE
Le Manteau de Lady Eléonore et autres contes (681). La maison aux sept pignons (585).

HUGO
Les Contemplations (843)

HUME
Les Passions. Traité sur la nature humaine, livre II - Dissertation sur les passions (557). La Morale. Traité de la nature humaine, livre III (702). L'Entendement. Traité de la nature humaine, livre I et appendice (701).

IBSEN
Une maison de poupée (792). Peer Gynt (805).

JEAN DE LA CROIX
Poésies (719).

JOYCE
Gens de Dublin (709).

KAFKA
Dans la colonie pénitentiaire et autres nouvelles (564). Un Jeûneur (730).

KANT
Vers la paix perpétuelle. Que signifie s'orienter dans la pensée. Qu'est-ce que les Lumières ? (573). Anthropologie (665). Métaphysique des mœurs (715 et 716). Théorie et pratique (689).

KIPLING
Le Premier Livre de la jungle (747). Le Second Livre de la jungle (748).

LA FONTAINE
Fables (781).

LAMARCK
Philosophie zoologique (707).

LEIBNIZ
Système de la nature et de la communication des substances (774).

LOCKE
Lettre sur la tolérance et autres textes (686).

LOPE DE VEGA
Fuente Ovejuna (698).

MALEBRANCHE
Traité de morale (837).

MARIVAUX
Les Acteurs de bonne foi. La Dispute. L'Épreuve (166). La Fausse Suivante. L'École des mères. La Mère confidente (612).

MAUPASSANT
Notre cœur (650). Boule de suif (584). Pierre et Jean (627). Bel-Ami (737). Une vie (738).

MUSSET
Confession d'un enfant du siècle (769).

NERVAL
Les Chimères - Les Filles du feu (782).

NIETZSCHE
Le Livre du philosophe (660). Ecce homo – Nietzsche contre Wagner (572). L'Antéchrist (753).

PASTEUR
Écrits scientifiques et médicaux (825).

PIRANDELLO
Ce soir on improvise - Chacun son idée - Six personnages en quête d'auteur (744). Feu Mattia Pascal (735).

PLATON
Ménon (491). Phédon (489). Timée-Critias (618). Sophiste (687). Théétète (493). Parménide (688). Platon par lui-même (785).

PLAUTE
Théâtre (600).

PLUTARQUE
Vies parallèles, I (820).

QUESNAY
Physiocratie (655).

RABELAIS
Gargantua (751). Pantagruel (752). Tiers Livre (767). Quart Livre (766).

RILKE
Lettres à un jeune poète (787).

RICARDO
Des principes de l'économie politique et de l'impôt (663).

ROUSSEAU
Essai sur l'origine des langues et autres textes sur la musique (682).

SHAKESPEARE
Henry V (658). La Tempête (668). Beaucoup de bruit pour rien (670). Roméo et Juliette (669). La Mégère apprivoisée (743). Macbeth (771). La Nuit des rois (756). Hamlet (762).

STEVENSON
L'Île au Trésor (593). Voyage avec un âne dans les Cévennes (601). Le Creux de la vague (679). Le Cas étrange du Dr Jekyll et M. Hyde (625).

STRINDBERG
Tschandala (575). Au bord de la vaste mer (677).

TCHEKHOV
La Steppe (714). Oncle Vania - Trois sœurs (807).

TÉRENCE
Théâtre (609).

THOMAS D'AQUIN
Contre Averroès (713).

TITE-LIVE
La Seconde Guerre Punique I (746). La Seconde Guerre Punique II (940).

TOLSTOÏ
Maître et serviteur (606).

TWAIN
Huckleberry Finn (700).

VICO
De l'antique sagesse de l'Italie (742).

VILLIERS DE L'ISLE-ADAM
L'Ève future (704).

VILLON
Poésies (741).

VOLTAIRE
Candide, Zadig, Micromégas (811).

WAGNER
La Walkyrie (816). L'Or du Rhin (817). Le Crépuscule des dieux (823). Siegfried (824).

WHARTON
Vieux New-York (614). Fièvre romaine (818).

WILDE
Salomé (649).

Vous trouverez chez votre libraire le catalogue complet des livres de poche GF-Flammarion et Champs-Flammarion.

GF – TEXTE INTÉGRAL – GF

96/02/52092-II-1996 – Impr. MAURY Eurolivres SA, 45300 Manchecourt.
N° d'édition FG006620. – 3ᵉ trimestre 1965. – Printed in France.